KB075754

실전
매수매도
기법

실전 매수매도 기법

100만 원으로 시작해
100억대 수익을 올린
슈퍼개미 데이짱의

김영옥(데이짱) 지음

이레미디어

들어가는 글

이 책은 매수와 매도 두 관점에서 데이짱이 지금껏 시장에서 살아남은 기법을 전하고자 엮게 되었다. 첫 책《실전 공매도》는 국내 최초로 공매를 다룬 책으로 이름을 알렸는데, 많은 독자가 매매의 시야를 넓히게 되었다며 칭찬해주셨다. 사실 첫 번째 책에도 훌륭한 매수 기법이 들어가 있다. 그러나 공매도에 조금 더 포커스가 맞춰져 있던 탓에 두 번째 책에는 매수와 매도 두 가지를 한꺼번에 다루고자 했다.

이번 책에서는 처음 공개하지 않았던 기법을 포함해서 훨씬 더 많은 매매법을 실었다. 차트는 가장 최신의 차트이며, 직접 매매한 종목 위주로 설명했다. 설명의 방식 또한 책을 읽어도 강의를 듣는 듯 투자자의 이해를 돕기 위해 나름 애를 써 기술했다. 모쪼록 많은 사람이 이 책을 읽고 자신의 매매에 영감을 받길 바라는 마음이다.

누구나 처음은 있다. 필자도 어렵게 시작했다. 시작은 쉽지만 누구에게 배우느냐는 다른 문제다. 조금 더 편안하게 목적지에 도착하느냐 혹은 어려운 험로를 따라가느냐의 방법이 다를 수 있다. 그러나 결국 똑같이 목적지에 도달할 수 있다.

그런데 주식시장은 다르다. 이제 막 투자에 감을 익히고 본격적으로 트레이딩을 하고 싶은 사람이라면 험로보다 편한 길이 낫다. 물론 어려움을 겪으며 배운다면 말 그대로 배움은 클 것이다. 그러나 그 대가로 엄청난 수업료를 지불해야 할지도 모른다. 많은 사람이 시장에서 큰 어려움을 겪게 되면 십중팔구 퇴출되기 때문이다. 큰돈을 잃어서일 수도 있고, 자신만의 어려움을 돌파하기 어려운 탓일 수도 있다. 그래서 배워야 한다. 그렇다면 투자자에게 목적지는 어디일까. 사람마다 다르겠지만 꾸준히 수익을 내어 경제적 자유를 이루는 것이 보편적이다. 자의든 타의든 시장에서 퇴출되지 않고 끝까지 노력하여 돈을 버는 방법을 '벤치마킹'하자. 그 노하우를 이 책에 최선을 다해 담았다.

혹자는 이야기한다. '그렇게 훌륭한 돈 버는 기법이라면, 혼자만 벌지 왜 다른 사람에게 알리는가?'라고 말이다. 하루에도 주식투자에 대해 알려달라는 전화가 수십 통씩 온다. 모두가 그런 것은 아니지만 그래도 그러한 사람들은 일단 배우고자 하는 열정은 있다. 데이짱은 지금껏 수많은 사람을 가르쳐봤다. 데이짱이 가르친 사람들 중에는 성공적인 트레이더가 된 사람도 있는 반면, 소리소문 없이 떠나간 사람도 있다. 도대체 왜 그럴까?

아무리 수익 내는 기법을 알려줘도 실제로 데이짱의 기법을 완벽하게 '벤치마킹'하려는 사람이 적기 때문이다. 처음에 매매를 배우더라도 결국 자신만의 생각으로 매매하기 일쑤이며 근거와 실력도 없이 매매 원칙을 지키지 않는다. 계속되는 뇌동매매에 자신의 감정을 제어하지 못하기도 하며, 욕심과 탐욕으로 원칙을 어기고 매수, 매도한다. 수십 년 동안 실전에서 깨지며 온몸으로 매매를 체득한 데이짱도 원칙을 어기는 순간 시장에 굴복할 수 있다. 주식시장은 결코 만만한 곳이 아닌데 어째서 치열한 연습도 없이 의심만 하고, 노력도 없이 자만하는가.

이 책에 담긴 매수와 매도 기법만으로도 얼마든지 훌륭한 매매를 할 수 있다. 여기에 공매도 기법까지 더하면 당신이 보는 매매 인사이트를 넓게 확장해줄 것이다. 단, 오만하지 않고 필자를 벤치마킹하려 노력하자. 연속되는 실패 속에서도 성공의 횟수를 늘려가는 것이 중요하다. 절대 첫술에 배부를 수 없다. 그렇게 소액으로 연습하며 실력을 쌓자. 자신이 감당할 수 있는 리스크를 조금씩 키우며 그릇을 키우자. 그러다 보면 나도 모르게 훌륭한 트레이더가 되어 있을 가능성이 아주 크다.

데이짱은 20년이 넘게 매매하며 시장에서 살아남았다. 데이짱보다 더 매매를 잘하는 트레이더도 있고, 훨씬 유망한 젊은 투자자들도 많이 있었고 지금도 존재한다. 그러나 오랜 시간 시장에서 끝까지 살아남아 스스로 증명할 수 있는 사람은 많이 없다. 만약 필자가 실력이 없었다면 벌써 시장을 떠났음이 자명하다. 이렇게 책으로 매매 노하우를 다른 투자자에게 전하는 것은 큰 기쁨이다. 첫 책의 머리말에서 밝혔듯이 여러분은 데이짱처럼 힘들게 정상에 오르지 않으면 좋겠다. 이 책이 조금이나마 당신의 트레이딩과 부, 그리고 미래에 도움이 되길 바란다.

차례

2부 매수 기법

3부 매도 기법

1부

주식 트레이딩에 앞서서

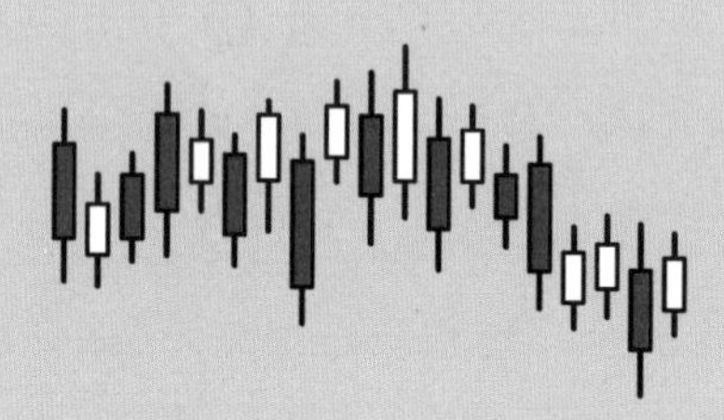

당신이 보고 있는 모니터 뒤에는 당신의 돈을 노리는 무수히 많은 사람이 있다. 심지어 인공지능 프로그램까지 시장에서 먹잇감을 찾아 매매에 나선다. 당신은 어떤 마음가짐으로 주식투자에 임하고 있는지 되돌아볼 필요가 있다. 그러나 아무리 어려운 시장에서도 끝까지 살아남은 사람들이 있다. 그들이 당신의 멘토가 된다면 험한 투자의 세계에서 분명 빛이 되어줄 것이다. 이제 그 여정을 시작한다. 누구든 필자를 믿고 따라온다면 필자가 겪은 무수한 시행착오를 똑같이 겪지 않을 것이다. 그것이 가장 진심으로 바라는 바이다.

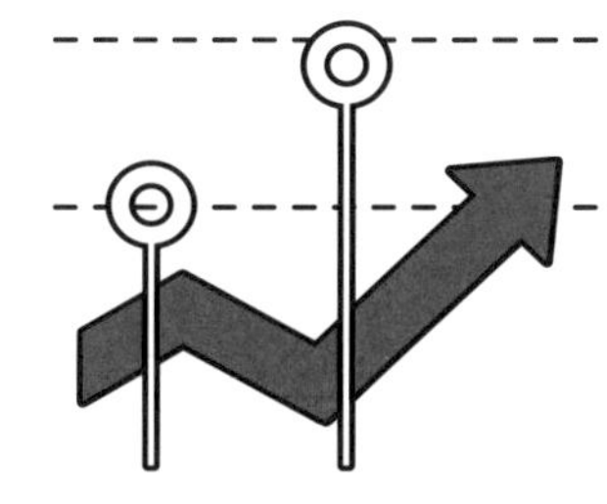

1장

주식 트레이딩에 들어가기 전에 알아야 할 것들

세계 최고봉 에베레스트가 있는 산맥 히말라야는 산악인들의 성지라고 불린다. 산악인이라면 누구나 한번 반드시 오르고 싶어 한다. 히말라야는 파키스탄, 네팔, 부탄, 카슈미르, 티베트, 인도 등 여러 나라에 걸쳐 있으므로 도보 코스도 다양하고 등반이나 여행하는 방법도 다양하다. 마찬가지로 주식에 투자하려는 사람들 역시 에베레스트라는 수익의 정상에 오르고 싶을 것이다. 실제로 많은 개인투자자는 자신만의 방법으로 투자하고 있겠지만 성공하는 사람보다는 실패하는 투자자들이 훨씬 많을 것이다.

그러나 히말라야에 오르고 싶다고 해서 내 마음대로 올라갈 수 있을까? 불가능하다. 그곳에 가려면 산에 대한 자세한 정보가 필요하다. 네팔 정부의 허가(약 1만 1,000달러의 비용)도 받아야 하고, 셰르파와 같은 전문 짐꾼과 가이드도 필요하다. 이것뿐이겠는가. 장비와 옷, 항공, 숙박, 체류 비용 등 셀 수 없는 많은 부분에 시간과 자본을 투자해야 한다. 전문 산악인이 산을 정복하는 데도 이렇게 많은 준비가 필요한데 주식시장에 뛰어드는 개인투자자는 무엇을 준비하고 있는지 되묻고 싶다.

개미들은 주식으로 누가 돈을 벌었다고 말하면 돈을 벌고 싶다는 성급한 생각부터 한다. 주식투자에 관해서 알아보지도 않고 계좌에 돈부터 입금한 후 종목을 매수한다. 주식투자가 에베레스트 정상에 오르는 일이라면, 전문 가이드와 셰르파와 같이 등반하지 않고 혼자 독단적으로 매우 위험한 등반을 하는 것과 같다. 히말라야를 혼자 등반하다 산사태가 나거나 고산병으로 죽게 될 수도 있다는 것을 우리는 상식적으로 알고 있다.

전문적인 지식도 없이 혼자 독단적으로 주식투자를 시작했다면 돈을 잃을 것은 뻔한 일이지 않겠는가? 주식투자를 시작하기 전에 기초를 하나씩 차근차근 다진 후에 주식투자를 해도 100세 시대에 늦지 않다고 데이짱은 말하고 싶다.

미국에 이민 갔었던 지인이 한국을 방문해서 이런 말을 했다.

"한국은 어디를 가도 자동문이 설치되어 있고, 와이파이가 잘 터지고, 많은 사람이 힘들어 죽겠다고 하면서도 주식투자를 하는 사람이 많다."

뭔가 느끼는 바가 있지 않은가. 그런데 과연 이렇게 많은 사람이 주식투자를 하고 있는데 수익을 내는 사람들은 많을까? 궁금하지 않을 수 없다. 워런 버핏이 한국에서 태어났다면 단타의 귀재가 되었을지도 모른다는 우스갯소리를 많이 한다. 우리나라는 그만큼 주식의 급등락이 심하고 지정학적인 문제, 글로벌 경제와 정치, 외교 등에 의해서 변동성에 쉽게 노출될 수 있는 나라이기 때문이다.

가치투자가 잘못되었다는 것이 아니다. 러시아가 우크라이나를 침공한 이후로 세계는 불확실하게 흘러가고 있다. 가치투자의 대상이 되는 회사를 찾는 것도 불분명하다. 특정 주식에 대한 지식이 많아도 매수한 후 며칠 만에 거래정지가 되어버릴 때도 있다. 무엇이 정확한 것인가? 즉 주식시장은 내일을 알 수 없다는 뜻이다.

하락장에서 폭락을 그대로 껴안고 손절매하지 못한 채 쓰린 가슴만 부여잡고 있는 경우도 있다. 하락장이나 급락하는 시장에서 왜 대응하지 못하는 것일까? 사람들은 시장에 대해 전혀 학습하지 않았고, 제대로 배울 시간과 에너지를 크게 들이지 않는다. 그런데 수익을 만드는 빵빵한 계좌를 갖고 싶어 한다. 이런 사람들이 하락장에서도 수익을 낼 수 있는 대주거래(개인에게 부분적으로 허용된 공매도 개념)를 잘 배웠다면 어떻게 될까. 데이짱은 가치투자보다 단기 매매, 그리고 공매도로 큰돈을 불렸다. 누구나 자신에게 맞는 것이 있듯 자신에게 맞는 투자법이 존재하고, 더 잘할 수 있는 것에 모든 것을 쏟아부어야 한다.

주식을 잘하는 방법

이미 성공한 고수의 기법을 벤치마킹(Bench Marking)하라

25년이라는 전업투자자 생활은 길다면 길고 짧다면 짧은 시간이다. 홀로 트레이딩하던 수많은 시간이 지난 후 여러 사람과 함께 길을 가고자 다른 사람을 가르치거나 상담했다. 그러면서 자연스럽게 수익을 내지 못하는 개인투자자를 분석하게 되었고, 그런 사람들만의 특징이 눈에 보였다. 대부분 시작은 비슷하다. 주식시장에서 돈을 벌고자 하는 욕구가 가슴에서 올라온 계기가 있고, 어떻게 투자할지 몰라 인터넷을 검색하고 유튜브 영상에 현혹되어 일단 열심히 본다. 그러다가 막상 투자를 시작하려고 하면 다시 막막해진다.

그때 '무료 종목 추천' 문자나 광고에 현혹된다. 카카오톡이나 텔레그램 단체 대화방에 초대되고, 수많은 '홍보' 세력의 수익 인증 광고에 현혹되어(사실은 이것이 조작된 사실조차 모르는 경우가 많다) 덜컥 유료 종목 추천을 받는다. 그런데 결과는 어떨까? 한두 번 수익을 내는 듯 하다가 대부분 큰돈이 물리고, 관리자는 어디론가 도망치고 없다. 유튜브를 아무리 열심히 봐도 뭔가 배울 만한 기법이 없다는 사실을 알게 된다. 결국 어떤 곳에서도 제대로 된 공부를 할 수 없다는 사실을 깨닫는 패턴을 보인다. 그래서 지금 이 책을 보는 당신은 정말 행운이라고 말할 수 있다.

주식시장이라는 전쟁터에서 승리하는 전술을 정확히 가르쳐주는 곳은 정말 눈 씻고 봐도 찾기 힘들다. 그러나 제대로 배우고 싶어 하는 사람들이 많다는 것도 알게 되었다. 그래서 데이짱은 네이버 밴드와 인스타그램으로 개인투자자들과 소통하며, 진실하게 주식을 대하는 사람들에게 투자를 가르치고 있다.

지금껏 전쟁에 나가 이길 수 없었다면 이제는 '아군'을 제대로 선택하고 전술을 다시 익히라고 말하고 싶다. 제2차 세계대전 당시 독일은 프랑스를 침공하고 싶었으나 마지노선 때문에 골치가 아픈 상황이었다. 이때 독일의 만슈타인(Erich von Manstein)은 마지노선을 우회하는 전술로 프랑스를 점령하는 데 성공했다(이 배경은 여러분이 잘 아는 영화 <덩케르크>로 만들어지기도 했다). 전쟁에서 뛰어난 전술은 골칫거리였던 마지노선마저 무익하게 만들 수 있었던 것이다.

이 책에서 여러분은 매매의 기법을 벤치마킹하고 매매 기술을 익혀 마지노선을 무익하게 만드는 주식전쟁을 하길 바란다. 위대한 길에는 왕도가 없다. 나보다 잘하는 사람이 있으면 배워야 한다.

어느 한 분야에서 어느 정도 경지를 이루기 위해서는 하루 10시간 투자하면 3,650시간 3년이 걸리고, 하루 1시간 투자하면 30년 이상 걸리므로 쉽지 않다. 주식을 잘하려면 이 정도 시간을 제대로 투자했는지, 또 정말 열정적으로 주식을 배웠는지, 절실하게 연구하며 차트 분석을 해봤는지도 한번 생각해보자. 그렇게 하지 못했다면, 또는 긴 시간 투자할 수 없다면 1만 시간 이상 투자한 경험 많은 데이짱의 모든 것을 꼭 그대로 가져가길 바란다. 당신이 시장에서 성공하길 바라는 마음이다. 목적의식을 뚜렷이 하는 방법 중 매매를 잘하기 위해 마음먹는 방법이 있다. 주식투자를 통해 "아파트 평수를 늘려 이사 가겠다, 집을 사겠다"라는 분명한 목적의식이 있으면 도움이 될 수 있다. 물론 조바심은 금물이다.

주식투자는 수익을 내기 위해서 안전한 자리로 진입하는 게 가장 중요하다. 그런데 투자에 어려움을 호소하는 사람들이 각각 처해 있는 상황은 달랐지만, 그들이 가진 유사한 공통점을 발견할 수 있다. 흔히 개미라 불리는 일반 개인투자자들은 자신이 무엇을 잘못하고 있는지도 모르고 매매에 임하고 있다는 점이다. 만일 자신이 다음 세 가지 유형 중 하나에 해당한다면, 당장 자신의 투자를 돌아보고 문제점을 찾아야 한다. 그렇지 않고 고집만 앞세워 똑같은 방식으로 투자를 반복한다면 결과는 불 보듯 뻔하다. 잘못된 방법으로 투자를 시작했으므로 안전에서는 한참 벗어났기 때문이다.

① 개인의 경제 규모에 비례해서 너무나 큰 손실이 난 계좌를 갖고 있다.
② 주식투자를 시작할 때 여윳돈 이상으로 투자한다.
③ 주식투자를 돈만 벌기 위한 마음으로 시작한다.

초보자들에게서는 다음과 같은 공통점들이 발견된다.

① 기초도 없이 주식을 무작정 매수한다.
② 주가가 내려가면 싼값에 주식을 계속 추가 매수한다. 정작 바닥을 찍고 상승으로 돌아설 때 추가 매수할 현금이 없다.
③ 손실이 나면 엉뚱한 데서 이유를 찾는다. 약세장, 북한 미사일, 사드, 미·중 무역전쟁, 일본 수출 규제 등의 이유를 댄다.
④ 계속 손실이 발생하고 있는데도 수익을 내는 기법을 배우려고 하지 않는다. 주식은 일단 어렵고 복잡하다는 생각부터 한다.
⑤ 손실 난 계좌를 아예 보지도 않는다. 쳐다보면 머리만 아프고, 열 받아서 올라가겠지 하고 그냥 둔다.
⑥ 여기저기 유료 추천 리딩방에서 종목을 추천받으면 대박 날 듯해서 해본다. 내가 기법을 배워서 수익을 내볼 생각은 하지 않고 남의 도움으로 대박을 내려고 한다.
⑦ 무료 문자를 받고 혹시나 해서 산다.
⑧ 열 받아서 다 손절매하고 다시는 주식투자를 안 하겠다고 말한다.
⑨ 내가 주식투자 하면 모두 대박 날 것으로 기대한다.
⑩ 우리나라는 주식투자 하기 어려운 나라라고 생각한다.

수익을 내고 싶다면 주식 매매에 대한 기초를 다지고 연구도 하고 수익을 내보려고 해야 하는데 우리나라 개미투자자는 실제로 이런 열정이 없다. 배우려고 하지도 않는다. 심지어 유료와 무료 추천 방에서 종목을 받아서 물리고 손절매한 후 또 더 좋은 유료 방을 찾아다니다가 세월을 다 보내는 투자자도 있다. 오랜 시간 투자를 업으로 삼은 데이짱은 이러한 사람들을 보면 너무나 안타깝고 도움을 주고 싶다. 따라서 주식에 투자할 때는 '안전'이라는 키워드가 매우 중요하다는 점을 반드시 상기해야 한다. 그래야 오랜 시간 지속해서 수익을 내며 투자에 임할 수 있다.

사람들의 심리가 밀집한 자리

사람들의 심리가 밀집한 자리를 이동평균선이라고 말할 수 있다. 5일, 10일, 20일, 60일 등의 이동평균선을 말한다. 그런데 많은 사람이 이동평균선을 무시하거나 대수롭지 않게 여기는 경향이 있다. 게다가 이미 알려진 이동평균선을 이용한 투자는 무용지물이라며 3일, 7일, 15일 등 자체적인 선을 만들어 쓰기도 한다. 그건 그것대로 의미를 따로 찾은 사람들이 사용할 일이다. 너무 간단해 보이는 이동평균선을 이해한다는 것은 주식투자를 잘 이해하는 출발점이다. 이동평균선은 투자자들의 심리가 밀집한 자리가 선으로 이미지화되어 보이는 것이기 때문이다.

대체로 일반적인 개미투자자의 수익은 크지 않다. 여기에는 일반투자자 대다수가 적은 수익에 만족해 매도해버리는 심리적인 요인이 크게 작용한다고 알려져 있다. 도대체 왜 이러한 현상이 일어나는 것일까? 예를 들어 한 개미투자자가 특정 종목에 1,000만 원을 투자했다고 가정해보자. 그 종목이 수일 내 +8~10% 정도 올라 수익이 나면 곧장 매도하고 심리적으로 충분히 만족한다. 물론 수익을 내고 매도한 것 자체가 잘못된 것은 아니다. 그러나 반대로 같은 종목이 하락하여 수익률이 -10%, -20%, 심지어는 -30~40%까지 손실을 본다면 심리 상태는 어떻게 될까. 거의 모든 투자자는 이러한 상황이 발생하면 손절매하지 못하고 쩔쩔매며 다시 주가가 오르기를 마냥 기다린다. 그러다 결국 지쳐 손절매의 적기를 놓치고, 손실이 눈덩이처럼 커지면 그제야 잘못된 것임을 알고 매도에 임한다.

그런데 웬일일까. 개미들이 매도하고 나면 그 종목이 날개가 돋친 듯 날아가 버린다. 이러한 일은 주식시장에서 매일 반복된다. 따라서 특별한 기술이나 마인드가 없는 일반투자자는 심리적으로 질 수밖에 없는 게임의 참가자가 되어버린다. 그러다 보면 어느새 계좌는 마이너스가 늘어가고, 소위 깡통을 차는 순서를 밟는다.

주식시장은 일반인이 심리적으로 쉽게 이길 수 없는 시장이므로, 수익을 내기 위해서는 다른 사람들과 반대로 매매해야만 승산이 있다. 따라서 심리에 굴복하지 않고 **꾸준히 수익을 내기 위해서는 '안전한 자리'에서 매수하여 손절매의 횟수를 줄이고 수익은 극대화해야 한다.** 안전한 자리라는 것은 투자하려는 사람들의 심리를 읽을 수 있는 자리다. 이러한 방법에 대해 충분히 훈련된다면 시장의 심리에 휘둘리지 않고 자신만의 매매법을 만들 수 있을 것이다. 실제 꾸준하게 수익을 내는 사람들의 경우는 안전한 자리에서 매수하기 때문에 손절매하는 횟수가 많지 않고 수익은 크게 실현한다.

반드시 소액으로 충분히 연습하고 시작하라

투자금의 규모란 개개인이 가진 배포의 그릇이다. 처음부터 겁

없이 큰돈을 투자하는 사람을 그릇이 크다고 착각하면 안 된다. 어리석은 사람일 뿐이다. 주식시장을 알면 알수록 투자금을 늘리는 일은 어렵다. 시장을 많이 겪어본 사람일수록 투자금을 섣불리 늘리기 힘들다고 입을 모아 이야기한다. 그들이 그릇이 작아서일까? 아니다. 시장의 무서움을 알기 때문이다.

데이짱 주변에는 주식투자로 많은 수익을 거둬 부자가 된 고수들이 많다. 그들이 소액으로 시작해서 돈을 불렸다는 것을 말하고 싶다. 주식으로 부자가 된 사람들이 처음부터 억 단위로 시작해서 깡통을 찼다면 지금 결코 성공하지 못했을 것이다. 주식투자를 처음 시작하는 경우라면 이론을 벤치마킹한 기법을 가지고 실전 투자할 때 1주씩 연습해보기를 권한다. 매매에 자신감이 생기면 한 종목에 10만 원, 30만 원, 50만 원, 100만 원씩 투자금을 늘려가면서 200만~500만 원 전후로 시작하는 게 좋다.

소액은 모두 잃어도 생활에 위협을 주지 않지만 큰돈은 심리적 타격과 함께 기초 생활에도 큰 영향을 줄 수 있다. 그러므로 무턱대고 큰 금액을 한 번에 투자하면 안 된다. 일반적으로 큰돈을 한 번에 투자하는 사람은 짧은 기간에 큰 수익을 올리려는 투기적인 마음이 팽배한 사람일 가능성이 크다. 이러한 유형의 투자자는 돈 버는 방법에 대해서는 큰 관심이 없다. 그저 한탕 크게 하고, 남들과 똑같은 행운이 자신에게 올 것이라 믿으며 감나무 아래에서 입만 벌리고 있는 꼴이다.

처음부터 큰돈으로 시작한 투자자는 현재 물려 있는 종목이 있다면 이 책을 다 읽은 후에 종목별로 지지, 저항을 찾아보고 만약 지지가 깨지면 손절매하고, 저항 근처에 오면 매도하고, 다시 지지가 되면 재매수하기를 반복해서 투자 금액을 줄이는 것도 좋은 방법이다. 그리고 만약 500만 원으로 주식투자를 시작한다면 한 종목당 100만 원 정도로 5종목에 분산투자를 하는 것이 좋다. 전체 금액에서 20% 손실이 나면 추가 입금하고, 5번 정도 입금하고도 수익을 낼 수 없다면 주식을 하지 말라고 권하고 싶다.

올바른 배움이 가장 빠른 길이다

누구나 주식에 대한 공부를 열심히 해서 수익률이 올라간다면 공부만 하면 된다. 그러나 주식 매매는 이론만 안다고 해서 무조건 수익률이 올라가지 않는다. 사법고시나 어학 시험, 자격증 시험 등을 위해 열심히 공부하고 노력하면 합격도 할 수 있다. 주식도 공부해서 된다면 대한민국에서 공부 잘하는 사람들은 주식으로 다 성공할 수 있겠으나, 주식은 절대로 그렇지 않다. 학창 시절에 열심히 공부하면 1등은 어려워도 성적은 올라갔을 것이다. 주식투자는 그 성격이 다르다. 당신이 주식투자에 관한 논문을 찾아보고 책을 여러 권 읽는다고 해도 결과가 꼭 좋을 수는 없다. 공부를 잘하는 사람만이 투자를 잘할 수 있다면, 여의도 제도권 출신들의 투자 성적이 월등히 좋아야 하지 않을까?

데이짱도 처음에는 비슷했다. 주식 매매를 시작하기 전 매일 시립도서관에 출근해 그 당시 한글로 출판된 주식 관련 책 수십 권을 두 번 이상 정독하고 주식투자를 시작했다. 그런데 결과는 어떠했을까? 100만 원으로 시작한 투자금은 한 달 만에 깡통 계좌가 되었다. 그때 주식 매매는 이론과 실전이 전혀 다름을 깨달았다.

주식으로 성공한 지인 대부분이 주식 매매를 시작하고 여러 번 시행착오를 겪은 후 승승장구했다. 즉 깡통을 찰 만큼 절실해지는 상황까지 맞이하다 보면 더 치열하게 자신을 단련하게 된다. 주식 매매도 10년, 20년 하다 보면 수익을 잘 내는 사람이 있다. 일찍 시장에 입문하여 장기간 버텨 경력과 경험을 쌓다 보면, 어느 날 달인이 될지도 모른다. 그러나 꿈 같은 희망이다. 다시 말하지만 IQ가 좋아서 주식으로 성공했다고 한다면 머리 좋은 천재들이 주식으로 수익을 많이 낼 것이다. 머리가 좋을수록 핸디캡으로 작용할 수 있다는 맹점도 있다는 점을 알아야 한다.

결국 여기서 말하고자 함은 '올바른 배움'이다. 혼자 수년간 모니터와 씨름하며 연구하고 노력해서 주식 매매를 잘할 수도 있다. 그러나 그렇게 되는 사람이 몇 명이나 있으며, 확률적으로 성공하는 비율이 얼마나 될까? 얼마나 고생스럽고 힘든 길로 돌아가게 될까? 그래서 주식투자는 잘 배워야 한다. 그리고 배운 만큼 우직하게 잘 따라야 한다. 즉 진짜로 수익을 내는 투자자가 되기 위해서는 평범한 지능과 올바른 배움 두 가지면 충분하다. 오만하거나 거만하지 않고 시장에 맞서지 않으며 시장과 함께 흘러가려는 자세가 필요하다. 가장 쉬운 말처럼 보이지만, 가장 지키기 어려운 일임을 명심하자.

비법을 믿지 말고 기법을 믿어라

주식 매매에 '비법'은 절대 없으니 묻지 말아 달라고 말하고 싶다. 그러나 주식 매매 '기법'은 있다. 그렇다면 그 기법은 무얼 말하는 것일까? 기법이 모든 것을 해결해줄 해법일까? 반은 맞고 반은 틀렸다. 사람들은 무언가 체계적이고 공식화하여 정리된 것을 좋아한다. 그래서 마치 수학 공식처럼 그렇게 보이는 무언가를 찾는다. 그러나 투자는 공식이 성립될 수 없는 영역이다. 상식적으로 생각해보자. 내일 아침 주가를 맞힐 공식이 세상에 존재할 수 있을까? 단연코 없다. 다만, '확률적으로 높은' 무언가를 찾을 수는 있다. 그렇다면 주식시장에서 높은 확률로 수익을 내는 무언가를 찾는 일은 쉬운가? 매우 어렵다. 이 일이 쉽다면 너도나도 주식 고수가 되었을 것이다. 모든 것을 상식적으로 생각하면 이해하기 쉽다. 자동차는 운전학원에서, 골프는 코치에게 배우고 영어는 영어학원에서 배우는데 주식은 올바르게 가르치는 학원이 없다. 정말로 수익을 잘 내는 고수들의 시선으로 태도를 바꿔보자.

첫째, 고수는 자신의 트레이딩에 방해가 되는 일을 하지 않으려는 경향이 있다. 이미 많은 수익을 내고 전업투자자로서 윤택한 생활을 유지하는 사람이 굳이 학원을 운영하거나 종목 추천 단체톡 방을 운영할 필요가 없다. 다른 일에 몰두하게 되면 정신이 분산되고 주식 트레이딩 리듬이 깨진다. 당장 고수의 계좌에서 수천, 수억 원의 손실이 될지도 모르는데 고도의 집중 상태에서 방해가 될 만한 일을 굳이 할 이유가 없다.

둘째, 자신의 매매 노하우 혹은 기법을 알리고 싶지 않기 때문이다. 코카콜라나 KFC의 레시피가 전 세계적으로 아직 비밀로 남아 있는 것과 같은 이치다. 하지만 첨단기술이 발달한 현 시점에서 레시피를 정말 모를까? 이미 과학에 근거하여 어떤 성분으로 구성되어 있는지 알고 있다. 다만 그 배합 비율과 배합 방법을 정확히 알 수 없다고 한다.

주식투자는 어떨까? 최근 '주식 자동 매매 프로그램' 판매를 유도하는 광고가 많다. 그런데 당신이 그 프로그램을 만들지 않았는데, 그 프로그램으로 큰 수익을 낼 수 있을까? 수익을 내다가 손실을 내면 프로그램의 로직을 바꿀 수 있을까? 그래서 마법 같은 '비법'은 없다는 것이다. 주식투자 고수들도 자신이 힘들게 체득한 기법을 다른 이에게 툭 던지듯 쉽게 이야기할 수 있을까? 당신이라면 그렇게 할 수 있을지 생각해보면 답은 쉽게 나온다.

그렇다면 '데이짱은 왜 기법을 공개하는가?'라고 물을 수 있다. 데이짱의 기법은 '단순함'에 있기 때문이다. 사람들은 단순함을 쉽게 간과하는 경향이 있다. 세상의 모든 진리는 단순하듯이, 오랜 시간 단련된 데이짱 기법의 핵심은 단순함에서 나온다. 기법이 복잡해지고 난해하면 시장에 통하지 않는다. 퀀트투자(Quantitative Investing)는 '과최적화(과거 차트에 지표의 시그널을 끼워 맞추기식)의 오류'를 늘 경계한다. 성과가 높은 지표를 모두 이용한다고 해서 결코 최고의 수익률이 나올 수 없다는 것이다. 주식시장에서 기법이 잘 통하려면 첫째도

둘째도 단순해야 한다.

필자는 오랜 기간 공매도를 해왔다. 고점에서 매도 진입을 잘해야 큰 수익을 낼 수 있으므로 매도 자리가 어디인지 정확히 알고 있다. 반대로 어느 지점이 매수 자리인지도 명확하게 알 수 있다. 즉 매수와 매도 두 가지 관점을 모두 갖고 있다. 이 단순함을 함께 나누고 싶다. 그런데도 왜 공개하냐고 묻는다면 다음과 같이 대답하고 싶다.

"지금껏 많은 투자자를 가르쳐보았지만, 사람들은 너무 쉽게 스스로 판단하여 자멸의 길로 갑니다. 믿기지 않으시지요? 정말 올바르게 배우고 우직하게 따라오는 사람은 몇 명 없습니다. 아무리 기법을 공개한다고 해도 그대로 벤치마킹하려는 사람은 소수입니다. 6개월만 믿고 데이짱의 기법을 그대로 복제하려고 노력해보세요. 그러면 분명히 매매가 달라질 것입니다."

차트 분석의 기본, 선 긋기

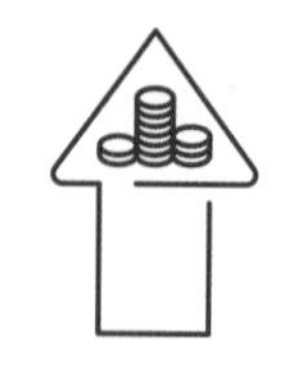

여기 방금 운전면허증을 딴 사람이 있다고 해보자. 동네를 돌아다니기도 힘든 사람이 레이싱 서킷에 가서 전문가처럼 운전할 수 있을까? 누차 이야기하지만, 모든 일은 상식적으로 생각하면 된다. 소위 이름난 주식 유튜버들의 영상을 한 번은 본 사람이 대다수일 것이다. 그들은 진짜 전문가이든 아니든 차트를 두고 온갖 선을 그어 설명한다. 여러분은 투자할 때 겨우 선 하나라도 그어보고 투자했는지 생각해보자. 차트에 선을 그어보라는 말을 백 번 해도 선 한 번 그어보지 않는 투자자가 많다. 제발 선을 한 번 그어보자. 반복적으로, 습관적으로 차트에 선을 그어보는 연습을 하자. 그러면 자연스럽게 지지와 저항, 돌파가 눈에 들어온다. 선 긋기 연습은 도로 연수와 같은 개념이다.

너무 단순하고 쉬운 방법이라고 치부하면 그만큼 차트 보는 눈이 더디게 생긴다. 차트가 그리고 있는 꼭짓점을 서로 이어보는 연결선이면 된다. 그 선은 사람들의 '심리'를 보여주는 것이다. 주식 가격은 파도처럼 올라가면서 고점을 만들고, 내려가면서 저점을 만든다. 선을 그어보면 특정 종목 가격의 위치를 확인할 수 있는데, 저항선에 가까우면 절대 매수하면 안 된다. 매수하게 되면 저항에 부딪혀서 하락할 가능성이 크다. 반대로 지지선을 이탈한 종목도 매수하면 안 된다. 지지선을 무너뜨리면 더 하락할 가능성이 있기 때문이다. 그래서 이미 보유하고 있거나 신규 진입하고 싶은 종목이 있다면 저항선과 지지선을 자주 그어보는 것은 아주 중요하다. 그러므로 차트를 보면서 선을 그어보는 습관을 들이자. 누구나 안다고 생각하지만, 이것이 기법의 시작이고 출발이다.

지지선

캔들의 저점들이 모여 있는 꼭짓점을 연결한 선을 지지선이라고 한다. 지지선이 무너지면 하락할 확률이 높다.

1년 365일 4계절이 있듯이 차트에도 4계절이 있다. 바닥에서 웅크리고 횡보하면서 북극 얼음처럼 절대 녹지 않을 빙하기 같은 겨울이 있다. 겨울이 점점 짙어가면 개미투자자들은 봄이 오지 않을 것 같아서 매서운 북풍한설에 얼어 죽어버린다. 결국 손절매하거나 주식에서 손을 떼고 다시는 주식시장을 돌아보지 않겠다는 감정에 휩싸인다. 그러나 여러분은 지금까지 살아오면서 겨울이 너무 깊어지면 어떤 생각을 하는가? '봄이 머지 않았구나' 하며 긍정적인 생각을 하게 될 것이다. 살아오는 동안 봄을 매번 경험했기 때문이다.

[그림 1-1] SK하이닉스 2020년 10월~2021년 10월까지 일봉 차트

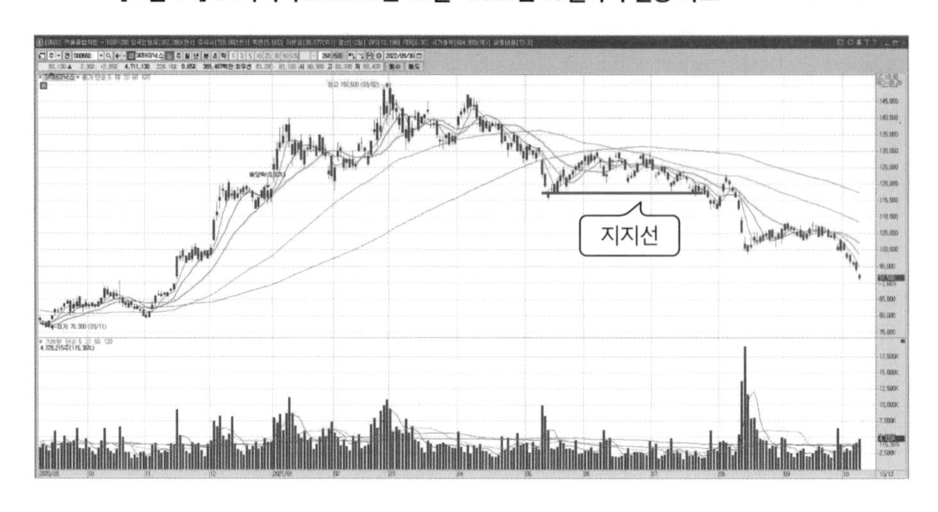

[그림 1-2] SK하이닉스 2020년 10월~2021년 10월까지 일봉 차트

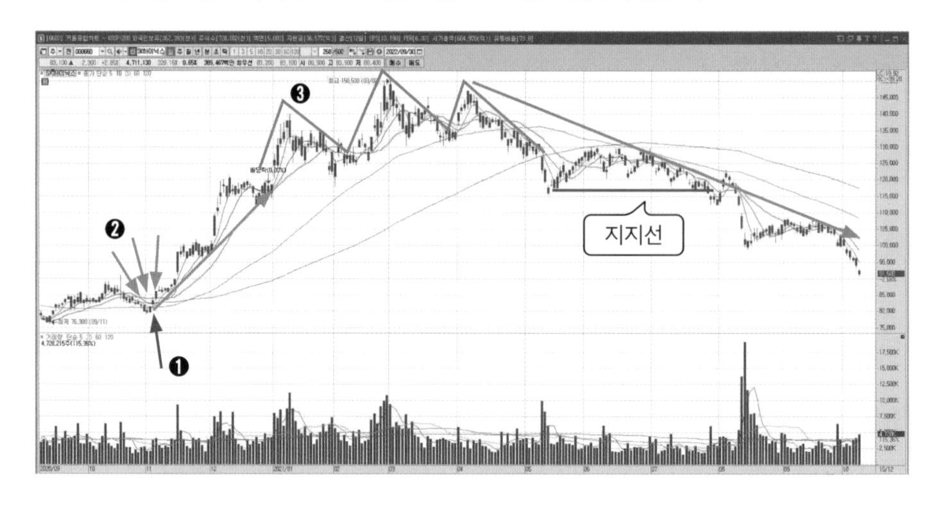

[그림 1-2] SK하이닉스 일봉 차트를 보면 ① 2020년 11월 3일 전에 바닥에서 작은 음봉이 봄을 알리는 매화꽃처럼 출현하고 그 후로 봄에 가장 먼저 피는 산수유꽃 같은 양봉들이 움트고 있는 것을 볼 수 있다.

산수유가 움트고 ② 개구리 알들이 보이기 시작하면서 시야 거리가 좁은 봄 안개 속에서 차트는 점점 상승한다. 2021년 3월 2일 최고점으로 주식가격 150,500원을 기록하고 화려한 봄의 시작 팡파르를 불어대고 있다.

봄꽃은 화려하고 천지를 아름답게 장식하다가 이후 꽃샘바람과 봄비로 푹 젖어서 땅바닥에 나뒹군다. 최고점을 찍은 후에 세력들이 물량 떠넘기기를 하는 동안 ③ 헤드앤드숄더(삼산) 패턴이 형성되면서 점점 봄의 절정이 무너지기 시작한다. 봄 안개는 정말 짙어서 어디까지 상승할 것인지 알 수 없다. 안개 속 오리무중인 상태의 불안감은 앞차와 부딪치지 않기 위해서 바짝 긴장하게 되고, 특히 고속도로에서는 더욱더 앞이 잘 안 보여서 비상등을 켜고 운전해야 하는 것과 같다. 안개 속 비상등 운전은 아주 불안하기 짝이 없고, 투자자들은 '여기서 수익 청산해야 하나? 더 올라가려나?' 고민하게 된다.

그러나 안개는 분명 햇살이 나오면 사라진다. 시야 거리가 넓어져 도로가 잘 보이게 되면 투자자는 운전에 속도를 낼 수도 있고 길이 보이니 길을 잃을 일이 없는 것이다. 안개가 걷히기 시작하면, ③ 고점에서 오르락내리락하는 확연한 차트의 모습을 볼 수 있다. 이런 경우 헤드앤드숄더 패턴이 일반적이다.

테마주에서는 다른 패턴을 보이기도 하지만, 우량주들은 대부분 헤드앤드숄더 패턴이거나 고점에서 횡보가 길어지는 패턴을 볼 수 있다. 모멘텀이 아주 센 종목이 아니면 대부분 하락한다. 지지선이 무너지면서 지속적으로 하락하는 모습을 보인다는 점을 금방 알아챌 수 있다.

저항선

캔들의 고점들이 모여 있는 꼭짓점을 이은 선을 저항선이라고 한다. 말 그대로 주가가 더는 올라가기 힘들도록 막아서는 느낌이다.

[그림 1-3] NAVER 2021년 4월~2022년 4월까지 일봉 차트

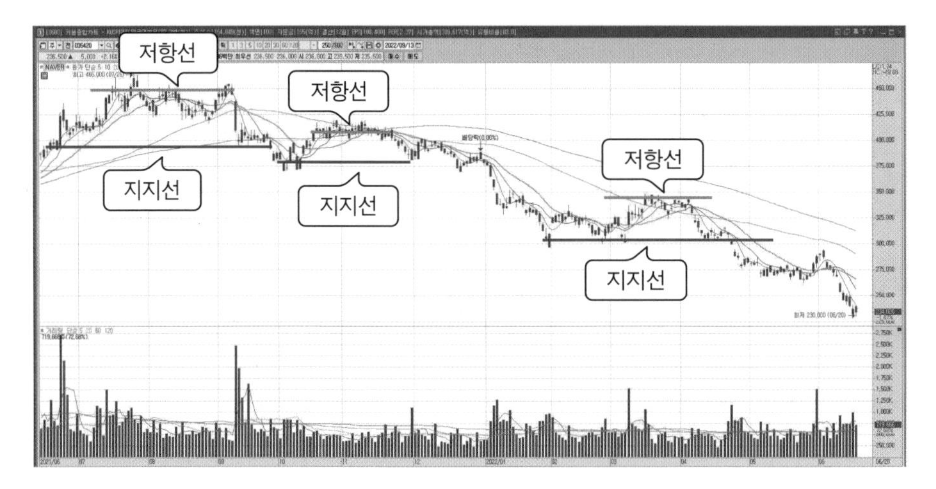

[그림 1-3]은 NAVER 일봉 차트(2021년 4월~2022년 4월)에 지지선과 저항선을 함께 나타낸 것이다. 이 차트에서도 2021년 7월 26일 주가는 465,000원을 기록하고 고점에서 횡보한 후 반등은 해주지만, 결국 하락으로 치닫는 모습을 보이고 있다.

매미는 1~10년간 땅속에서 애벌레로 살다가 허물을 벗고 매미로 변신한 후에 15~20일 정도 사는데, 그중 일주일 정도 울어대다가 짝짓기가 끝나면 생을 마감한다. 차트에서도 짙푸른 여름의 절정을 만끽하고 천지를 흔드는 매미들의 울음소리와 함께 가을을 재촉

하고 있는 모습이다. 땀으로 끈적이며 이마에 구슬땀을 맺게 하며, 우리의 기분을 불쾌하게 만드는, 끝이 날 것 같지 않은 그 무덥던 여름도 매미 소리가 진동하다가 그치면 가을의 문턱에 다다르면서 아침저녁으로 선선한 날씨를 느끼게 된다. 계절이 바뀌는 것은 자연의 섭리로, 어쩔 수 없이 인간은 순응한다.

차트에서도 저항선을 돌파하려고 계속 헤딩해보지만, 머리가 깨지고 찢어지고 피가 나면 결국 지치게 되고 힘이 빠지는 것처럼 차트에서도 점점 하락 구간이 길어진다. 권투 선수가 계속 맞다가 한 방의 어퍼컷을 올릴 때가 있다. 차트에서 중간중간 한 번씩 상승이 나오는 구간이 그 어퍼컷이다. 그리고 상대방이 더 세면 결국 어퍼컷을 올렸지만, 다시 또 두들겨 맞는다. 자기보다 센 선수에게는 당해낼 재간이 없어서 두들겨 맞고 패하고 만다. 이 비유는 사람마다 다르게 느끼겠지만, 차트에 선을 그어보고 이 '느낌'을 체득하는 것이 중요하다.

돌파

매수 포지션에서는 위로 상승하기 위해 저항을 돌파해야 하는데, 바로 이 저항선이 돌파 자리가 된다. 그리고 저항을 돌파하고 다시 지지하면, 앞선 저항선은 다시 지지선으로 바뀐다.

[그림 1-4] 한국항공우주 2022년 1월~2022년 9월 13일까지 일봉 차트

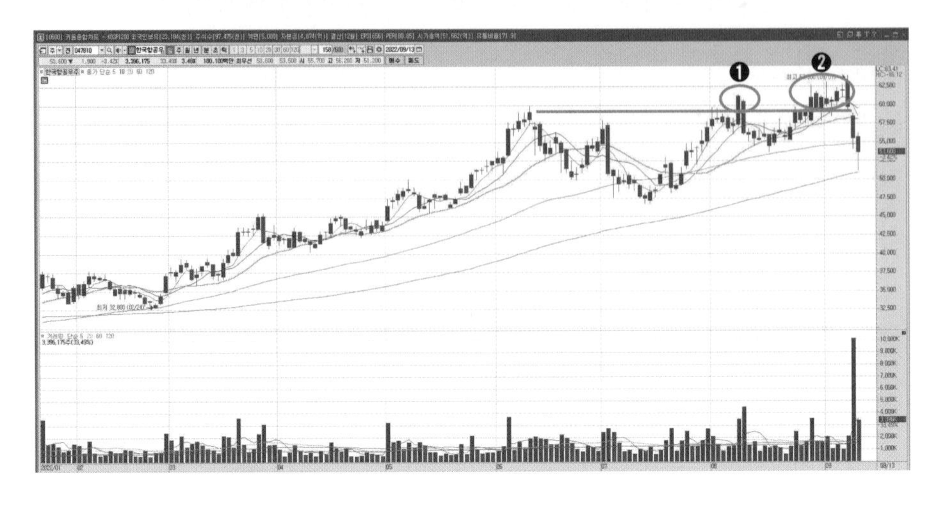

한국항공우주는 전투기, 헬기, 항공기 정비 등 항공, 우주, 방산 등의 관련 제품을 개발하고 있는 회사다. 누리호 발사 전부터 상승을 시작해서 발사 성공 이후에도 지속적 관심을 받아왔고,❶ 우크라이나 전쟁 분위기로 인해 방산 산업에 대한 기대감으로 계속 상승해왔다.❷

[그림 1-4] 일봉 차트를 보면 2022년 8월 7일 83,900원을 기록하고, 2022년 9월 13일 흑삼병을 찍고 있다. 고대 시대의 7대 불가사의라고 하는 거대하고 아름다움의 극치인 공중정원으로 유명한 바벨론 제국도 페르시아에 의해서 무너지고, 화려한 문명을 꽃피운 페르시아(지금의 이란)도 알렉산더에 의해서 무너졌다. 알렉산더 대왕 정복 전쟁 이후에 전 세계가 헬라 문화의 영향을 받게 되었으나 그 유명한 알렉산더 대왕은 10여 년 정도의 기간을 전쟁터만 누비다가 죽음을 맞이했다. 헬레니즘은 그 후 절대 망할 것 같지 않았던 700년 로마의 시대로 이어지지만, 로마도 동로마와 서로마 2개의 나라

로 갈라진 후에 끝이 난다. 조선왕조 500년도 끈질기게 버티다 끝났다. 찬란하게 꽃피웠던 봄이 가면 여름이 오고, 여름이 오면 가을과 겨울이 오듯 차트에서도 마냥 상승만 할 수는 없다.

지지선, 저항선, 돌파에 대해서 선을 긋는 법을 배웠으니 여러분 스스로 코스피 상위 종목들을 찾아서 지지와 저항을 찾아서 선을 그어보자. 운전 연습을 하고 도로 주행에 나가듯 반복적으로 선을 계속 그어보고 매매에 들어가는 것이 좋다. 차트는 단순하게 보는 것이 잘 보이기 때문에 만약 보조지표를 보고 있다면 지금부터 보지 않는 것이 앞으로 매매에 더 도움이 될 것이다.

다음 [그림 1-5] 현대자동차 차트를 보고 우리가 알 수 있는 것들을 확인해보자.

[그림 1-5] 현대자동차 2020년 11월부터 2022년 8월까지 일봉 차트

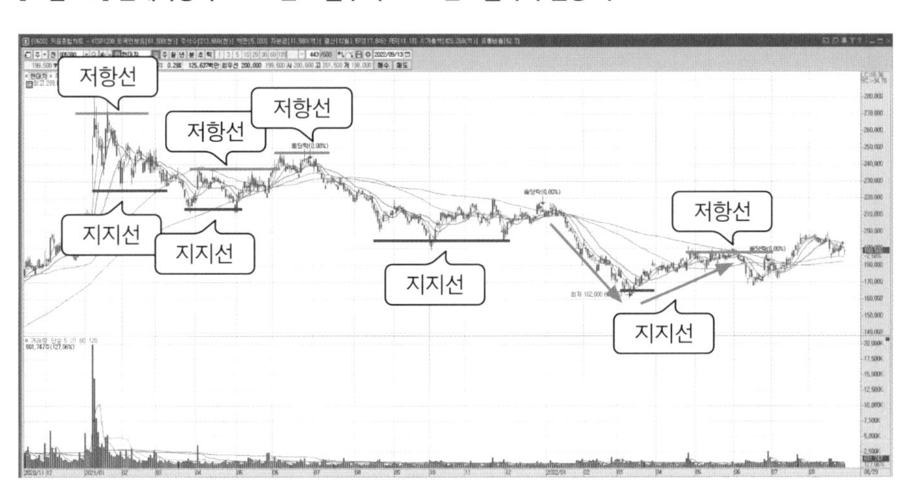

이 차트에서 볼 수 있는 것처럼 2021년 1월 11일 289,000원의 주가를 기록하고 고점 횡보 후에 더 많이 하락하는 것을 알 수 있다. 차트 위에 저항선과 지지선을 그어보았다. 여기서 무엇을 알 수 있는가? 모든 차트에 적용되는 공식은 아니지만, 차트를 보면서 다음처럼 해석할 줄 알아야 한다.

- 저항을 돌파하지 못하면 하락한다.
- 지지선을 지지하지 못하면 하락한다.
- 하락하다가 위로 잠깐 공간이 열리면 어퍼컷 같은 반등이 있다.
- 공간이 위로 열린 곳까지 상승 후 저항에 부딪혀 다시 하락한다.
- 아래로 공간이 열리면 지지선을 지지하지 못할 때 재하락한다.

사람들의 심리가 밀집한 자리, 이동평균선

차트는 주식시장의 언어다. 언어를 알아야 의사소통을 할 수 있다. 차트를 두고 사람마다 여러 정의를 할 수 있다. 데이짱이 생각하는 차트는 다음과 같다.

"차트에는 주식을 보유하고 있는 투자자의 생각과 심리가 고스란히 드러나 있다."

기술적 투자자뿐만 아니라 가치투자자 모두 차트를 본다. 다만 수익을 내는 방법이 어디에 있느냐에 따라 차트를 활용하는 비중이 다를 뿐이다. 차트가 무용지물이라면 차트라는 것이 존재할 필요가 없다. 차트를 보는 가장 큰 이유는 종목을 보유했을 때 생기는 '매도 심리'와 특정 종목을 매수하고 싶은 투자자의 '매수 심리'가 드러나 있기 때문이다. 그래서 차트는 내비게이션과 유사한 기능을 한다. 여러 번 가본 길은 내비게이션이 없어도 잘 찾아갈 수 있지만, 처음 가는 길은 목적지까지 가는 데 쉽지 않다. 우리 생활 속에 깊숙이 자리 잡은 문명 기기 중 하나인 내비게이션을 사용하지 않는 운전자는 거의 없을 것이다. 길치에게는 내비게이션이 매우 유용하다. 주식투자를 시작하려는 사람들에게 차트는 시장에서 돈을 잃지 않는 길을 알려주는 길 도우미가 된다.

이동평균선의 유용성

차트는 후행지표여서 '의미가 없다'라고 치부하는 사람도 있다. '차트를 맹신하다 투자가 망한다'라는 말도 들었을 것이다. 차트에 관해 부정적인 말은 하지만 자신도 모르게 차트를 보고 '가격이 20일선을 돌파했으니 이제 올라가지 않을까?'라고 생각한다. 차트가 후행성이라 믿을 수 없다는 사람이 차트를 보고 심리에 변화가 생긴 것이다. 각양각색 시장 참여자들의 심리가 파동을 그리므로 이 파동은 일정할 수 없다. 그들은 투자금의 크기, 시장에 대한 이해도가 다르고 신용으로 투자하는 사람들과 여윳돈으로 평온하게 투자하는 사람들의 심리가 다르다. 그래서 차트에는 수만 가지 생각이 함축되어 있다.

연못에 큰 돌을 던졌을 때와 작은 돌을 던졌을 때 그 파동의 크기가 다르다. 큰 돌을 던졌을 때 파동이 크게 일어나면서 점점 멀리 퍼져나간다. 그리고 파동이 줄어든다. 주식가격의 시세가 크게 상승했다고 하더라도 시간이 지나면 파동이 조용하고 작아지면서 조정을 주며 주식가격이 하락한다. 모멘텀이 좋은 종목은 조정, 하락과 상승을 반복하면서 지속 상승 추세를 타기도 한다. 또 종목마다 움직임이 빠르고 크게 변동을 주고 사그라지는 테마주들도 있고, 처음에는 파동이 그리 크지 않았으나 점점 조용히 슬금슬금 올라가는 종목도 있다. 이렇게 주식시장에서 많은 사람의 생각과 심리가 차트에 고스란히 나타나 있다고 볼 수 있다.

차트를 이해하기 위해서는 기본적으로 알아둘 것이 많다. 그중에서 이동평균선을 정확히 알고 있다면 일반 주식 매매나 공매도, 대주거래에 많은 도움이 되기에 지금부터는 이동평균선의 원리에 대해서 알아보도록 하자.

데이짱은 차트를 단순하게 생각하기 때문에 기본 이동평균선 5일, 10일, 20일, 60일, 120일선을 사용하고 이 중에서 생명선이라고 불리는 20일선을 굵게 표시한다. 그 까닭은 20일선을 기준으로 매수와 매도를 하기 때문이다. 앞에서도 말했지만 차트에 오만가지 무당집처럼 많은 것을 설치하거나 기본 차트를 변형해서 차트를 설정한다고 해서 수익을 크게 내는 것이 아님을 강조, 또 강조하고 싶다.

평균값을 기준으로
이동평균선 가격 위에서 거래가 되었다면 수익이 난다.
이동평균선 가격 아래에서 거래가 되었다면 손실을 본다.

앞 박스의 내용은 '평균값'에 대한 일반적인 설명이다. 이동평균선은 과거의 평균 수치에서 주가의 방향을 예측하는 데 많이 사용되고 있으며 그 의미를 정확하게 알면 매매 신호를 알아낼 수 있으므로 꼭 익혀 두어야 한다. 이동평균선은 단기 매매, 중기 매매, 장기 매매 이동평균선으로 나누며 개인투자자 중에는 3, 5, 10, 20, 35, 55, 85, 100, 120, 240, 400일 등 다양한 이동평균선을 사용한다. 우리나라에서는 20일선, 60일선, 120일선을 주로 사용한다. 일본 주식시장에서는 25일선, 75일선, 200일선을 중요하게 여기며 외국인들은 일반적으로 35일선과 85일선을 사용한다.

이동평균선은 자신의 매매 스타일에 맞게 설정하거나 증권사 기본 차트에 설정된 이동평균선을 사용해도 된다. 이동평균선은 직전 종가를 더하여 평균값을 내는 것으로 후행성이 강해 다음 날을 예측하기에는 정확도가 떨어진다. 다만 평균 가격을 이해한다는 점에서 기본이지만 무엇보다 중요하다.

이동평균선의 종류

5일 이동평균선

5일 이동평균선은 직전 5일 동안의 종가를 더하여 5로 나눈 평균 가격으로 단기 매매선이라고 불리며 현재가와 가장 가깝게 움직이므로 최근 주가의 흐름을 알 수 있다. 주가가 상승할 때 5일선은 다른 이동평균선, 중장기 이동평균선과 거리가 멀어지게 된다.

10일 이동평균선

10일 이동평균선은 직전 10일 동안의 종가를 더하여 10으로 나눈 평균 가격으로 5일 이동평균선과 함께 단기 매매선이다. 주가의 흐름이 빠를 때는 5일과 10일 이동평균선의 거리가 멀어진다. 5일 이동평균선의 각도가 45도를 벗어나면 상승하고, 눌림목에서는 10일 이동평균선과 거리가 가깝거나 겹친다.

20일 이동평균선

20일 이동평균선은 생명선이라고 하는데 상승할 때는 매수 심리를 갖게 하고, 하락할 때는 매도 심리를 갖게 한다고 해서 심리선이라고도 한다. 한 달 동안 평균 거래일은 약 20일로, 20일 동안 주식가격의 흐름을 파악할 수 있다. 주가가 20일 이동평균선 위에 있으면 상승 추세를 기대할 수도 있다. 주식가격이 20일 이동평균선을 지지하지 못하면 손절매하는 경우가 많다.

60일 이동평균선

3개월 동안의 평균 매매가격으로 기업의 분기별 실적이 반영되기 때문에 60일 이동평균선을 실적선 또는 수급선이라고도 한다. 우량주가 상승할 때는 단기 이동평균선이 60일 이동평균선을 돌파하는 경우 상승에 대한 기대 효과를 갖게 하지만, 하락할 때는 60일 이동평균선을 손절매 라인으로 잡아야 한다. 주가가 20일 이동평균선을 지지하지 못했더라도 60일 이동평균선을 깨지 않는 경우에는 재차 상승하는 모습을 보여 주기도 한다. 하지만 주가가 60일 이동평균선마저 깬다면 계속 하락하는 모습을 볼 수 있을 것이다.

120일 이동평균선

6개월 동안 주가의 흐름을 볼 수 있는 이동평균선으로 죽음을 넘나드는 선이라고 해서 죽음의 선이라고도 한다. 장기적인 국면에서 120일선은 매우 중요하다. 장기투자 종목은 **펀더멘털**•이 강해야 한다. 주가가 120일 이동평균선 위로 돌파하면 우리가 흔히 말하는 상승 랠리가 시작되는 것이다. 반대로 주가가 120일 이동평균선 아래로 내려가게 되면 큰 악재가 있다고 볼 수도 있다.

• **펀더멘털(Fundamental):** 경제성장률, 물가상승률, 실업률, 성장률, 경상수지, 보유외환, 종합재정수지 등의 거시경제지표를 종합 평가하는 것을 말한다. 펀더멘털이 좋을수록 경제는 안정적이고 고용률이 높고, 펀더멘털이 나쁘면 실업률과 물가상승률이 높고 경제성장률이 낮다고 평가한다.

차트는 누가 만들었을까?

차트는 일본에서 거래의 신이라 불렸던 '혼마 무네히사(1717~1803)'에 의해서 시작되었다. 18세기 초 '사카타'라고 하는 쌀 집산지의 큰 가문에서 태어나서 당시 일본 최대의 '도지마' 곡물 거래소에서 막대한 부를 쌓았다. 그리고 일본 최초의 곡물 거래소였던 '요도야' 거래소 시절 가격 추이를 분석하는 방법으로 선으로 이은 선형 차트로 출발하여 곡물의 고가와 저가를 표시하여 하루의 가격 변동 폭을 쉽게 알아볼 수 있는 봉형으로 발전하였다. 그 후 지금의 주식 차트로 완성되었다.

데이짱이 차트를 보는 법

이 책을 읽고 있는 독자는 결국 데이짱이 차트를 어떻게 보는지 궁금할 것이다. 미리 말하지만 데이짱은 '단순한' 사람이다. 복잡하고 어려운 일을 싫어한다. 사람들은 복잡하고 휘황찬란해 보이는 것에 비밀이 있다고 여긴다. 그런데 오히려 간단한 원리 속에 비밀이 있다. 데이짱은 여러 번 이를 강조하고 싶다. 단순함이 복잡함을 이긴다. 데이짱은 차트를 단순하게 본다. 그래야 모든 것이 선명해진다.

주식투자를 하면서 자신만의 원칙과 기준을 세우는 것이 중요한데 그 원칙은 단순할수록 좋다. 변수가 많아지면 이것저것 따져봐야 하고, 이는 성공 투자와는 별 상관이 없다. 너무 생각이 많으면 자기 함정에 빠질 수도 있다.

주식 차트는 특정 종목을 보고 있는 개인이나 기관들의 매매 형태가 나타난 결과다. 모두가 차트를 단순하게 생각하면 단순한 것이 된다. 또 모두가 차트를 복잡하게 생각하면 복잡한 것이 된다.

수많은 보조지표를 다 본다는 것은 사실상 불가능하다. **투자자 자신이 가장 잘 이해할 수 있으며 적중률이 높은 것을 선택하고 한 가지만 골라 활용할 것을 권한다.** 즉 가장 잘 쓸 수 있는 칼 한 자루만 선택하자는 것이다. 예를 들어 20일 이동평균선을 상향 돌파하면 매수하고, 하향 돌파하면 매도하는 식으로 단순한 매매를 하는 것이 좋다.

주식 매매를 하는 대다수가 증권사에서 제공하는 단순한 HTS를 보고 있는데 나만 특정한 보조지표를 보고 있다면 시장에서 통하지 않을 가능성이 크다. 수익을 많이 내는 고수들은 차트를 단순하게 생각하고 있다. 투자자들의 차트를 보면 다양한 보조지표 등을 사용하여 설치하기도 한다. 데이짱도 주식을 시작할 때 차트에 많은 것을 넣기도 하고 빼기도 했었다. 하지만 보조지표는 보조지표일 뿐이다. 데이짱은 기본 차트를 사용한다. 특별한 차트를 사용해서 수익을 많이 낸다면 모든 투자자에게 사용을 권할 것이다. 하지만 현실은 그렇지 않으며, 오히려 그 많은 보조지표를 알지 못해도 기본 차트를 정확히 이해하기만 해도 수익을 내는 일은 어렵지 않다.

수많은 전문가가 차트에 여러 가지 보조지표를 설정해 특별한 뭔가가 있는 것처럼 보이게 하고, 그 복잡한 차트를 통해 수익을 내줄 수 있는 비밀이 있는 것처럼 말하는 것도 많이 봐왔다. 정말 그런 복잡한 차트가 수익을 많이 내준다면 말하는 것처럼 수익을 많이 내고 있는지 그들의 계좌를 확인해보고 싶다. 전문가로 활동하는 사람들은 자신의 경험담을 말하면서 여러 번 깡통 계좌를 찼었다고 말한다. 그들의 계좌는 지금도 깡통 계좌가 많으리라 생각한다.

차트는 무조건 단순하게 익혀라

최소한 전문가라면 초보 때는 한두 번 깡통 계좌를 찰 수는 있지만, 여러 번 깡통 계좌를 찼다면 고수라고 볼 수도 없고 매매 기법 자체에 문제가 있다고 본다. 데이짱도 초보 때 두 번 깡통을 찬 사실이 있지만, 그 후로는 계속 주식으로 돈만 불렸고 데이짱과 함께한 4대 천왕 모임의 고수들도 초보 때 한두 번 빼고는 여러 번 깡통 계좌를 찬 기억이 없다. 최근에는 자동 매매 프로그램이라는 것이 난무하고 있다. 좋은 종목을 골라주는 로직을 짜서 증권사 HTS에 수많은 수식과 보조지표를 넣어 매수점과 매도점을 알려준다고 한다. 실제로 자동 매매 프로그램으로 매매한 사람들의 말에 따르면 그걸 믿고 했다가 큰 손실을 봤다고 한다. 그래도 그들은 주식 매매를 잘하기 위해서 무엇인가를 해보려고 노력은 했다. 이조차도 하지 않은 사람들이 부지기수다.

초보자뿐 아니라 주식 경력이 있는 사람들도 이 많은 보조지표를 설치하는 데는 어려움이 있다. 그리고 보조지표 중에서는 수식이라는 것도 있는데 아예 해볼 생각조차 못 하는 사람들이 많다. **각종 보조지표를 설치한 차트를 가지고 있는 사람들이 수익을 잘 낸다면 이 책을 읽고 있는 독자들도 보조지표를 설치한 차트로 수익을 잘 내야 한다. 그러나 현실은 그렇지 않다는 것을 주식 매매를 해본 사람들은 이미 다 알고 있다.**

차트에 대한 지식이 전혀 없는 사람들보다는 차트를 이해하고 있다면 주식을 매매할 때 유리하다. 또한, 누군가가 종목을 추천했을 때 투자자 자신이 차트를 볼 줄 안다면 무턱대고 매수하는 실수는 하지 않는다. 데이짱은 기본 차트를 사용하면서도 매일 수익을 잘 내고 있다. 독자 여러분도 차트를 단순하게 생각하고 시작하기를 바란다.

데이짱은 25년 동안 차트를 수억 번 봤다. 그래서 상승하는 차트, 하락하는 차트를 구별하는 능력이 뛰어나다고 말할 수 있다. 독자 여러분도 데이짱이 차트를 보는 법을 배우고 익히면 종목을 고르는 능력이 향상될 것이다. 상승하는 정배열 차트를 양지 차트로 부른다. 식물은 양지에서 무럭무럭 잘 자라기 때문이다. 반대로 역배열인 차트는 계속 하락하기 때문에 음지 차트라고 부른다. 그리고 횡보 차트가 있다. 이 세 가지 차트의 특징을 잘 이해하고 구별하는 것이 가장 중요하다.

양지 차트는 손실이 거의 나지 않고 수익이 날 가능성이 크다. 음지 차트는 손실이 난다. 횡보 차트는 수익과 손실을 오간다. 그래서 마음만 급해지고 별 실속이 없다.

차트를 볼 때 데이짱만이 중요하게 말하는 것이 있는데 '공간'이라는 개념이다. 공간이 열리는 방향으로 차트는 흘러가게 된다. 공간이 열리지 않으면 횡보하게 되고, 횡보하는 동안 공간이 위쪽이나 아래쪽으로 열린다. 위쪽으로 열리면 양지 차트가 되고, 아래쪽으로 열리면 음지 차트가 된다. 횡보하는 동안 매수세력과 매도세력이 힘겨루기를 하는데 이기는 쪽으로 방향이 나오는 것을 확인하고 진입하는 습관을 갖는 것이 매우 중요하다. 매우 중요한 개념이므로 꼭 기억하는 것이 좋겠다.

이동평균선의 정배열(양지 차트)과 역배열(음지 차트)

모든 이동평균선은 저항과 지지의 역할을 하며 추세를 한눈에 볼 수 있게 한다. 단기 이동평균선은 상승하는데 위에서 장기 이동평균선이 내려오고 있으면 일반적으로 하락하는 경우가 많다. 또 이동평균선은 기간이 길어질수록 지지, 저항, 돌파 등의 추세를 강하게 보여준다. 이동평균선이 특정 기간 상승하고 있다면 매수세가 강하게 시장에 반영되어 있다고 판단할 수 있다.

데이짱은 정배열 차트를 양지 차트라고 부른다. 햇볕을 많이 받은 식물은 쑥쑥 잘 자라는 것처럼 주식가격도 상승하는 차트다. 역배열 차트는 음지 차트라고 부르는데 햇빛을 많이 볼 수 없기에 식물이 잘 자라지 못하거나 시드는 것처럼 주식가격도 상승하기 어렵다.

[그림 1-6] 정배열 양지 차트

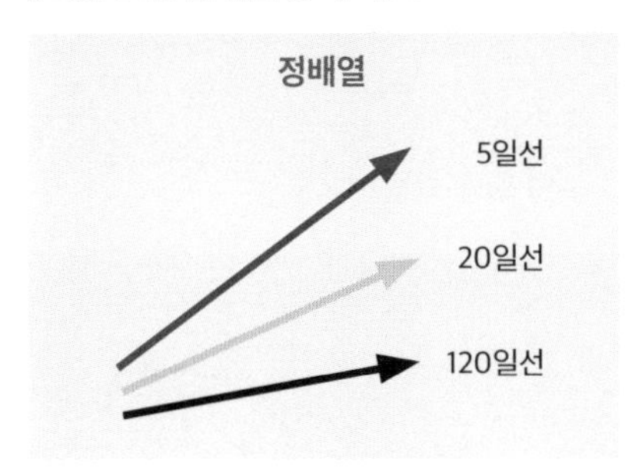

[그림 1-7] 역배열 음지 차트

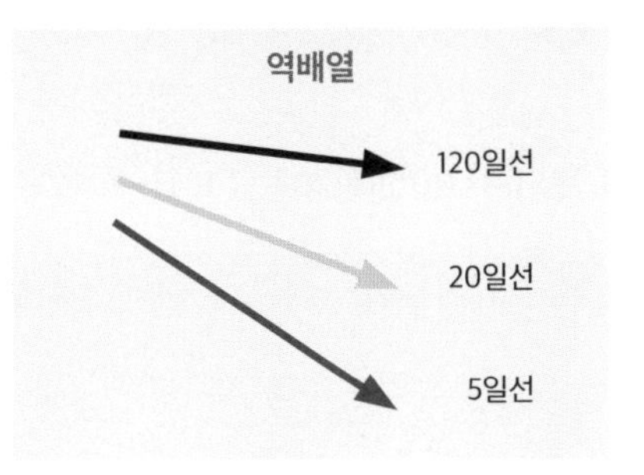

[그림 1-6]과 같이 단기 이동평균선이 장기 이동평균선 위에 위치하면 정배열-양지 차트, [그림 1-7]과 같이 장기 이동평균선이 단기 이동평균선 위에 위치하는 것을 역배열-음지 차트라고 한다.

정배열-양지 차트

양지 차트는 이동평균선이 정배열 상태이며 20일선이 아래서 봉들을 받쳐주면서 계속 우상향한다. 양지 차트는 햇볕을 많이 받고 잘 자리기 때문에 싹이 튼 후에 아름다운 형형색색의 꽃을 피워낸다. 차트는 오를 만큼 오르고 나면 횡보하는 경향이 짙다.

[그림 1-8] KT 2021년 12월~2022년 5월 27일 일봉 차트

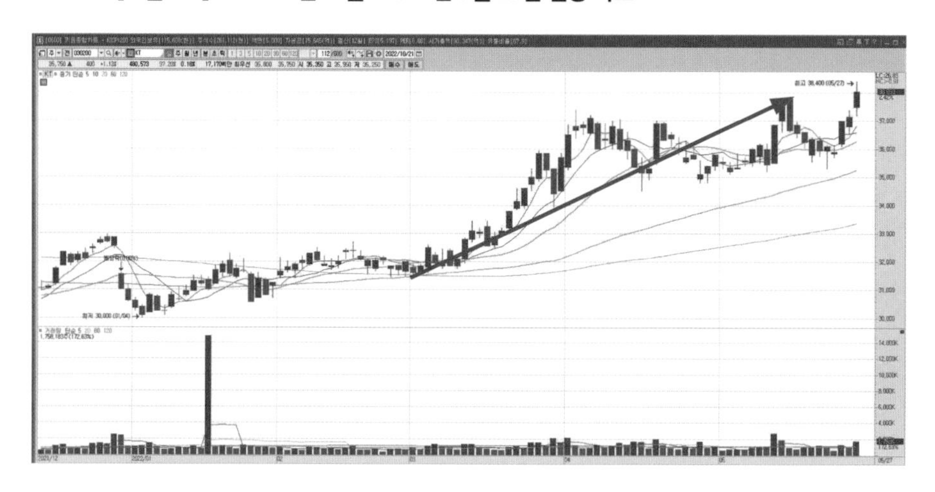

[그림 1-9] HD현대 2021년 12월~2022년 6월 14일 일봉 차트

역배열-음지 차트

음지 차트는 이동평균선이 역배열 상태이며 20일선을 지지하지 못하고 계속 하락하는 절대 매수 금지 구간인 죽음의 계곡으로 치닫는 차트다. 계곡이 깊으면 상승하기 어렵다.

[그림 1-10] 삼성전자 2021년 12월 2022년 5월 27일까지 일봉 차트

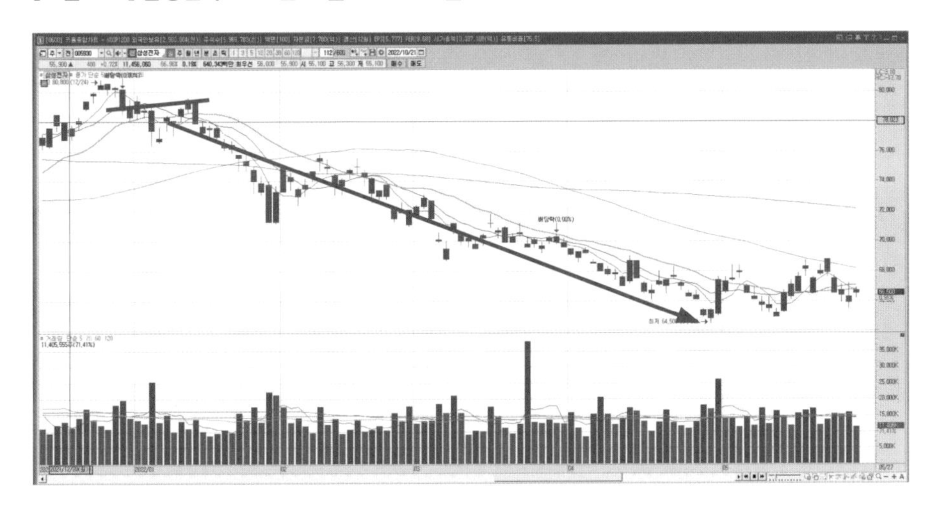

[그림 1-11] 현대차 2021년 11월~2022년 4월 22일 일봉 차트

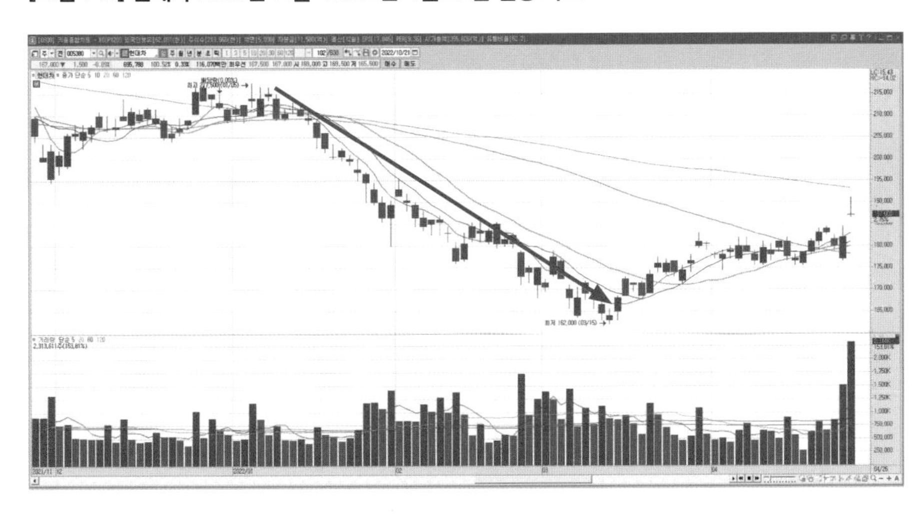

음지 차트에서는 싹을 틔우고 꽃을 피울 수 없다는 것을 알 수 있다. 햇볕이 차단된 상태이기에 공매도는 가능하나 매수를 하는 것은 매우 위험하다. 데이짱의《실전 공매도》책에서는 이 부분을 '죽음의 계곡'으로 표현했다. 주식은 매수 진입 후 상승해야만 수익을 낼 수 있는데 계속 하락만 한다면 수익을 절대 낼 수가 없다. 음지 차트 구간에서는 유비의 책사 제갈공명이 조조의 군사들을 계곡으로 유인해 몰살시킨 것처럼 데이짱도, 그 외 외국인이나 기관 등 어떤 투자자가 들어가도 수익을 낼 수가 없다. 음지 차트에서는 데이짱이 잘하는 공매도만이 수익이 가능하다.

횡보 차트

횡보하는 차트는 많이 상승한 후에 횡보하는 차트와 많이 하락한 후에 횡보하는 차트로 구분할 수 있다. 횡보하는 차트에서는 매수와 매도의 힘겨루기가 있는 구간으로 단타 매매는 가능하나 수익과 손실을 오가는 구간이라 횡보가 끝난 후에 방향이 나올 때 진입하는 것이 좋다.

[그림 1-12] 엔씨소프트 일봉 차트에서 음지 차트가 나온 후에 횡보 구간이 나왔다. 횡보 후에 위로 갈지 아래로 갈지는 아직은 모르는 차트다. 차트를 보면 이동평균선이 역배열되면서 음지 차트로 변한 후에 횡보하는 구간이 나왔다. 죽음의 계곡에서는 관성에 의해 하락이 하락을 불러오기 때문에 쉽게 위로 올라가기 힘들다.

[그림 1-12] 2021년 10월~2022년 5월 24일 엔씨소프트 일봉 차트

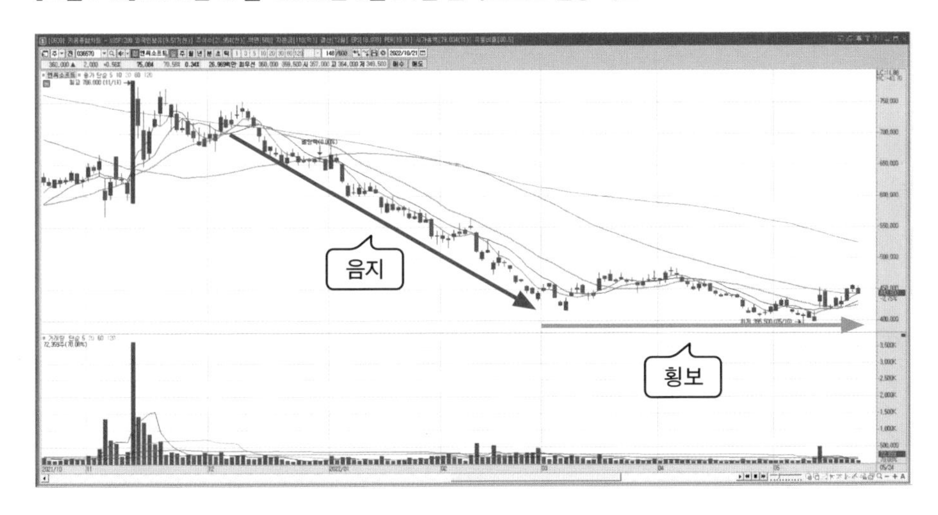

[그림 1-13]은 그 이후까지 보여주는데, 횡보 구간 후에 재하락이 나왔음을 보여주고 있다. 그러므로 음지 차트에서와 횡보 차트에서는 가능하면 진입하지 말아야 함을 여실히 보여준다. 만약 매수했다면 수익률이 낮거나 거의 없을 수 있으며 손절매해야 한다.

[그림 1-13] 2021년 10월~2022년 10월 21일 엔씨소프트 일봉 차트

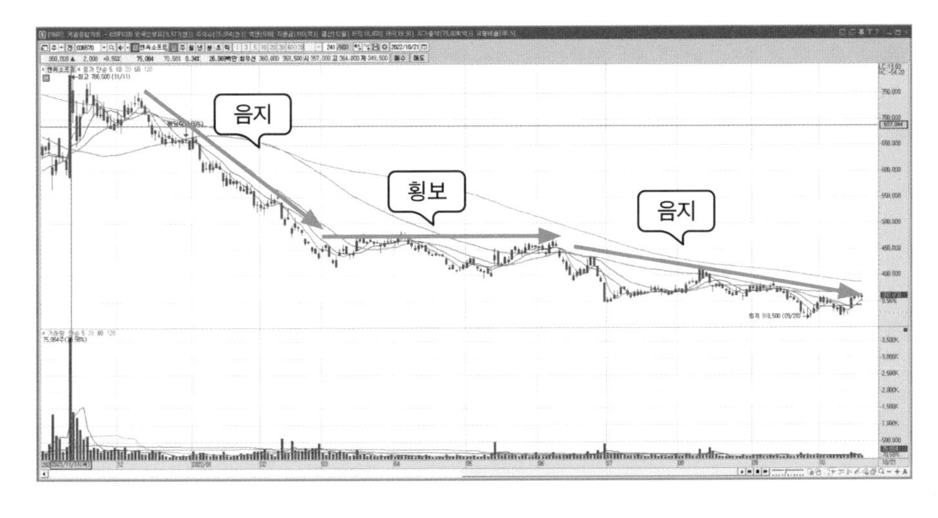

[그림 1-14] 카카오페이 2021년 11월~2022년 4월 20일 일봉 차트

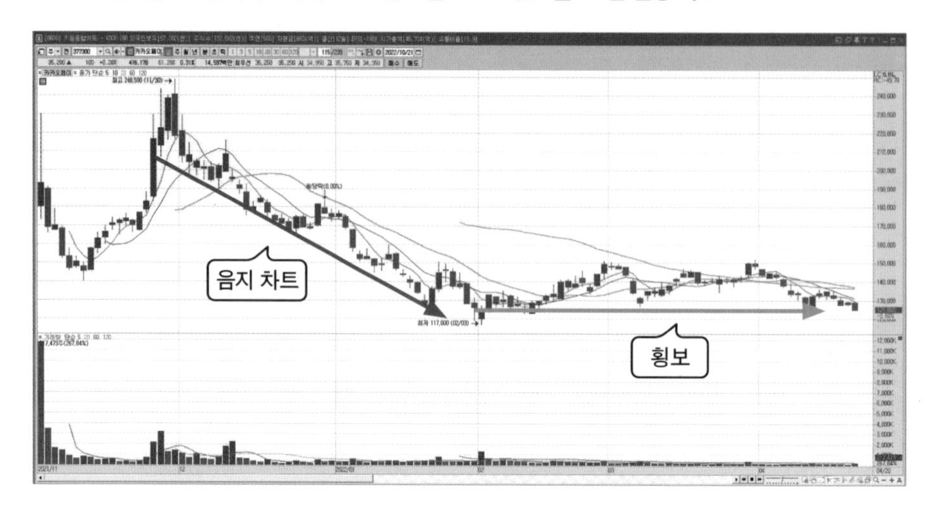

[그림 1-14] 카카오페이 일봉 차트를 보자. 2021년 11월 30일 248,500원을 기록하고 음지 차트 구간을 지나 횡보하고 있는 모습을 보여주고 있다. 횡보가 길면 일반적으로 바닥을 잘 다지고 위로 갈 것이라는 생각을 많이 한다. 이 차트로만 보면 횡보 후에 역시 위로 갈지 아래로 갈지 알 수 없다. 그럼 이 차트의 다음에는 어떻게 되었는지 보자(그림 1-15).

[그림 1-15] 카카오페이 2021년 11월~2022년 10월 20일 이후 일봉 차트

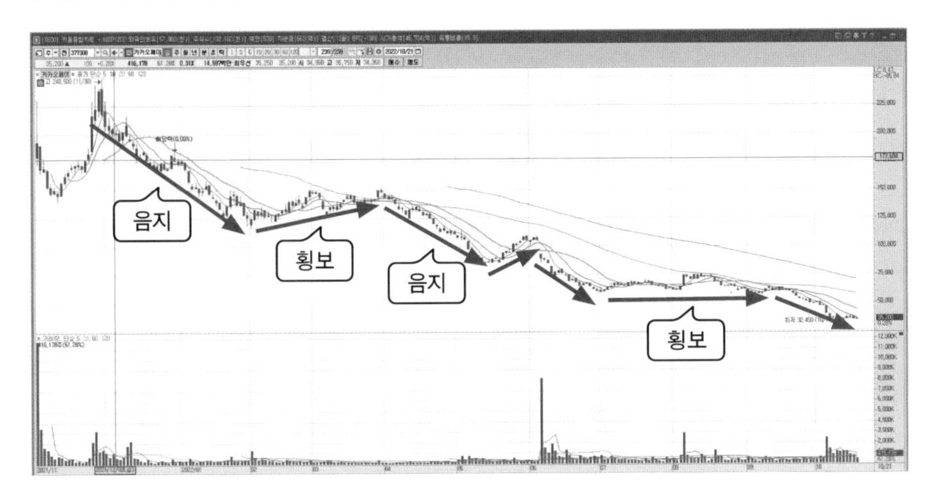

음지 구간과 횡보 구간 후에 관성에 의한 하락이 하락을 불러왔음을 알 수 있다. 중간에 살짝 반등했으나 상승은 약했고 재하락했음을 보여주고 있다.

몇 가지 종목의 차트를 살펴봤지만, 음지에서는 상승의 싹이 쑥쑥 자라는 것이 힘들다는 것을 보여주고 있다. 투자자는 이런 차트의 속성을 잘 분석해 음지 구간과 횡보 구간에서는 진입을 하지 말아야 함을 명심해야 한다.

자, 어떤 생각이 드는가? 지나간 차트를 공부하는 것은 매우 좋은 방법이다. 마치 기출 문제집을 샀는데 정답지가 있는 문제를 풀고 있는 것과 같다. 이미 답이 다 나와 있기에 차트의 흐름과 패턴을 정확히 알 수 있다. 지나간 차트는 그 기록을 바꿀 수 없기에 이보다 더 좋은 주식 공부의 교재는 없다. 지나간 역사를 토대로 새로운 역사를 써나가는 것과 같다. 지나간 차트의 흐름과 패턴으로 우리는 100%는 아니지만 70~80%의 예측이 가능하기 때문이다.

[그림 1-16] SK바이오사이언스 2021년 10월~2022년 5월 30일까지 일봉 차트

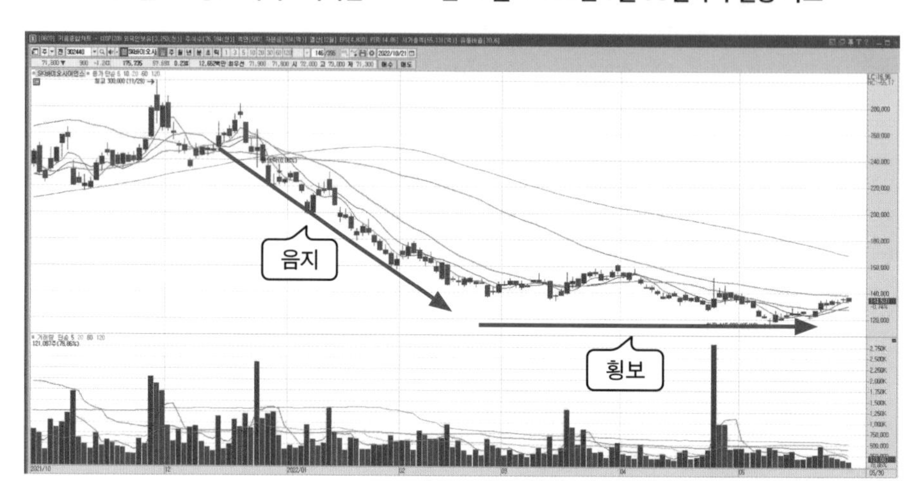

SK바이오사이언스 차트를 보자(그림 1-16). 2021년 11월 29일 300,000원을 기록하고 음지 구간이 나온 후에 횡보하고 있다. 이 차트로는 위로 갈지 아래로 갈지 아직은 모른다. 그러나 우리는 앞에서 학습한 바에 의하면 재하락이 나올 것이라는 예측을 할 수가 있다. 예측은 하되 대응이 중요하다. 이 종목이 어떤 이슈가 있어서 위로 갈 수도 있기에 앞에서 배운 종목처럼 무조건 재하락할 것이니 공매도하겠다고 생각하는 것은 매우 위험하다.

횡보 차트에서는 매수도, 공매도도 진입하면 안 된다. 만약 매수 진입을 했다면 아래로 가면 손실이다. 그리고 더 하락할 것이라고 예측하고 공매도를 했는데 위로 가버릴 수도 있기에 방향이 나오기 전에는 진입하면 안 되는 자리가 횡보 차트다.

[그림 1-17] POSCO홀딩스 2021년 6월~2022년 5월 27일까지 일봉 차트

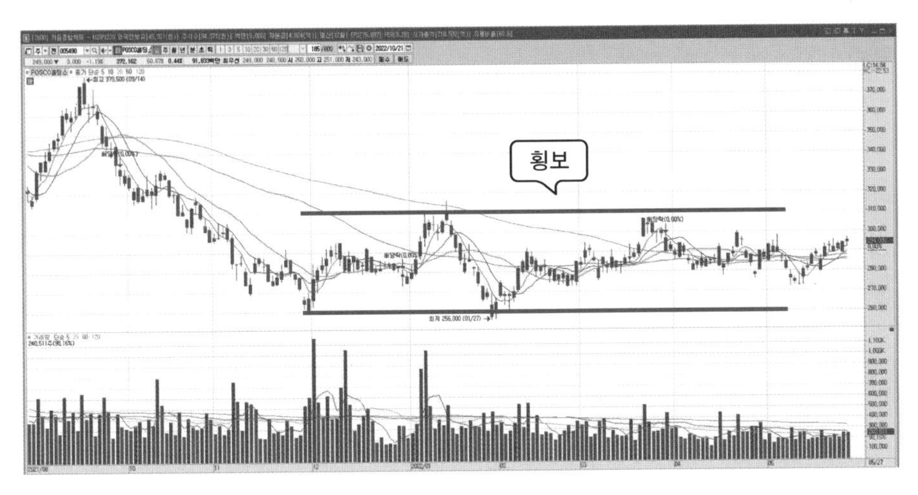

[그림 1-17] POSCO홀딩스 일봉 차트처럼 횡보 구간에서 선불리 진입했다고 해보자. 횡보 차트이기에 매수 포지션이라면 아래로 갈 것 같아서 마음을 졸일 것이고, 공매도 포지션이라면 위로 갈 것 같아 마음 졸일 것이다. 그러니 이런 횡보 구간은 단타 말고는 매매할 필요가 없다. POSCO홀딩스는 실적이 좋아 혹 '횡보 구간이 끝나고 상승할 수도 있을 것이다'라고 생각할 수도 있다. 하지만 다음 차트를 보자(그림 1-18).

[그림 1-18] POSCO홀딩스 2021년 10월~2022년 7월 18일까지 일봉 차트

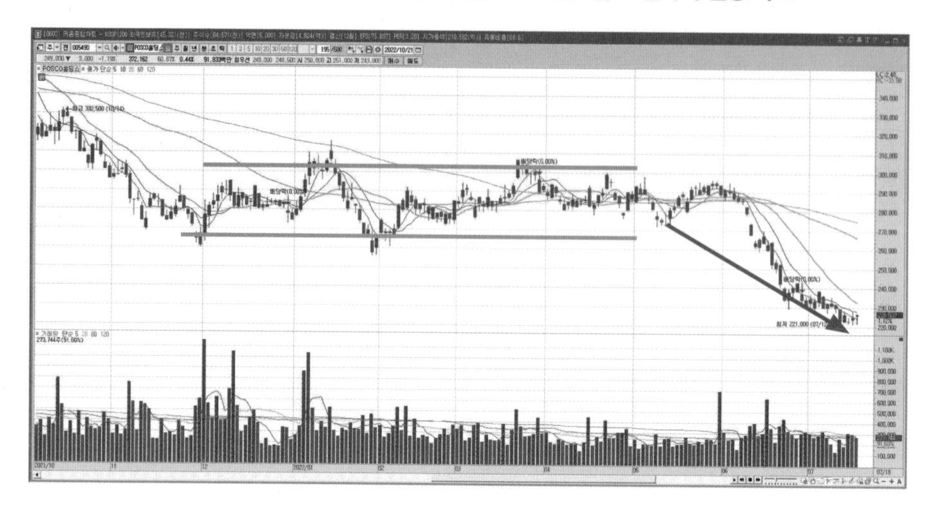

어떤가? 결국 하락했다. 그러므로 독자 여러분은 횡보 구간에서 섣부른 예측은 하지도 말아야 한다. 매수도, 공매도도 '방향이 나올 때까지'는 진입하지 말아야 한다.

Summary

양지, 음지, 횡보 차트

1. 양지 차트는 햇볕이 많아 식물이 잘 자랄 수 있다.

- 이동평균선이 정배열되어 있다.
- 20일 이동평균선이 캔들의 밑을 받쳐주고 우상향한다.
- 매수 진입하기 좋은 차트다.
- 양지 차트에서는 공매도 절대 금지다.

2. 음지 차트는 햇볕이 들지 않아 식물이 잘 자랄 수 없다.

- 이동평균선이 역배열되어 있다.
- 20일 이동평균선이 지지되지 않으므로 우하향한다.
- 매수 절대 금지다.
- 음지 차트에서는 어떤 투자자도 매수 진입하면 안 된다.

3. 횡보 차트는 위로 갈지 아래로 갈지 모르기 때문에 방향이 나오기 전에 섣부른 예측을 해서 매매하면 안 된다.

- 매수 진입도, 공매도 진입도 하면 안 된다.
- 수익의 폭이 작거나 손절매를 부르는 구간이므로 마음을 졸이면서 진입할 필요가 없다.

▶ 매수는 양지 차트에서만 한다.
▶ 공매도는 음지 차트에서만 한다.
▶ 항상 안전한 자리, 기대수익이 큰 자리에서만 매매해야 한다.

손절매의 기준

우리는 어릴 때 전쟁놀이를 많이 했었다. 주식투자도 전쟁처럼 생각해보자. "전쟁의 방법은 총알이 많은 쪽이 이긴다"라는 전제로 주식 전쟁을 한다고 생각하고 지금부터 적군은 누구이고, 아군은 누구인지 알아보자. 적군은 개미 사병이다. '내가 개미 사병인데 왜 적군이지?' 하는 의아심이 들 것이다. 개미 사병이 적군인 것은 개미 사병을 따라서 주식투자를 하면 망하기 때문이다.

그렇다면 나에게 아군은 누구인가? 아군은 기관(국군)과 외인(용병)인데 아군을 따라 매매해야 승리하기 때문이다. 우리는 공격하기 좋은 위치와 방어하기 좋은 위치를 잘 알아야 한다. 전쟁에서 가장 중요한 것은 군사력과 전술이다. 이 전쟁에서는 총알을 가장 많이 가지고 있는 쪽이 유리하다. 주식투자는 기관과 외인을 상대로 개인 투자자들이 전쟁을 하는 것이다.

"손절매를 잘해야 주식을 잘한다"라는 말이 있다. 주식투자가 전쟁이라고 하면 손절매는 마지노선에서 한다. 여기서 마지노선이라는 말의 유래를 한번 알아보자. 마지노선은 1930년 이후 프랑스가 독일군의 침입을 막기 위해 중국의 만리장성처럼 라인강을 따라 쌓은 강고한 요새 국경선을 말하며, 마지노(A. Maginot) 육군 장군의 이름을 딴 것이다. 이 마지노선 국경이 무너지면 침입을 당해낼 수 없다는 의미로 마지노선이라는 용어가 생겼다. 그러나 제2차 세계대전 중 1940년 6월 14일 독일 공군에 의해 견고한 마지노선은 무너졌다.

주식에서도 마지노선에서 홀딩할 경우 기회의 비용을 잃어버리게 되기 때문에 반드시 손절매해야 한다. 즉 적군이 쳐들어와서 승산이 없을 경우는 목숨이라도 건져야 후일을 도모할 수 있는 것처럼 손절매함으로써 남은 총알로 재기회를 잡을 수 있다. 그리고 손절매는 짧게 대응한다. 많은 투자자가 항상 데이짱에게 손절매에 관해서 다음과 같이 질문한다. "당신이 고수인데 손절매합니까? 만약 손절매하게 된다면 몇 %를 기준으로 합니까?" 데이짱은 항상 이렇게 말한다.

"서울역에서 부산행 KTX를 탔는데 광주로 가고 있다면 당신은 어떻게 할 것입니까? 내 답변은 바로 내려야 한다는 것입니다. 손절매는 그렇게 하는 것입니다."

시간이 지나서 멀리 간다면 시간적, 경제적으로 손해가 막심하다는 것을 이미 알고 있기 때문이다. 이러한 것들은 경험적으로도 많이 당해봤을 것이다. 처음부터 KTX를 탈 때 확실하게 부산행 KTX를 타야 하고 만약 잘못 탔다면 즉시 내려서 부산행 KTX로 갈아타야 하는 것은 다 아는 사실이다. 잘못 탄 KTX에서 내리지 않고 광주로 계속 가다가 중간에 내리면 부산행 KTX를 타기 힘들다.

손절매를 꼭 해야 하는 종목도 있지만, 굳이 손절매하지 않아도 되는 종목들도 있다. 업종 사이클이 있는 종목이거나 지수와 연관된 종목들은 물타기를 해도 되고 계속 보유해도 된다.

손절매해야 하는 종목

거품이 많이 끼었거나, 성장주나 테마주, 임상실험 관련주, 원전 관련주 등 실적 없이 고평가된 종목들은 지지선이 깨지면 반드시 손절매해야 한다. 이런 종목들은 오르기 전 가격으로 되돌아온다.

[그림 1-19] 다날 2021년 3월~2022년 11월 21일까지 주봉 차트

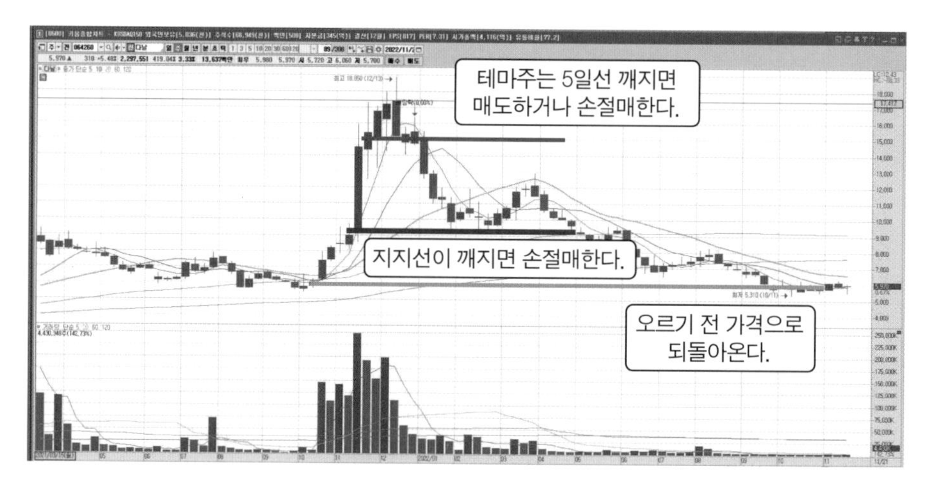

[그림 1-19] 다날 주봉 차트에서 보는 것처럼 실적과 상관없이 크게 상승한 종목들은 오르기 전 가격으로 되돌아오기에 매도 원칙이 깨지면 손절매해야 한다. 추가 매수를 해서 물타기를 할 때는 급락이 나온 후에 강남 자리(매수 기법 부분에서 확인)가 만들어졌을 때만 해야 한다. 지지 자리가 깨졌을 때는 절대 물타기를 하면 안 된다.

[그림 1-20] 서진시스템 2021년 10월~2022년 7월 6일까지 일봉 차트

[그림 1-20]의 서진시스템 일봉 차트에서 볼 수 있는 것처럼 대형 우량주가 아닌 경우에는 지지선이 깨지면 일반적으로 손절매하는 것이 좋다.

급박한 손절매를 안 해도 되는 종목

그렇다면 손절매를 안 해도 되는 종목들은 어떤 종목들이 있을까? 물론 판단은 투자자가 하는 것이지만, 오랜 시간 시장을 관찰한 결과 삼성전자, 은행업종, 타이어업종, 석유화학업종, 화학업종, 조선업종, 건설업종 등은 사이클이 있어서 상승과 하락을 계속 반복한다. 이러한 종목은 단기 급락했을 때 굳이 급박하게 손절매할 필요가 없다. 지수와 시장 분위기를 살펴보며 종합적으로 판단한 후에 손절매해도 나쁘지 않다. 스스로 손실을 감당할 수 있고, 시장 분위기가 나쁘지 않다면 다시 회복할 때를 기다려보는 것도 방법이다.

[그림 1-21] 삼성전자 2019년~2022년 11월까지 주봉 차트

Summary

끊임없는 연습과 복기

직장인, 학생, 주부, 일반인 누구나 경제적 자유를 누릴 수 있다. 단, 끊임없이 차트를 보는 연습과 자신의 매매에 대한 복기가 필요하다. 어떠한 것도 노력 없이 얻을 수 없다는 평범한 진리는 주식시장에서도 통한다. 다만, 시행착오를 줄이는 데 데이짱의 이 책이 큰 도움을 줄 수 있다.

트레이딩은 단순한 반복만이 정답이다. 우리나라 주식시장 참여자의 수는 수백만 명이다. 현재 활동 증권계좌만 500만 계좌라고 한다. 주식시장에 참여자가 많을수록 반복된 현상들이 많이 나타난다. 만약 주식시장 참여자가 1,000명이라면, 시장에 나타나는 현상들이 일정한 패턴으로 나타나지 않을 수도 있다. 하지만 매일 그보다 많은 시장 참여자로 인해 시장에서는 유사한 현상들이 매일 반복된다. 그 현상을 분석해보면 생각보다 단순하다는 것을 알 수 있다.

"반복적으로 많이 훈련하라. 그러면 실력이 좋은 선수가 될 것이다."
"주식 매매도 반복적으로 많이 실전 매매하라. 그러면 실력이 늘 것이다."

개인기가 뛰어난 선수가 축구팀에 있다면 그 축구팀은 이길 확률이 높다. 개인기가 뛰어난 선수들도 어렸을 때부터 기본기 훈련을 단단하게 했을 것이다. 한국의 간판 스트라이커 손흥민의 아버지 손웅정 씨는 이런 말을 했다. "대나무는 뿌리를 내리는 데만 5년이 걸린다고 한다."
축구 기본기가 얼마나 중요한지에 대해 말한 것이다. 축구 선수들은 기본기를 배울 때 2개월가량 리프팅 연습을 훈련한다고 한다. 손흥민 축구 선수는 리프팅 연습만 6개월을 했고 지루한 반복적인 훈련 과정이 있었기 때문에 주급 14만 파운드(2억 원)의 선수가 되었다. 연봉으로 계산하면 728만 파운드(약 106억 원)다. 축구에서 리프팅을 잘하면 볼 다루는 능력이 높아지기 때문에 축구를 잘하기 위해서는 리프팅을 꾸준히 연습해야 한다. 대부분 아마추어는 축구의 기본인 리프팅 연습조차 하지 않는 사람들도 많다. 아무나 손흥민, 호나우두, 메시가 될 수는 없다. 주식 매매도 고수라고 불리는 사람들과 기본기도 없는 개미투자자의 수익은 다를 수밖에 없다.

일반 개미투자자들은 주식 매매를 시작할 때 돈부터 계좌에 입금한다. 수천만 원부터 수억 원을 입금하면서 대박만 내려는 마음뿐이다. 결과는 어떻게 될까? 기저귀 찬 아기와 국가대표 육상선수가 출발선에 같이 서 있는 것처럼 우스꽝스러운 일이다. 기초체력과 기본기도 없이 동네 조기축구 모임에서 경기를 뛴다면 10분도 지나지 않아 지쳐서 그만두어야 할지도 모른다. 또 억지로 뛰어보겠다고 버티면 다치거나 넘어질 수도 있다.

주식 매매도 마찬가지다. 최소한의 투자 지식을 알고 있다면, 시장에서 살아남은 고수는 어떤 방법으로 투자했는지 배울 필요가 있다. 그 과정을 통해 불필요한 시행착오를 상당히 많이 줄일 수 있다. 따라서 기본기와 원리를 이해하기 위해 노력하고, 고수의 노하우를 배운다면 훨씬 빠르게 성장할 수 있을 것이다. 다시 말하지만 '단순한 반복'만이 정답이다.

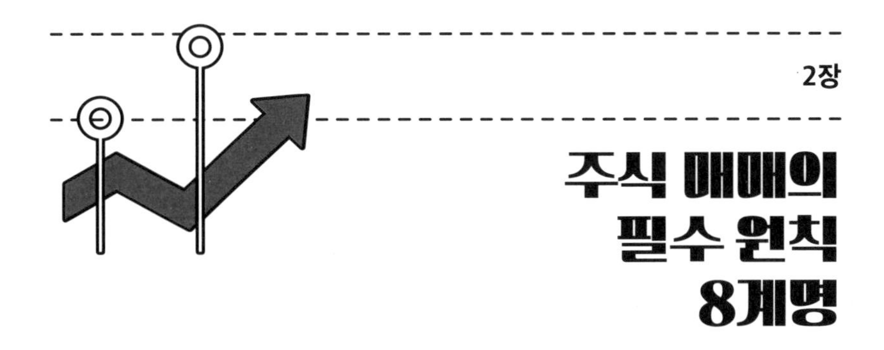

2장

주식 매매의 필수 원칙 8계명

주식투자자라면 반드시 지켜야 할 원칙을 세우고, 실제 매매를 할 때 꼭 지키려고 노력해야 한다. 특히 주식 트레이딩에 서툰 사람이라면 더욱 원칙을 지키려고 노력해야 마땅하다. 원칙을 지키지 않았을 때 돌아오는 대가는 매우 크다는 사실을 기억하길 바란다.

미수, 신용을 사용하지 않는다

데이짱도 미수를 사용한 적이 있었다. 4,000만 원 미수를 사용해서 한 종목에 몰방했었는데 그 종목이 하한가를 가는 바람에 원금이 700만 원으로 줄어들어 큰 위기를 겪었다. 그리고 그 이후로도 미수나 신용을 사용했을 때 항상 결과가 나빴다. 주변인 중에 상승장에서 미수를 사용하여 높은 수익을 거둔 후 습관적으로 미수를 전 종목에 사용한 사람이 있다. 그런데 미수금으로 매수한 종목 중 한 종목이 거래정지가 되어서 반대매매가 나오게 되자 그는 내게 집 담보 대출을 받아야겠다고 말했다. 결국 그 종목은 포기했지만 손실은 4억 원이 넘었다. 이처럼 미수와 신용거래는 레버리지 활용 측면에서 득이 되기도 하고 독이 되기도 한다. 따라서 자신의 실력과 트레이딩 그릇의 크기를 잘 가늠할 수 있는 사람만이 미수, 신용을 써야 한다. 그렇지 않다면 애초에 이를 사용하지 않는 것이 좋다.

시가총액이 낮은 종목은 매매하지 않는다

시가총액 약 2,000억 원 이하 종목은 중단기 매매를 하지 않는다. 시가총액이 적은 종목들은 세력이 작전하기 좋으므로 매매하지 않는 것이 좋다. 특히 시가총액이 적은 종목 중 상장폐지가 되는 경우도 종종 발생한다. 가급적 안정적인 종목으로 트레이딩해야 리스크를 줄일 수 있다.

한 종목에만 큰 비중을 싣지 않는다

단기 트레이딩이라고 해도 위험을 고르게 분산할 줄 알아야 한다. 한 종목에만 매달릴 때 위험 부담이 커진다. 가치투자뿐만 아니라 단기 투자에서도 달걀을 모조리 한 바구니에 담는 우를 범해서는 안 된다. 데이짱도 빨리 돈을 벌고 싶은 마음에 한 종목에만 소위 '몰방'한 적이 있다. 이렇게 하면 필연적으로 위기에 처할 수 있으므로 적어도 세 종목에서 다섯 종목 정도로 분산투자 하는 것이 좋다.

실적과 무관한 테마주, 개별주를 매매하지 않는다

실적과 무관하게 크게 상승한 테마 종목, 개별 종목은 절대 매매하지 않는다. 오히려 이러한 종목은 공매도 포지션으로 접근하는 것이 좋다. 다음 차트를 예시로 보고 왜 실적과 상관없는 종목이 위험한지 느껴보길 바란다.

[그림 2-1] 덱스터 2019년 12월~2022년 10월 26일까지 주봉 차트

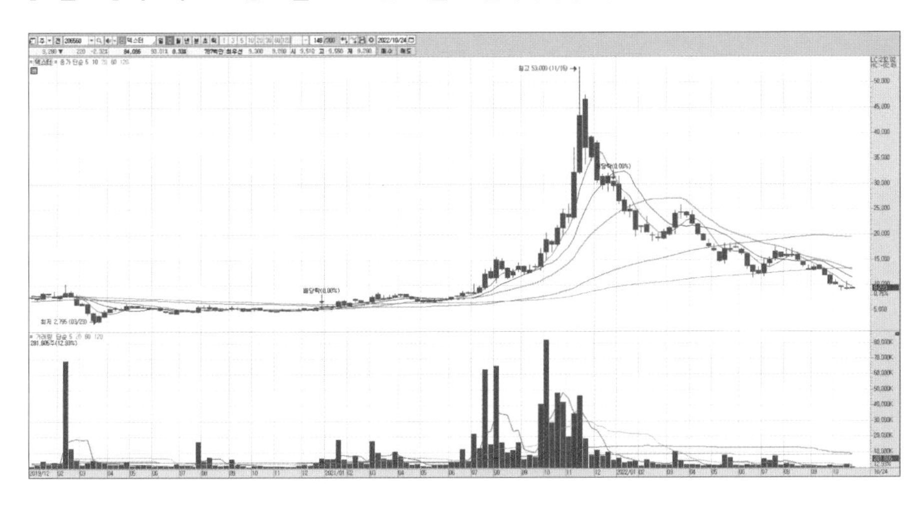

덱스터 주봉 차트를 보면 10,000원 정도의 가격이 53,000원까지 급등했다. 그러나 실적과 상관없이 급등했던 종목이다. 이런 종목은 절대 매매하면 안 되는 종목이며 이후에도 매매에서 제외하는 것이 좋다.

[그림 2-2] 위메이드 2019년 12월~2022년 10월까지 주봉 차트

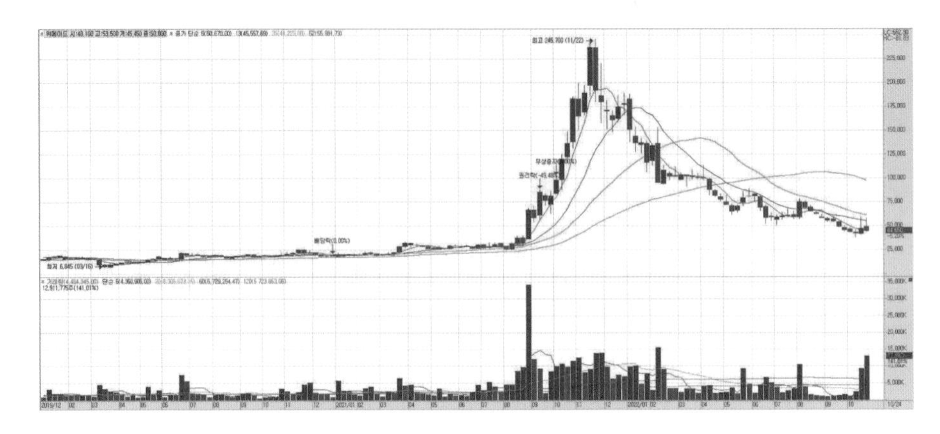

위메이드 주봉 차트도 살펴보자. 역시 실적과 무관하게 급등했던 종목으로, 이러한 부류의 실체를 잘 보여준다. 이런 종목만 매매하지 않는다는 원칙을 지켜도 크게 손실을 보는 일이 줄어든다.

단기 투자라도 재무제표를 확인한다

단기 투자자가 가장 간과하는 부분이 재무제표 확인이다. 재무제표 확인은 어려운 것이 아니다. 실적이 좋은지, 나쁜지, 상장폐지 위험은 없는지 등 금방 확인할 수 있다. 특히 실적이 좋아지는 종목이라면 재무제표를 참고하여 홀딩해야 하는 종목도 있다. 매출과 당기순이익이 증가하고 있는지 확인하면 좋다. 실적이 뒷받침되지 않는 종목이면 하락장에서 크게 급락하는 경우가 많이 발생할 수 있다.

손절매하지 않을 종목을 선택한다

당연한 말 같지만 가급적 손절매하지 않을 종목을 선정하여 매매한다. 손절매할 가능성이 적은 종목을 잘 골라야 한다는 뜻이다. 단기 투자의 목적으로 매수했을 때 상승하지 않으면 당연히 손절매해야 한다. 주가에 변화를 주는 여러 이유에 따라 어쩔 수 없이 손절매야 하는 상황이 오면 칼같이 손절매해야 함은 당연하다. 데이짱처럼 오랜 시간 시장에서 살아남은 사람도 손절매를 제대로 하지 못했다면 결코 살아남을 수 없었을 것이다. 그래서 손절매하지 않을 종목을 선택하는 것이 가장 중요하고, 손절매가 필요하면 기계처럼 손절매할 줄도 알아야 한다. 손절매하지 못하는 사람이라면 차라리 주식시장을 떠나는 것이 좋다.

신규 상장주는 중단기 매매를 하지 않는다

바이오, 게임, 엔터, 1년 미만 신규 상장주는 중단기 매매를 하지 않는다. 이 네 가지 종목에서 쉽게 손실이 나는 경우가 많아 가급적 매매 대상에서 제외하는 것이 좋다. 특히 바이오 종목은 암과 같은 질병의 신약 개발, 임상실험 등으로 급등했다가 하락하는 종목이 많으므로 더욱 매매를 추천하지 않는다. 단, 이런 종목들은 양지 차트가 나왔을 때 매매를 고려해보는 것이 좋다. 바이오 종목은 5분의 1 토막이 나는 경우도 많으므로 큰 손실을 볼 수 있다는 점을 기억하자.

반대로 급등할 때 쫓아가는 추격 매매도 하지 말아야 한다. 다음 예시를 통해 크게 손실을 볼 수 있는 위험을 살펴보자.

[그림 2-3] 신라젠 2016년~2022년 10월 월봉 차트

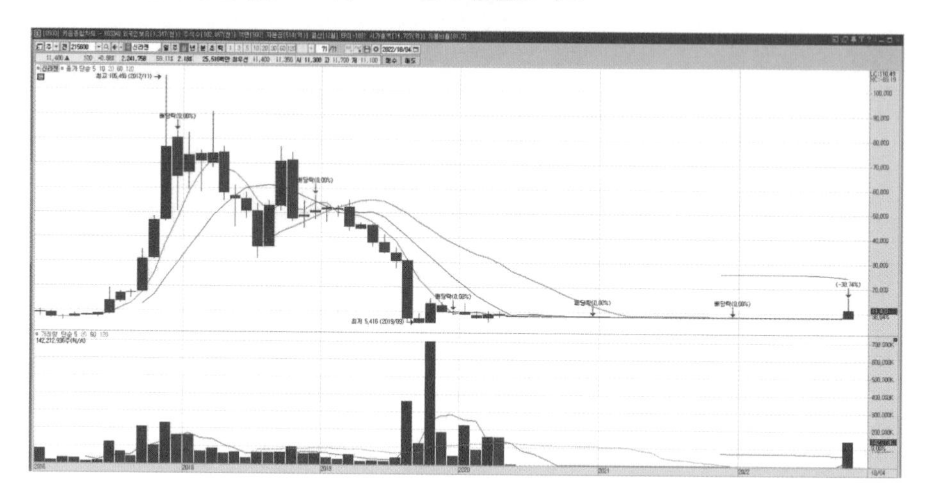

신라젠 월봉 차트를 보자. 10,000원대의 주식이 5배나 급등한 이후 약 2년 5개월 동안 거래가 정지되었다. 그러다 2022년 10월 코스닥시장에서 거래가 재개되었다. 신라젠은 글로벌 임상3상 단계 핵심 파이프라인 기대감으로 국내에서 바이오 투자를 주도했던 기업으로, 간암을 적응증으로 하는 '펙사벡'으로 단기간 주가가 폭등했다. 하지만 이후 간암 임상 실패와 경영진의 횡령, 배임 혐의까지 있었다. 2022년 9월 스위스 바실리아로부터 항암제 후보물질을 도입해 거래 재개에 크게 영향을 끼쳤으나 현재까지 3상에 진입한 품목이 없고 신장암 임상2상을 진행 중이라고 한다.

[그림 2-4] 박셀바이오 2020년~2022년 10월까지 월봉 차트

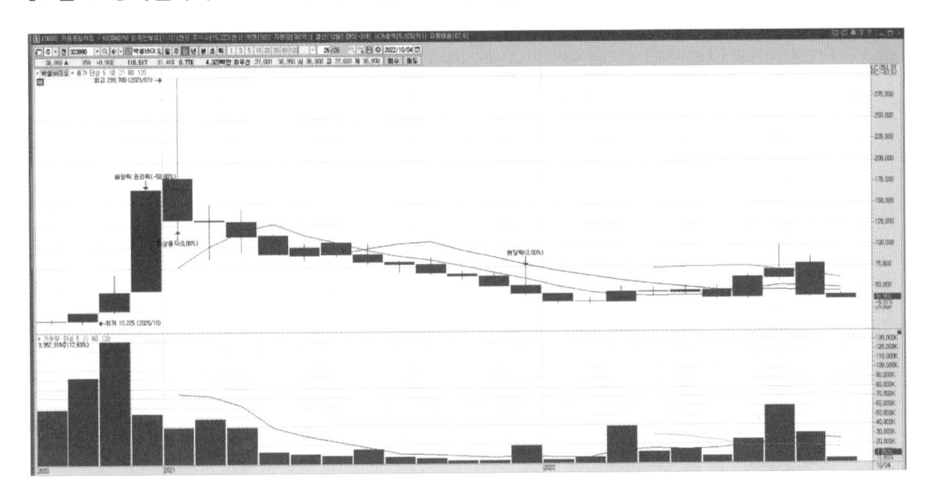

박셀바이오 월봉 차트도 살펴보자. 2021년 1월에 299,700원 최고가를 기록했다. 이후 급등하기 전의 가치로 수렴하게 될 가능성이 크다. 박셀바이오는 2010년 전라남도 화순에 설립된 면역항암 치료제 연구개발 전문기업으로 전남생물의약연구센터의 창업보육센터에서 성장하여 지난 2019년 9월 22일 기술특례를 통해 코스닥시장에 상장했다. 박셀바이오는 NK세포 치료제 플랫폼인 VAX-NK, 차세대 항암 면역세포 치료제 플랫폼인 VAX-CAR, 세계 최초 반려견 전용 면역항암 치료제인 박스루킨-15 등의 플랫폼을 보유하고 있다.

신라젠, 박셀바이오 등 바이오 종목들은 급등하기 전에 진입은 가능하지만 이미 급등 물살을 타고 있다면 진입하지 않는 것이 맞다. 신약의 임상 실험이라는 호재를 뉴스로 내보내고 투자자의 심리를 부추기면서 주가를 상승시키려 한다. 그러나 바이오 분야는 전문

가들도 쉽사리 예측할 수 없는 상용화의 미래다. 신약 개발 과정은 일단 너무나 전문적이라서 투자자들이 과정을 알기도 어렵고, 기간이 오래 걸린다는 것이다.

제약회사에서 신약 개발은 아주 중요한 기업 성장의 요소이기도 하지만, 신약을 개발할 때는 천문학적인 연구개발비가 들어가기 때문에 사실상 전 세계에서 Top 10의 자리에 있는 제약회사들만 있다고 생각해도 된다. Top 10의 제약회사나 존슨앤드존슨 등의 대규모 회사는 각종 신약과 치료제들을 만들 수 있으며, 많은 연구개발비를 견뎌낼 재정적인 힘이 있다.

'우리나라에서 유명한 제약회사 셀트리온은 그럼 제약회사인데 수준이 안 되나?'라는 생각도 할 것이다. 신약을 개발한 제약회사는 개발 특허를 갖게 되는데 그 기간이 정해져 있다. 신약의 종류와 국가에 따라 기간은 다르지만, 기간이 만료되면 복제약이라는 것을 만들 수 있다. 이 복제약을 '바이오시밀러(생명 의약품 복제약)'라고 한다. 복제약이 나오기 시작하면 약의 레시피가 모두 똑같기에 생산력이 더 중요해진다.

셀트리온은 이 생산의 효율성 등이 좋아 글로벌 제약회사가 된 것이라고 보면 된다. 또한, 임상실험을 통과했더라도 상용화까지는 확률이 매우 낮다는 점도 알아야 한다. 이처럼 신약 개발은 너무 어려운 과정이다. 한국의 제약회사들은 신약 개발의 주역이 되긴 쉽지 않다. 그러니 특허가 만료된 다양한 약을 중심으로 사업을 영위하는 것이다.

미국 FCA 신약 개발의 총 4단계가 있는데 임상1상, 2상, 3상 후에 NDA(신약허가신청) 승인이 최종적으로 남아 있다. 임상은 들어봤지만 NDA에 대해서는 대부분 들어보지도 못했을 것이다. 2006~2015년까지 10년 동안의 1~3상과 NDA 통과 확률은 8%라고 한다. 이 모든 과정이 수년이 걸리기도 하기 때문에 주가가 하루아침에 반등하는 것은 기대할 수 없는 것이다. 임상3상을 통과해도 NDA를 통과하지 못할 수도 있기에 임상실험 등으로 주가 부양에 나쁘게 이용하는 것은 아니라고 본다.

[그림 2-5] 펄어비스 2017년~2022년 10월까지 월봉 차트

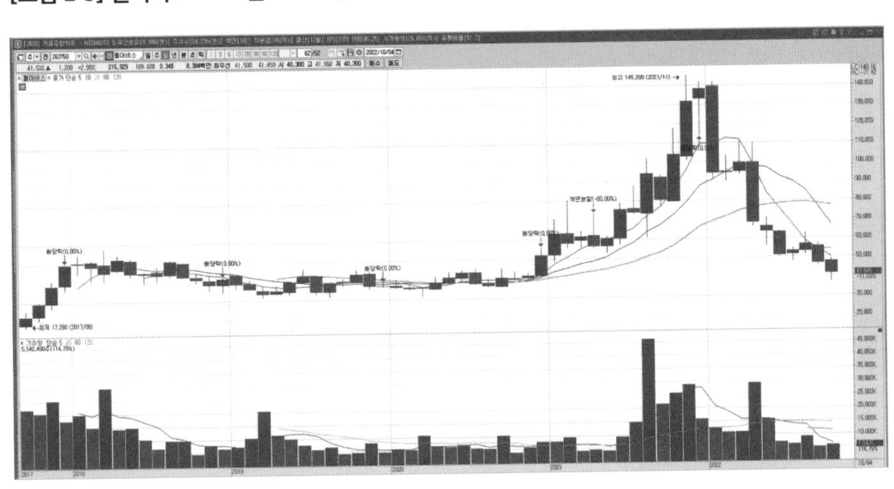

[그림 2-5] 펄어비스 월봉 차트를 보면 단기간에 급등했다가 하락하는 모습을 잘 보여준다. 2021년 NFT 이슈와 〈도깨비〉, 〈붉은 사막〉으로 2021년 11월 17일 145,200원을 기록하고 2022년 10월 13일 37,350원을 기록했다. 1년 만에 37,750원까지 하락한 것이다.

이미 나와 있는 게임의 흥행 실패와 새로운 게임 〈붉은 사막〉 출시가 2023년 4분기로 지연될 것이라는 소식이 그 이유였다. 펄어비스는 시가총액이 2조 원이 넘는데도 불구하고 2분기에 42억 원의 적자를 기록했으며, 3분기 실적도 저조할 것이라고 한다.

[그림 2-6] 위메이드 2017년~2022년 10월까지 월봉 차트

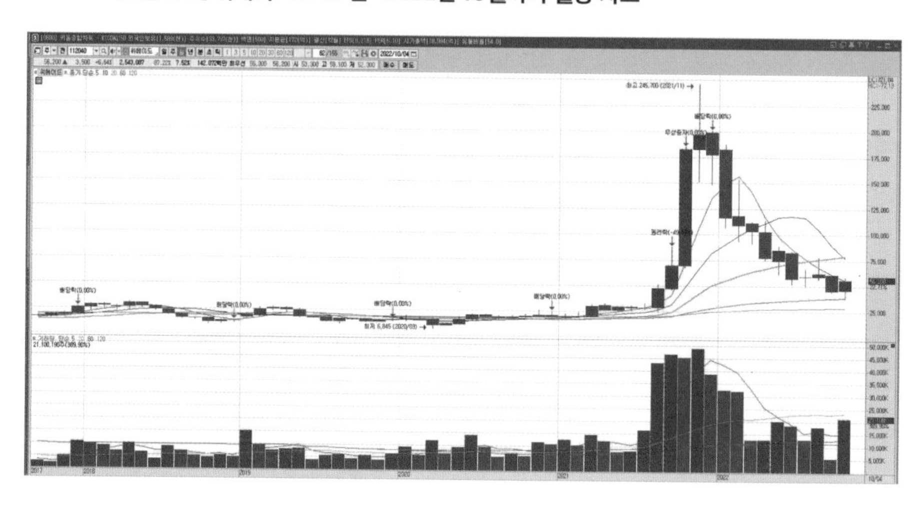

[그림 2-6] 위메이드 월봉 차트에서 볼 수 있는 것처럼 25,000원 가량이던 주가는 2021년 11월에는 245,700원을, 2022년 10월 13일에는 38,200원을 기록했다.

[그림 2-7] 하이브 2020년 10월~2022년 11월 22일까지 주봉 차트

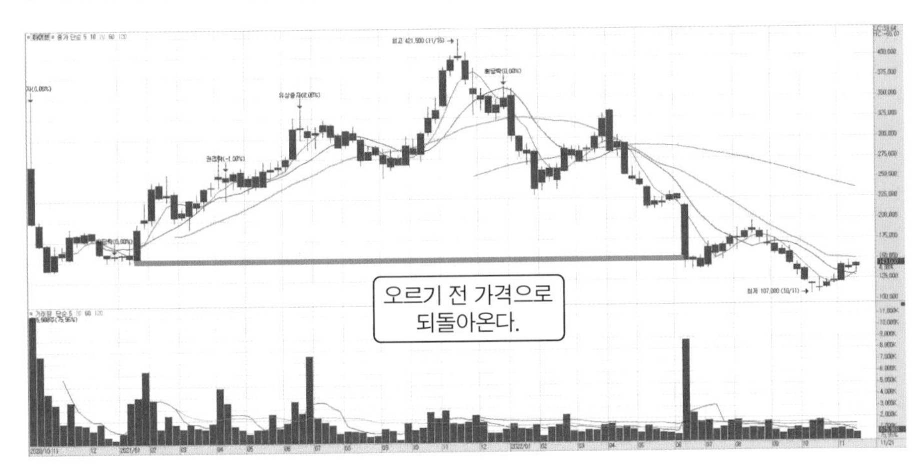

[그림 2-7]의 하이브 주봉 차트도 살펴보자. 하이브는 BTS 하나로 상장된 엔터 회사로 방탄소년단(BTS), 세븐틴, 투모로우바이투게더 등의 연예인들이 소속돼 있다. BTS의 활동 잠정 중단과 군대 입대 리스크에 하이브의 2대 주주인 넷마블이 보유한 주식을 전부 담보로 맡기고 자금을 조달한 이유로 강하게 시세 하락이 나타나면서 반등해주지 못하고 있다. 이처럼 엔터주들은 소속사 가수들의 행보에 따라서 크게 상승하기도 하지만, 오르기 전 가격으로 되돌아오는 것을 알 수 있다.

이런 바이오, 게임, 엔터 종목 등을 무조건 매매하지 말라는 것은 아니다. 급등 전이나 양지 차트가 나올 때는 매수해도 된다. 그저 이미 급등한 종목을 쫓아가는 매매를 하지 말라는 것이다. 이렇게 급등했다가 빠지는 것에는 실체가 없기 때문이다. 제조업처럼 매출액과 영업이익이 있어 실적이 보인다면 작전세력이 쉽게 붙지 못한다. 반면 임상이나 신약 개발, 코인 개발, 메타버스(확장 가상 세계) 관련 등의 두루뭉술하면서 확실하게 보이는 것이 없으면 세력들은 주가를 올리고 빠지기 때문에 굳이 개미가 총알받이를 할 필요가 없다.

엔터주들은 실적에 따라서 상승하기도 하고 가수의 흥망에 따라 달라진다. 드라마나 영화 하나의 흥행 덕분에 오르내리는 등 급등락이 심하다. 신규 상장주는 10종목이 등록되면 9종목은 거의 하락으로 치닫기 때문에 매매하면 손실을 볼 가능성이 크다. 공모주는 상장하고 그다음 날 매도해야 한다.

증거금 100% 종목은 중단기 매매를 하지 않는다

증거금 100% 종목은 대부분 3~4년 적자 종목이므로 퇴출에 근접하면 나오는 경우가 많다. 증권사에서 증거금 100%라고 지정하는데, 연속 적자 기업이니 언제라도 퇴출 가능성이 크다고 판단하면 된다. 증거금률은 종목마다 20~100%까지 천차만별이다.

우리나라 주식 거래는 매매한 날을 포함해서 3영업일 후에 모든 결제가 완료되는 시스템으로 주식 계좌에 예수금이 부족하더라도 증거금률에 따라 미수금 제도를 통해 매수가 가능하게 도와준다. 예를 들어 증거금률이 20%인 종목을 10만 원어치 매수하고 싶을 때 계좌에 20,000원만 있어도 매수가 되고 부족한 80,000원은 3영업일 안에 내거나 80,000원만큼 주식을 매도해서 갚는 것이다. 만약 갚지 못하게 되면 4영업일째 되는 날 오전 동시호가로 강제 청산이 된다.

증권사에 증거금을 운영하는 목적은 두 가지다. 첫째는 증권사의 리스크 축소이며, 둘째는 거래 활성화를 통한 이익 극대화이다. 증거금 비율을 100%가 아닌 더 낮은 수준으로 설정하면 보유한 자금보다 더 많은 거래를 할 수 있게 해주면서 거래량이 증가하는 효과가 있다. 이는 거래 수익의 증가로 이어지기도 한다. 변동성이 크고 불안정한 종목들이 더 큰 증거금을 요구하는 이유도 그 때문이다. 이 증거금을 이용해서 주식을 거래하는 것은 신용거래이며, 이 경우 이자가 발생한다. 이 증거금을 다음 날 정오까지 납부해야만 포지션 유지가 가능하고, 납부되지 않으면 강제 청산이 된다.

미수금을 사용하고 싶지 않다면 키움증권 화면번호 [0398]에서 현금 100%로 변경을 요청하면 된다.

1 [0398] 계좌증거금률 변경 등록

계좌번호 | 비밀번호 | 조회 | 증거금 변경

현재계좌증거금률		
추정자산		
휴대폰번호	- -	고객정보 변경

※ 변경하고자 하는 증거금을 선택하시고 '증거금 변경' 버튼을 클릭하시기 바랍니다.

선택	현 금	대 용	합 계
○	스펙트럼 플러스(+) 증거금 (우수고객형)		
○	스펙트럼 증거금 (기본형)		
○	0 %	40 %	40 %
◉	100 %	0 %	100 %

매도대금 담보대출 약정등록

Summary

절대로 해서는 안 되는 매매와 손절매

주식 매매를 할 때 절대 해서는 안 되는 매매가 있다. 주식은 상승해야만 수익이 나기에 이동평균선이 데드크로스가 나거나 위로 공간이 나오지 않으면 매매하면 안 된다. 반대로 공매도를 칠 때는 데드크로스가 나거나 아래로 공간이 나오면 매매한다. 공매도 패턴이 나오면 매수는 절대 금지다. 돌파가 어려운 차트들은 갈 방향으로 공간이 나오지 않고 벽이 하나씩 막혀 있는 모습을 보인다.

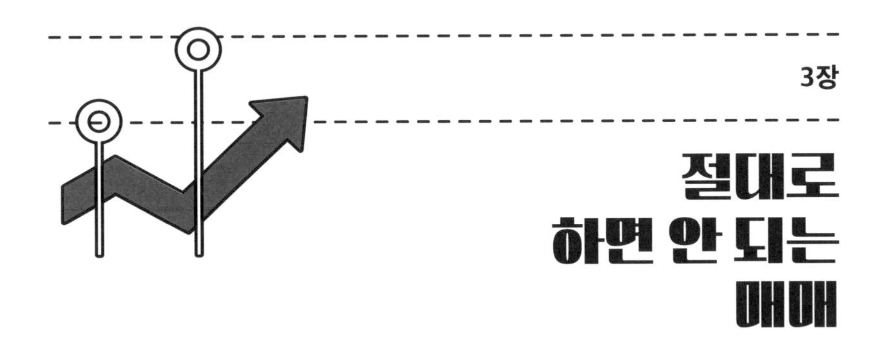

3장

절대로 하면 안 되는 매매

주식을 매매할 때 절대 해서는 안 되는 매매가 있다. 즉 높은 확률로 돈을 잃을 가능성이 큰 매매다. 이를 위해 소중한 투자금을 잃어버릴지도 모르는 매매가 무엇인지 반드시 알아두어야 한다. 아무데나 과감하게 승부할 줄 아는 배포를 용기라고 착각하지 말자. 어디서 배짱 있게 승부를 걸어야 할지 아는 것도 실력이란 점을 반드시 기억하길 바란다.

주식은 상승해야만 수익이 난다. 따라서 이동평균선이 데드크로스가 나거나, 위로 공간이 나오지 않으면 매매하지 않는다. 재미있게도 반대로 공매도 포지션을 잡을 때는 데드크로스가 나거나 아래로 공간이 열리면 매매해야 한다. 이러한 공매도 패턴이 나오면 매수는 절대 금지다. 돌파가 어려운 차트들은 갈 방향으로 공간이 나오지 않고 벽이 하나씩 막혀 있는 모습을 보인다.

여러 예를 통해 매매하면 안 되는 차트와 조건들을 살펴보자.

이동평균선 수렴 후 데드크로스 나는 자리

여기서 골든크로스와 데드크로스를 한번 짚고 넘어가자. 골든크로스는 [그림 3-1]처럼 단기이동평균선이 장기이동평균선 위로 올라갈 때 주식가격의 변동성이 커지면서 만들어낸다. 거래량이 늘어나면 강력한 상승을 기대하게 만든다. 주식가격이 저점일 때 골든크로스는 매수하기 좋은 기회가 될 수도 있다. 하지만 골든크로스가 나타난다고 꼭 주식가격이 상승하는 것은 아님을 명심해야 한다.

[그림 3-1] 골든크로스

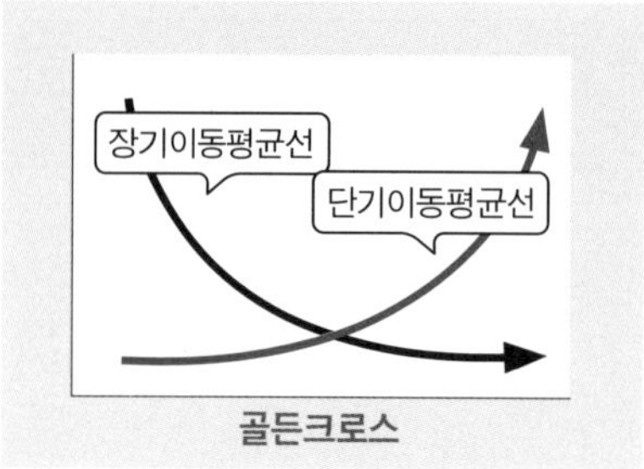

장기이동평균선
단기이동평균선
골든크로스

[그림 3-2] 데드크로스

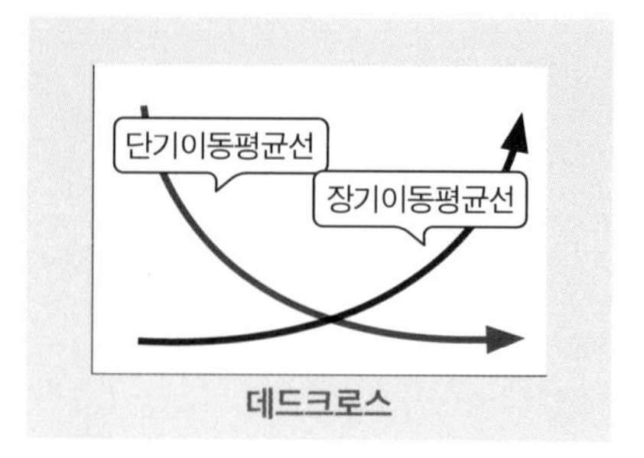

데드크로스는 [그림 3-2]와 같이 단기이동평균선이 장기이동평균선 아래로 내려갈 때 나타나는 것으로 주식가격이 하락하고 있다는 것이며 거래량은 대체로 줄어든다. 데드크로스는 죽음의 선이라고 말할 정도니 신규 매수를 하면 안 된다.

"떨어지는 칼날을 잡지 말라"는 주식 격언이 있다. 그러나 공매도에서는 데드크로스가 나타나면 신규 진입하기 좋은 기회가 될 수도 있다. 하지만 데드크로스가 나타난다고 꼭 공매도하기 좋은 것은 아니다. 강세장이냐 약세장이냐에 따라서 골든크로스와 데드크로스 분석을 잘해야 한다. 약세장에서 골든크로스가 나오면 매도해야 하는 때도 있고, 강세장에서 데드크로스가 나오면 오히려 매수해야 하는 때도 있다. 따라서 주식시장에서는 기초적인 지식만으로 모든 것을 판단할 수 없다는 점을 알아야 한다.

공간이 열려 있지 않는 차트

공간이 막혀 있으면 강한 모멘텀이 작용하지 않는 이상 저항대를 돌파하기 힘들다.

[그림 3-3] 우리기술투자 2019년 1월~2019년 5월 24일 일봉 차트

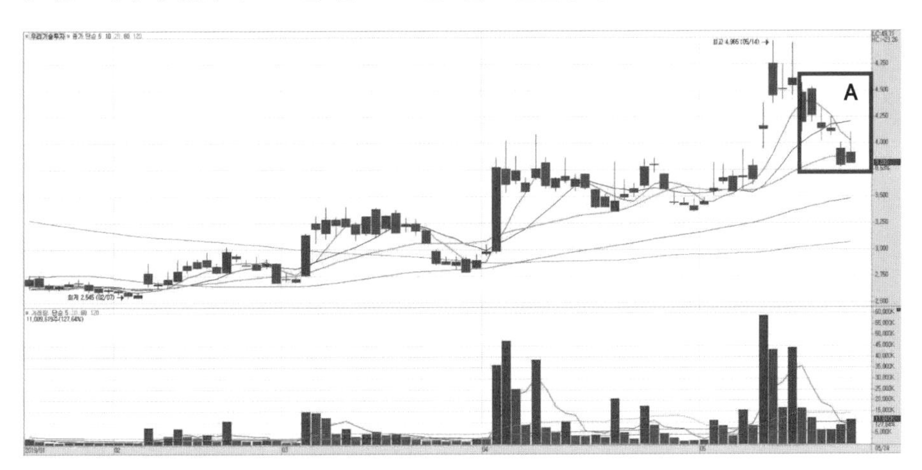

[그림 3-3] 우리기술투자 일봉 차트를 보자. 우리기술투자는 가상화폐 관련 수혜주로서 2019년 5월 14일 고점을 기록하고 계속 하락했다. 반등하기 위해서는 공간이 열려야 하는데 왼쪽 캔들이 벽처럼 막혀 있는 것을 볼 수 있다.

[그림 3-4] 우리기술투자 2018년 11월~2019년 7월 일봉 차트

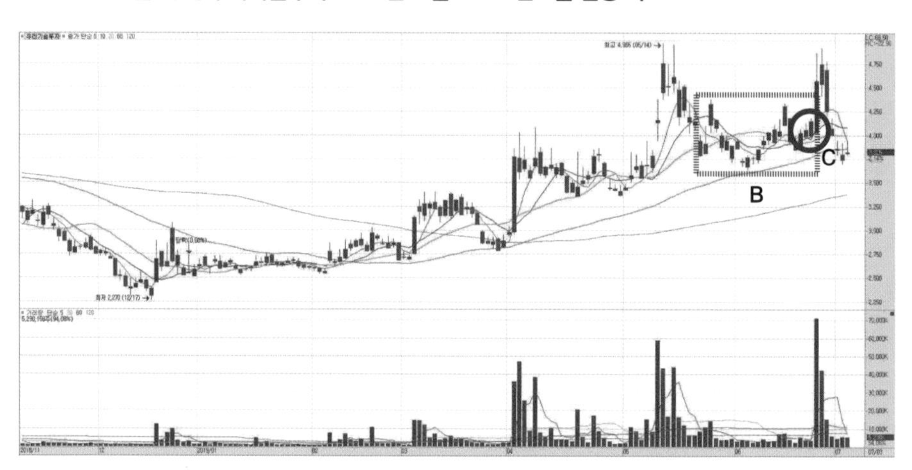

[그림 3-4]의 우리기술투자 일봉 차트를 보면 B 구간에서 저항대를 돌파하지 못하다 가상화폐 비트코인의 강한 모멘텀 뉴스로 저항대를 돌파하는 모습을 보여주고 있다.

우리기술투자의 차트에서 볼 수 있는 것처럼 대부분 차트에서 공간이 막히면 저항매물이 무거워 상승하기 힘들다는 것을 알 수 있다.

[그림 3-5] 선바이오 2017년 7월~2018년 10월 18일까지 일봉 차트

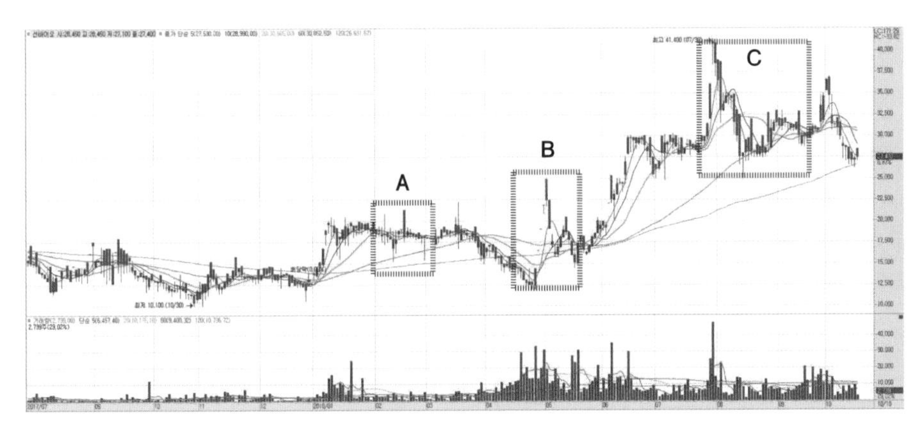

[그림 3-5] 선바이오 일봉 차트를 보면 A, B, C 구간마다 왼쪽에 공간이 열리지 않아 저항대를 돌파하기 힘들어하는 모습을 볼 수 있다. 저항대를 돌파하기 전에 주가가 하락하며 저점을 올리거나 길게 횡보하면서 상승할 수 있는 공간을 확보하는 모습을 보인다. C 부분은 모멘텀이 소멸하면서 하락하고 있음을 확인할 수 있다. 하락을 지속할 때는 계속 저항대에 막혀서 상승이 어렵다.

이 종목을 보유한 투자자라면 왜 하락하는지를 알기 위해 재무제표와 뉴스 등을 통해 악재가 있는지 여부를 확인할 것이다. 하지만 별다른 악재도 없고 심지어 재무제표도 좋다. 그럼 왜 하락하는 걸까? 핵심은 모멘텀이다. 강력한 모멘텀이 있다면 주식가격은 상승할 것이고, 모멘텀이 부진하면 주식가격은 하락할 수밖에 없다.

상승하지 못하는 일봉 차트와 분봉 비교

[그림 3-6] 와이어블 2022년 6월 8일 일봉 차트(좌측)와 5분봉 차트(우측)

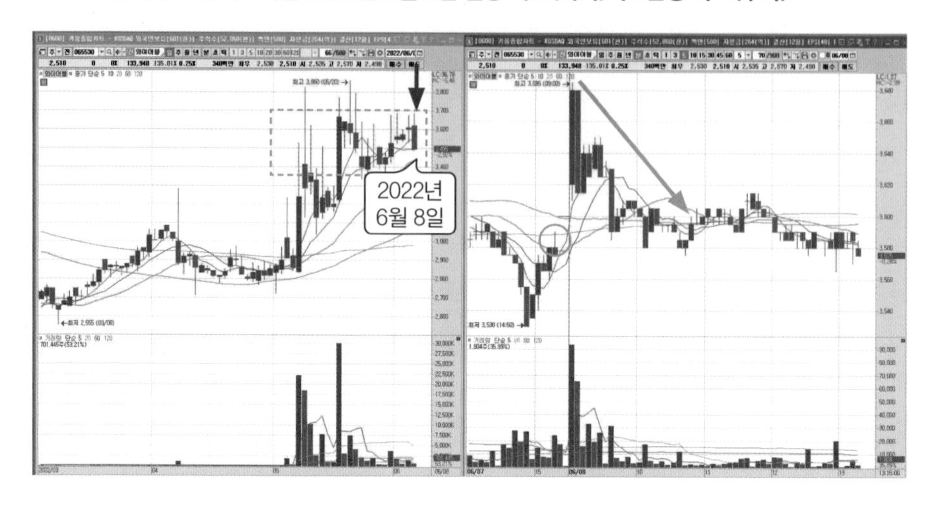

와이어블 일봉 차트(좌측)와 5분봉 차트(우측)를 보자.

5G 테마주인 와이어블은 2022년 4월 9일부터 6월 7일까지 주가가 고공행진을 보였다. 하지만 한 가지 특징이 있다. 왼쪽의 파란색 네모 안을 보면 매물대가 많고, 공간이 열려 있지 않음을 확인할 수 있다. 그리고 다음 날 장대음봉이 나타났다.

오른쪽의 5분봉을 보면 6월 7일에 반등하던 주가가 20일선 부근에서 마감되었다. 그리고 다음 날 시작부터 갭이 뜨고 장대양봉을 보였으나 바로 장대음봉을 나타내며 주가가 떨어지는 모습을 보였다. 일봉이든 분봉이든 위로 공간이 열리지 않는다면 상승이 어렵다.

[그림 3-7] 유니온 2023년 5월 8일 일봉 차트(좌측)와 5분봉 차트(우측)

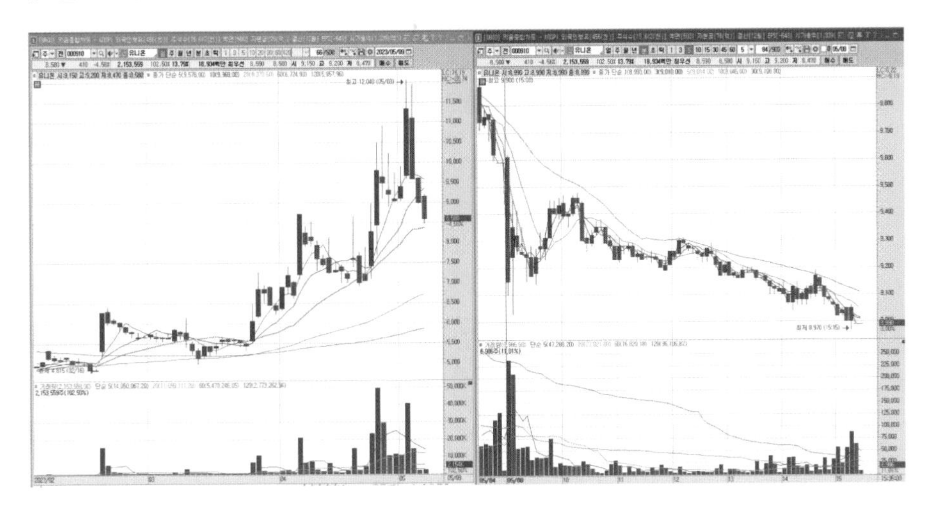

[그림 3-7] 2023년 5월 8일 유니온 일봉 차트(좌측)와 우측 5분봉 차트(우측)를 보면 고점에서 장대음봉이 출현하고 강한 매물대에 막혀서 더 상승하지 못하는 모습을 보여주고 있다.

당일 우측 차트를 보면 갭 하락한 후 고점에서 지속 하락하는 모습이다. 같은 날 유니온머티리얼 일봉 차트도 살펴보면 고점에서 장대음봉이 출현하고 강한 매물대에 막혀서 더 상승하지 못하는 모습을 보이고 있다. 유니온은 유니온머티리얼과 함께 움직이는 종목인데 유니온머티리얼이 1% 하락하면 유니온은 3.5% 정도 하락한다.

같은 날 유니온머티리얼 차트도 살펴보도록 하자(그림 3-8).

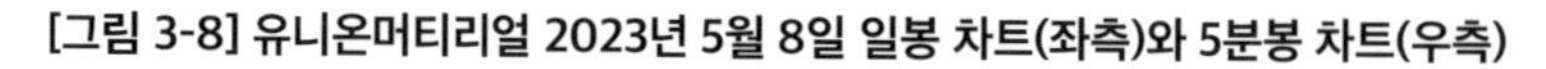

[그림 3-8] 유니온머티리얼 2023년 5월 8일 일봉 차트(좌측)와 5분봉 차트(우측)

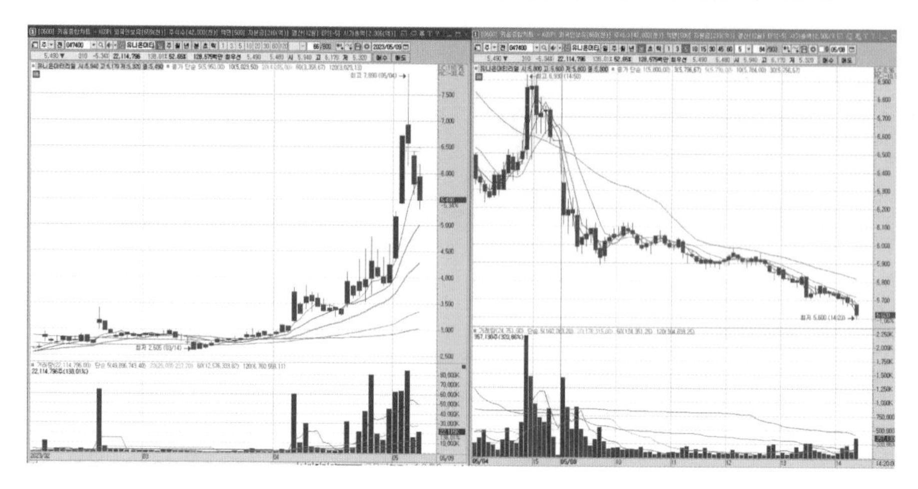

유니온머티리얼 일봉 차트(좌측)와 5분봉 차트(우측)를 보면 최고점 7,890원을 기록하고 급락했다. 우측 5분봉 차트에서 볼 수 있는 것처럼 전일 위꼬리가 긴 음봉이 나온 후 2023년 5월 8일 갭 하락하면서 지속 하락한 모습을 보이고 있다.

유니온머티리얼은 코스피 상장기업 중 시총 순위 코스피 551위를 차지하고 있는 종목으로 비금속광물 업체인데, 페라이트 마그넷과 세라믹스 전문기업으로 성장성과 모멘텀이 있는 매력적인 종목이다. 희토류 관련 테마주로 희토류 수출과 중국의 무역전쟁 보복카드가 될 가능성을 시사하는 뉴스에 힘입어 급상승할 때가 많다. 유니온머티리얼에서 생산되는 페라이트 마그넷은 희토류의 대체 품목으로 주목받고 있다.

Summary

트레이딩 모니터 세팅하기

트레이딩에 많은 자원을 쏟을 필요는 없다. 어떤 사람은 모니터 수십 개를 사용하기도 하고, 어떤 사람은 단 한 대의 모니터를 사용해 매매하기도 한다. 자신의 스타일대로 하면 된다. 여기서는 특별히 데이짱이 사용하는 모니터 세팅 방법을 보여주려 한다. 필자에게 익숙한 모니터 세팅이므로 참고하되, 본인의 스타일에 맞게 변경해도 좋다. 트레이딩하기 전에 모니터 두 대가 있으면 매매하기에 좋다. 데이짱은 키움증권사를 통해 매매하므로 키움 화면 기준으로 세팅하여 사용한다.

[그림 3-9] 매매화면 세팅하기(키움증권 기준)

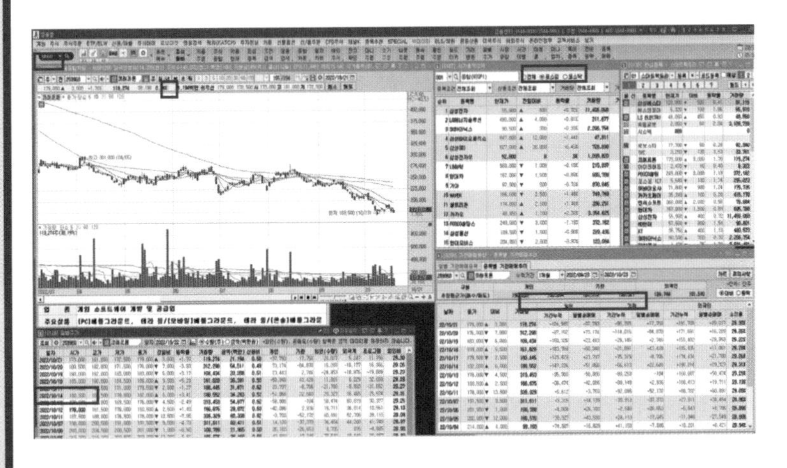

사진과 같이 모니터를 세팅한다. 0600 화면(일봉 차트), 0124 화면(일별주가), 0187 화면(시가총액상위), 0258 화면(종목별 기관매매추이)이다.

[그림 3-10] 매매화면 세팅하기(키움증권 기준)

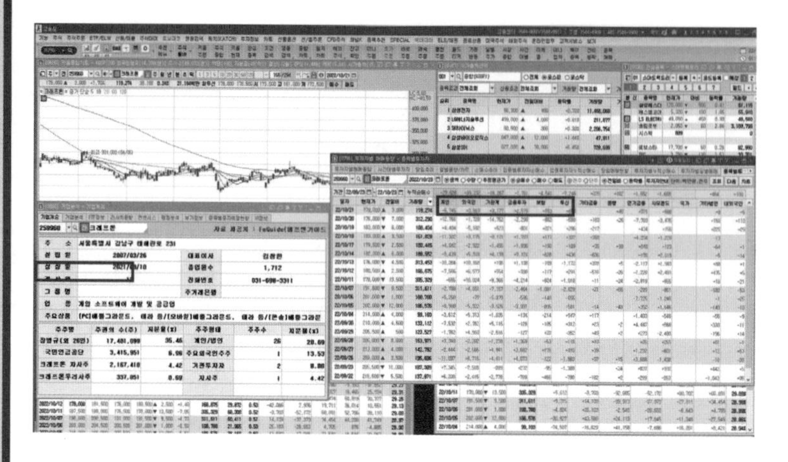

위 그림은 0660 화면을 차트 아래로 숨겨두고 업종을 보이게 세팅한 것이다. 0660 화면에서 제조업인지 공급업인지 등을 알 수 있다. 0796 화면(종목별 투자자)은 숨겨놓고 필요할 때 참고한다. 각각의 화면은 역할이 있다. 0796 화면에서는 연기금이 매수하는지, 그다음은 투신(투자신탁: 고객으로부터 자금을 모집하여 투자를 대신해주는 회사임)이 매수하는지를 본다. 연기금은 펀드매니저나 위탁자가 수익을 내기 위해서 공을 들이기 때문에 연기금이 계속 매수하는 종목은 상승할 확률이 높다.

대형주 위주로 매매할 때는 외국인 기관의 수급을 확인할 수 있는 0258 화면(그림 3-9)이 매우 중요하다. 기본적으로 세팅해야 하는 화면이라고 생각하기에 독자 여러분도 꼭 세팅해보길 바란다.

[표 3-1] 매매화면 세팅하기 키움증권 기준

0600	일봉 차트 -이동평균선은 5일, 10일, 20일, 60일 120일로 설정 -20일 이동평균선은 노란색, 선 굵기를 3 이상 설정 -5일, 10일, 60일, 120일은 검은색, 선 굵기를 1로 설정

0124	일별주가 : 개인, 기관, 외인, 프로그램 매수 수량(수급량 알 수 있음)
0258	종목별 : 개인, 기관, 외인, 프로그램 매수 누적 수량
0187	시가총액 100위 안에 들어오는 종목을 볼 수 있음 코스피로 설정(우량주 매매 위주로)
0660	기업분석-기업개요 : 기업의 업종, 주요 상품, 지분율 등을 한눈에 볼 수 있음
0796	투자자별 매매동향-종목별투자자 : 개인, 외국인, 기관계, 금융투자자, 보험, 투신, 기타금융, 은행, 연기금 등, 사모펀드 기타법인, 내외국인, 국가 등의 순매수량을 한눈에 볼 수 있음

2부

매수 기법

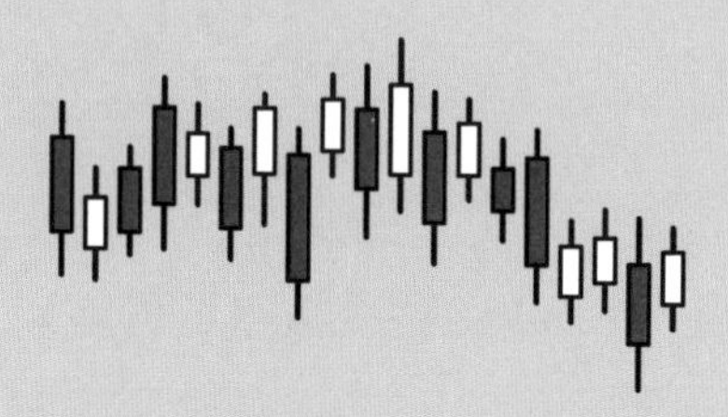

매수는 주식투자의 시작이다. '매수는 기술이고 매도는 예술'이라는 말이 있다. 그런데 사람들은 매수를 너무 쉽게 하는 경향이 있다. 매수를 잘해야만 손실의 확률을 줄이고 수익의 확률을 크게 높일 수 있다. 특히 매수할 때는 가장 '안전한' 자리에서 진입해야만 하며, 손절매는 무조건 짧게 대응해야 한다. 매수의 비법은 없어도 기법은 있다. 단순한 반복 매매만이 정답이다. 지금껏 수억 개의 차트를 분석했고 지금도 똑같이 매일 하며, 오늘도 이렇게 분석한 차트를 바탕으로 투자한다. 지금부터 한 장씩 읽으며 따라 하다 보면, 종국에 매수 기법이 머릿속에 그려지게 될 것이다.

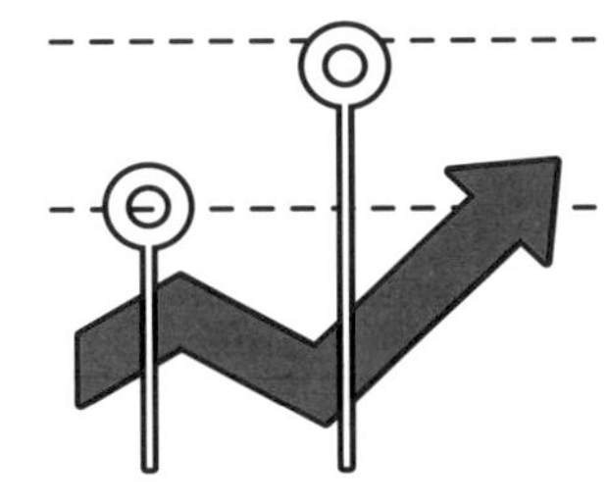

4장

안전한 스윙 트레이딩, 강남 기법

데이짱이 가장 안전하다고 강조하는 기법이 있다. 이 기법은 오래전부터 직접 사용했던 투자 방법이고, 벌써 수년 동안 여러 제자를 통해서도 검증된 기법이다. 물론 어떤 기법이라도 100% 맞는 것은 없다. 그런 기법이 있다고 하는 사람이 있다면 100% 사기나 다름없다고 보면 된다. 손절매할 '확률'이 낮고, 수익 낼 '확률'이 높은 기법이 있을 뿐이다. 왜 확률이란 단어를 강조했는지 짐작이 될 것이라고 믿는다.

이 기법은 강남 부동산 불패 신화와 같이 실패할 확률이 낮다는 데서 비롯했다. 강남구는 부동산 가격이 지방과는 엄청난 차이를 보이고 같은 서울에서도 가격 차이가 크다. 강남을 선호하는 사람들은 강남구에 입성하려고 큰 노력을 한다. 부동산 재테크 학원에 다니기도 하고 인터넷 강의를 듣기도 하면서 발품을 팔아 부동산을 수도 없이 드나들기도 한다. 그러나 아무리 이러한 노력을 한들 돈이 없으면 다 무용지물이다. 누구나 강남구에 입성할 수는 없다. 돈이 있어야만 이러한 노력도 결과를 얻게 되는 것이다. 독자 여러분도 목표를 확실하게 세워서 경제적인 자유를 얻어 강남구에 입성할 수도 있다. 그러므로 이 강남 기법의 벤치마킹을 잘해서 확실하게 수익을 내보자.

강남 기법의 원리

강남 기법은 종목의 안전한 자리에서 매수하여 실패할 확률이 낮고 성공 확률이 높은 기법이다. 이 기법의 방점은 '안전'에 있다. 물론 실패하는 경우도 있다. 그러나 강남 기법으로 매매할 수 있는 차트를 잘 찾기만 하면 손실보다 수익을 낼 가능성을 크게 높인다. 특히 차트를 자주 볼 수 없는 직장인이나 자영업자도 최소한의 시간만 들이면 누구나 할 수 있다. 손실의 위험이 작으면서 수익의 폭이 큰 스윙 트레이딩을 떠올리면 이해가 쉽다. 여러 스윙 기법 중에서 일반투자자가 따라 할 수 있는 방법 중 검증된 기법이 강남 기법이라 할 수 있다. 또한, 이 기법을 완전히 반대로 뒤집으면 '공매도 강남 기법'이 된다.

주식을 사놓고 자주 보지 못하는 투자자가 하루에 한 번만 매수한 종목의 흐름 정도만 파악하고 매도할 시기가 오면 매도할 수 있기에 직장인에게 강력하게 추천하는 기법이기도 하다. 투자자 대부분은 안전하게 매수하고 수익으로 좋은 결과를 내고 싶어 한다. 전업투자자로 생활하는 동안 하루에 일봉 차트만 약 3,000번 봐왔다. 1개월이면 약 60,000번 이상 봤고 20년이면 약 1억 5,000번 이상은 본 것이다. 반복적으로 차트를 많이 보니 일봉에서 가장 매수하기 좋은 자리가 보였다. 그리고 강남(안전 그물망) 매수 자리에서 매수했을 때는 안전하기도 했지만, 기대수익이 크게 나온다는 것을 알게 되었다.

종목을 추천해달라고 요청해오는 주위 지인들은 대부분 직장인이거나 자영업자들이다. 데이짱은 강남(안전 그물망) 매수 자리가 만들어진 종목을 추천한다. 매매법을 가르쳐달라고 할 때 강남(안전 그물망) 자리에서 매수한 매수와 매도법을 가르쳐준다. 그만큼 강남(안전 그물망) 매수 자리는 컴퓨터 앞에서 매매하는 투자자가 아니더라도 수익을 낼 수 있는 가장 좋은 기법이기 때문이다. 가장 처음 소개하는 매수 기법인 만큼 자리를 열심히 보고 강남 자리를 찾을 수 있는 눈을 기르면 좋겠다. 강남 기법의 특징은 다음과 같다.

첫째, 손절매가 잘 나오지 않는다.
둘째, 결과가 빠르게 나온다(한두 달 기다리지 않는다).
셋째, 기대 수익률은 8%~15% 정도다.
넷째, 코스피 200~300위, 코스닥 100위 안의 종목만 대상으로 하며 소형주는 반드시 제외한다.

강남 차트의 원칙

정배열 차트일 것

기본 조건은 반드시 정배열 차트여야 한다. 5일, 10일, 20일 이동평균선의 배열이 정배열 상태로 아래에서 봉들을 잘 받쳐주며 우상향하는 모습이어야 한다. 양지 차트는 상승하기 좋은 차트이고, 햇볕을 많이 쬘 수 있어 잎이 무성하고 열매가 맺힐 수 있다.

이동평균선(안전 그물망)이 밀집할 것

서커스를 상상해보자. 실제 공연할 때는 아니더라도, 단원들이 연습할 때 연습장에는 안전 그물을 설치해둔다. 이 그물을 믿고 곡예사는 몇 번이고 새로운 자세를 시도한다. 그물망을 믿을수록 곡예사는 더 큰 위험을 감수하며 멋진 공연을 할 행복한 상상을 하며 연습할 수 있다. 공사장은 또 어떠한가. 건물을 지을 때 안전 그물망을 설치하는 이유는 모두가 알고 있는 것처럼 위험을 방지하기 위함이다.

이동평균선 3개 이상이 밀집되어 있을 때 밀집된 이동평균선이 튼튼한 안전 그물망 역할을 해서 주식가격이 좀처럼 내려가지 않는다. 그러나 주식시장은 많은 변수가 작용하는데 기초적인 기술적 이동평균선 분석에만 의지할 수는 없다. 개인투자자들은 작전세력이 의도적으로 주가를 조작하려 만든 골든크로스, 데드크로스 등의 함정에 빠지게 될 수도 있다.

그래서 '안전한 자리'라는 이동평균선의 밀집에는 비밀이 있다. 5일, 10일, 20일 이동평균선이 봉들을 잘 받쳐주는지 확인해야 한다. 첫 번째 원칙이 정배열이라면, 두 번째 원칙은 바로 밀집이다. 이러한 좋은 자리에서 진입하면 매도를 자유롭게 할 수 있다는 장점이 생긴다.

기관과 외국인의 수급

그다음으로 반드시 확인해야 할 것은 '수급'이다. 개인이 매도하고 기관과 외국인이 매수하는지 확인해야 한다. 일자별 개인, 기관, 외국인의 매수 물량이다. 그리고 기관과 외국인의 매수 물량에서 연기금의 매수가 눈에 띄게 많아야 한다. 한국에서는 연기금의 투자 물량이 가장 많기에 연기금의 매수 물량은 신뢰할 수 있다. 연기금은 자체에서 자금을 운용하기도 하지만 자산운용사에 맡겨서 운용하기에 투신의 수급도 확인하는 것이 좋다.

공간이 나올 것(매물대)

차트상에서 거래일수 20~40일 동안 공간이 나와야 하고 높이는 15~20%의 사각형을 그릴 수 있을 정도의 공간이 열려야 한다. 주가가 상승하기 위해서는 공간이 열리지 않으면 매물대가 많아서 저항에 계속 부딪혀 상승하기 어렵다. 설명은 짧지만, 매우 중요한 개념이다. 이 개념은 계속해서 설명할 것인데, 유심히 살펴보고 공간을 확인하고, 느끼고, 습득해야 한다. 예를 보면서 정확하게 이해하도록 하자.

미세하게 줄어드는 거래량

강남 자리(정배열, 이동평균선 밀집, 수급, 공간)를 찾았다면 어느 타점에서 매수할 것인가? 강남 자리가 출현한 후 거래량이 미세하게 줄어드는 곳에서 매수하면 좋다. 이는 어디까지나 최적의 조건일 뿐이니, 종합적으로 판단하여 매수하는 것이 좋다.

강남 기법의 포트폴리오는 5개 정도의 종목으로 한정한다. 처음에는 반드시 소액으로 연습하는 것을 목표로 해야 한다. 소액으로 반복적 매수를 한 후 승률이 80~90% 이상 나올 때만 원금을 늘려가는 것이 좋다. 종목 선정은 코스피 시가총액 200~300위 이내, 코스닥은 시가총액 100위 이내에서 고르는 것이 수익 실현 가능성이 크다. 시가총액이 작은 종목은 강남 기법의 성공 확률을 보장할 수 없다. 이 기법은 시가총액이 크고 튼튼한 대형주에 적합하다는 점을 명심하라.

손절매는 생명선인 20일 이동평균선 아래로 종가가 형성되면 종가 부근에서 반드시 손절매하는 것이 좋다. 다시 20일 이동평균선 위로 올라오면 재매수하면 된다. 기회비용을 잃지 말아야 하는 것도 실전에서는 중요하다. 세력들은 생명선이라 불리는 20일 이동평균선을 가끔 이탈시키는 속임수로 개미투자자들이 잦은 손절매를 하게도 만든다. 상승할 종목은 갈 자리로 가기 때문에 잔파도에 흔들리지 말아야 한다. 매수하는 방법은 투자금이 1,000만 원 정도 있다고 한다면 강남 기법은 분할 매수할 필요가 없으므로 한 번에 매수한다. 위로 상승할 때는 추격 매수하지 않는다.

강남 기법 매매 사례

지금부터 실전이다. 앞에서 설명한 강남 기법의 원리와 원칙을 다시 한번 잘 읽어보고 사례를 살펴보자. 그러면 이러한 조건들이 무엇을 말하는지 자연스럽게 알 수 있을 것이다.

[그림 4-1] SK하이닉스 2021년 7월~2022년 2월 14일까지 일봉 차트

[그림 4-1]의 SK하이닉스 일봉 차트를 보자. 보이는 것처럼 강남 기법의 원칙이 잘 나와 있다. 이동평균선이 밀집하여 안전 그물망 역할을 하는 곳이 나타났고, 거래일수 20일 정도의 공간이 나와 그 자리에 사각형을 그려 넣을 수 있다. 그 사각형의 높이는 15~20% 정도이다. 거래량은 미세하게 줄어들고 있다. 일주일 4~5일 영업일수 정도 거래량의 평균을 낸 후 거래량이 줄어드는 것을 직접 계산한다. 이제 수급을 살펴보자. 키움증권 기준으로 화면번호는 0796이다.

[그림 4-2] SK하이닉스 2021년 10월 14일~2021년 11월 10일까지 종목별 투자자

000660 SK하이닉스 2021/11/10 ◉금액 ○수량 ○추정평균가 ◉순매수 ○매수 ○매도 ◉천주 ○단주 ◉전일비 ○등락률 투자자안내 단위:백만원,천주 조회 다음 차트

기간 22/09/30 - 22/10/30

일자	현재가	전일비	거래량	개인	외국인	기관계	금융투자	보험	투신	기타금융	은행	연기금등	사모펀드	국가	기타법인	내외국인
누적순매수				-355,212	+749,332	-379,652	-124,919	-8,266	-45,804	-8,495	-2,731	-81,869	-107,568		-13,608	-861
21/11/10	108,500	▼ 500	2,361,295	-47,998	+44,044	+4,398	-9,457	+517	+6,516	+1,541	-475	-6,410	+12,166		-846	+402
21/11/09	109,000	▲ 1,500	3,440,686	-85,029	+56,437	+31,806	+28,037	-71	+60	-32		-2,536	+6,347		-2,945	-269
21/11/08	107,500	▲ 500	2,212,348	-33,223	+32,660	+2,701	+4,112	+1,001	-2,052	+57	+50	-1,393	+926		-2,039	-99
21/11/05	107,000	▲ 1,000	2,523,345	-44,632	+48,503	-1,358	-3,421	+1,943	+4,946	+104	+33	-4,974	+11		-2,405	-108
21/11/04	106,000	▲ 500	2,059,242	-31,889	+2,092	+31,765	+32,231	-840	-2,232	+74	+235	-1,776	+4,074		-1,901	-68
21/11/03	105,500	▼ 2,000	3,116,506	-18,648	+42,806	-23,938	-24,569	-235	-656	+41	-21	+2,343	-842		+54	-275
21/11/02	107,500	▲ 1,000	2,892,292	-51,129	+19,318	+33,918	+37,286	-1,416	+2,902	+44	+44	-4,053	-890		-2,057	-51
21/11/01	106,500	▲ 3,500	3,118,661	-86,679	+8,486	+78,586	+46,952	+2,314	+4,317	+31		+24,054	+918		-248	-145
21/10/29	103,000	▼ 3,500	4,007,223	+37,480	-42,040	+4,788	-19,451	+2,732	+5,708	+160	+1	+15,780	-141		-438	+211
21/10/28	106,500	▲ 5,000	6,329,703	-146,687	+110,120	+39,114	-20,490	+2,868	+27,261	+930	+150	+24,388	+4,006		-2,156	-392
21/10/27	101,500	▼ 500	2,859,255	+2,084	+5,682	-8,315	-13,893	+451	+6,231	+424	+46	-4	-1,571		+516	+23
21/10/26	102,000	▲ 2,000	3,458,645	-41,562	+11,478	+31,818	+12,121	+4,409	+9,226	+79	+131	+6,293	-442		-1,774	+40
21/10/25	100,000	▲ 1,500	2,950,459	-55,959	+29,898	+26,649	+10,737	-290	+11,002	+522	-8	+5,130	-444		-420	-168
21/10/22	98,500	▲ 2,200	1,962,833	-43,238	+35,326	+10,220	+5,717	+569	+1,679	+1,498	+11	+2,482	-1,735		-2,231	-78
21/10/21	96,300	▼ 1,600	2,152,221	+16,644	-13,899	-3,054	+11,301	-1,213	-955	-20		-11,841	-327		+250	+61
21/10/20	97,900	▲ 200	2,010,529	-21,127	+41,059	-19,193	-6,555	+2,545	-1,925	+255		-12,538	-976		-550	-190
21/10/19	97,700	▲ 600	1,400,175	-8,105	+6,021	+2,301	+13,501	-718	-1,718			-7,859	-905		-23	-193
21/10/18	97,100	▼ 1,300	2,111,399	+13,770	+10,571	-27,361	-13,424	+518	-9,668	+4	-47	-2,607	-2,136		+2,919	+100
21/10/15	98,400	▲ 4,600	4,229,748	-101,549	+83,335	+23,093	+2,248	+5,356	+18,724	+68		-9,829	+6,526		-4,828	-51
21/10/14	93,800	▲ 1,800	2,414,639	-8,986	+5,582	+13,209	+24,583	+736	+4,485		-56	-17,125	+586		-9,815	+9

해당 시기의 종목별 투자자 화면에서 볼 수 있는 것처럼 외국인과 기관의 수급이 계속 들어오고 있음을 볼 수 있다. 수급에서 가장 중요한 기관이 연기금과 투신이다. SK하이닉스는 강남 기법의 모든 원칙이 다 나와 있다. 단기간에 급등하는 테마주와는 달리 차트를

자주 볼 수 없는 자영업자나 직장인도 강남 자리에서 매수한 후에 언제든지 원하는 자리에서 수익일 때 매도할 수 있는 장점이 가장 두드러지는 기법이다. 컴퓨터 앞에 계속 앉아 있지 않아도 스마트폰으로도 시간 날 때 정확한 강남 자리(안전 그물망)에서 매수하면 이렇게 수익을 낼 수 있다.

매수는 굳이 양봉인 날 매수할 필요가 없다. 대형주는 1% 올랐다가 −1% 빠지기도 하면서 오르내리는 모습을 보이기 때문이다. 미국 주식시장이 하락했다거나 음봉이 나온 날 매수하는 것도 좋은 방법이다.

[그림 4-3] 삼성전자 2021년 11월~2022년 6월까지 일봉 차트

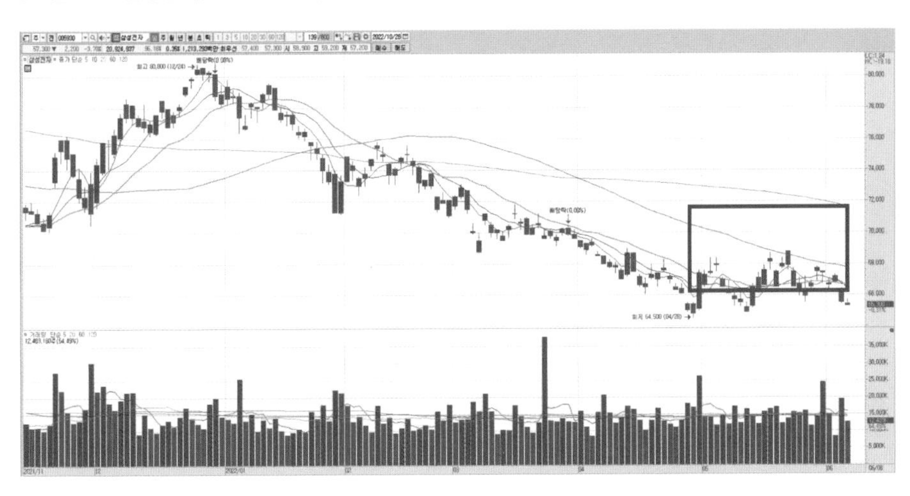

이번에는 삼성전자를 살펴보자. 이 차트에서는 강남 기법의 공간이 아직 열리지 않고 있다. 대형주는 금방 상승하고 금방 하락하는 경우가 거의 없기 때문에 앞으로 공간이 나오는지를 기다려 봐야 한다.

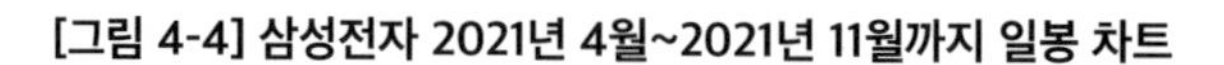

[그림 4-4] 삼성전자 2021년 4월~2021년 11월까지 일봉 차트

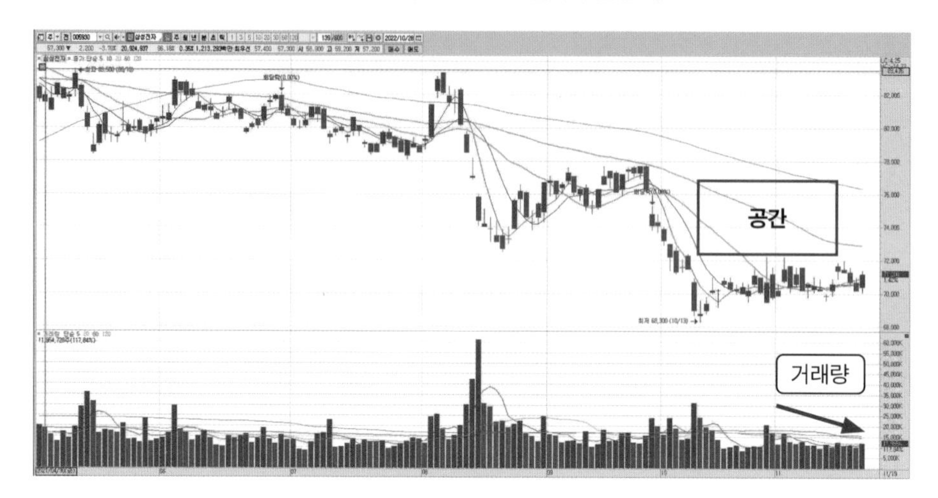

시간을 조금 더 앞으로 돌려 2021년 4월~11월까지 삼성전자의 일봉 차트를 보자. 무엇이 보이는가? 이동평균선이 밀집하고, 공간이 만들어지며, 거래량은 미세하게 줄었다. 해당 시기의 종목별 투자자를 보자.

[그림 4-5] 종목별 투자자 화면에서 볼 수 있는 것처럼 외국인이 많이 매수하고 있다. 국민연금, 외국인 어느 한쪽에서 수급량이 현저히 많으면 그 종목은 상승할 가능성이 크다.

[그림 4-5] 삼성전자 2021년 11월 29일~12월 24일까지 종목별 투자자

005930 삼성전자 2021/12/24 ○금액 ⊙수량 ○추정평균가 ⊙순매수 ○매수 ○매도 ⊙천주 ○단주 ⊙전일비 ○등락률 투자자안내 단위:백만원,천주 조회 다음 차트

일자	현재가	전일비	거래량	개인	외국인	기관계	금융투자	보험	투신	기타금융	은행	연기금등	사모펀드	국가	기타법인	내외국인
기간 22/09/30~22/10/30	누적순매수			-24,087	+23,432	+822	-2,658	-42	+3,307	+13	-36	+1,346	-1,107		-86	-81
21/12/24	80,500	▲ 600	12,086,380	-4,242	+425	+3,770	+3,195	-18	+55	-85	-3	-11	+637		+67	-20
21/12/23	79,900	▲ 500	13,577,498	-3,612	+1,610	+2,061	+1,988	-42	+41	-9	+19	-130	+195		-49	-11
21/12/22	79,400	▲ 1,300	17,105,892	-4,454	+4,511	+92	-130	-38	+19	-13	-3	+140	+117		-137	-13
21/12/21	78,100	▲ 1,000	14,245,298	-4,617	+1,721	+2,959	+2,260	-121	+43	-2	-10	+635	+254		-43	-19
21/12/20	77,100	▼ 900	11,264,375	+1,584	+44	-1,554	-1,187	-45	-119		-27	-151	-25		-82	+9
21/12/17	78,000	▲ 200	13,108,479	-733	+1,677	-908	+160	-121	-104	+1	-20	-756	-69		-31	-5
21/12/16	77,800	▲ 200	11,996,128	-442	+527	-262	+353	-124	-124	-7	-13	-213	-134		+174	+3
21/12/15	77,600	▲ 600	9,584,939	-1,118	+1,753	-655	-137	-85	-40	+10	-15	-407	+19		+24	-4
21/12/14	77,000	▲ 200	10,976,660	+198	+1,285	-1,487	-659	-32	-46	-1	-11	-650	-86		+2	+2
21/12/13	76,800	▼ 100	15,038,750	-181	+41	+185	+1,057	-110	-216	-8	-16	-195	-327		-18	-26
21/12/10	76,900	▼ 1,300	9,155,219	+1,798	-733	-1,071	-275	-222	-217	+1	-10	-235	-113		+2	+4
21/12/09	78,200	▲ 800	21,604,528	-1,672	+2,234	-491	+1,594	-176	-1,038	-11	-17	-1,331	+487		-67	-4
21/12/08	77,400	0	21,558,340	-2,525	+66	+2,587	+3,067	-90	-145	-10	-18	-176	-40		-130	+2
21/12/07	77,400	▲ 1,100	19,232,453	-2,998	+3,651	-547	-447	-52	+142	-11	-1	-356	+178		-89	-17
21/12/06	76,300	▲ 700	16,391,250	-3,063	+2,532	+576	+131	-4	+81	-9	+4	+334	+40		-34	-12
21/12/03	75,600	▼ 200	18,330,240	+133	-27	-158	-423	-41	+40	+1	+8	+240	+18		+50	+2
21/12/02	75,800	▲ 1,400	23,652,940	-6,604	+6,799	-164	-252	+140	+345	-5	-36	+155	-511		-7	-25
21/12/01	74,400	▲ 3,100	21,954,856	-6,251	+5,957	+416	-783	-6	+357	+4	+19	+629	+196		-99	-23
21/11/30	71,300	▼ 1,000	30,364,841	+1,835	+1,155	-2,842	-1,990	+71	-122			-744	-56		-159	+11
21/11/29	72,300	0	16,682,559	-2,395	-548	+3,022	+3,330	-6	+227	-11	-1	-572	+58		-71	-7

다음으로 넘어가 보자. 한국앤컴퍼니를 예로 보자.

[그림 4-6] 한국앤컴퍼니 2021년 11월~2022년 4월 4일까지 일봉 차트

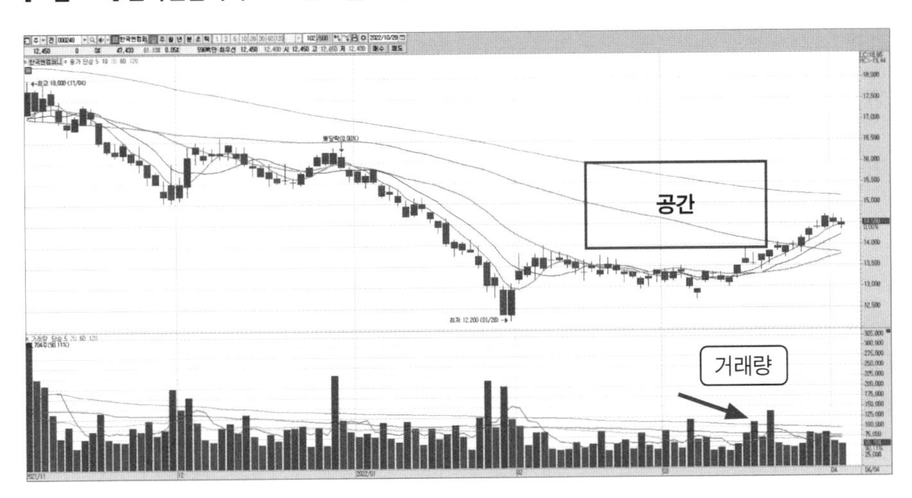

첫째, 정배열 양지 차트이며, 강남 자리가 만들어지고 있다.

둘째, 사각형을 그릴 수 있는 공간이 위로 열려 있다.

셋째, 높이는 15% 이상 나오고 있다.

넷째, 거래량이 미세하게 줄어들고 있음을 알 수 있다.

이렇게 강남 자리가 만들어졌다면 꼭 수급을 확인해야 한다는 것을 잊지 말자. 수급을 볼 때 키움증권 화면번호 [0124] 일별주가에서도 확인이 가능하다.

[그림 4-7] 한국앤컴퍼니 2022년 3월 3일~3월 31일까지 일별주가 화면

[0124] 일별주가

조회 | 000240 | 한국앤컴퍼니 | 일자 2022/03/31 | ◉수량(주) ○금액(백만원) | *외인(수량), 공매도(수량) 항목은 금액 데이터를 제공하지 않습니다.

일자	시가	고가	저가	종가	전일비	등락률	거래량	금액(백만)	신용비	개인	기관	외인(수량)	외국계	프로그램	외인비
2022/03/31	14,400	14,700	14,350	14,650	▲ 250	+1.74	84,977	1,239	0.55	-25,781	10,949	11,102	12,696	15,870	9.74
2022/03/30	14,400	14,550	14,350	14,400	▲ 50	+0.35	78,589	1,132	0.56	-17,443	9,949	3,155	4,741	4,246	9.73
2022/03/29	14,200	14,400	14,050	14,350	▲ 200	+1.41	84,181	1,201	0.57	-9,738	11,555	-2,930	-1,033	-1,394	9.72
2022/03/28	13,950	14,200	13,800	14,150	▲ 150	+1.07	56,441	792	0.57	-15,652	5,179	10,521	5,848	10,459	9.73
2022/03/25	14,000	14,050	13,850	14,000	▲ 50	+0.36	47,892	668	0.57	-5,112	-2,567	6,141	1,793	8,185	9.71
2022/03/24	13,800	13,950	13,700	13,950	0	0	50,468	697	0.58	-1,345	-4,099	5,637	-109	5,241	9.71
2022/03/23	13,900	14,050	13,850	13,950	▲ 100	+0.72	58,107	811	0.58	-16,915	12,929	3,737	-5,090	13,777	9.70
2022/03/22	13,700	13,850	13,550	13,850	▲ 250	+1.84	137,761	1,895	0.57	-15,771	-21,284	37,994	-16,374	44,785	9.70
2022/03/21	13,750	13,750	13,400	13,600	▲ 50	+0.37	72,343	982	0.58	22,980	9,452	-26,983	-22,118	-3,254	9.66
2022/03/18	13,550	13,800	13,500	13,550	0	0	109,903	1,497	0.58	4,769	-20,501	19,983	2,976	16,922	9.69
2022/03/17	13,650	13,900	13,550	13,550	▲ 50	+0.37	81,235	1,114	0.58	-4,411	3,349	4,193	359	8,763	9.67
2022/03/16	13,300	13,500	13,200	13,500	▲ 300	+2.27	55,764	746	0.59	-12,094	9,318	7,486	1,706	7,320	9.66
2022/03/15	13,100	13,200	13,000	13,200	▲ 50	+0.38	39,103	514	0.59	5,224	-118	-2,889	-2,522	-5,032	9.65
2022/03/14	13,250	13,350	13,100	13,150	▼ 150	-1.13	47,973	634	0.59	11,936	-10,075	-6,505	-2,024	-6,355	9.66
2022/03/11	13,300	13,350	13,200	13,300	▼ 50	-0.37	40,583	540	0.59	4,075	-5,528	1,753	2,029	-3,075	9.66
2022/03/10	13,150	13,350	13,100	13,350	▲ 400	+3.09	71,871	954	0.59	-16,138	25,482	-8,847	-10,712	16,908	9.66
2022/03/08	12,850	12,950	12,700	12,950	▼ 50	-0.38	68,665	883	0.59	6,052	-5,933	1,203	-14,811	-149	9.67
2022/03/07	13,200	13,200	12,950	13,000	▼ 350	-2.62	117,707	1,533	0.59	25,678	-14,349	-26,704	-48,631	-28,877	9.67
2022/03/04	13,400	13,500	13,200	13,350	0	0	47,186	629	0.60	-8,057	-798	16,275	-4,008	11,409	9.70
2022/03/03	13,200	13,450	13,150	13,350	▲ 200	+1.52	60,024	799	0.58	-4,487	906	5,066	-2,216	5,451	9.68

[그림 4-7]의 한국앤컴퍼니 일별주가 화면에서 볼 수 있는 것처럼 기관, 외인, 외국계, 프로그램에서 계속 매수하고 있음을 보여주고 있다. 2022년 3월 31일 주가는 14,400원을 기록하고 있다. 강남 자리(안전 그물망)에서 매수했었다면 충분히 수익을 챙길 수 있다. 얼마나 마음이 편한 매매인가. 다른 예를 하나 더 살펴보자.

[그림 4-8] 솔루스첨단소재 2021년 11월~2022년 6월 8일까지 일봉 차트

[그림 4-8]은 솔루스첨단소재의 일봉 차트이다. 이 차트를 강남 차트로 분석해보자.

첫째, 정배열 골든크로스 강남 자리(안전 그물망)가 만들어진다.
둘째, 위로 공간이 열려 사각형을 그려 넣을 수 있다.
셋째, 그 사각형의 높이는 15~20% 정도 나온다.
넷째, 거래량이 미세하게 줄어들고 있어 매수하기 좋다.
다섯째, 일자별 수급을 확인해보자.

[그림 4-9] 솔루스첨단소재 2022년 3월 28일~2022년 4월 22일까지 일별주가 화면

[0124] 일별주가

조회 336370 솔루스첨단소재 일자 2022/04/22 ◉수량(주) ○금액(백만원) *외인(수량), 공매도(수량) 항목은 금액 데이터를 제공하지 않습니다.

일자	시가	고가	저가	종가	전일비	등락률	거래량	금액(백만)	신용비	개인	기관	외인(수량)	외국계	프로그램	외인비
2022/04/22	73,000	78,800	72,900	76,800	▲ 4,000	+5.49	1,267,713	97,576	2.14	-129,945	88,686	45,678	18,474	38,018	5.72
2022/04/21	68,300	73,200	68,300	72,800	▲ 4,700	+6.90	552,152	39,631	2.11	-34,809	39,305	-13,154	-33,672	-14,000	5.57
2022/04/20	69,600	69,900	68,100	68,100	▼ 600	-0.87	104,048	7,138	2.11	2,858	4,403	-6,749	-3,928	-9,035	5.61
2022/04/19	69,100	70,000	68,600	68,700	▲ 100	+0.15	100,839	6,981	2.11	-7,938	11,646	-3,320	-2,592	-1,200	5.63
2022/04/18	70,500	71,400	68,500	68,600	▼ 2,300	-3.24	170,662	11,807	2.14	22,612	-274	-21,871	-7,310	-23,570	5.65
2022/04/15	69,000	71,800	68,500	70,900	▲ 1,200	+1.72	155,961	11,015	2.11	-39,466	40,018	57	-4,053	9,494	5.72
2022/04/14	72,800	72,900	69,700	69,700	▼ 2,100	-2.92	274,376	19,525	2.14	19,491	-30,740	9,311	8,758	-21,375	5.72
2022/04/13	71,400	71,900	69,700	71,800	▲ 1,200	+1.70	213,738	15,182	2.15	-15,008	38,524	-27,599	-6,836	14,855	5.69
2022/04/12	69,400	71,100	68,000	70,600	▼ 600	-0.84	336,507	23,370	2.17	-7,445	9,907	-5,064	1,656	14,078	5.78
2022/04/11	73,200	74,200	70,500	71,200	▼ 2,500	-3.39	327,348	23,598	2.20	29,499	17,823	-45,156	-5,842	-34,665	5.79
2022/04/08	70,100	73,900	70,100	73,700	▲ 4,000	+5.74	499,446	36,285	2.21	-69,237	76,551	-12,339	-16,188	-2,696	5.94
2022/04/07	71,200	72,400	69,300	69,700	▼ 2,100	-2.92	321,371	22,688	2.31	15,205	4,157	-22,182	-7,636	-21,157	5.98
2022/04/06	67,900	73,300	67,200	71,800	▲ 2,800	+4.06	818,789	58,584	2.17	-71,790	52,136	22,377	14,247	30,167	6.05
2022/04/05	65,700	70,300	65,600	69,000	▲ 4,100	+6.32	663,314	45,091	2.15	-3,799	5,562	-4,776	13,007	-5,700	5.98
2022/04/04	64,500	65,200	63,500	64,900	▲ 400	+0.62	159,443	10,288	2.05	20,067	4,174	-22,551	-5,276	-17,844	6.00
2022/04/01	66,100	68,300	64,400	64,500	▼ 2,000	-3.01	388,958	25,545	2.12	126,865	-18,947	-110,516	-40,747	-88,955	6.07
2022/03/31	63,600	69,200	63,600	69,000	▲ 4,600	+7.14	788,000	53,069	2.11	-231,595	107,774	118,094	31,658	107,672	6.43
2022/03/30	64,900	65,700	64,200	64,400	▲ 300	+0.47	142,051	9,197	2.10	4,532	4,215	-9,878	-9,288	-10,448	6.05
2022/03/29	64,600	65,400	63,800	64,100	▲ 300	+0.47	166,158	10,723	2.13	5,967	6,223	-7,282	-2,951	-7,404	6.08
2022/03/28	63,500	64,300	62,100	63,800	▼ 300	-0.47	137,136	8,691	2.14	-10,895	-2,257	12,653	7,747	12,332	6.10

[그림 4-9] 솔루스첨단소재의 일별주가 화면에서 볼 수 있는 것처럼 기관이 현저하게 많은 매수를 하고 있다. 강남 자리에서 매수 진입한 후에 저항 매물대가 있는 70% 정도까지는 상승할 수 있음을 예측할 수는 있다. 앞에서 배웠듯이 저항선은 캔들이 많이 모여 있는 곳이다. 캔들이 많이 모여 있는 자리마다 미리 저항선을 그어두는 것도 실전 매매에 있어 좋은 습관이다.

자, 이제 솔루스첨단소재의 일봉 차트를 한번 보자(그림 4-10). 저항선을 찾아 한번 그어보자. 저항선을 미리 그어두면 상승하는 자리를 예측할 수 있다. 이 차트는 N자형 정배열 차트다. 아파트 계단에는 중간중간 참이 설치되어 있어서 쉬어가면서 올라갈 수 있다. N자형 양지 차트에서도 높이 올라가려면 잠시 쉬는 곳이 있어야 한다. 계단의 참과 같은 곳을 '눌림목, 플랫폼, 정거장'이라고 한다.

[그림 4-10] 솔루스첨단소재 2021년 11월~2022년 6월 8일까지 일봉 차트

이런 눌림목이 생기는 것은 세력이 운전하는 버스가 목적지에 도착한 정류장에 손님을 내려주고 목적지가 다른 새로운 손님을 태우는 것처럼 강남 자리(안전 그물망)에서 매수했거나 단타를 하는 개인투자자들이 수익 실현하고 매도하는 자리다. 여기서 세력인 버스 기사는 수익 실현한 투자자들을 떨구고 버티는 투자자와 새로운 투자자들을 태운다. 주식 매매의 경험이 많은 개인투자자는 다음 상승을 기대하며 기다린다.

버스는 출발할 때 한두 명의 손님을 태우거나 빈 차로 출발한다. 출발지에서 가까울수록 편히 앉아 갈 수 있는 확률이 높다. 의자에 앉은 손님은 버스가 흔들려도 서 있는 손님보다는 안정적이고 목적지까지 편하게 갈 수 있다. 목적지는 손님마다 다르다. 어떤 손님은 서너 정거장 가서 내리고 어떤 손님은 더 가기도 한다. 심지어는 버스 종점까지 편히 앉아서 가는 손님도 있다. 이렇듯이 주식도 강남

자리(안전 그물망)에서 매수해 중간에서 매도하는 사람도 있고 최고점 부근까지 가서 매도하는 사람도 있다.

하지만 출발 후 시간이 지난 버스에는 손님이 가득 타고 있어서 서서 가거나 끼어 가다 보면 버스 운전기사가 버스를 이리저리 흔들면서 운전하기도 한다. 버스 기사는 작전하는 세력이라고 볼 수 있다. 정비가 잘된 버스를 운행할 때는 회사의 운전기사는 출발지에서 목적지까지 안전하게 달려갈 수 있다. 간혹 손님들은 버스에 올라타서 졸다가 엉뚱한 데서 내리기도 하고 처음부터 자신의 목적지로 가지 않는 버스를 타기도 한다.

단타를 원하는 사람들이 중장기 종목에 투자하거나, 투자자의 목표와는 다르게 다른 사람들의 말을 듣고 주식을 매수하기도 하고, 주식에 대해 무지한 상태에서 투자하는 사람들도 많다. 운전기사에 의해서 버스는 운행코스 주행 중에 접촉 사고가 나기도 하고 버스가 전복되기도 한다. 단순한 접촉 사고는 사고 처리 후에 다시 목적지를 위해서 달리지만, 버스가 전복되거나 큰 사고가 나면 버스에 탄 손님이 다치거나 죽는 일이 생기고 버스는 폐차장으로 보내야 한다. 작전세력은 버스가 이미 고장났다는 것을 알고 있을 수도 있고 정비가 제대로 안 된 차를 무리하게 운행할 수도 있다. 그러나 버스에 탄 손님은 그런 속사정을 알 수 없다.

주식 매매를 하면서 고급 정보가 없는 개인투자자는 매수하자마자 거래정지가 되기도 하고, 실적이나 업황이 나빠져서 계속 원금이 줄어들기도 한다. 심지어는 투자금 전체를 잃어버릴 수도 있다. 버스의 운행이나 정비는 버스 회사에서 해야 한다. 작전세력인 운전기사도 모르고, 버스를 운전하다가 사고를 낼 수도 있다. 작전세력들도 투자 회사의 속사정을 모르다 알게 되면 투매하거나 속임수 차트를 만들어서 개인투자자들에게 물량을 떠넘기는 경우도 있다.

신규로 버스를 샀는데 리콜 제품이었다면 이 버스는 리콜이 결정되기 전까지는 잦은 고장으로 달리다 서기를 반복한다. 사고가 난 차를 여기저기 도색해서 새 차로 보이게도 한다. 리콜 차량이 되었다면 사고가 없던 차였다 하더라도 위험을 느낄 수밖에 없다. 이처럼 신규 상장된 종목이 성장성이 좋다면 리콜 버스처럼 되지는 않을 것이다. 중소형주의 신규 상장 종목은 3~5년 정도 되는 종목에서 모멘텀이 좋은 것을 고르는 것이 좋다.

[그림 4-11] 원익QnC 2021년 10월~2022년 4월 12일까지 일봉 차트

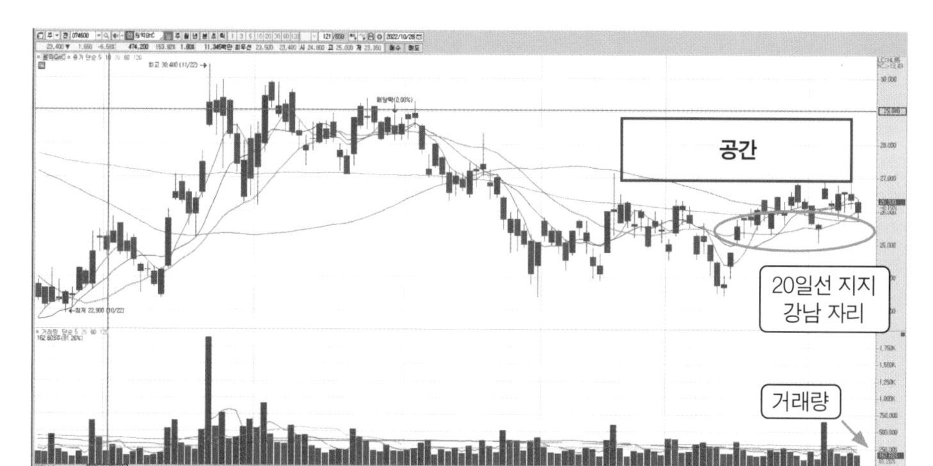

[그림 4-11] 원익QnC의 일봉 차트를 보자.

첫째, 고점에서 헤드앤드숄더가 만들어지고, 지지선을 깨며 20일 이동평균선을 머리에 이고 하락, 횡보하는 동안 20일선을 지지하고 있음을 볼 수 있다.

둘째, 길게 횡보하는 동안 사각형을 그릴 수 있는 공간이 열리고 있다.

셋째, 사각형의 공간은 15~20% 이상 나온다.

넷째, 강남이 만들어졌다고 판단하면 수급 확인을 잊지 말자.

[그림 4-12] 원익QnC 2022년 3월 28일~2022년 4월 22일까지 일별주가 화면

[0124] 일별주가

조회 | 074600 | 원익QnC | 일자 2022/04/22 | ◉수량(주) ○금액(백만원) | +외인(수량), 공매도(수량) 항목은 금액 데이터를 제공하지 않습니다.

일자	시가	고가	저가	종가	전일비	등락률	거래량	금액(백만)	신용비	개인	기관	외인(수량)	외국계	프로그램	외인비
2022/04/22	29,800	31,100	29,650	30,750	▲ 650	+2.16	764,195	23,337	3.36	-257,922	166,133	86,337	85,304	101,623	3.76
2022/04/21	29,450	30,400	28,950	30,100	▲ 800	+2.73	702,271	20,958	3.80	-172,837	94,766	82,102	61,338	83,414	3.44
2022/04/20	29,100	29,700	28,950	29,300	▲ 700	+2.45	1,149,508	33,773	3.88	-184,809	98,735	79,795	76,804	124,592	3.12
2022/04/19	28,000	28,850	27,900	28,600	▲ 1,150	+4.19	864,425	24,692	3.98	-219,681	132,778	91,208	39,247	73,781	2.82
2022/04/18	27,400	27,650	27,150	27,450	▲ 50	+0.18	171,765	4,719	4.02	-54,412	52,499	22,575	-4,136	8,945	2.47
2022/04/15	27,100	27,550	26,900	27,400	▲ 50	+0.18	194,437	5,292	4.09	-9,688	2,829	8,625	-18,115	-5,477	2.39
2022/04/14	27,300	27,750	27,000	27,350	▲ 50	+0.18	316,530	8,687	3.96	-62,158	70,289	-36,927	-8,711	-44,938	2.35
2022/04/13	26,500	27,300	26,250	27,300	▲ 1,000	+3.80	474,134	12,743	4.01	-62,830	4,952	56,074	22,408	54,687	2.49
2022/04/12	26,000	26,400	25,700	26,300	▼ 50	-0.19	162,603	4,237	4.00	-29,899	12,390	17,182	15,714	14,344	2.28
2022/04/11	26,550	26,850	26,100	26,350	▼ 250	-0.94	200,099	5,284	4.01	39,676	-8,012	-37,619	-15,088	-43,171	2.22
2022/04/08	26,550	26,600	26,000	26,600	▲ 50	+0.19	154,218	4,066	3.97	3,383	4,145	-8,936	-11,167	-9,055	2.36
2022/04/07	26,050	26,800	25,800	26,550	▲ 300	+1.14	192,499	5,075	4.01	953	22,427	-44,862	-19,656	-22,942	2.39
2022/04/06	26,200	26,350	26,000	26,250	▼ 450	-1.69	252,382	6,599	4.12	40,165	15,387	-54,798	-35,990	-34,703	2.56
2022/04/05	26,400	26,950	26,400	26,700	▲ 1,100	+4.30	655,347	17,483	4.08	-90,809	-20,690	114,131	66,825	111,916	2.77
2022/04/04	25,500	25,650	25,050	25,600	▼ 50	-0.19	106,580	2,707	4.14	434	8,394	-11,153	-2,604	-8,428	2.34
2022/04/01	26,200	26,200	25,600	25,650	▼ 650	-2.47	212,465	5,467	4.17	-748	-17,545	9,931	21,412	15,201	2.38
2022/03/31	26,100	26,400	25,900	26,300	0	0	93,109	2,438	4.15	-8,823	11,332	-3,079	-6,484	-3,287	2.34
2022/03/30	26,800	26,850	26,150	26,300	▼ 150	-0.57	155,135	4,100	4.16	7,387	22,147	-58,114	-19,298	-31,927	2.35
2022/03/29	26,200	26,600	26,050	26,450	▲ 550	+2.12	213,766	5,628	4.10	-6,744	9,830	-16,245	-9,582	-7,845	2.58
2022/03/28	26,050	26,300	25,600	25,900	▼ 100	-0.38	265,917	6,874	4.15	118,576	-16,050	-20,746	-5,090	-8,891	2.64

[그림 4-12]의 원익QnC 일별주가 화면에서 볼 수 있는 것처럼 기관, 외인, 외국계, 프로그램의 4곳에서 지속 매수가 들어오고 있음을 알 수 있다. 즉 수급이 좋다는 것이다.

[그림 4-13] 원익QnC 2022년 4월 12일 이후~2022년 6월 30일까지 일봉 차트

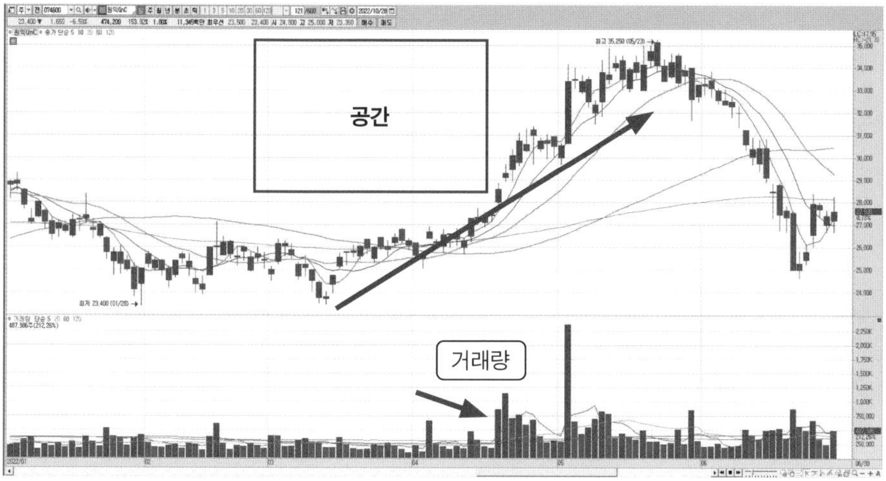

[그림 4-13] 원익QnC 일봉 차트에서 볼 수 있는 것처럼 강남(양지 차트, 정배열, 골든크로스, 20일 이동평균선 지지)한 후에 공간이 열려 있는 방향으로 상승하고 있음을 볼 수 있다.

원익QnC는 반도체, 디스플레이용 석영 제품, 산업용 세라믹 제조 사업을 하는 회사로 국내와 해외까지 12개의 종속기업을 가지고 있다. 쿼츠는 석영유리를 가공해서 만드는 것으로 반도체 제조공정에 사용되는 기계인데, 반도체 팹이라는 곳에서 이런 쿼츠를 많이 볼 수 있다. 기계 가공공정, 세정공정, 용접 조립공정, 검사 포장공정의 4단계 공정이 있는데 반도체 사업이 좋아지고 있어 꾸준히 성장하는 기업이라고 할 수 있다. 특히 중국이 대만을 견제하고 있어 한국의 반도체 사업은 더욱 성장하고 있다.

다음으로 TKG휴켐스의 일봉 차트를 보자.

[그림 4-14] TKG휴켐스 2021년 10월~2022년 6월까지 일봉 차트

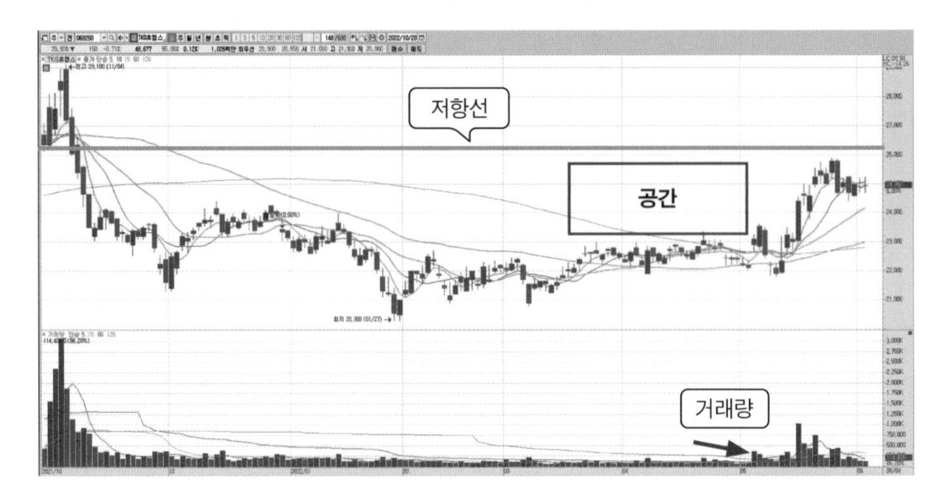

[그림 4-14] TKG휴켐스의 일봉 차트를 보면서 강남의 원칙이 맞는지 살펴보자.

첫째, 정배열 양지 차트가 강남 자리(안전 그물망)을 만들고 있다.
둘째, 사각형을 그릴 수 있는 공간이 위로 열려 있다.
셋째, 높이는 15~20% 이상 나오고 있다.
넷째, 거래량이 미세하게 줄어들고 있다.
다섯째, 강남이 만들어지면 수급을 확인하자.

[그림 4-15] TKG휴켐스 2022년 4월 27일~2022년 5월 25일까지 일별주가 화면

[0124] 일별주가

조회 | 069260 | TKG휴켐스 | 일자 2022/05/25 | ⦿수량(주) ○금액(백만원) | *외인(수량), 공매도(수량) 항목은 금액 데이터를 제공하지 않습니다.

일자	시가	고가	저가	종가	전일비	등락률	거래량	금액(백만)	신용비	개인	기관	외인(수량)	외국계	프로그램	외인비
2022/05/25	25,400	25,900	25,200	25,800	▲ 800	+3.20	420,289	10,767	1.34	-159,772	62,647	93,124	91,118	99,222	8.14
2022/05/24	25,350	25,550	25,000	25,000	▼ 300	-1.19	200,200	5,043	1.41	-87,819	1,307	85,316	72,969	84,604	7.91
2022/05/23	25,450	25,750	25,050	25,300	▲ 50	+0.20	279,156	7,073	1.53	-68,731	16,916	73,248	81,226	48,870	7.70
2022/05/20	25,000	25,550	24,900	25,250	▲ 650	+2.64	754,908	19,102	1.54	-264,285	173,601	110,649	89,912	18,332	7.52
2022/05/19	24,050	24,950	23,800	24,600	0	0	431,116	10,604	1.48	-72,993	71,373	44,318	34,262	10,804	7.25
2022/05/18	24,650	25,000	24,250	24,600	▲ 200	+0.82	542,098	13,362	1.52	-134,022	74,646	50,074	59,290	46,550	7.14
2022/05/17	23,050	24,550	23,050	24,400	▲ 1,400	+6.09	1,031,958	24,988	1.53	-360,539	162,411	199,410	118,580	188,920	7.02
2022/05/16	23,100	23,300	22,700	23,000	▼ 250	-1.08	180,182	4,141	1.59	22,347	-57,469	33,984	15,106	10,014	6.53
2022/05/13	22,800	23,500	22,600	23,250	▲ 900	+4.03	345,585	8,026	1.64	-146,113	64,776	72,163	56,834	82,260	6.45
2022/05/12	21,950	23,200	21,900	22,350	▲ 450	+2.05	266,911	6,028	1.66	-96,492	7,496	90,985	66,244	89,431	6.27
2022/05/11	22,100	22,250	21,800	21,900	▼ 300	-1.35	126,792	2,785	1.63	41,897	4,777	-63,881	-39,780	-47,094	6.05
2022/05/10	22,200	22,300	21,850	22,200	▼ 350	-1.55	170,648	3,759	1.62	47,040	-9,754	-47,189	-33,935	-35,452	6.21
2022/05/09	23,400	23,500	22,450	22,550	▼ 1,000	-4.25	192,804	4,399	1.67	28,649	720	-37,837	-14,203	-36,331	6.32
2022/05/06	22,850	23,600	22,750	23,550	▲ 450	+1.95	288,906	6,749	1.79	-134,618	63,121	78,000	48,056	74,603	6.41
2022/05/04	22,900	23,250	22,650	23,100	▲ 1,000	+4.52	353,767	8,134	1.79	-146,081	29,427	122,150	81,283	116,117	6.22
2022/05/03	22,200	22,350	22,050	22,100	▼ 150	-0.67	80,552	1,800	1.78	-1,247	-2,838	3,930	144	2,661	5.93
2022/05/02	22,200	22,450	22,150	22,250	▼ 150	-0.67	55,904	1,244	1.79	4,272	-10,109	-4,273	4,162	5,476	5.92
2022/04/29	22,450	22,500	22,250	22,400	0	0	59,853	1,337	1.78	-5,230	3,751	1,527	-1,629	1,181	5.93
2022/04/28	22,450	22,500	22,200	22,400	▼ 50	-0.22	76,922	1,717	1.77	8,603	-3,841	-4,921	-4,366	-4,055	5.92
2022/04/27	22,450	22,550	22,200	22,450	▼ 450	-1.97	123,624	2,766	1.78	43,961	-8,817	-23,900	-14,713	-36,324	5.93

[그림 4-15] TKG휴켐스 일별주가 화면에서 볼 수 있는 것처럼 기관, 외인, 외국계, 프로그램 4곳의 수급이 좋다. 4곳에서 매수가 계속 들어온다면 외인과 기관은 수익을 실현하기 위해서 주가를 계속 상승시킬 것이다. 그리고 수익 실현 후에는 고점에서 오르락내리락한 후에 주가를 아래로 급락시켜 버린다는 것을 명심하자.

[그림 4-16] TKG휴켐스 2022년 4월 19일 이후 뉴스

대칭 | 기업 | 주문

시세 | 상세 | Signal | 업종 | 섹터 | 차트 | 일정 | 뉴스

TKG휴켐스(069260) 소폭 상승세 +3.84%, 외국계 매수 유입

날짜	시간	제목
05/04	09:20:25	TKG휴켐스(069260) 소폭 상승세 +3.84%, 외국계 매수 유입
05/03	16:00:45	TKG휴켐스, 1분기 매출 2942억원…전년비 66.9% ↑
05/03	15:59:32	TKG휴켐스, 22년1분기 연결 영업이익 354.28억원, 컨센서스
05/03	15:55:41	티케이지휴켐스(주) 기업설명회(IR) 개최(안내공시)
05/03	15:52:13	TKG휴켐스, 1분기 영업익 354억…전년비 25.4% ↑
05/03	15:44:21	TKG휴켐스, 1Q 연결 영업이익 354억...전년비 25%↑
05/03	15:40:04	티케이지휴켐스(주) 연결재무제표기준영업(잠정)실적(공정공
04/19	09:02:17	대출 한도가 나오지 않았던 투자자들에게 희소식 ! 골드스탁

TKG휴켐스는 2022년 4월 19일 이후 뉴스에서 볼 수 있는 것처럼 매출과 영업이익이 증가했다. 컨센서스가 좋게 나오면 선반영되면서 주식가격이 상승한다. 세력은 수익 실현을 한 후에 급락시키는 것이 일반적이어서 다음 차트는 급락했을 가능성이 크다.

[그림 4-17] TKG휴켐스의 다음 차트를 살펴보자.

[그림 4-17] TKG휴켐스 2021년 12월~2022년 7월 15일 이후 일봉 차트

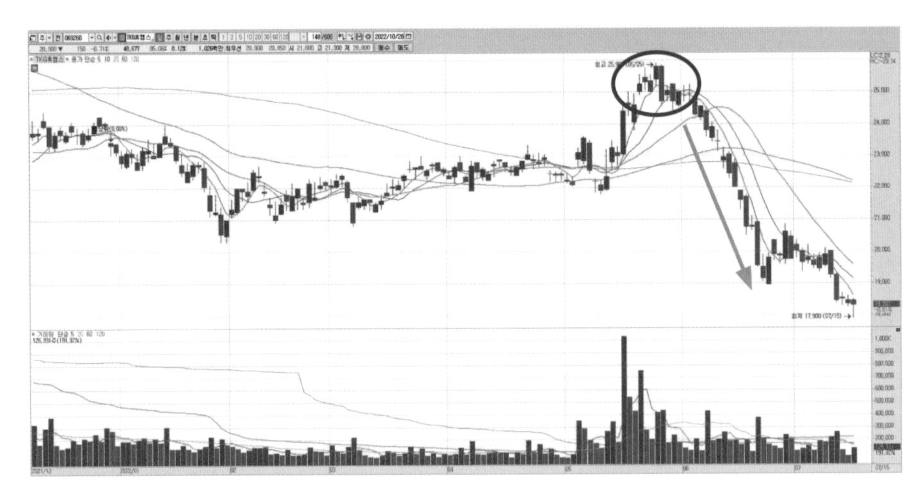

어떠한가? 급락이 눈에 보이는가? 2022년 5월 25일 주가는 25,900원에서 7월 15일 17,900원을 기록하고 있다.

종목에 대해서도 조금 공부해보자. 이러한 공부가 종합적으로 이루어질 때 진짜 고수가 될 수 있다.

TKG휴켐스는 남해화학에서 분할 설립된 기업으로 암모니아, 벤젠, 톨루엔 등을 원료로 하여 우레탄 원료를 생산한다. 연성, 경성 우레탄 소재의 원료인 DNT(인조가죽, 매트리스 등에 사용) 26만 톤, MNB(LNG선박 또는 냉장고 보냉재, 건축용 단열재로 가공) 42만 톤 등을 생산하는 중간 석유화학 업체로 아시아 최대 규모인 기초 무기화학 시장을 선도해오고 있다. 연간 100만 톤의 질산 생산능력을 보유하고 있는 우리나라 화학 산업에서 중추적인 역할을 하고 있으며, 여수2공장에 요소수 생산용지를 별도로 운영하고 있어서 요소수 관련 테마주에도 포함된다.

요소수란 대부분 화물차, 소방차, 구급차, 택배 등의 디젤 차량에 주입하는 것으로 디젤 차량의 미세먼지를 유발하는 성분을 정화하는 데 사용된다. 요소수가 없다면 디젤 차량을 운행할 수가 없다. 우크라이나 전쟁의 장기화로 원자재와 에너지 고갈로 인해 가격이 솟구치고 있다. 인조가죽이나 매트리스 등을 만드는 데 쓰이는 톨루엔 다이아이소사이아네이트(TDI)의 핵심 원료인 질산과 톨루엔을 원료로 생산되는 DNT를 생산해 한국바스프, 한화, 한화케미칼, OCI 등과 장기 공급계약을 맺고 질산을 공급하고 있다.

[그림 4-18] TKG휴켐스 2022년 7월 7일~8월 23일까지 뉴스

시세	상세	Signal	업종	섹터	차트	일정	뉴스

"TKG휴켐스, 겨울철 TDI 공급부족 심화 예상" -유안타證

날짜	시간	제목
08/03	12:23:17	TKG휴켐스(069260) 소폭 상승세 +3.19%
07/20	10:23:43	[장중수급포착] TKG휴켐스, 외국인/기관 동시 순매수… 주가
07/14	08:58:57	"TKG휴켐스, 경기침체 우려에 따른 보수적 이익 추정" -교보
07/14	08:55:08	[리포트 브리핑]TKG휴켐스, '견조한 P, 아쉬운 Q' 목표가 3(
07/12	09:50:54	<유>TKG휴켐스, 장중 신저가 기록.. 18,950→18,500(▼450)
07/08	11:37:36	TKG휴켐스(069260) 소폭 상승세 +3.08%, 외국계 매수 유입
07/07	09:44:10	[리포트 브리핑]TKG휴켐스, '2022년 하반기 실적이 더 좋아!
07/07	07:55:58	"TKG휴켐스, 겨울철 TDI 공급부족 심화 예상" -유안타證

시세	상세	Signal	업종	섹터	차트	일정	뉴스

[리포트 브리핑]TKG휴켐스, '독일 코베스트로(주) 가동 중단에 따른 수혜!' 목표가

날짜	시간	제목
08/23	09:13:02	[특징주] TKG휴켐스, 탄소배출권 가격 급등에 강세
08/23	08:54:04	[리포트 브리핑]TKG휴켐스, '독일 코베스트로(주) 가동 중단
08/23	08:51:36	[특이점 종목] TKG휴켐스 (069260)
08/23	06:28:00	유럽 가뭄 등 전세계 이상 기온…분주한 수혜주 찾기
08/22	15:18:25	TKG휴켐스(069260) 소폭 상승세 +2.94%
08/16	17:52:30	TKG휴켐스, 2분기 개별 영업이익 308억...전년비 13%↑
08/11	10:23:07	[장중수급포착] TKG휴켐스, 외국인 5일 연속 순매수행진...
08/03	17:14:01	TKG휴켐스, 2Q 영업이익 308억...전년비 13%↑

[그림 4-18] 뉴스에서 볼 수 있는 것처럼 겨울철 TDI 공급 부족이 커질 것이라는 예상이 나오자 주식가격이 많이 하락했다가 2022년 8월 이후 세계 1~2위인 독일의 코베스트로(주) 가동 중단에 따른 수혜를 입고 있다. 또한 4년 만에 TDI 공급 부족에 따른 사이클이 2023년까지 이어질 전망이라고 하니 TKG휴켐스의 주력 제품인 TDI 스프레드 가정치도 높아지고 있다.

[그림 4-19] 차바이오텍의 일봉 차트를 살펴보자.

[그림 4-19] 차바이오텍 2021년 7월~2022년 3월 4일까지 일봉 차트

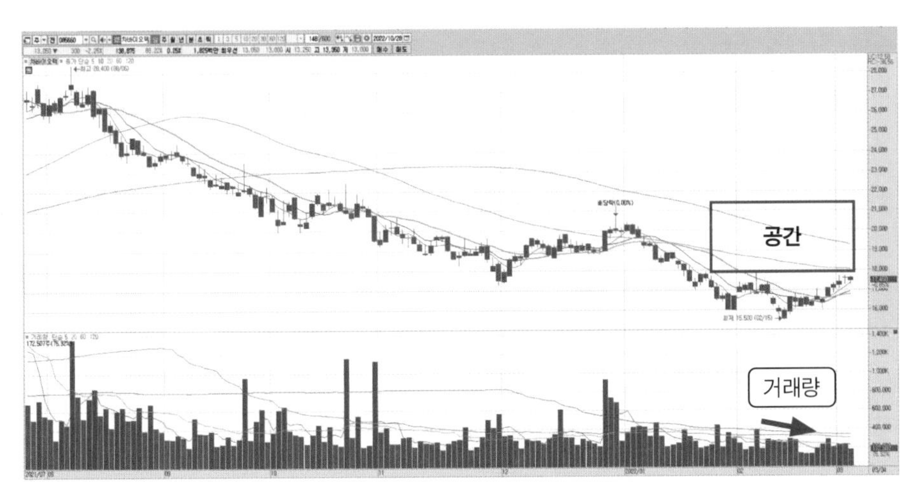

양지 차트에서 강남 자리(안전 그물망)가 나오면 매수 진입해도 된다고 배웠다. 이쯤에서 다시 한번 기억해보는 것도 좋다. 강남 자리가 만들어지는 필수 요건이 충족되면 공간이 열린 곳까지 상승할 가능성이 있다.

차바이오텍은 데이짱이 탄탄셀렉트 아카데미에서 강남 기법을 설명했던 종목 중 하나인데 목표가 20,000원까지 보라고 했는데 2022년 4월 4일 20,050원을 기록하고 하락했다.

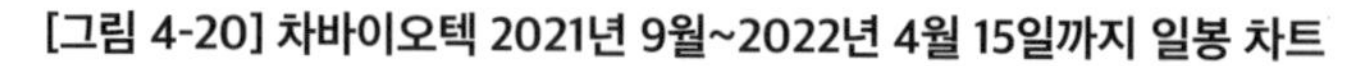

[그림 4-20] 차바이오텍 2021년 9월~2022년 4월 15일까지 일봉 차트

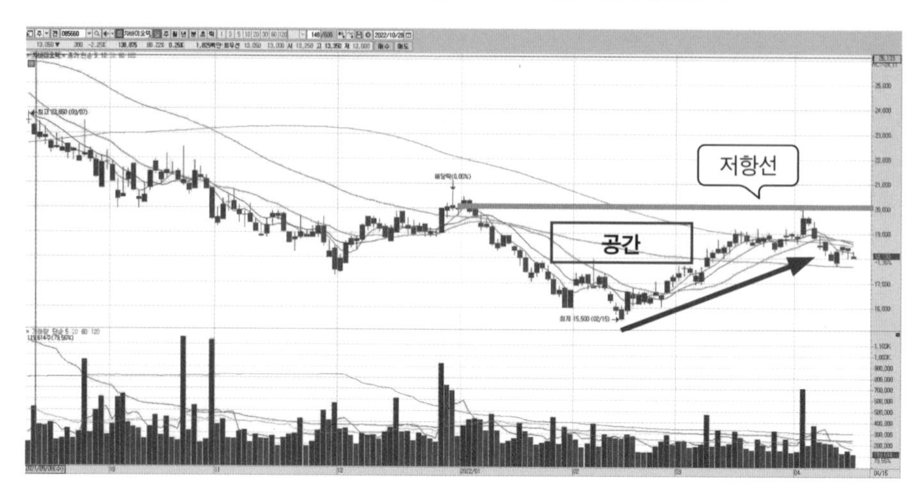

강남 자리가 나왔을 때 수급을 살펴보자.

[그림 4-21] 차바이오텍 2022년 2월 14일~2022년 3월 30일까지 일별주가 화면

[0124] 일별주가

조회 085660 차바이오텍 일자 2022/03/30 ⦿수량(주) ○금액(백만원) +외인(수량), 공매도(수량) 항목은 금액 데이터를 제공하지 않습니다.

일자	시가	고가	저가	종가	전일비	등락률	거래량	금액(백만)	신용비	개인	기관	외인(수량)	외국계	프로그램	외인비
2022/03/30	18,900	19,200	18,600	18,950	▲ 150	+0.80	250,830	4,736	2.87	11,798	-6,082	-26,736	626	-7,533	7.38
2022/03/29	18,500	18,800	18,450	18,800	▲ 400	+2.17	149,801	2,791	2.86	-64,767	14,806	31,326	27,670	46,527	7.43
2022/03/28	18,650	18,700	18,300	18,400	▼ 400	-2.13	325,003	6,001	2.86	27,055	-51,526	27,139	10,340	20,613	7.38
2022/03/25	18,950	19,050	18,700	18,800	▼ 50	-0.27	147,616	2,787	2.85	-4,610	-17,123	36,558	10,386	16,954	7.33
2022/03/24	18,700	18,900	18,500	18,850	▲ 50	+0.27	200,655	3,750	2.83	-12,378	-3,443	1,157	11,860	14,453	7.26
2022/03/23	18,650	19,200	18,650	18,800	▲ 150	+0.80	253,110	4,794	2.81	-23,482	597	22,579	3,177	24,415	7.26
2022/03/22	18,550	18,800	18,550	18,650	▼ 50	-0.27	152,391	2,842	2.78	-6,748	1,366	11,669	10,445	3,145	7.22
2022/03/21	18,950	19,100	18,600	18,700	▼ 300	-1.58	169,078	3,180	2.78	39,774	-7,730	-3,399	-15,646	-36,841	7.20
2022/03/18	19,000	19,100	18,650	19,000	0	0	266,767	5,032	2.81	4,133	-12,788	-11,052	-20,198	-14,865	7.21
2022/03/17	18,650	19,150	18,500	19,000	▲ 500	+2.70	324,592	6,128	2.80	-71,855	31,172	41,496	27,269	38,677	7.22
2022/03/16	18,700	18,700	18,200	18,500	▲ 50	+0.27	211,390	3,897	2.82	8,486	39,850	-47,145	-17,302	-47,979	7.15
2022/03/15	18,250	18,550	18,000	18,450	▲ 200	+1.10	192,161	3,513	2.82	-15,509	-12,258	35,009	20,488	20,868	7.23
2022/03/14	18,400	18,750	18,200	18,250	0	0	334,693	6,170	2.80	52,550	-27,320	-22,338	-5,896	-24,153	7.17
2022/03/11	18,050	18,350	17,850	18,250	▲ 200	+1.11	187,788	3,407	2.72	14,362	18,460	-12,054	-9,846	-25,335	7.21
2022/03/10	17,700	18,400	17,700	18,050	▲ 600	+3.44	472,670	8,538	2.70	-16,621	82,522	-88,067	-57,427	-78,596	7.23
2022/03/08	17,100	17,650	16,950	17,450	▲ 150	+0.87	206,552	3,593	2.75	1,019	-12,849	18,860	8,996	5,857	7.39
2022/03/07	17,100	17,550	16,950	17,300	▼ 150	-0.86	182,572	3,139	2.75	-17,419	-13,768	7,475	11,506	4,827	7.36
2022/03/04	17,600	17,650	17,300	17,450	▼ 150	-0.85	172,507	3,005	2.73	19,236	-46,331	26,570	22,310	19,236	7.34
2022/03/03	17,600	17,700	17,300	17,600	▲ 200	+1.15	229,020	4,012	2.72	6,533	5,205	-15,345	14,998	-15,731	7.30
2022/03/02	17,250	17,700	17,100	17,400	▲ 150	+0.87	232,070	4,042	2.74	8,010	-9,070	5,357	17,182	-2,553	7.32
2022/02/28	17,100	17,350	16,850	17,250	▲ 150	+0.88	202,262	3,460	2.77	46,431	-29,228	1,214	-6,024	-18,568	7.31
2022/02/25	16,650	17,100	16,600	17,100	▲ 750	+4.59	286,050	4,851	2.79	-99,404	15,560	94,452	28,135	95,213	7.31
2022/02/24	16,500	16,550	16,050	16,350	▼ 300	-1.80	230,897	3,759	2.80	14,311	1,106	-16,761	-3,536	-17,939	7.14
2022/02/23	16,500	17,050	16,500	16,650	▲ 250	+1.52	188,585	3,148	2.80	24,719	-3,052	-18,318	-11,803	-18,189	7.17
2022/02/22	16,200	16,450	16,150	16,400	▼ 200	-1.20	132,708	2,159	2.83	14,980	-19,904	11,420	4,007	525	7.21
2022/02/21	16,250	16,650	16,150	16,600	▲ 50	+0.30	128,877	2,117	2.82	-11,180	-8,006	18,725	13,673	12,784	7.19
2022/02/18	16,150	16,650	16,150	16,550	▲ 150	+0.91	136,946	2,247	2.84	-5,817	-1,217	6,304	-4,309	3,597	7.15
2022/02/17	16,550	16,800	16,100	16,400	▼ 250	-1.50	275,871	4,554	2.88	25,368	-10,506	-12,811	-12,842	-14,279	7.14
2022/02/16	15,900	16,650	15,750	16,650	▲ 1,100	+7.07	294,317	4,766	2.88	-114,355	6,042	109,443	36,594	112,716	7.16
2022/02/15	15,950	16,100	15,500	15,550	▼ 350	-2.20	249,209	3,918	2.96	15,549	16,058	-26,767	-14,784	-33,393	6.97
2022/02/14	16,050	16,200	15,750	15,900	▼ 400	-2.45	256,950	4,105	3.00	-64,151	23,658	40,077	31,007	43,502	7.02

기관은 사고팔기를 반복하고 외인, 외국계, 프로그램에서는 중간중간 수급이 들어오는 것을 볼 수 있다.

차바이오텍은 차병원 그룹으로 2002년 11월에 설립되어 2005년 12월에 코스닥시장에 상장되었다. 병원 의료 서비스, 세포 치료제 연구 사업, 제대혈, 줄기세포 보관 사업을 하는 회사로 한국뿐 아니라 미국, 호주, 싱가포르, 일본 등 해외에도 종속기업을 가진 글로벌 바이오 회사이다. 2022년 7월 21일 미국 자회사인 마티카 바이오테크놀로 세포 유전자 치료제(CGT) CDMO(위탁개발 생산) 시장이 2030년에는 약 25조 원 규모로 성장할 전망이며 향후 연 매출 약 1조 원을 달성해 전 세계 5위 CDMO(위탁개발 생산)로 발전시키겠다는 의견을 밝혔다.

[그림 4-22] 차바이오텍 뉴스

시세 | 상세 | Signal | 업종 | 섹터 | 차트 | 일정 | 뉴스

차바이오텍, 탯줄서 줄기세포 분리 방법 유럽 특허 획득

날짜	시간	제목
03/14	11:01:22	<신제품·신기술>차바이오텍, 고순도 줄기세포 분리·배양 기
03/14	10:16:24	차바이오텍, 고순도 줄기세포 분리·배양 기술 유럽 특허 획
03/14	10:16:04	[리포트 브리핑]차바이오텍, '미국 신규 병동 준공, 글로벌
03/14	09:41:58	차바이오텍, 탯줄 조직서 줄기세포 분리하는 배양 기술 유럽
03/14	09:33:22	차바이오텍, 고순도 줄기세포 분리·배양 기술 유럽 특허 획
03/14	09:10:28	차바이오텍, 고순도 줄기세포 분리·배양 기술의 유럽 특허
03/14	09:02:59	차바이오텍, 고순도 줄기세포 분리·배양 기술 유럽 특허 획
03/14	09:01:23	차바이오텍, 탯줄서 줄기세포 분리 방법 유럽 특허 획득

시세 | 상세 | Signal | 업종 | 섹터 | 차트 | 일정 | 뉴스

차바이오텍 "고형암 환자 대상 'CBT101' 임상 1상 내약성·안전성 확인"

날짜	시간	제목
03/03	14:56:46	차바이오텍 "고형암 환자 대상 'CBT101' 임상 1상 내약성
03/03	14:43:37	차바이오텍 "고형암 면역세포치료제 임상 1상 '안전성·내약
03/03	14:37:06	(주)차바이오텍 투자판단 관련 주요경영사항(고형암 환자를
02/28	15:45:06	차바이오텍, 지난해 매출 7280억원…역대 최대 실적 경신
02/28	15:09:58	차바이오텍, 지난해 매출 7280억원···역대 최대 매출
02/28	14:55:07	차바이오텍, 연결기준 지난해 매출 7280억…역대 최대
02/28	13:56:33	차바이오텍 작년 연결기준 영업익 82억원으로 흑자 전환
02/28	13:43:02	차바이오텍, 작년 최대 매출에 흑자전환…"CDMO 박차"

강남 기법은 양봉일 때 매수하는 것이 더 좋다. 하지만 양봉이 나왔어도 상승하지 않을 때도 있다. 세력들은 다양한 패턴으로 개인투자자들이 돈을 잃게 만든다. 주식은 결국 심리전인데 이 심리에서 밀리면 계속 돈을 잃게 된다. 예를 들어 상승장악형 양봉이 나타났으니 무조건 매수해두자고 생각하면 큰 오산이다. 상승장악형 장대양봉이 거래량을 수반하고 나타났다가 개인투자자가 알지 못하는 악재로 인해 다음 날부터 하락을 달리기도 한다는 것을 잊지 말자.

작전세력들은 개인투자자들을 유인하기 위해 강남 자리(골든크로스)도 일부러 만들며 다양한 속임수를 쓴다는 것은 모두가 알고 있는 사실이다. 주식투자는 늘 신중하게 선택해야 한다. 그러므로 수급을 확인할 때는 국민연금과 투신의 수급을 확인하는 습관을 들여야 하고, 중장기 투자를 할 때는 재무제표도 확인해야 한다.

강남(양지 차트, 안전 그물망, 정배열)이 만들어지고 수급도 좋은데 지수가 빠지는 하락장에서 매도하려고 대기하고 있는 물량이 많다면 재하락이 나올 수도 있다. 그러나 강남 자리는 손절매 폭이 매우 작으므로 큰 손실을 피할 수 있다. 지수가 소폭 상승해도 강남 자리 종목은 많이 오를 가능성이 크다. 5~10개의 강남 종목을 골랐다고 하면 80% 정도의 승률이 있지만 한두 개 상승하지 않을 수도 있다. 그리고 이동평균선이 역배열(음지 차트, 데드크로스)되면 반드시 손절매해야 한다.

하락장일 때는 아무리 강남 자리라고 하더라도 3~5% 수익이 나면 3분의 1 정도는 매도하는 것이 좋고, 추이를 보면서 나머지도 매도한다. 상승장일 때는 분할로 나누어서 13% 정도까지 홀딩하면서 분할 매도한다. 그리고 역배열로 차트가 바뀌면 손절매는 한 번에 한다.

강남 기법은 매수도, 손절매도 한 번에 한다. 매수해둔 종목 중 빠르게 상승하는 종목은 5일 이동평균선이 10일 이동평균선을 지지하지 못할 때 매도한다. 천천히 상승하는 종목은 5일 이동평균선이 20일 이동평균선을 지지하지 못할 때 매도한다. 이런 매도 방법은 잔파도에 흔들리지 않고 고점 매도가 가능하다.

강남 기법 매도 방법

첫째, 강남 기법이 성공했을 때 매도 방법

→ 강남 자리에서 매수하고 저항선 80% 정도 부근에서 보유 물량의 80~90%를 매도해야 한다.

둘째, 강남 기법이 실패할 때 매도 방법

→ 지수가 계속 하락할 때 강남 자리에서 매수한 후에 상승하면 3~5% 정도 수익에서 보유 물량의 3분의 1에서 2분의 1 정도는 매도해야 한다.

더 자세한 것은 이 책의 매도 부분에서 실전 매도를 어떻게 하는지 잘 설명하겠다.

· 강남 기법 요약

강남 기법의 원리

첫째, 손절매가 잘 안 나온다.
둘째, 결과가 빠른 시일 내에 나온다(한두 달씩 기다리지 않아도 된다).
셋째, 수익률은 8~15% 나온다.
넷째, 해당 종목은 코스피 200~300위 안에서, 코스닥은 100위 안에서 찾는다.
소형주는 실전에서는 해당하지 않아 제외한다.

· 강남 기법의 원칙

첫째, 정배열 차트여야 한다.
둘째, 거래일수 20일 정도의 공간이 나온 자리에 사각형을 그려 넣을 수 있다.
셋째, 높이는 15~20%의 사각형이 나와야 한다(상승할 주식가격 예측).
넷째, 거래량이 미세하게 줄어들고 있다.
다섯째, 수급이 좋아야 한다.

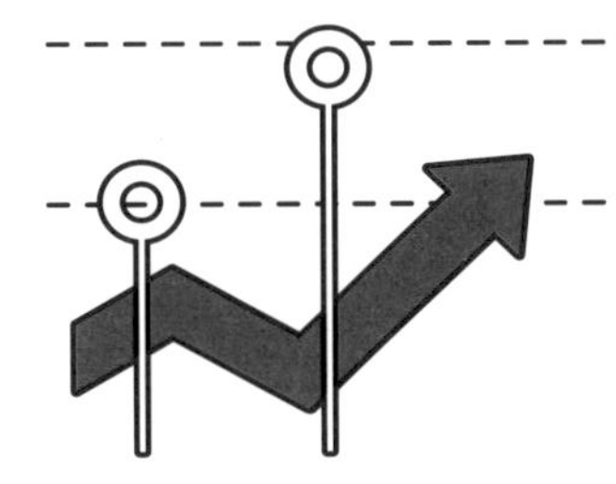

5장

단기간에 큰 수익, 신고가 기법

앞에서 강남 기법을 자세히 설명했다. 이제 단기간에 수익을 낼 수 있는 신고가 기법을 설명하려고 한다. 이에 앞서 신고가 기법이 강남 기법과 무엇이 다른지 비교해보고 차이점을 짚어보자.

신고가 기법은 상승장에서 50%, 100% 이상 수익이 나는 종목도 속출한다. 모든 종목은 매도와 매수세력의 힘겨루기 속에서 상승시키기 위해 매집하는 기간이 꼭 있어야 한다. 그리고 바닥에서 매수세력이 매도세력을 이겨야만 신고가가 형성되는 것은 상식적으로 생각해도 알 수 있다.

신고가 기법에서는 기간의 설정과 수급이 가장 중요하다. 중소형주 종목에서도 가능한 기법으로 많이 활용할 수 있다.

[표 5-1] 강남 기법과 신고가 기법의 차이점

구분	강남 기법	신고가 기법
차트 패턴	그림이 중요하다.	기관, 외국인의 수급이 중요한데 개인은 무시해도 된다.
목표가	목표가는 저항선 부근 80% 정도로 공간이 열려 있는 곳에서 매도한다.	매물대가 없고 공간이 위로 확실하게 열려 있어 목표가가 높다.
종목 고르기	우량주 위주로 매매한다.	중·소형주도 가능하다.
손실 폭	강남 기법은 역배열이 되더라도 3% 정도의 손절매가 나온다.	손절매의 폭이 크게 나올 수도 있다.
수익 폭	저항선 부근 정도에서 매도해야 한다.	성공했을 때 20~30% 수익이 가능하다. 상승장에서는 50%, 200% 종목도 속출한다.
손절매	역배열이 되면 반드시 손절매해야 한다.	갑자기 지수가 빠져서 손절매해도 세력의 평균단가가 있기에 다시 올릴 수 있는 기회가 있다.

신고가 기법의 원리

신고가 기법은 저항매물이 없어 위로 공간이 활짝 열리기 때문에 단기간에 크게 수익을 낼 수가 있다. 매물이 없다는 것은 세력이 마음대로 가격을 올릴 수 있고, 바닥에서 일정 기간 매집했기에 그 물량을 위로 끌고 가려는 목적이 있다고 봐야 한다. 신고가는 상승할 때 각도가 가파른 것이 특징이다. 상승 각도는 50도, 60도도 있지만 70~90도의 각도가 나오는 종목들도 있다. 신고가 기법에서 중요하게 생각해야 하는 것은 다음과 같다.

첫째, 신고가가 형성되는 기간(세력이 매집하는 기간)을 확인한다.
둘째, 완벽한 공간이 열려야 한다(상승을 위해 위에 매물대가 없어야 좋다).
셋째, 수급이 좋아야 한다(기관과 외국인의 매수량이 매우 중요하다).

신고가 기법의 원칙

신고가 기간이 길 것

신고가는 3개월, 6개월, 52주 신고가 그리고 역사적인 신고가가 있다. 이 중에서 보통 52주(1년 신고가) 신고가가 좋고, 1년 신고가보다 더 좋은 것은 역사적인 신고가다. 주식시장에서는 주로 52주 신고가를 말한다. 역사적인 신고가는 주식이 상장된 후에 수많은 과정을 거치면서 만들어낸다. 워런 버핏도 20년간 신고가를 기록하지 못하고 있던 코카콜라가 1985년에 신고가를 기록한 후 1988년에 잠시 주춤하자 고평가라는 여론이 있었지만 코카콜라를 매수해 결국 큰 수익을 냈다고 한다. 그만큼 역사적인 신고가는 하루아침에 만들어지는 것이 아니다.

역사적인 신고가를 만들어내는 회사의 주가는 그만큼 모든 신고가 중 가장 좋다는 것을 증명하고 있다. 고수들은 52주 신고가나 역사적인 신고가 종목을 주로 골라서 매매한다고 하니 주식을 하는 사람은 이 점을 간과해서는 안 된다. 한 명의 고객을 상대로 여러 회사의 유능한 설계사들에게 설계를 의뢰해보니 거의 비슷한 보장으로 설계했다고 한다. 마찬가지로 주식 세계의 고수들 역시 실력이 비슷

비슷하고 종목을 고르는 기준과 생각이 비슷하다고 생각할 수 있다. 역사적인 신고가가 나오는 종목들의 공통적인 특징은 실적이 좋고 끊임없이 성장할 수 있는 요건이 갖춰져 있기 때문이다.

주식투자를 할 때 눌림목 매매를 한다는 사람들이 있는데, 눌림목 매매보다는 저항을 돌파하는 신고가가 형성되는 곳에서 매매하는 것이 더 좋은 방법이라고 말하고 싶다. 데이짱도 돌파 매매를 주로 한다.

완벽한 공간이 나올 것

신고가를 기록하기 위해서는 매집하는 바닥 과정이 있다. 세력(주포, 메이저라고도 함)은 높은 가격으로 매집하지는 않는다. 그들은 개미들을 흔들어서 싸게 매집하여 자신들의 보유 물량 평균단가를 가장 낮게 만든다. 세력도 장사꾼이어서 이윤을 남겨야 하는 것이 당연지사다. 그래서 세력은 개미들이 지루할 정도로 야금야금 매집한다. 그들만의 용어로 낮은 포복을 하면서 긴 기간 동안 매수한다. 매집 기간이 길어질수록 위로 공간이 완벽하게 열린다. 개미는 보유 종목을 흔들 때마다 고민하고 고민하다 지쳐서 포기하고 던져버리는 경우가 허다하다. 결국, 많은 매물대가 없어지는 것이다. 매물대가 없는 공간은 허공이 되어버려 세력이 마음껏 주가를 올릴 수 있다.

수급을 반드시 확인할 것

신고가 기법에서는 수급이 가장 중요하다. 기관이나 외인의 매수량이 많은 종목을 골라야 한다. 개인 매수량은 무시해도 된다. 수급에서 기관+외인의 거래량이 약 20~30% 이상인 종목은 상승할 확률이 높다. 매수강도(수급강도)가 크게 상승할 가능성이 있고, 내려갈 확률은 낮다. 꼭 기관과 외인의 양 매수가 아니어도 외인이 압도적으로 매수할 때, 또는 기관이 압도적으로 매수하는 종목을 골라도 된다. 신고가가 나오면서 5% 정도 상승할 때 거래량이 평소보다 1.5~2.5배로 늘어나야 하는데 거래량이 늘어나지 않는 종목은 굉장히 강한 종목이다.

이런 종목은 상승 폭이 클 가능성이 있다. 고점에서 세력들이 개미들에게 거래량을 다 떠넘기려고 거래량을 터뜨리지 않는 것이다. 세력이 많은 물량을 매집한 것을 믿고 신고가 매매를 하면 된다. 수익을 내려고 하는 세력은 주가를 반드시 위로 올릴 수밖에 없다. 강남 기법은 역배열이 되더라도 3% 정도의 손절매만 예상하면 되지만, 신고가 기법은 손절매가 크게 나올 수도 있다. 그러나 신고가 기법은 성공했을 경우 강남 기법에 비해 수익을 20~30% 낼 수 있다.

강남 기법은 역배열이 되면 반드시 손절매해야 한다. 신고가 기법은 손절매해도 세력이 다시 가격을 올릴 수 있는 기회가 있다. 주식을 매매할 때는 항상 손절매가 나올 수 있으므로 5개 이상 종목에 분산해야 하고 시드가 많은 경우는 10종목 정도로 분산해서 매수하는 것이 좋다.

신고가 기법 매매 사례

신고가 기간이 길 것

신고가 기법의 원리와 원칙을 공부했으니 실전 차트를 살펴보자. 신고가 기법에서 성공하기 위해서는 세력 매집의 흔적인 기간과 매물대가 없는 완벽한 공간이 형성되어야 하고, 기관과 외국인의 수급이 중요하다고 했다. 요즘은 돈이 많은 개인도 단기적으로 주포가 되기도 한다.

[그림 5-1] 이랜텍 2002년~2022년까지 월봉 차트

[그림 5-1]의 이랜텍 월봉 차트를 보면 역사적인 신고가를 기록하고 있다. 신고가 기법에서 역사적인 신고가가 가장 좋다고 설명했고, 역사적인 신고가는 단기간에 수익을 크게 낼 수 있다고 했다. 이랜텍은 역사적인 신고가가 나온 후에 7,500원 정도의 주가가 2022

년 4월에 24,850원으로 3배 이상을 기록했다.

[그림 5-2] 이랜텍 2020년 12월~2022년 5월 11일까지 일봉 차트

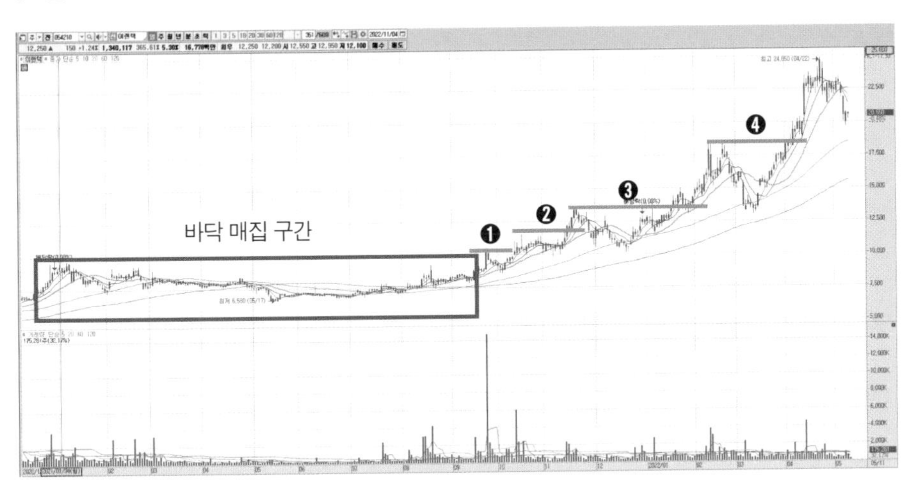

[그림 5-2] 이랜텍의 일봉 차트를 보자. 차트에서 볼 수 있는 것처럼 바닥에서 오랜 기간 세력이 낮은 포복으로 야금야금 매집한 흔적이 보인다. 그리고 ①~④번에서 계속 저항을 돌파하면서 상승하고 있다. 매집하는 동안 위로 완벽한 공간이 열리면서 저항 매물대가 없으므로 주포가 마음껏 주가를 올리고 있음을 알 수 있다.

2021년 11월부터 2022년 4월까지의 일봉을 확대해보자(그림 5-3). 무엇이 보이는가? 공간이 보인다. 공간이 열리고 ① 부근을 잘 관찰해야 한다. 그리고 저항 돌파할 때 기관과 외인의 양매수가 들어오는지, 무슨 일을 하는 회사인지, 이 종목에 대한 리포트, 주봉, 월봉도 살펴본 후 왜 오르는지를 확인하고 매수한다.

[그림 5-3] 이랜텍 2021년 11월~2022년 4월 15일까지 일봉 차트

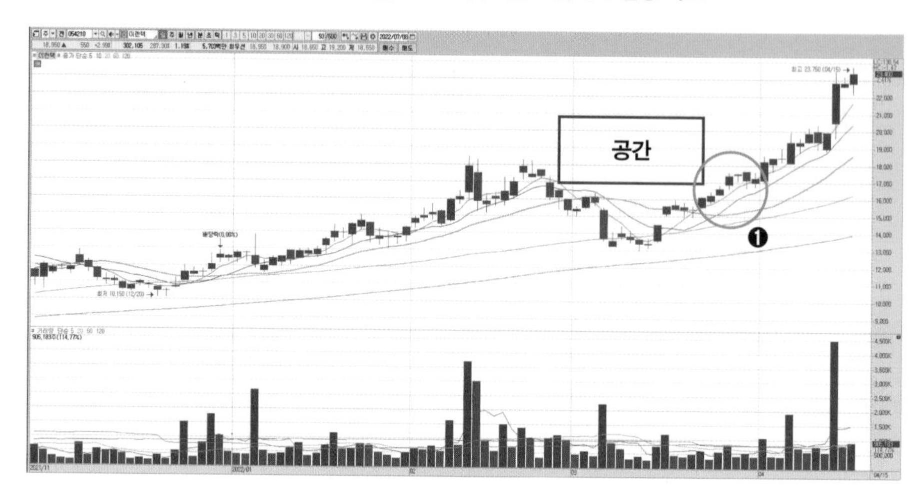

[그림 5-4] 이랜텍 2022년 3월 22일~4월 7일까지 종목별 기관매매추이

054210 이랜텍 | 누적기간 기간입력 2022/03/22 ~ 2022/04/07 | 차트 | 유의사항

구분	개인		기관		외국인	
추정평균가(매수/매도)	17,750	17,797	17,924	17,973	17,938	17,759

*단위: 단주 ◉대비 ○등락

날짜	종가	대비	거래량	개인		기관		외국인		
				기간누적	일별순매매	기간누적	일별순매매	기간누적	일별순매매	소진율
22/04/07	19,350	0	705,261	-804,876	+78,909	+284,228	-7,685	+455,896	-73,472	6.26%
22/04/06	19,350 ▲	900	1,921,940	-883,785	-483,107	+291,913	+125,896	+529,368	+352,696	6.55%
22/04/05	18,450	0	406,975	-400,678	+31,790	+166,017	-1,171	+176,672	-29,976	5.16%
22/04/04	18,450 ▲	200	418,013	-432,468	+78,595	+167,188	+11,283	+206,648	-94,066	5.27%
22/04/01	18,250 ▲	1,000	1,059,449	-511,063	-241,006	+155,905	+36,177	+300,714	+186,808	5.65%
22/03/31	17,250 ▲	100	404,861	-270,057	-79,932	+119,728		+113,906	+78,890	4.91%
22/03/30	17,150 ▼	350	546,768	-190,125	+48,168	+119,728	+6,478	+35,016	-59,890	4.60%
22/03/29	17,500 ▲	100	418,490	-238,293	+24,671	+113,250	+5,865	+94,906	-30,694	4.83%
22/03/28	17,400 ▲	750	816,294	-262,964	-55,769	+107,385	-9,997	+125,600	+60,863	4.95%
22/03/25	16,650 ▲	400	569,276	-207,195	-44,738	+117,382	+50,029	+64,737	-23,221	4.71%
22/03/24	16,250 ▲	100	320,072	-162,457	+23,328	+67,353	+16,484	+87,958	-28,904	4.81%
22/03/23	16,150 ▲	750	612,220	-185,785	-95,712	+50,869	+13,974	+116,862	+69,683	4.92%
22/03/22	15,400	0	495,074	-90,073	-90,073	+36,895	+36,895	+47,179	+47,179	4.64%

[그림 5-4] 이랜텍의 종목별 기관매매추이(2022년 3월 22일~4월 7일)에서 볼 수 있는 것처럼 기관과 외국인의 양매수가 들어오고 개인은 계속 매도하고 있다. 기관과 외인의 양매수가 들어올 때 양매수

강도가 조금씩 조금씩 늘어나다 순간 튀어 올라가는 것을 알 수 있다. 양매수가 들어올 때 연기금의 매수도 꼭 확인하는 습관을 들여야 한다. 양매수 후에 이랜텍 차트 흐름을 살펴보자.

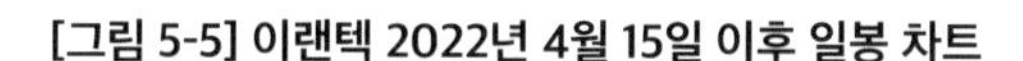

[그림 5-5] 이랜텍 2022년 4월 15일 이후 일봉 차트

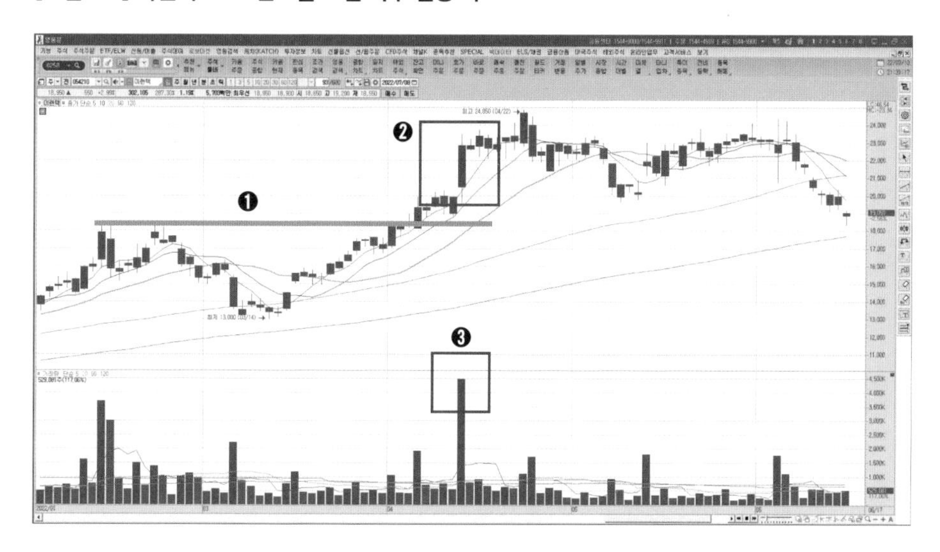

[그림 5-5] 이랜텍 일봉 차트(2022년 4월 15일 이후)에서 볼 수 있는 것처럼 거래량이 터지기 전 ①번 저항선 부근을 잘 살펴보고 수급을 확인한 후에 매수하면 ②번에서 상승하고 ③번 거래량이 터질 때 단기간에 수익을 크게 낼 수 있다.

이랜텍은 휴대전화 배터리팩이 주요 사업이었다. 그런데 휴대전화 성장세가 꺾이는 바람에 전자담배 매출 다변화에 성공하였고, KT&G로 2020년 80억 원, 2021년엔 1,000억 원, 2022년 2월까지 3,700억 원의 공급체결로 증가하는 물량이 주가 상승의 원인이 되었다. 아직 매출은 작지만 모멘텀이 있는 사업이다. 우리가 큰 식당에 가면 흔히 볼 수 있는 서빙하는 로봇에 장착하는 배터리팩을 수출하고 있으며, 미국 기업인 베어로보틱스(서빙로봇)에 배터리팩을 2022년 상반기에 3,000대를 공급했다. 하반기엔 더 증가할 것으로 보여 판매수익이 크게 증가할 가능성이 있다.

두 번째로는 가정용 ESS(Energy Storage System, 원하는 시간에 전력 생산이 어려운 태양광, 풍력 등의 신생에너지를 미리 저장했다가 필요할 때 사용하는 저장 장치) 배터리팩인데 미국의 인플레이션 정책적인 감축법안(IRA) 통과로 미국 가정용 ESS, 태양광 패널이 증가로 성장성을 가지게 되었다. ESS 사업이 성공한다면 이랜텍의 주식가격은 모멘텀을 가질 수 있는 종목이라고 볼 수 있다. 신고가 차트 예를 들자면 수없이 많다. 서너 개 정도 더 보기로 하자.

[그림 5-6] 비에이치 2022년 1월~6월 2일까지 일봉 차트

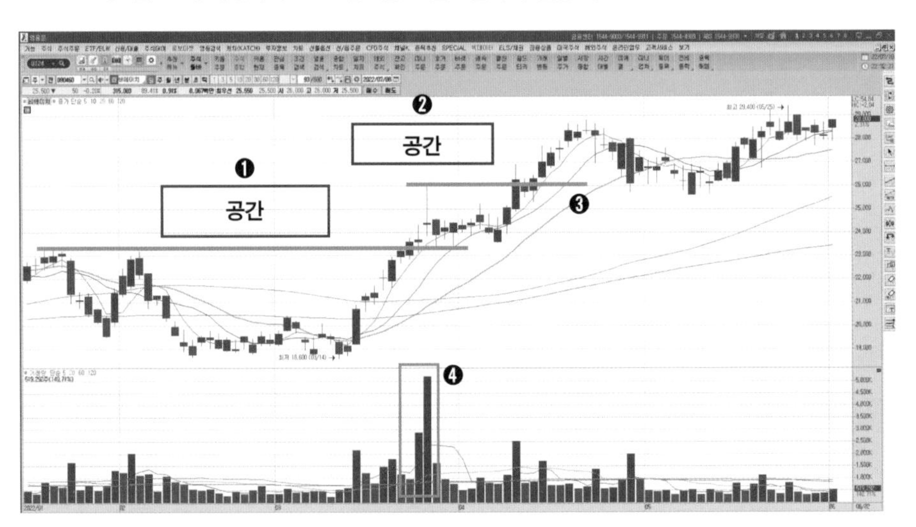

[그림 5-6] 비에이치 일봉 차트를 보자. 공간이 열리고 있어 ①번 저항 돌파 부근을 잘 관찰한다. 기관별 매매추이 화면을 보고 양매수를 하는지 꼭 확인하자. 앞에서 공부한 대로 강남 기법과 달리 수급이 중요하다고 강조했던 것을 상기해보기를 바란다. 2022년 3월 28일 이후 일봉 차트에서 ①번 공간이 열리면서 저항을 돌파하고 신고가 출현, ②번 공간이 열리면서 ③번 저항을 돌파하고 더 높이 상승하는 것을 볼 수 있다. ④번 고점에서 거래량이 터졌고, 고점 횡보하면 5일선 또는 10일선이 무너질 때 매도하는 것이 좋다.

비에이치는 첨단 IT산업의 핵심부품인 FPCB와 그 응용부품을 전문적으로 제조, 공급하는 벤처기업이다. 주요 목표시장은 스마트폰, OLED, LCD 모듈, 카메라 모듈, 가전용 TV, 전장부품 등을 생산하는 세트 메이커로 고객은 주로 삼성전자, LG전자, 삼성디스플레이 등 국내 대기업 IT 제조업체들이며 2023년에는 전장(전기, 전자부품을 통칭하는 말임)사업의 매출 인식 본격화로 태블릿과 노트북 매출 다변화 등으로 성장세를 보일 것이라고 한다.

비슷한 예를 여러 번 강조하는 데는 이유가 있다. 단 하나의 종목을 예로 들어 이해하는 것보다 여러 종목을 보며 실제로 내가 트레이딩을 하고 있는 것처럼 느끼도록 만들기 위해서이다. 또한 이러한 과정에서 앞서 강조한 원칙을 자연스럽게 습득하며 복습하길 바란다. 자, 차트를 확인했으니 이제 무엇을 봐야 할까? '수급'이다.

[그림 5-7] 비에이치 종목별 기관별 추이 화면

090460 | 신 비에이치 | 누적기간 기간입력 2022/03/28 ~ 2022/04/07 | 차트 | 유의사항

구분	개인		기관		외국인	
추정평균가(매수/매도)	24,515	24,520	24,416	24,299	24,477	24,477

*단위: 단주 ◉대비 ○등락

날짜	종가	대비	거래량	개인		기관		외국인		
				기간누적	일별순매매	기간누적	일별순매매	기간누적	일별순매매	소진율
22/04/07	24,100	▲ 100	754,873	-1,061,956	-141,306	+120,048	+20,000	+962,143	+121,166	15.89%
22/04/06	24,000	▼ 450	793,936	-920,650	+59,323	+100,048	-24,338	+840,977	+1,091	15.53%
22/04/05	24,450	▲ 50	1,018,216	-979,973	-116,552	+124,386	+179,768	+839,886	-81,830	15.52%
22/04/04	24,400	▲ 100	565,442	-863,421	-94,971	-55,382	+6,399	+921,716	+77,957	15.77%
22/04/01	24,300	▼ 100	515,443	-768,450	-58,815	-61,781	+24,597	+843,759	+27,761	15.54%
22/03/31	24,400	▲ 200	754,628	-709,635	-125,936	-86,378	+49,496	+815,998	+74,932	15.45%
22/03/30	24,200	▲ 300	948,500	-583,699	-170,068	-135,874	-22,918	+741,066	+239,327	15.23%
22/03/29	23,900	▼ 450	1,612,251	-413,631	-76,219	-112,956	-67,535	+501,739	+86,658	14.52%
22/03/28	24,350	▲ 750	5,200,656	-337,412	-337,412	-45,421	-45,421	+415,081	+415,081	14.27%

비에이치 종목별 기관매매추이를 보면 기관, 외국인 양매수가 들어오는 것을 알 수 있다. 여기서 잠깐 뉴스를 찾아보자.

[그림 5-8] 비에이치 3월 25일~3월 28일까지 뉴스 화면

종 | 일자 | 기업 | 주문

시세 | 상세 | Signal | 업종 | 섹터 | 차트 | 일정 | 뉴스

일자	시간	제목
03/28	07:51:10	[오늘의 증시 리포트] (3/28)
03/28	07:44:45	"비에이치, 구조적 성장 진행 중인 본업도 주목"-키움證
03/28	07:40:05	"비에이치, 새로운 성장동력·외형 성장 기여"-하나금투
03/25	13:42:32	(주)비에이치 정기주주총회결과
03/25	11:18:14	비에이치, LG전자 차량용 휴대폰 무선 충전 사업 1367억원에
03/25	11:07:19	비에이치 종속사 BH EVS, LG전자 차량용 휴대폰 무선충전사업
03/25	11:00:36	[공시] 비에이치, 종속사가 LG전자 차량 무선충전 사업 양수
03/25	10:47:16	(주)비에이치 영업양수 결정(종속회사의 주요경영사항)

체결 | 일별 | 투자자 | 외국인 | 매물 | 의견 | 예상

날짜	개인	기관	외국인	프로그램
2022/04/25	-98,099	-29,395	121,381	107,613
2022/04/22	-91,286	27,987	68,609	208,873
2022/04/21	-120,249	-25,507	130,946	132,001
2022/04/20	-122,946	12,642	137,089	137,895
2022/04/19	-157,628	58,793	103,458	95,319
2022/04/18	-130,967	11,773	125,234	85,897
2022/04/15	-98,716	55,627	45,106	9,226
2022/04/14	-50,922	12,719	45,242	-20,613
2022/04/13	-71,344	97,749	-7,499	-39,719
2022/04/12	-11,881	52,591	-51,979	-43,112

▫거래소 수신 데이타 (확정치 18시 15분 이후 제공)

경제 뉴스에서 “비에이치는 종속회사 비에이치 이브이에스가 LG전자 VS사업본부가 영위하는 차량용 휴대전화 무선 충전 사업을 인수했다”고 25일 공시 발표했다. 리포트 내용을 계속 날짜별로 살펴보면 비에이치는 모멘텀이 살아 있음을 알 수 있다.

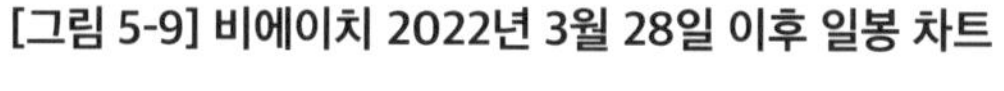
[그림 5-9] 비에이치 2022년 3월 28일 이후 일봉 차트

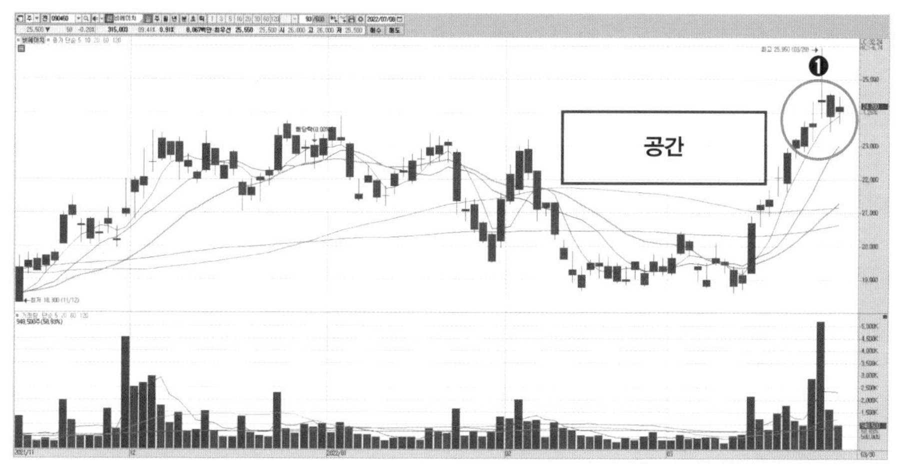

하지만 주가는 계속 상승할 수만은 없다. 그러므로 고점에서 횡보하는 경우는 학습한 대로 5일선이나 10일선이 무너질 때 매도하는 습관을 갖도록 하자. 고점에서 쌍고점이나 헤드앤드숄더 패턴 이후 고점 횡보가 길어질 때 크게 하락을 불러오기 때문에 저항을 다시 돌파해서 지지하기 전에는 매수하는 것은 위험하다.

비에이치는 2022년 7월 2분기 실적 개선과 컨소시엄 예상을 웃도는 쾌거도 있었다. 그러므로 차트에서 신고가가 나오고 양매수가 들어오고 리포트 내용이 좋으면 상승할 수밖에 없다는 것을 알 수 있다. 세력은 이러한 것들을 이용하여 주가를 올리고 고점에서 개미 투자자들에게 물량을 모두 떠넘기기 때문에 항상 고점 횡보에서는 신중한 매도를 하는 것을 원칙으로 하는 것이 좋다. 모멘텀이 강하게 나오는 종목들은 주봉과 월봉도 확인하는 습관을 지니도록 하자. 그리고 저항과 지지를 잘 이용해 재도전하더라도 고점에서는 망설이지 말고 보유한 종목을 던져야 한다.

대차잔고도 확인하면 좋다. 공매도 거래액이 늘어나고 있음이 확인되고, 대차잔고가 늘어나는 종목은 매수 진입에 신중해야 한다. 비에이치 차트에서 주가가 30,000원대를 돌파하려면 매우 강한 모멘텀이 있어야 한다. 차트에서 보이는 가격에서 주봉 저항을 돌파한 후 지지가 되기 전에는 주의를 해야 한다. 그렇지 않고는 기대수익률이 낮기 때문이다. 따라서 매매할 때는 항상 기대수익률이 높은 종목과 자리에서 매수하는 것이 좋다.

[그림 5-10] 비에이치 2007년~2022년까지 월봉 차트

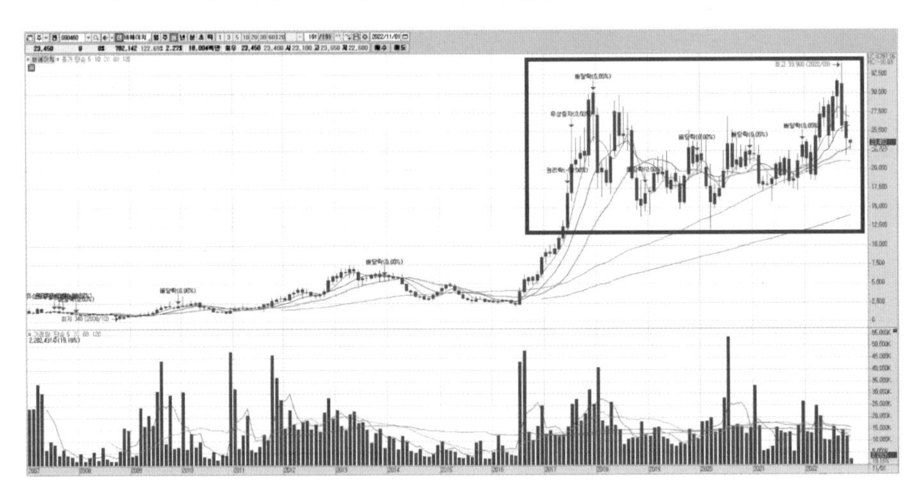

[그림 5-10] 비에이치 월봉 차트를 넓게 보면 주봉이 박스권에 있음을 볼 수 있다. 고점에서 길게 횡보하고 있기에 저항을 돌파하고 지지하기 전에는 신규 매수 진입이 어렵다. 이 종목이 역사적인 신고가가 다시 나오고 지지를 해준다면 기다렸다가 매수하는 것이 좋다. 자, 이제 다음 차트를 보자.

[그림 5-11] 현대중공업 2021년 9월~2022년 4월 29일까지 일봉 차트

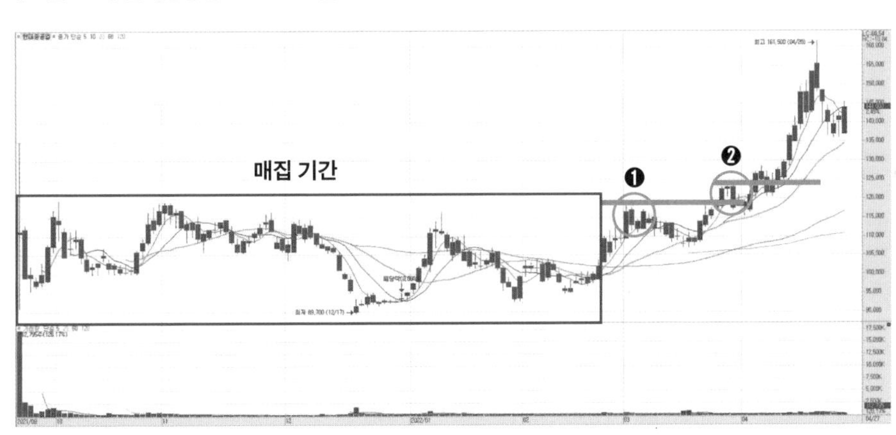

[그림 5-11]은 현대중공업 일봉 차트이다. 차트에서 세력의 매집 기간이 눈에 보인다. 그리고 ①번과 ②번 저항 돌파 후 신고가를 기록하고 있는 것을 볼 수 있다.

현대중공업은 2019년 6월 1일 한국조선해양 주식회사에서 물적 분할(신설법인의 주식을 모회사가 모두 보유하는 분할방식으로 모회사는 신설법인으로 분리할 사업부를 자회사 형태로 보유해 자회사에 대한 지배권을 계속 유지하게 되는 수직적 분할방식을 말함)되어 신규 설립된 회사로 조선 사업이 약 78% 정도의 매출 비중을 차지하고 있다. 그리고 일반 상선, 고부가가치가스선, 해양 관련 선박, 최신예 함정 등을 건조하며 해양플랜트 사업으로 원유생산, 저장설비공사, 발전, 화공플랜트 공사를 수행, 엔진기계 사업은 대형엔진, 힘센엔진, 육상용 엔진발전설비 등을 공급하는 회사이다. 2022년 2분기 영업이익은 마이너스 1,083억 원의 적자를 기록했다.

러시아와 우크라이나 전쟁으로 인해 원자재 가격의 상승세가 지속되고 있으며 울산공장 사고로 인해 비용 증가가 적자의 주원인이 있다. 그러나 유럽 선사로부터 LNG 8척 수주받았다고 공시했는데 계약 금액이 무려 2조 2,315억 원으로 최근 매출액 대비 2.85%로 2023년 현대중공업은 흑자로 전환 가능성이 있을 것으로 보인다. 대형 적자의 원인인 해양플랜트 공사가 끝이 났고 앞으로 계속해서 성장세를 보일 것으로 전망하고 있어 관심을 가져볼 수 있다. 매집기간이 있었고 완벽한 공간이 열려 저항 돌파하면서 신고가를 형성하는 동안 가장 중요한 수급은 어떠했는지 살펴보자.

[그림 5-12] 현대중공업 2022년 3월 14일~3월 30일까지 종목별 기관매매추이

일별 기관매매종목 | 종목별 기관매매추이

329180 현대중공업 | 누적기간 기간입력 2022/03/14 ~ 2022/03/30 | 차트 | 유의사항

*단위: 단주 | ◉대비 ○등락

구분	개인		기관		외국인	
추정평균가(매수/매도)	113,391	115,062	114,021	111,594	111,888	110,748

날짜	종가	대비	거래량	개인		기관		외국인		
				기간누적	일별순매매	기간누적	일별순매매	기간누적	일별순매매	소진율
22/03/30	117,500	▼ 5,500	312,495	-145,934	+29,717	-686,547	-95,748	+858,590	+66,368	3.62%
22/03/29	123,000	▲ 500	203,796	-175,651	-25,839	-590,799	-17,855	+792,222	+31,468	3.54%
22/03/28	122,500	▲ 5,000	335,257	-149,812	-127,748	-572,944	+16,399	+760,754	+116,615	3.50%
22/03/25	117,500	▲ 500	172,617	-22,064	-25,520	-589,343	-7,122	+644,139	+38,224	3.37%
22/03/24	117,000	▲ 1,500	179,791	+3,456	-73,325	-582,221	+52,331	+605,915	+6,699	3.33%
22/03/23	115,500	▲ 1,500	258,178	+76,781	-31,407	-634,552	-16,442	+599,216	+41,108	3.32%
22/03/22	114,000	▲ 5,500	286,203	+108,188	-47,024	-618,110	-6,171	+558,108	+52,649	3.28%
22/03/21	108,500	0	137,399	+155,212	+6,004	-611,939	-20,896	+505,459	+18,978	3.22%
22/03/18	108,500	▲ 500	862,650	+149,208	+14,940	-591,043	-84,598	+486,481	+79,536	3.20%
22/03/17	108,000	▼ 2,000	758,132	+134,268	+210,799	-506,445	-428,595	+406,945	+200,686	3.11%
22/03/16	110,000	▲ 500	179,441	-76,531	-7,734	-77,850	-56,860	+206,259	+112,539	2.88%
22/03/15	109,500	▼ 4,000	217,330	-68,797	-26,778	-20,990	-27,614	+93,720	+57,114	2.75%
22/03/14	113,500	▲ 1,500	146,595	-42,019	-42,019	+6,624	+6,624	+36,606	+36,606	2.69%

[그림 5-12] 현대중공업 종목별 기관매매추이에서 볼 수 있는 것처럼 외국인의 지속 매수가 이루어지고 있다. 2022년 3월 17일 외국인의 매수량이 20만 주가 넘었고, 20만 주의 매수가격은 200억 원이 넘는 금액이다. 전체 거래량에서 외국인이 몇 %를 매수했는지 계산해보고 20~30%, 40%를 육박하면 신뢰성을 갖고 외국인이 계속 사면 평균단가를 확인하고 따라가면 된다. 저항 돌파 신고가가 나오기 전의 현대중공업 평균단가 화면을 살펴보자.

[그림 5-13] 현대중공업 2022년 3월 3일~4월 20일까지 종목별 평균단가

외인/기관 매매종합 | 종목별 투자자 매매추이 | 외인/기관 종목별매매추이 | 외인/기관 순매수상위 | 외인/기관 연속순매매 | 종목별 평균단가

329180 현대중공업 ○일별 ●누적 2022/01/0 ~ 2022/04/2 ☑ 기관상세보기

일자	종가	대비	등락률	거래량	사모		금융투자		보험		투신		은행		종금		연기금		국가외	
					순매수	단가	순매수	단가	순매수	단가	순매수	단가	순매수	단가	순매수	단가	순매수	단가	순매수	단가
2022/04/20	149,000	▼ 4,500	-2.93	542,107	-655,684	113,985	-129,493	112,603	43,837	112,822	-105,953	113,215	6,160	118,733	13,654	108,691	601,495	111,968		
2022/04/19	153,500	▲ 11,000	7.72	361,662	-634,972	112,915	-124,780	112,167	58,989	111,914	-82,141	112,367	6,350	118,487	14,142	108,121	680,665	110,840		
2022/04/18	142,500	▼ 5,500	-3.72	266,352	-630,104	112,335	-103,325	111,190	60,154	111,732	-59,286	111,474	6,350	118,487	14,235	108,012	672,225	110,345		
2022/04/15	148,000	▲ 9,000	6.47	488,027	-606,537	111,731	-107,622	110,899	61,231	111,536	-46,202	110,958	6,350	118,487	14,235	108,012	685,008	110,089		
2022/04/14	139,000	▲ 2,500	1.83	314,096	-567,391	110,511	-99,363	110,314	66,663	110,073	-29,366	110,022	6,350	118,487	14,334	107,905	664,837	109,401		
2022/04/13	136,500	▲ 7,000	5.41	383,827	-569,801	109,697	-103,139	109,899	69,876	109,543	-10,650	109,052	2,850	114,918	14,014	107,439	671,675	109,123		
2022/04/12	129,500	▲ 2,000	1.57	198,383	-557,591	109,060	-110,477	109,312	71,516	108,965	-16,832	108,718	2,950	114,823	12,285	105,963	653,499	108,796		
2022/04/11	127,500	▲ 3,500	2.82	113,957	-549,515	108,934	-112,053	109,079	70,020	108,874	-10,834	108,617	2,950	114,823	12,285	105,963	668,436	108,655		
2022/04/08	124,000	▲ 2,500	2.06	143,765	-551,122	108,870	-111,536	108,999	66,826	108,676	-12,108	108,492	2,950	114,823	12,654	105,756	662,399	108,580		
2022/04/07	121,500	▼ 5,500	-4.33	211,250	-555,070	108,796	-112,461	108,918	68,029	108,574	-14,700	108,375	2,950	114,823	12,654	105,756	662,447	108,436		
2022/04/06	127,000	▲ 500	0.40	186,145	-559,579	108,735	-107,891	108,778	70,783	108,516	13,760	108,044	2,950	114,823	12,654	105,756	675,362	108,268		
2022/04/05	126,500	▲ 5,500	4.55	290,232	-548,231	108,328	-102,416	108,596	65,363	108,182	17,462	107,781	2,950	114,823	12,568	105,701	678,294	108,033		
2022/04/04	121,000	▲ 2,000	1.68	129,247	-550,109	108,239	-88,766	108,290	67,717	107,939	20,192	107,622	2,950	114,823	12,568	105,701	686,736	107,956		
2022/04/01	119,000	▼ 500	-0.42	128,991	-551,072	108,208	-85,852	108,132	67,800	107,818	25,119	107,563	2,950	114,823	12,568	105,701	691,112	107,919		
2022/03/31	119,500	▲ 2,000	1.70	132,482	-534,419	108,044	-77,179	108,024	72,406	107,714	30,682	107,513	3,380	114,785	12,568	105,701	693,334	107,891		
2022/03/30	117,500	▼ 5,500	-4.47	312,495	-530,353	108,002	-76,803	107,873	68,989	107,607	30,732	107,487	2,609	114,586	12,568	105,701	704,648	107,704		
2022/03/29	123,000	▲ 500	0.41	203,796	-536,067	107,933	-90,692	107,500	70,894	107,478	73,153	107,073	3,029	114,504	13,651	105,282	766,170	107,309		
2022/03/28	122,500	▲ 5,000	4.26	335,257	-531,828	107,606	-87,113	107,283	68,902	107,420	69,275	107,001	-971	112,248	13,777	105,217	785,951	107,094		
2022/03/25	117,500	▲ 500	0.43	172,617	-527,713	107,453	-89,650	106,999	66,618	107,126	68,290	106,815	-4,971	108,973	13,903	105,159	775,117	106,994		
2022/03/24	117,000	▲ 1,500	1.30	179,791	-528,108	107,417	-84,290	106,775	65,043	107,022	70,551	106,727	-4,971	108,973	13,903	105,159	776,588	106,867		
2022/03/23	115,500	▲ 1,500	1.32	258,178	-525,916	107,294	-100,562	106,356	55,925	106,849	68,421	106,668	-4,971	108,973	14,029	105,111	749,459	106,669		
2022/03/22	114,000	▲ 5,500	5.07	286,203	-515,462	107,100	-83,314	106,053	39,843	106,552	62,410	106,477	-4,971	108,973	14,066	105,044	760,255	106,586		
2022/03/21	108,500			137,399	-488,081	106,790	-93,293	105,951	39,140	106,487	67,948	106,367	-5,291	108,911	14,066	105,044	744,509	106,541		
2022/03/18	108,500	▲ 500	0.46	862,650	-466,197	106,714	-94,285	105,934	39,228	106,470	70,281	106,354	-3,877	109,050	14,192	105,032	740,552	106,536		
2022/03/17	108,000	▼ 2,000	-1.82	758,132	-444,438	106,644	-91,783	105,876	46,032	106,445	101,512	106,277	-4,237	109,011	14,192	105,032	763,214	106,484		
2022/03/16	110,000	▲ 500	0.46	179,441	-183,229	105,915	-48,887	105,634	50,162	106,294	189,916	105,899	-4,367	109,011	16,437	104,778	793,055	106,368		
2022/03/15	109,500	▼ 4,000	-3.52	217,330	-174,642	105,869	-48,007	105,591	55,292	106,243	216,795	105,761	-4,367	109,011	16,437	104,778	808,439	106,323		
2022/03/14	113,500	▲ 1,500	1.34	146,595	-166,255	105,792	-45,183	105,535	63,879	106,167	234,111	105,636	-4,367	109,011	16,437	104,778	798,939	106,242		
2022/03/11	112,000			175,659	-163,295	105,749	-34,748	105,431	58,288	106,047	237,966	105,576	-4,367	109,011	16,437	104,778	780,656	106,166		
2022/03/10	112,000	▼ 1,500	-1.32	306,188	-156,158	105,690	-26,480	105,306	59,145	105,954	238,484	105,566	-4,727	108,829	16,437	104,778	802,372	106,077		
2022/03/08	113,500	▼ 3,000	-2.58	196,809	-152,975	105,641	-35,824	105,176	62,306	105,894	259,396	105,320	-5,257	108,637	16,439	104,778	865,023	105,874		
2022/03/07	116,500	▲ 2,500	2.19	246,331	-155,267	105,512	-49,486	104,885	60,898	105,814	262,293	105,275	-5,257	108,637	16,439	104,778	862,478	105,775		
2022/03/04	114,000	▲ 1,000	0.88	231,862	-156,497	105,472	-44,370	104,752	56,723	105,640	250,815	105,079	-5,560	108,344	16,439	104,778	814,567	105,369		
2022/03/03	113,000	▼ 3,500	-3.00	374,950	-163,112	105,266	-48,370	104,638	57,396	105,561	249,482	105,014	-5,560	108,344	16,439	104,778	786,868	105,215		

현대중공업 종목별 평균단가에서 볼 수 있는 것처럼 저항 돌파 전의 평균단가를 알 수 있고, 저항 돌파하면서 각 투자자의 평균단가가 상승하다가 2022년 4월 20일 최고가를 찍을 때 평균단가는 107,000원 부근이다. 최고가는 161,500원을 기록했기 때문에 수익

률은 60%가 넘었다(이 화면은 키움증권 화면 0258 종목별 평균단가 화면이다).

신고가 기법은 강남 기법과 조금 다르게 상승하는 동안 조금씩 변화를 주지만 20일 이동평균선을 지지하면서 최고가를 기록하는 것이 일반적이다. 신고가 기법은 성공하면 가파르게 상승하기 전 신고가 돌파 구간에서 단기간에 20~30% 이상 수익을 낼 수 있다.

다음 예시를 보자. 피엔티의 일봉 차트이다.

[그림 5-14] 피엔티 2020년 8월~2022년 6월 3일까지 일봉 차트

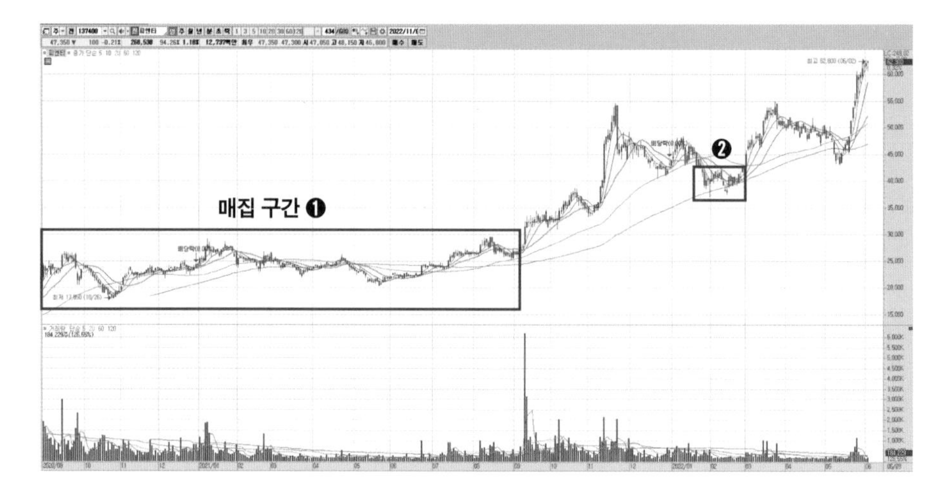

[그림 5-14] 피엔티 일봉 차트를 보면 신고가 기법의 원칙, '매집 기간이 있어야 한다'는 것을 충족하고 있음을 볼 수 있다.

피엔티는 2003년에 설립된 회사로 고부가가치 2차전지 관련 대장주로 2차전지 장비 매출이 전체 매출의 80%를 차지한다. 2차전지 장비 가운데 가장 큰 비중을 차지하는 전극 공정장비를 생산하는 회사로 수주가 늘어나면서 급성장 중이다. 2022년에는 14.4%의 영업 이익률을 달성했다. LS엠트론에 독점으로 장비를 공급하는 등 국내 2차전지 3사인 LG에너지솔루션, 삼성SDI, SK이노베이션 외에도 중국, 유럽 등에 수출하고 있는 회사이다. 진입장벽이 높은 Roll to Roll 기술을 바탕으로 국내 3사를 비롯해 유럽과 중국에 등에서도 신뢰받고 있다.

최근 급등했던 피엔티 일봉 차트와 신고가 기법의 원칙 수급까지 살펴보기로 하자.

[그림 5-15] 피엔티 2022년 1월~2022년 6월 3일까지 일봉 차트

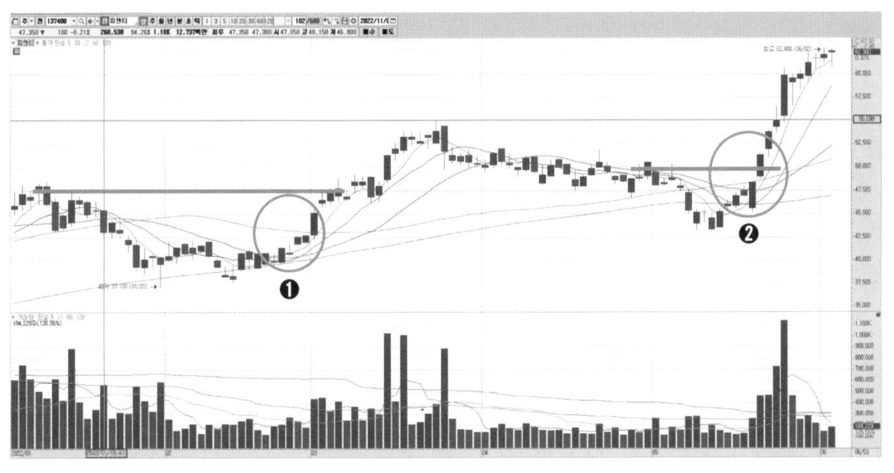

[그림 5-15] 피엔티 일봉 차트에서 볼 수 있는 것처럼 ①번과 ② 번에서는 강남 기법에서 나오는 안전 그물망이 나왔다. 신고가 기법은 강남 기법과는 조금 다른 양상을 보이는데 최고 가격을 기록할

때까지 차트의 변화가 있다. 신고가 돌파 후에 눌러주고 다시 신고가를 돌파하면서 높이 상승하는 패턴을 보인다. 또한 저항 돌파하면서 거래량이 증가한다. 강남 기법에서는 역배열되면 무조건 손절매해야 하지만 신고가 기법에서는 세력의 평균단가가 있기에 수익 실현하기까지는 다시 올라올 수 있다.

피엔티가 최고가를 기록하기 전 수급과 평균단가를 살펴보자.

[그림 5-16] 피엔티 2022년 5월 17일~6월 3일까지 종목별 기관매매추이

일별 기관매매종목 | 종목별 기관매매추이

137400 신 피엔티 누적기간 기간입력 2022/05/17 - 2022/06/03 차트 유의사항

구분	개인		기관		외국인	
추정평균가(매수/매도)	56,060	56,235	54,298	56,648	56,869	56,090

*단위: 단주 ◉대비 ○등락

날짜	종가	대비	거래량	개인		기관		외국인		
				기간누적	일별순매매	기간누적	일별순매매	기간누적	일별순매매	소진율
22/06/03	62,300 ▲	200	184,229	-1,259,870	-27,858	+22,153	-27,616	+1,181,316	-44,270	13.01%
22/06/02	62,100 ▲	400	145,573	-1,232,012	-30,313	+49,769	+1,072	+1,225,586	+29,306	13.21%
22/05/31	61,700 ▲	500	216,402	-1,201,699	-45,389	+48,697	-30,323	+1,196,280	+77,166	13.08%
22/05/30	61,200 ▲	1,200	280,125	-1,156,310	-64,095	+79,020	-9,254	+1,119,114	+79,345	12.74%
22/05/27	60,000 ▲	400	251,031	-1,092,215	-64,929	+88,274	-213	+1,039,769	+61,673	12.39%
22/05/26	59,600 ▼	300	466,055	-1,027,286	-73,513	+88,487	-18,840	+978,096	+85,384	12.12%
22/05/25	59,900 ▲	4,800	1,136,472	-953,773	-402,684	+107,327	-497	+892,712	+409,657	11.74%
22/05/24	55,100 ▲	1,300	725,286	-551,089	-210,031	+107,824	-4,987	+483,055	+213,883	9.94%
22/05/23	53,800 ▲	2,500	470,151	-341,058	-115,551	+112,811	+43,629	+269,172	+77,377	9.00%
22/05/20	51,300 ▲	2,950	465,498	-225,507	-155,427	+69,182	+73,044	+191,795	+85,678	8.66%
22/05/19	48,350 ▲	1,450	261,688	-70,080	-43,680	-3,862	-6,692	+106,117	+49,133	8.28%
22/05/18	46,900	0	127,137	-26,400	+8,862	+2,830	+2,035	+56,984	-9,051	8.07%
22/05/17	46,900 ▲	1,100	118,137	-35,262	-35,262	+795	+795	+66,035	+66,035	8.11%

[그림 5-16] 피엔티 종목별 기관매매추이에서 볼 수 있는 것처럼 개인은 매도하고 있지만, 외국인의 매수량이 크게 들어오는 것을 알 수 있다.

[그림 5-17] 피엔티 2021년 9월 1일~2022년 6월 20일까지 종목별 평균단가

137400 | 피엔티 | 누적기간 | 기간입력 | 2021/09/01 ~ 2022/06/20 | 차트 | 유의사항

구분	개인		기관		외국인	
추정평균가(매수/매도)	41,059	41,466	44,328	44,270	43,547	42,653

*단위: 단주 ◉대비 ○등락

날짜	종가	대비	거래량	개인		기관		외국인		
				기간누적	일별순매매	기간누적	일별순매매	기간누적	일별순매매	소진율
22/06/20	54,800	▼ 1,400	207,591	-2,825,730	-27,900	+261,295	+18,148	+2,411,793	+21,262	13.07%
22/06/17	56,200	▼ 100	184,317	-2,797,830	+24,603	+243,147	-3,141	+2,390,531	-25,584	12.97%
22/06/16	56,300	▲ 1,400	290,808	-2,822,433	-55,521	+246,288	+62,696	+2,416,115	-22,726	13.09%
22/06/15	54,900	▼ 2,300	318,840	-2,766,912	+8,938	+183,592	+30,905	+2,438,841	-33,574	13.19%
22/06/14	57,200	▲ 1,200	310,187	-2,775,850	+13,553	+152,687	+47,651	+2,472,415	-73,272	13.33%
22/06/13	56,000	▲ 100	400,766	-2,789,403	-69,135	+105,036	+106,444	+2,545,687	-44,188	13.66%
22/06/10	55,900	▼ 1,200	193,598	-2,720,268	-3,741	-1,408	-22,716	+2,589,875	+26,464	13.85%
22/06/09	57,100	▼ 600	299,526	-2,716,527	-26,374	+21,308	-23,525	+2,563,411	+52,982	13.73%
22/06/08	57,700	▼ 4,000	503,392	-2,690,153	-73,895	+44,833	-32,537	+2,510,429	+71,216	13.50%
22/06/07	61,700	▼ 600	140,574	-2,616,258	-30,536	+77,370	-9,213	+2,439,213	+39,851	13.19%
22/06/03	62,300	▲ 200	184,229	-2,585,722	-27,858	+86,583	-27,616	+2,399,362	-44,270	13.01%
22/06/02	62,100	▲ 400	145,573	-2,557,864	-30,313	+114,199	+1,072	+2,443,632	+29,306	13.21%
22/05/31	61,700	▲ 500	216,402	-2,527,551	-45,389	+113,127	-30,323	+2,414,326	+77,166	13.08%

[그림 5-17] 종목별 평균단가 화면에서 알 수 있는 것은 약 10개월간의 평균단가는 기관 매수 기준 44,328원이었고, 최고가를 찍은 날은 6월 3일로 62,300원이었다. 수익률은 약 30% 정도다. [그림 5-15]의 일봉 차트를 다시 보자. ①번 저항 돌파선에서 매수 진입했다고 해도 약 12%에서 최고가까지 약 30% 정도 수익률을 볼 수 있다.

피엔티 일봉 차트는 데이짱의 핵심 기법인 강남 기법과 신고가 기법, 그리고 다음에서 설명할 급락 후 양봉 기법도 섞여 있다고도 볼 수 있다. 이 세 가지 기법을 다 익히고 나면 피엔티 같은 차트에서도 충분히 크게 수익을 낼 수 있다고 본다.

현대에너지솔루션의 차트를 살펴보자.

[그림 5-18] 현대에너지솔루션 2022년 1월~6월까지 일봉 차트

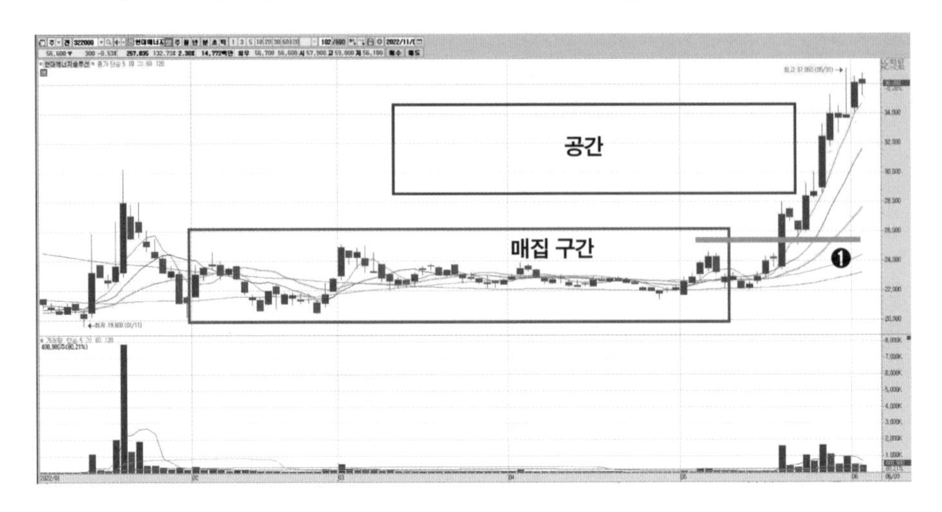

[그림 5-18] 현대에너지솔루션 일봉 차트에서는 매집 기간과 매물대 없는 완벽한 공간이 위로 열려 저항 돌파할 때 단기간에 강하게 상승하는 신고가 기법의 전형적인 모습을 볼 수 있다.

[그림 5-19] 현대에너지솔루션 2022년 5월 17일~6월3일까지 종목별 기관매매추이

322000 현대에너지솔루션 누적기간 기간입력 2022/05/17 ~ 2022/06/03 차트 유의사항

구분	개인		기관		외국인	
추정평균가(매수/매도)	30,855	30,829	31,072	32,462	30,971	31,014

*단위: 단주 ◉대비 ○등락

날짜	종가	대비	거래량	개인		기관		외국인		
				기간누적	일별순매매	기간누적	일별순매매	기간누적	일별순매매	소진율
22/06/03	36,000	▼ 100	408,980	-920,566	+6,148	+625,993	-5,005	+286,213	-1,406	3.31%
22/06/02	36,100	▲ 2,200	509,894	-926,714	-75,938	+630,998	+35,308	+287,619	+40,923	3.32%
22/05/31	33,900	▲ 200	966,037	-850,776	-35,438	+595,690	+18,091	+246,696	+18,539	2.96%
22/05/30	33,700	▼ 300	502,805	-815,338	-81,943	+577,599	+49,787	+228,157	+31,392	2.79%
22/05/27	34,000	▲ 1,550	1,118,386	-733,395	-67,287	+527,812	+72,070	+196,765	-9,430	2.51%
22/05/26	32,450	▲ 3,750	1,669,519	-666,108	-235,065	+455,742	+144,546	+206,195	+92,734	2.60%
22/05/25	28,700	▲ 300	666,117	-431,043	-65,717	+311,196	+35,670	+113,461	+26,378	1.77%
22/05/24	28,400	▲ 2,300	1,062,226	-365,326	-228,843	+275,526	+165,529	+87,083	+61,737	1.53%
22/05/23	26,100	▼ 850	292,509	-136,483	+3,929	+109,997	+33,645	+25,346	-37,652	0.98%
22/05/20	26,950	▼ 200	391,890	-140,412	-31,575	+76,352	+12,140	+62,998	+19,647	1.32%
22/05/19	27,150	▲ 2,900	1,626,452	-108,837	-95,179	+64,212	+58,258	+43,351	+37,533	1.14%
22/05/18	24,250	▲ 250	56,747	-13,658	-2,273	+5,954	+4,973	+5,818	-3,210	0.81%
22/05/17	24,000	▲ 1,050	93,254	-11,385	-11,385	+981	+981	+9,028	+9,028	0.83%

[그림 5-19] 종목별 기관매매추이에서는 기관과 외국인의 양매수가 강하게 들어오고 있음을 볼 수 있다. 이렇게 수급이 강한 종목은 평균단가를 확인한 후에 적당한 가격에 들어가도 수익 실현이 가능하다. 저항 돌파 후에 강하게 상승하여 단기간에 큰 수익을 낼 수 있다는 것을 [그림 5-18] 차트에서 보여주고 있다.

[그림 5-20] 현대에너지솔루션 2021년 4월~2022년 11월 4일까지 일봉 차트

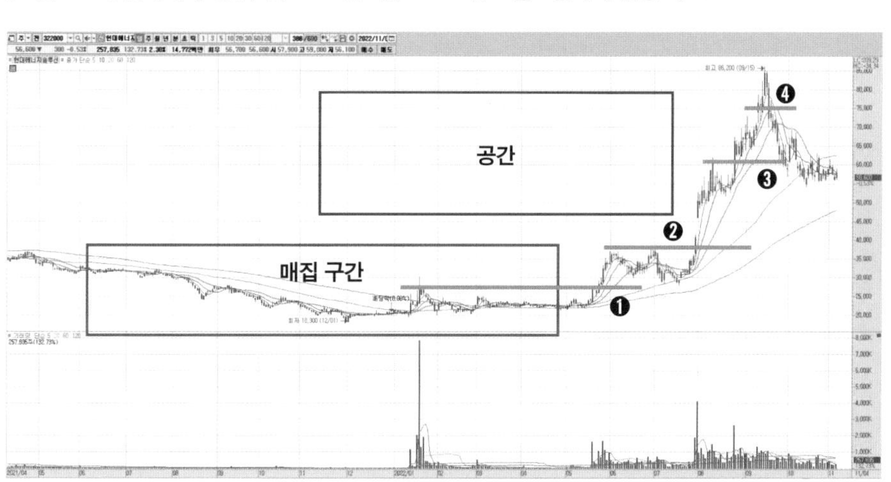

[그림 5-20] 현대에너지솔루션 일봉 차트에서 볼 수 있는 것처럼 전 세계적인 오일값 상승으로 인해 현대에너지 솔루션은 계속 신고가를 기록하면서 2022년 9월 15일 최고 가격 86,200원을 기록하고 있다. 현대에너지솔루션 매수 평균단가를 10개월 정도 살펴보면 약 28,000원~30,000원대로 약 3배 정도 상승했음을 알 수 있다. 매수 평균단가는 기간별로 차이가 있다. 최고 가격을 기록하기 전의 6개월, 3개월 평균단가는 더 높다. 기관이나 외국인들은 매수할 때

1개월, 3개월, 6개월, 1년 이상의 기간을 두고 수익 실현하므로 양매수가 들어오면 신뢰를 갖고, 저항 돌파 후 신고가 부근에서 매수하면 된다.

[그림 5-21] 현대에너지솔루션 2021년 9월 1일~2022년 6월 20일까지 종목별 평균단가(10개월 기준)

322000 | 현대에너지솔루션 | 누적기간 | 기간입력 | 2021/09/01 ~ 2022/06/20 | 차트 | 유의사항

*단위: 단주 ◉대비 ○등락

구분	개인		기관		외국인	
추정평균가(매수/매도)	27,219	27,419	30,075	27,899	27,640	27,175

날짜	종가	대비	거래량	개인		기관		외국인		
				기간누적	일별순매매	기간누적	일별순매매	기간누적	일별순매매	소진율
22/06/20	31,100	▼ 200	271,250	-1,007,916	-29,900	+705,264	+42,835	+302,969	-15,303	4.57%
22/06/17	31,300	▼ 300	239,047	-978,016	-18,087	+662,429	+23,422	+318,272	-5,301	4.70%
22/06/16	31,600	▼ 800	230,117	-959,929	+9,411	+639,007	+9,586	+323,573	-19,626	4.75%
22/06/15	32,400	▼ 700	492,096	-969,340	-30,119	+629,421	+55,430	+343,199	-34,327	4.92%
22/06/14	33,100	▼ 850	405,256	-939,221	-42,873	+573,991	-3,601	+377,526	+49,620	5.23%
22/06/13	33,950	▼ 1,050	418,658	-896,348	-73,796	+577,592	+37,673	+327,906	+24,750	4.79%
22/06/10	35,000	▲ 800	358,673	-822,552	-56,211	+539,919	+67,756	+303,156	-11,531	4.57%
22/06/09	34,200	▼ 800	306,929	-766,341	-77,711	+472,163	+1,252	+314,687	+76,680	4.67%
22/06/08	35,000	▼ 900	391,323	-688,630	-39,426	+470,911	-18,742	+238,007	+62,239	3.99%
22/06/07	35,900	▼ 100	292,695	-649,204	-35,658	+489,653	+22,999	+175,768	+13,430	3.43%
22/06/03	36,000	▼ 100	408,980	-613,546	+6,148	+466,654	-5,005	+162,338	-1,406	3.31%
22/06/02	36,100	▲ 2,200	509,894	-619,694	-75,938	+471,659	+35,308	+163,744	+40,923	3.32%
22/05/31	33,900	▲ 200	966,037	-543,756	-35,438	+436,351	+18,091	+122,821	+18,539	2.96%

[그림 5-22] 현대에너지솔루션 2022년 5월 19일~2022년 6월 20일까지 종목별 평균단가(1개월 기준)

322000 | 현대에너지솔루션 | 누적기간 | 기간입력 | 2022/05/19 ~ 2022/06/20 | 차트 | 유의사항

*단위: 단주 ◉대비 ○등락

구분	개인		기관		외국인	
추정평균가(매수/매도)	31,579	31,579	31,776	32,660	31,857	31,829

날짜	종가	대비	거래량	개인		기관		외국인		
				기간누적	일별순매매	기간누적	일별순매매	기간누적	일별순매매	소진율
22/06/20	31,100	▼ 200	271,250	-1,301,278	-29,900	+858,649	+42,835	+421,026	-15,303	4.57%
22/06/17	31,300	▼ 300	239,047	-1,271,378	-18,087	+815,814	+23,422	+436,329	-5,301	4.70%
22/06/16	31,600	▼ 800	230,117	-1,253,291	+9,411	+792,392	+9,586	+441,630	-19,626	4.75%

마지막으로 상상인을 살펴보자.

[그림 5-23] 상상인 2022년 1월~6월 3일까지 일봉 차트

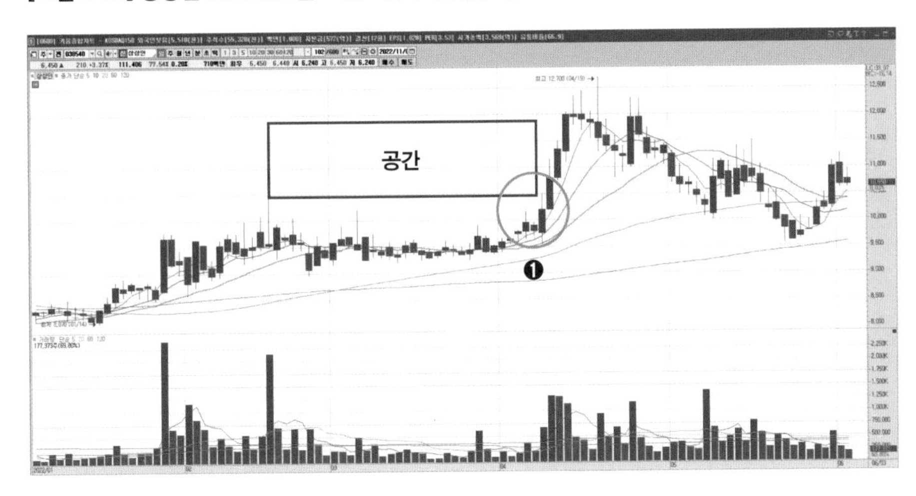

[그림 5-23] 상상인 일봉 차트에서 볼 수 있는 것처럼 완벽한 공간이 열리고 ①번 부근을 면밀하게 관찰한 후에 매수 진입하면 단기간에 큰 수익을 낼 수 있다.

[그림 5-24] 상상인 2022년 3월 30일~4월 15일까지 종목별 기관매매추이

038540 상상인 누적기간 기간입력 2022/03/01 - 2022/04/15 차트 유의사항

*단위: 단주

구분	개인		기관		외국인	
추정평균가(매수/매도)	10,447	10,466	10,438	10,102	10,233	10,117

날짜	종가	대비	거래량	개인		기관		외국인		
				기간누적	일별순매매	기간누적	일별순매매	기간누적	일별순매매	소진율
22/04/15	11,900	▼ 50	412,181	-900,640	-14,009	+396,600	+3,804	+651,701	-53,404	9.67%
22/04/14	11,950	▼ 50	475,792	-886,631	-59,071	+392,796	-43,576	+705,105	+104,998	9.77%
22/04/13	12,000	▲ 650	1,130,605	-827,560	-172,069	+436,372	+142,757	+600,107	+87,913	9.58%
22/04/12	11,350	▲ 550	1,278,810	-655,491	-46,814	+293,615	+52,026	+512,194	+102,728	9.42%
22/04/11	10,800	▲ 600	1,297,945	-608,677	-144,621	+241,589	+155,351	+409,466	+29,469	9.24%
22/04/08	10,200	▲ 410	674,041	-464,056	-29,952	+86,238	+75,538	+379,997	-60,626	9.18%
22/04/07	9,790	▼ 160	204,140	-434,104	+5,700	+10,700	+1,414	+440,623	-19,286	9.29%
22/04/06	9,950	▲ 170	366,502	-439,804	-78,747	+9,286	-42,781	+459,909	+80,120	9.33%
22/04/05	9,780	▲ 140	174,156	-361,057	-47,154	+52,067	-3,765	+379,789	+24,364	9.18%
22/04/04	9,640	▲ 50	103,875	-313,903	+20,858	+55,832	+11,794	+355,425	-27,723	9.14%
22/04/01	9,590	▲ 70	203,444	-334,761	-69,573	+44,038	-23,330	+383,148	+89,268	9.19%
22/03/31	9,520	▲ 120	92,497	-265,188	-21,738	+67,368	+4,596	+293,880	-3,741	9.03%
22/03/30	9,400	▼ 300	234,178	-243,450	+78,119	+62,772	-4,179	+297,621	-78,092	9.03%

[그림 5-24] 상상인의 종목별 기관매매추이에서 볼 수 있는 것처럼 강한 양매수, 기관과 외국인의 누적 매수량이 압도적으로 증가하고 있다. 개인이 매수했다고 하면 다음 날 마음이 변해서 모두 매도해버릴 수도 있지만, 기관과 외국인 등은 매수하고 1개월, 3개월, 6개월, 1년 이상 유지하면서 수익을 내기 때문에 조금 높은 가격이라도 종목별 평균단가를 확인한 후에 매수 진입해도 된다. 신고가 기법의 원칙인 매집 구간, 완벽한 공간, 수급까지 세 가지가 모두 충족된 종목이다.

상상인은 은행업종으로 1989년 2월 23일 설립되었고, 2000년 8월 18일 상장한 회사로 2022년 1분기 1,745억 원, 2022년 2분기에는 1,898억 원으로 1분기에 비해 매출액은 약 1.09배 증가했다. 상상인의 CAPEX•는 43억 원이며 FCF••는 3, 329억 원이다.

[그림 5-25] 상상인 2022년 3월 23일~2022년 4월 8일까지 종목별 평균단가(키움 0258 화면)

038540 상상인 누적기간 기간입력 2022/03/07 - 2022/04/08 차트 유의사항

*단위: 단주 ◉대비 ○등락

구분	개인		기관		외국인	
추정평균가(매수/매도)	9,627	9,655	9,665	9,521	9,619	9,593

날짜	종가	대비	거래량	개인		기관		외국인		
				기간누적	일별순매매	기간누적	일별순매매	기간누적	일별순매매	소진율
22/04/08	10,200	▲ 410	674,041	-423,506	-29,952	+102,542	+75,538	+332,527	-60,626	9.18%
22/04/07	9,790	▼ 160	204,140	-393,554	+5,700	+27,004	+1,414	+393,153	-19,286	9.29%
22/04/06	9,950	▲ 170	366,502	-399,254	-78,747	+25,590	-42,781	+412,439	+80,120	9.33%
22/04/05	9,780	▲ 140	174,156	-320,507	-47,154	+68,371	-3,765	+332,319	+24,364	9.18%
22/04/04	9,640	▲ 50	103,875	-273,353	+20,858	+72,136	+11,794	+307,955	-27,723	9.14%
22/04/01	9,590	▲ 70	203,444	-294,211	-69,573	+60,342	-23,330	+335,678	+89,268	9.19%
22/03/31	9,520	▲ 120	92,497	-224,638	-21,738	+83,672	+4,596	+246,410	-3,741	9.03%
22/03/30	9,400	▼ 300	234,178	-202,900	+78,119	+79,076	-4,179	+250,151	-78,092	9.03%
22/03/29	9,700	▲ 260	618,438	-281,019	-148,750	+83,255	+60,962	+328,243	+172,137	9.18%
22/03/28	9,440	▲ 100	213,823	-132,269	-14,730	+22,293	-41,787	+156,106	+59,855	8.86%
22/03/25	9,340	▼ 90	81,712	-117,539	-9,986	+64,080	-13,319	+96,251	+19,005	8.76%
22/03/24	9,430	▼ 60	113,673	-107,553	+12,188	+77,399	-2,257	+77,246	-15,110	8.72%
22/03/23	9,490	▲ 80	175,433	-119,741	-51,785	+79,656	+3,804	+92,356	+58,435	8.75%

[그림 5-25] 상상인 종목별 평균단가 화면에서 볼 수 있는 것처럼 연기금과 투신의 매수량이 많이 늘어나지 않고 있다. 이런 종목은 앞에서 설명한 것처럼 거래량이 팍팍 늘어나지 않는 종목은 상승의 힘이 매우 크고 상승 각도가 매우 가파르다. 다시 돌아가 차트를 보자(그림 5-23). ①번 저항 돌파할 때 평균단가는 10,000원 이하이며, 2022년 4월 19일 최고 가격인 12,700원을 기록하고 있다. 10,000원대에 진입했다면, 약 26%의 수익을 달성할 수 있었다. 개미투자자는 진입하는 날을 기준으로 기관과 외국인의 1개월간 평균단가를 확인하고 진입하는 것이 좋다. 바닥에서 매집 기간이 길었다면 세력의 매수 평균단가는 더 낮을 것이다. 그러므로 30~50% 이상의 수익을 냈을 것이다.

• **CAPEX(Capital expenditures, 자본적 지출)**: 일반적으로 설비나 유형자산 투자라고도 하는데 비용 중에서 미래의 이윤을 창출하기 위해 지출한 비용을 말한다. CAPEX 증가는 미래의 수요 증가가 거의 확실하다는 가정하에 영업이익의 증가를 예측해볼 수 있어 기업가치를 생각해보는 것이다. 공장증설, 신규자산 취득, 영업유지를 위해 정기적으로 시설 보수하는 데 쓰는 지출 등을 말한다. CAPEX가 중요한 이유는 주주환원정책과 기업의 라이프사이클을 알아볼 수 있기 때문이다.

• • **FCF(Future Cash Flow, 미래현금흐름)**: 영업이익이나 순이익이 아닌 현금흐름으로 실제로 현금이 들어오고 나가는 것을 나타내는 지표로 현금흐름이 마이너스가 되면 기업에 부정적으로 작용하고 플러스가 되면 현금이 들어오는 것이어서 기업에 좋다고 볼 수 있다.

신고가 기법 매도 방법

첫째, 상승 각도가 35도, 45도로 완만할 때

→20일 이동평균선이 무너질 때 전량 매도해야 한다.

둘째, 상승 각도가 70도~90도로 가파르게 수직 상승할 때

→5일 이동평균선이 10일 이동평균선을 깨거나 20일 이동평균선을 깰 때 전량 매도해야 한다.

셋째, 상승 각도가 35도, 45도로 완만하게 상승하면서 신고가를 계속 갱신하면서 거래량이 터지지 않는 종목은 아주 강한 종목으로, 데드크로스가 생길 때까지 보유하다가 전량 매도한다.

더 자세한 내용은 매도 부분에서 신고가 실전 매도를 어떻게 하는지 잘 설명하고자 한다.

신고가 기법 요약

신고가 기법의 원리
첫째, 신고가가 형성되는 기간을 본다. →세력이 매집하는 기간
둘째, 완벽한 공간이 열려야 한다. → 상승하기 위해 매물대가 없을 것
셋째, 수급을 확인한다. → 기관과 외국인의 매수량이 매우 중요

- 신고가는 3개월 신고가, 6개월 신고가, 52주 신고가 그리고 역사적인 신고가가 있는데, 이 중에서 52주(1년 신고가) 신고가가 좋다. 1년 신고가보다 더 좋은 것은 역사적인 신고가다. 주식시장에서는 주로 52주 신고가를 말한다.
- 역사적인 신고가가 되기 위해서는 사상 최대 실적이 따라줘야 하는데 시장 트렌드(추세)에 맞는 신사업, 신소재로 성장하는 기업이 강하게 신고가를 만들 수 있는 원동력이 되곤 한다.
- 강남 기법은 대형주 위주로 매매해야 하지만 신고가 기법은 중·소형주 종목으로도 매매가 가능하다.
- 단기간에 수익을 크게 낼 수 있다는 장점이 있다.
- 기관과 외국인의 매수량이 중요한데 둘 중 한쪽에서 압도적인 매수 물량이 들어와도 된다. 이때 개인은 매도하고 있는 것이 특징이다.
- 세력의 매수 평균단가는 1개월 기준으로 적용하는 것이 좋다.

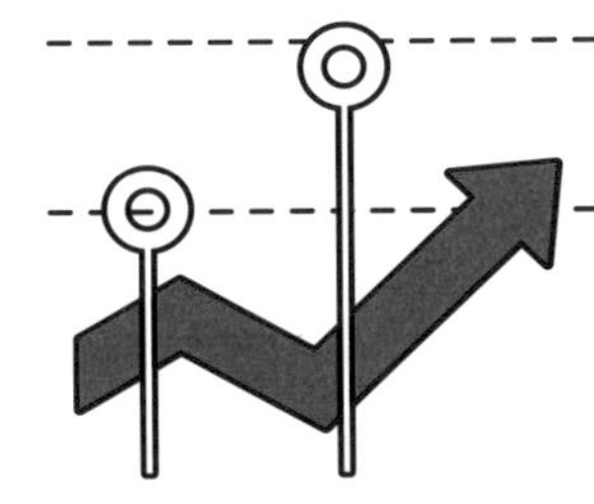

6장

급락 후 찾아오는 기회, 첫 양봉 기법

주식을 20년 동안 매매하면서 여러 방법을 수도 없이 해봤다. 거래대금만 족히 몇조 원이 되지 않을까 한다. 주식 차트에서 안정적으로 수익을 낼 수 있는 확률이 높은 네 가지 매수 기법을 정리해서 실제로 사용해보고 수익을 냈고, 지금도 내고 있다. 지수가 하락하든, 악재가 있어도 단기간에 급락이 나온 상태에서 첫 양봉 혹은 도지(+)가 나왔을 때, 음봉이지만 캔들이 작을 때는 이 기법이 통한다.

주식가격은 관성대로 움직이기 때문에 오늘 음봉이면 내일 음봉 가능성이 크고, 오늘 양봉이면 내일 양봉이 나올 확률이 높다. 이 관성을 이용하는 기법으로 골프공이 10m 높이에서 땅에 툭 떨어지면 반등이 되어 튀어 오르는 것과 유사한 것이다. 시가총액이 큰 종목은 거의 해당한다.

강남 자리 신고가는 일주일부터 한 달을 보고 들어가는 기법인데 이 기법은 모니터를 볼 수 있는 환경에서 가능한, 1~3일의 단기간

안에 수익을 내는 단기 투자 기법이다.

급락 후 첫 양봉 기법의 원리

'급락'이라는 단어에서 무엇을 느끼는가? 사람마다 느낌이 다르겠지만 아마 공포감이 포함될 것이다. 번지점프를 상상해보자. 높은 곳에서 뛰어내리면 매달려 있는 줄의 탄력에 의해 낮게 떨어진 후 다시 반등하여 올라간다. 이번엔 골프장 그린 인근의 어프로치 샷을 떠올려보자. 아이언으로 공을 치면 그린에 올라가 떨어지며 '툭' 튀어 오른다. 이러한 현상이 급락 후 첫 양봉이 나올 때 매수하는 기법의 이미지다. 주식 차트는 음봉이 나오면 관성에 의해서 다음 날도 음봉이 나오는 경우가 많다. 또 양봉이 나오면 관성에 의해 다음 날에도 올라간다.

신고가 기법이나 강남 기법은 정해진 기간을 두고 매매하지만, 급락 후 첫 양봉 기법은 투자자 중에서 모니터를 매일 볼 수 없는 사람에게 권장할 수 있다. 시가총액이 크고 안정적인 종목이 그 대상이며, 원리를 잘 깨우치면 얼마든지 수익을 편안하게 가져갈 수 있는 기법이어서 모니터를 계속 볼 수 없는 바쁜 직장인, 자영업자도 얼마든지 도전할 수 있다.

급락 후 첫 양봉 기법의 원칙

단기간에 큰 하락이 나오면 좋다

차트를 한번 열어보자. HTS든 MTS든 어느 것이든 좋다. 특히 지수가 떨어졌다는 소식이 들리면 차트를 쭉 한번 돌려보는 습관을 들인다. 짧은 기간 안에 하락 폭이 큰 종목이어야 한다. 낙폭이 작으면 튀어 오르는 힘이 작아 성공적으로 매도할 확률이 낮아진다. 매일 100개 이상 차트를 보고 관심 종목에 넣어두자. 학습량이 많을수록 수익을 낼 확률이 높아진다.

시가총액이 큰 종목 위주로만 적용한다

주가의 관성을 이용한 기법이므로 시가총액이 큰 종목만 이 기법의 대상이 된다. 시가총액이 작으면 주가가 관성을 따르지 않고 외부의 작은 요인만으로 어디로 튈지 알 수 없다. 따라서 반드시 무겁고 우량한 주식을 대상으로 종목을 선정한다. 시가총액이 큰 순위로 검색하면 쉽게 해당 주식의 위치를 가늠할 수 있다. 가벼운 종목에 적용할 경우 실패할 확률이 높다.

하루에 2~3종목, 지수가 급락한 날은 더 자세히 본다

시가총액이 큰 종목도 그중에 어떤 이유로든 급락하는 종목이 나오기 마련이다. 하루에 보통 2~3개 종목이 나타날 수 있으니 차트를 매일 보는 습관을 들이면 좋다. 또한 앞에서 언급한 것처럼 지수가 급락한 날이면 더 많은 타깃 종목이 나올 수 있다는 점을 유념하고 시간적 여유가 있을 때 차트를 쭉 돌려보자. 시장 자체에 악재가 발생하거나 지수가 하락할 때 나타난다는 점을 기억하자.

타깃 종목은 오후 3시가 넘어 양봉이 완성되는 것을 확인하고 매수한다

단기간에 급락을 보여 관심 종목에 추가했던 종목이 있다면 오후 3시가 넘어 양봉이 완성되는 것을 확인하고 매수하면 좋다. 3시 10분 즈음 한두 호가 아래서 주문을 넣으면 된다. 혹은 해당 시간을 놓쳤거나 매수가 안 되었다면 동시호가 때 매수하면 된다. 확연한 양봉을 만들지 못했더라도 양봉 도지(+)를 만들었다면 도전해볼 만하다.

다음 날 상승하지 않으면 칼같이 손절매를 한다

단기간에 급락이 나온 종목을 종가 매수한 다음 날, 전일 저가를 깨면 지하 2~3층으로 하락할 수 있는 위험이 있다는 사실을 반드시 기억해야 한다. 따라서 전일 저가(성공적으로 매수했다면 대부분 전일 저가의 가격과 유사한 수준에서 매수했을 것)를 깨는 순간, 칼 같은 손절매가 따라야 한다. 다시 강조하지만 주식은 관성이므로 아무리 잠깐 양봉이 나왔다고 하더라도 하락 관성이 더 큰 종목이라면 뒤도 돌아보지 말고 잘라버려야 한다.

주식투자에서 수익을 내는 것은 '확률'이다. 손실은 최소한으로, 기대수익은 크게 봐야 한다. 일반인들은 항상 기법의 반대로 시장에 진입한다. 그래서 지나간 차트를 많이 보며 꾸준하게 공부를 해보는 것이 매우 중요하다. 차트는 후행성이 강하다며 무시하는 사람이 있다. 그러나 차트는 그날의 매수세와 매도세의 결과물이며, 시장에 참여하는 모든 사람의 심리가 녹아 있다. 특정 조건에서 '높은 확률'로 수익을 내는 방법이 존재하고 예측한 시나리오대로 흘러가지 않는다면 칼 같은 손절매로 투자금을 지켜내면 된다. 성공하지 못한 매매가 있을지라도 다시 확률이 높은 곳에서 매매하고 결국 계좌의 돈이 불어나기만 하면 된다.

맹신하지 않되 노력해야 한다. 실망하지 않되 다시 도전해야 한다. 배포가 있되 오만하면 안 된다.

급락 후 첫 양봉 기법 매매 사례

급락이 나온 후 첫 양봉이 나온 차트를 하나씩 살펴보자. 함께 살펴보는 이 과정은 매우 중요하다. 이 기법이 어떻게 적용되는지, 어디에 주목해야 하는지 등을 온몸으로 체감해보자.

[그림 6-1] 대한항공 2021년 9월~2022년 3월 3일까지 일봉 차트

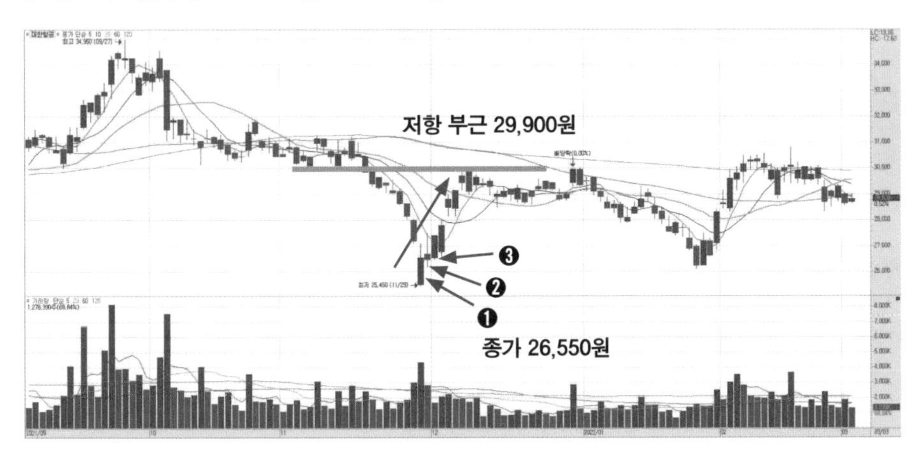

[그림 6-1] 대한항공 일봉 차트를 먼저 보자.

급락 후 ①번 첫 양봉이 나오고, 다음 날 ②번 음봉이 나왔으나 전일 양봉의 저점을 깨지 않았다. ③번 양봉이 나오고 그 이후 더 상승했다. ③번 양봉에서 매매해도 단기적인 수익을 봤을 것이다. 다음 날에도 양봉이 계속 나오면 홀딩하다가 음봉이 나올 때 매도하면 된다.

①번 자리 종가 가격이 26,550원이다. 예를 들어 급락 후 첫 양봉이 나온 날 종가 가격에 100주를 매수했다고 하면 다음 날 손실이 남지만 전일 저점을 깨지 않았다면 잠깐 기다려보는 것도 좋다. 물론 수익이 난 즉시 곧장 매도하여 수익을 지키는 것도 좋다. 하지만 때로는 조금 긴 호흡으로 추세를 지켜보는 배짱도 필요하다. 이 과정에서 다시 급락하여 작은 수익조차 놓칠 가능성도 있다(모든 것은 확률이다). 하지만 주가의 관성을 지켜보고 저항 부근에서 매도했다고 해보자. 대략 29,900원으로 단기 수익 13% 수익이다.

시장에는 여러 격언이 있다. 그중에서 '자신의 그릇만큼 수익을 얻는다'라는 말이 있다. 처음부터 그릇이 큰 사람은 어디에도 없다. 데이짱이 모두 알려주는 이러한 기법을 자신만의 것으로 체득하여 차츰 그릇을 키워나가면 된다.

[그림 6-2] 대한항공 2021년 10월~2022년 5월 31일까지 일봉 차트

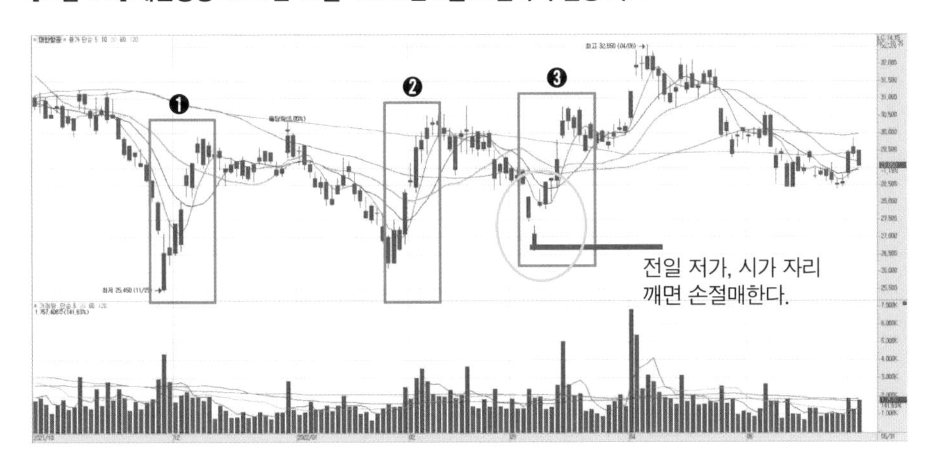

[그림 6-2]도 대한항공의 일봉 차트다. 대형주에서는 급락 후 첫 양봉 자리가 자주 출현한다. 따라서 대형주 위주로 매매하는 것이 정답이다. 만일 전일 저가 또는 시가를 모조리 깨면 손절매한다. 그 후에 다시 주가가 오를지라도 손절매는 필수다. 그렇게 함이 바로 '원칙'이기 때문이다. 원칙이 무너지면 큰 화를 불러올 가능성이 크다.

대한항공은 1962~1969년까지는 공기업인 대한항공공사였다. 연속 적자에 시달리다 한진그룹으로 합병되어 민영화가 된 후로 국가를 대표하는 항공사가 되었다. 그리고 전 세계 항공사 중 거의 유일하게 2022년 2분기 흑자를 기록했다. 항공화물 가격 폭등으로 돈을 벌었고, 화물 수송력은 세계 5위이다. 대한항공 MRO(Maintenance, Repair and Overhaul: 수리, 정비, 개조를 뜻함) 사업은 미국 방산업체 레이시온사와 ISTAR 사업 기술협력을 위한 합의서(MOA)를 체결하고 델타항공 자회사인 델타 테크옵스와 MRO 기술 노하우를 공유하고 있다. 40년째 이어온 군용기 MRO 사업도 확장할 계획이라고 한다.

인천국제공항 항공 정비 단지 내 미국 아틀라스 항공과 이스라엘 개조 전문 국영기업과 인천공항 정비시설을 직접 건설하고 운영할 예정인데, 아틀라스 정비시설의 인력은 1,200여 명이다. 개조사업의 경우 8,000여 개의 일자리 창출을 예상하며 22억 달러 규모의 경쟁자 없는 MRO 시장이라고 한다. 2022년 예상 영업이익 추정치가 2조 5,000억 원이며 시가총액은 82조 3,000억 원 수준으로 저평가 수준이라고 하니 관심을 가져볼 만하다.

다음은 한국조선해양의 일봉 차트이다.

[그림 6-3] 한국조선해양 2021년 7월~2022년 1월 28일까지 일봉 차트

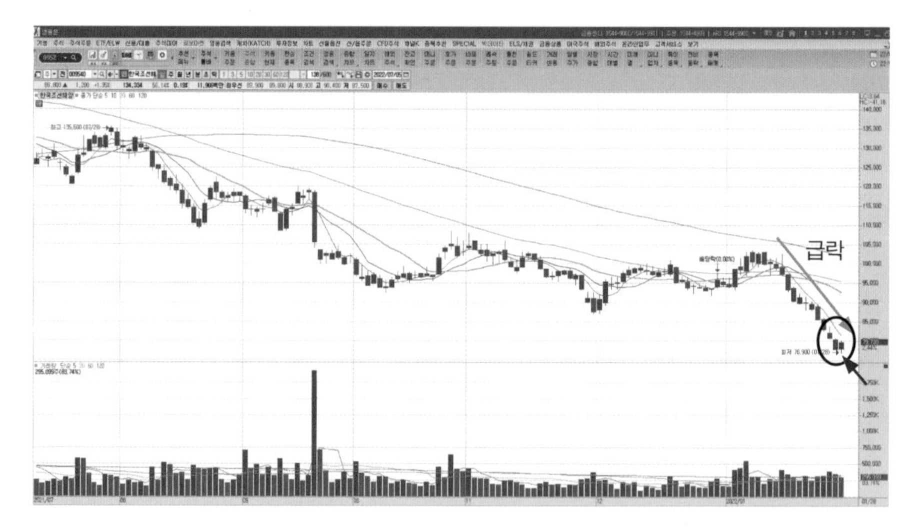

[그림 6-3] 한국조선해양 일봉 차트에서 볼 수 있듯이 단기 급락 후 첫 양봉이 출현했다.

이제 1월 28일 이후의 차트를 살펴보자. 이때 급락의 폭은 클수록 좋다.

[그림 6-4] 한국조선해양 2021년 10월 이후 일봉 차트

[그림 6-4]를 보면 2022년 1월 28일 첫 양봉의 종가는 79,700원이고 저항 부근 가격이 93,200원이다. 그 폭만 계산해도 수익률은 17% 정도다. 물론 이것보다 더 적은 수익을 내어도 나쁘지 않은 수익률임을 예상할 수 있다. 급락 후 ① 첫 양봉 출현, ② 다음 날 전일 저가 깨지 않았고 관성에 따라서 계속 양봉이 나왔다. 충분히 단기 수익을 낼 수 있었던 종목이다.

국내 조선 관련주로 한국조선해양은 현대중공업의 조선 지주사로 대우조선해양, 삼성중공업과 함께 국민의 관심도가 가장 높은 조선주 중 하나다. 2022년에는 64척의 선박을 수주하였고 2022년 3월 31일에는 5,895억 규모의 컨테이너선 4척 수주받았으며 연간 목표 달성률인 405척에 도달했다고 한다. 주문을 받으면 평균 2년 정도의 시간이 걸려야 성과에 도달하기에 2023~2024년이나 되어야 성과를 볼 수 있다. 윤석열 대통령이 '신해양 강국'을 약속했다고 하니 앞으로 관심을 가져볼 만한 종목이다.

전 세계 LNG선 시장 점유율 약 90%를 차지하고 있는 절대강자로 해양유전 가스전 개발의 필요성이 확대되는 시점에 국내 조선사가 수혜를 입을 것으로 예상된다.

이제 롯데케미칼로 넘어가 보자.

[그림 6-5] 롯데케미칼 2021년 10월~2022년 5월 10일까지 일봉 차트

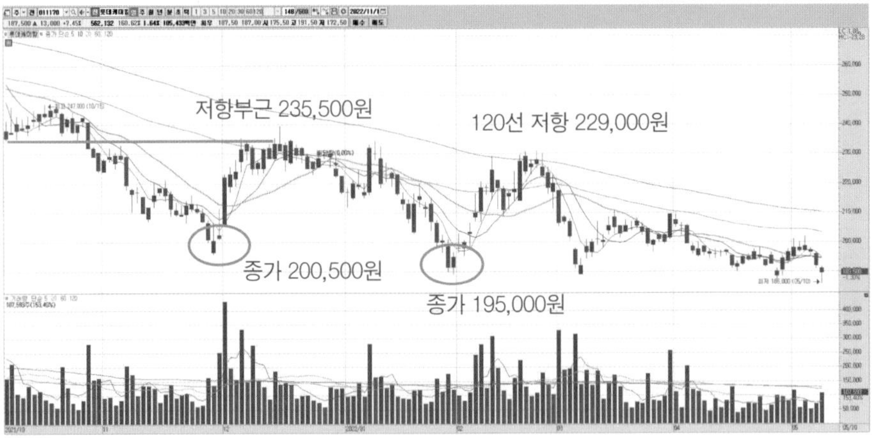

[그림 6-5] 롯데케미칼 일봉 차트에서 볼 수 있는 것처럼 2021

년 11월 29일 종가는 200,500원이다. 이 가격에 매수했다고 하면 저항 부근 235,500원에서는 매도해야 한다. 수익률은 17% 정도로 기간 대비 매우 높다. 2022년 1월 28일 종가는 195,000원이다. 이 가격에 매수했다면 120일 이동평균선이 위에 놓여 있으므로 첫 번째 부딪힐 때는 강하게 반락이 나오기 때문에 120일 이동평균선 부근인 229,000원에 매도해야 한다. 수익률은 17% 정도다. 이렇게 저항 부근에서 매도해야 한다면 종가 매수한 후에 증권사에서 제공하는 스톱로스를 이용해서 매도가격을 걸어두자. 그러면 알아서 목표 가격에 청산되어 수익금이 들어오게 될 것이다.

스톱로스는 두 가지가 있는데 일반 스톱로스(Stop loss)와 트레일링 스톱(Trailing stop)이 있다. 트레일링 스톱에 대해서는 조금 더 설명이 필요한데, 쉽게 말해서 갭 상승할 때 목표가보다 수익을 더 많이 챙길 수 있는 스톱이라고 생각하면 된다. 사용 방법을 익히면 쉽지만 처음 해보는 사람은 매우 어렵다는 생각이 들 수도 있다. 그러나 데이짱이 늘 말하는 것이 있다. 바로 '반복'이다. 무엇이든지 반복하고 연습하면 다 익숙해지게 되어 있다.

롯데케미칼은 석유화학 제품의 제조 및 판매업을 하고 있으며 각국에 판매법인과 국외 지사를 설립하여 전 세계에 제품을 수출하고 있다. 석유를 수입해서 가공한 뒤 팔아서 수익을 내는 회사로 석유 가격이 오르면 영업이익이 줄어들 수밖에 없는 구조여서 고유가에 영업이익이 줄어들게 된다. 매출은 꾸준히 늘고 있어 국제 유가에 따라 영업이익에 영향을 받을 것으로 생각한다.

최근 2차전지 소재 부문 사업에 투자하고 있어 세계 4위의 동박 기업인 일진머티리얼즈를 인수하고 주요 배터리 소재 업체로 도약할 기회를 얻고 있다.

[그림 6-6] 삼성중공업 2021년 10월~2022년 4월까지 일봉 차트

[그림 6-6]의 삼성중공업 차트를 보자. 삼성중공업의 일봉 차트에서 볼 수 있는 것처럼 2021년 12월 1일 급락 후 첫 양봉 종가 가격이 5,260원일 때 매수했다고 하자. 저항 부근 5,820원에 스톱로스를 걸어두고 매도한다. 수익률은 11% 정도다. 2022년 1월 28일 종가는 5,180원이다. 저항 부근 가격은 5,940원이다. 성공적으로 매수와 매도를 했다면 기대수익률은 15% 정도다.

삼성중공업은 해양 플랫폼, 선박 등의 판매업을 영위하는 조선해양 부문과 건축 및 토목 공사를 영위하고 있다. 삼성중공업 최대

주주로는 삼성전자가 15.23%를 보유하고 있고, 삼성생명보험이 2.92%, 삼성전기가 2.06%를 보유하고 있다.

2022년 1분기에 비해 2분기 매출액은 약 0.96배 증가했다고 한다. 삼성중공업의 CAPEX는 146억 원이며, FCF는 -1,319억 원이다. 조선업은 도크가 중요한데 타사에 비해 도크에 여유가 있어 수주가 늘어날 것으로 예상하고, 삼성반도체 공장 관련 수주는 연간 5,000억 원을 전망하고 있다.

2022년 11월 15일부터 신규 ETF(상장지수펀드) 중에 KODEX K-친환경 선박 IMO(국제해사기구)의 탄소 중립 실현을 위한 규제를 충족시키는 저탄소·저오염물질 배출 선박을 말함) 규제에 따라 전체 선박의 40~50%는 친환경 선박으로 교체가 예상된다. ETF가 주로 담은 종목은 현대미포조선, HSD엔진, 동성화인텍, 삼성중공업, 현대중공업 등으로 수혜 관련주로 주목받고 있다.

지금까지 단기 급락 후에 첫 양봉이 나오는 종목을 살펴봤다. 이런 종목은 분할 매수하는 것이 아니라 당일 오후 3시 10분 이후 한 번에 매수하면 된다. 반대로 손절매를 할 때에도 한 번에 손절매해야 한다. 종목을 고를 때 급락의 폭이 작은 경우에는 선택하지 않는 것이 좋다.

이제 단기 급락 후 작은 양봉이 나오는 경우도 살펴보자.

[그림 6-7] LG화학 2021년 10월~2022년 7월까지 일봉 차트

[그림 6-7] LG화학 일봉 차트의 동그라미 친 부분을 보면 작은 음봉이 나온 후 전일의 저점을 깨지 않은 케이스다. 442,000원 정도의 종가에 매수했다면 저항 부근인 600,000원 정도에 스톱로스를 걸어본다. 최대 기대수익은 36% 정도다. 그러나 최대로 수익을 보기란 쉽지 않다. 시가총액이 클수록 빨리 상승하지 못하기 때문이다. 다만 급락한 자리에서 얼마든지 단기 수익도 가능하다는 것을 알 수 있다.

수익을 극대화하기 위해 기다릴 줄 아는 사람은 조금 더 큰 폭의 수익을 거둘 수 있었을 것이다. 차트에서 보는 것처럼 기다릴 때도 마냥 마음 편하게 주가가 상승하지 않는다는 것을 확인할 수 있다. 그러나 이런 것도 트레이딩의 원칙이다. 매수한 가격을 깨고 내려오지 않았다면 한 번 기다려 보는 것도 경험이다. 손절매할 상황이 아

니라면 내 계좌는 마이너스가 아닌 상태이기 때문이다. 실제로 실현하지 못한 수익에 심리적으로 아파하지 말고, 자신의 매매를 객관적으로 보는 습관을 들이자. 주식은 단순하게 해야 한다는 데이짱의 말이 여기에서도 다시 적용된다. 당신이 가진 선택지는 매수 가격을 깨면 손절매한다는 것, 수익을 냈다면 수익을 실현하는 것, 수익을 극대화하기 위해 조금 더 기다려보는 것이다. 이 세 가지의 간단한 선택지를 스스로 하나씩 겪어보며 실력이 커가는 것이다.

급락 후 첫 양봉이 나올 때 단기적으로 수익을 내는 기법을 살펴보았다. 단기 투자를 선호하면서 차트를 계속해서 지켜볼 수 없는 바쁜 투자자들은 이 기법을 잘 기억해두고 실전에 적용하면 좋다. 짧게는 매수 후 하루, 또는 3~4일이면 된다. 자신이 있다면 조금 더 길게 가져가며 수익을 극대화해보는 것도 좋다. 수익은 크게, 손실은 작게 만드는 것이 핵심이다.

대부분은 수익은 작게, 손실은 크게 매매하는 현실 속에서 무엇이 자신을 살아남게 하는 방법인지 깨닫기 바란다. 매수, 매도, 손절매 포지션을 모두 다 설명하고 있으니 꼭 이 원칙을 지키면 좋겠다. 차트를 많이 보고 학습 효과도 극대화해보자. 단기 급락의 폭이 큰 종목을 골라보고, 손절매 폭이 작은 자리를 찾는 연습을 꾸준히 하자.

급락 후 첫 양봉 기법 요약

첫째, 단기간에 큰 하락이 나오는 종목이 좋다.
둘째, 시가총액이 큰 종목 위주로만 기법을 적용한다.
셋째, 하루에 2~3종목 정도가 나오며, 지수가 급락한 날은 더 많이 찾아본다.
넷째, 타깃 종목은 오후 3시가 넘어 양봉이 완성되는 것을 확인하고 매수한다.
다섯째, 다음 날 상승하지 않으면 칼같이 손절매한다.

- 매일 100개 이상의 차트를 돌려보고, 기법의 대상이 되는 종목은 관심종목에 추가한다.
- 학습량이 많을수록 수익을 낼 확률이 높다는 것을 기억한다.
- 때에 따라 곧장 수익을 실현하지 않고 호흡을 조금 더 길게 보며 수익을 극대화를 시도해보기도 한다.
- 단기간 급락이 나온 종목을 종가 매수했기 때문에 다음날 음봉 및 전일 저가 및 시가를 깨면 지하 2~3층으로 빠르게 하락할 수 있음을 유념한다.
- 전일 시가를 깨면 하락할 가능성이 크므로 칼 같은 손절매가 필수다.

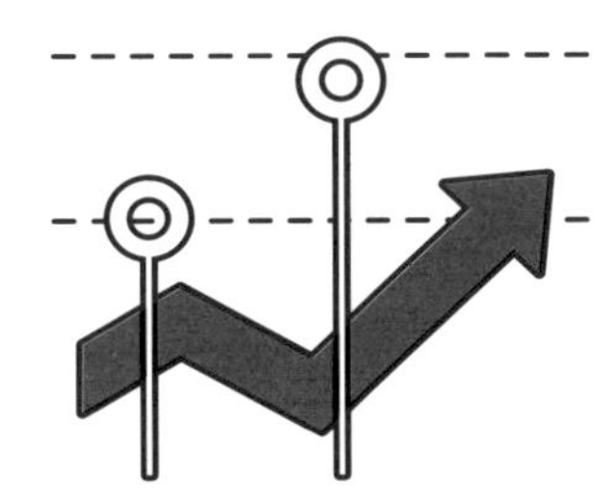

7장

소형주에도 통한다, 위꼬리 거래 급감 기법

데이짱이 수억 번 차트를 돌려보다가 알게 된 기법이다. 여기서 공개하는 매수 기법들은 일반인도 누구나 노력하면 성과를 낼 수 있는 기법들인데, 이 기법은 모니터를 보고 있을 수 있는 사람에게 유리한 기법이다. 투자자마다 자신이 처한 상황이 다르고 매매 환경이 다르므로 가급적 넓은 범위의 다양한 기법을 공개할 필요성이 있었다. 그래서 공개하기로 선택한 기법 중 하나이다. 지금 당장 모니터를 볼 수 없는 사람이라도 적당한 환경이 주어지면 얼마든지 시도해 볼 수 있음을 기억하고 유심히 내용을 살펴보는 것이 좋겠다.

위꼬리 거래 급감 기법의 원리

정배열 차트(강남 자리)에서 대량 거래량이 터지고 양봉 위꼬리가 나온 다음 날, 거래가 급격하게 감소한 후 하루에서 이틀 후 다시 상승하는 종목으로 수익을 낼 수 있는 기법이다. 위꼬리 급감이 나왔다는 말은 대형주가 아니라 소형주라는 뜻이고, 시가총액이 3,000억 원 이하로 주로 1주당 가격은 대략 2,000~5,000원 사이의 종목들이 이에 해당한다. 어떤 이유든 위꼬리가 생겼을 때 그다음 날 거래량이 5분의 1에서 10분의 1 수준으로 거래량이 줄어듦에 주목하자. 장중 3시 10분 이후 거래량과 봉의 모양을 보고 관심 종목에 넣어 매수한다.

연속성 재료와 신고가 부근이면 다음 날 매수가 매수를 불러 15% 이상 기대수익을 낼 수 있다. 보유하는 기간은 하루 또는 이틀로 호흡이 짧다. 그러나 긴 양봉이 나오면 소형주의 경우 급등하기 전의 가격으로 '원위치'하려는 성질이 있음을 반드시 기억해야 한다. 실적과 무관한 급등은 '아차' 하는 순간 상승의 폭을 반납하고 다시 하락할 수 있으므로 칼 같은 손절매가 필수다. 손절매 자리가 명확하기에 손절 폭은 작다. 위꼬리 거래 급감 기법은 봉 길이와 그림을 잘 기억해야 한다.

위꼬리 거래 급감 기법의 원칙

신고가 부근 정배열(강남 자리) 차트, 급등 양봉의 꼬리, 거래량에 주목한다

대체로 강남 자리에서 양봉에 위꼬리가 달릴 때만 매수하는 기법으로 다음 날 거래량이 10분의 1에서 5분의 1 수준으로 줄었을 때 다음 나오는 조건을 확인한 후 매수한다. 거래량이 전일보다 5분의 1 이상 줄어야 하며, 그것보다 더 확연하게 줄어드는 종목도 있으므로 재료를 확인하고 리포트를 훑어보는 것도 좋다. 조건에 부합한다고 생각하면 관심 종목에 넣어둔다. 위꼬리는 양봉이나 음봉이나 상관이 없으나, 양봉 위꼬리가 나온 것이 확률상 더 좋다. 그러나 양봉이나 음봉의 위꼬리 길이가 길면 좋지 않다.

연속성 재료 및 테마 관련주로 뉴스가 나왔을 때만 매수한다

단발성 재료 및 뉴스로 반응하면 급등하여 위꼬리가 생긴 종목일지라도 하락할 가능성이 커 매수하지 않는다. 재료가 단발성인 경우는 급등 전 가격으로 하락하기 때문에 지진, 화재, 계약 건 등 재료가 완전히 끝나버리는 종목은 매수하지 않는다. 또한, 과정이 복잡한 임상실험 등의 뉴스로 급등한 종목은 수익이 거의 잘 안 나는 종목들이므로 매수하면 안 된다.

그러나 우크라이나 전쟁으로 인한 곡물 인상으로 관련된 테마주(밀가루, 설탕 등), 유가 상승 같은 지속적인 이슈를 가져가는 연속성 있는 종목들은 관심 종목에 넣고 매수한다. 재료의 종류를 구분하는 것은 위꼬리 거래 급감 기법의 핵심이기 때문에 리포트를 잘 확인하고 분석하는 것이 중요하다. 차라리 뉴스가 아예 없이 상승하여 위꼬리를 만든 종목도 관심 종목으로는 괜찮다.

양봉 위꼬리 다음 날 오후 3시 이후 매수한다

급등한 양봉에 위꼬리를 만든 다음 날 오후면 주목해야 한다. 3시 10분 즈음 전일 거래량과 봉의 모양을 보고 매수 결정을 내려야 한다. 매수할 때는 분할 매수하지 않고 한 번에 매수한다.

하루 이틀 정도 보유하고 수익이 나지 않으면 손절매한다

이 조건을 만족하여 매수했다고 하더라고 하루에서 이틀 보유했는데 수익이 나지 않으면 곧장 손절매한다. 손절매는 전일 저점을 지지하지 못하고 깨면 반드시 전량 매도하는 원칙을 세워야 한다. 손절매 자리가 명확하기에 손절매 폭이 작다. 그러나 성공하면 단기간에 큰 기대수익을 얻을 수 있는 기법이다.

어떤 기법이든 손실을 볼 수 있다. 그래서 이런 기법은 많이 연습하고 익히다 보면 성공 확률이 높아지고 계좌는 전반적으로 플러스가 될 것이다.

위꼬리 거래 급감 기법 매매 사례

실전에서 위꼬리 거래 급감 기법을 어떻게 활용하는지 사례를 살펴보자.

[그림 7-1] SH에너지화학 2021년 11월~2022년 4월 28일 일봉 차트

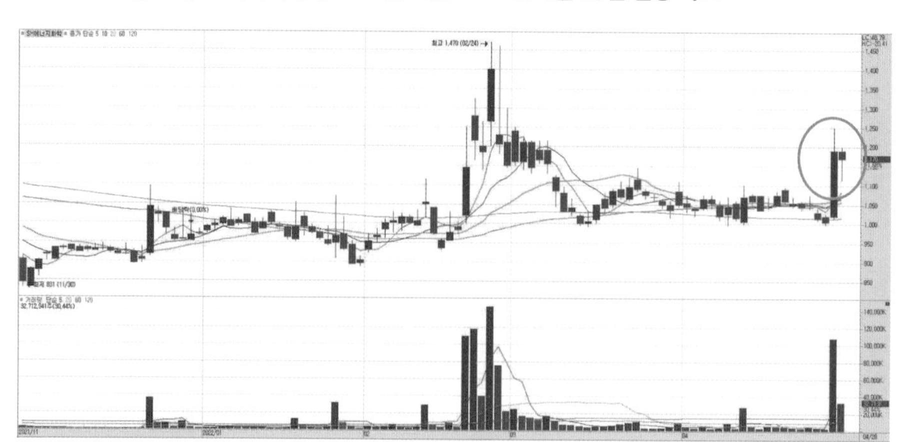

[그림 7-1] SH에너지화학 일봉 차트를 살펴보자. 긴 양봉에 위 꼬리를 달고 다음 날 거래량이 급감했다.

[그림 7-2] 종목별 기관매매추이(4월 13일~29일까지)에서 볼 수 있는 것처럼 2022년 4월 27일 1억 745만 7,039주가 거래되었다. 그다음 날 2022년 4월 28일 거래량이 3,271만 2,941로 급감했음을 알 수 있다. 반드시 5분의 1이 아니라 조금 더 적은 거래량이 될 수도 있다. 확률상 더 급감하면 좋다는 뜻이다.

[그림 7-2] SH에너지화학 2022년 4월 13일~29일까지 종목별 기관매매추이

002360 SH에너지화학 | 누적기간 기간입력 2022/03/03 ~ 2022/04/30 | 차트 | 유의사항

*단위: 단주 | ◉대비 ○등락

구분	개인		기관		외국인	
추정평균가(매수/매도)	1,186	1,185	1,248	1,254	1,130	1,135

날짜	종가	대비	거래량	개인		기관		외국인		
				기간누적	일별순매매	기간누적	일별순매매	기간누적	일별순매매	소진율
22/04/29	1,520 ↑	350	121,375,610	-1,195,276	+1,170,669	-38,253	-380,090	+1,275,101	-762,916	33.72%
22/04/28	1,170 ▼	20	32,712,941	-2,365,945	-2,154,126	+341,837	+361,964	+2,038,017	+1,815,658	34.41%
22/04/27	1,190 ▲	185	107,457,039	-211,819	-26,835	-20,127	+193	+222,359	+32,699	32.77%
22/04/26	1,005 ▼	10	2,152,207	-184,984	-177,243	-20,320	+642	+189,660	+166,564	32.74%
22/04/25	1,015 ▼	30	2,787,472	-7,741	+124,937	-20,962	+249	+23,096	-106,409	32.59%
22/04/22	1,045	0	4,189,712	-132,678	-196,002	-21,211	-1,916	+129,505	+190,511	32.69%
22/04/21	1,045 ▼	10	2,455,028	+63,324	+351,809	-19,295	-14	-61,006	-360,473	32.52%
22/04/20	1,055 ▼	5	3,136,771	-288,485	-251,409	-19,281	+306	+299,467	+260,791	32.84%
22/04/19	1,060 ▼	15	3,760,582	-37,076	+845,240	-19,587	+179	+38,676	-846,014	32.61%
22/04/18	1,075 ▲	30	4,310,944	-882,316	-616,788	-19,766	-159	+884,690	+604,074	33.37%
22/04/15	1,045 ▲	10	4,390,060	-265,528	-343,386	-19,607	-209	+280,616	+337,056	32.83%
22/04/14	1,035 ▼	25	2,513,431	+77,858	+4,284	-19,398	+4,001	-56,440	-3,217	32.52%
22/04/13	1,060 ▼	10	4,579,119	+73,574	+140,526	-23,399	-41,293	-53,223	-85,733	32.53%

[그림 7-3] SH에너지화학 2022년 4월 27일 이후 일봉 차트

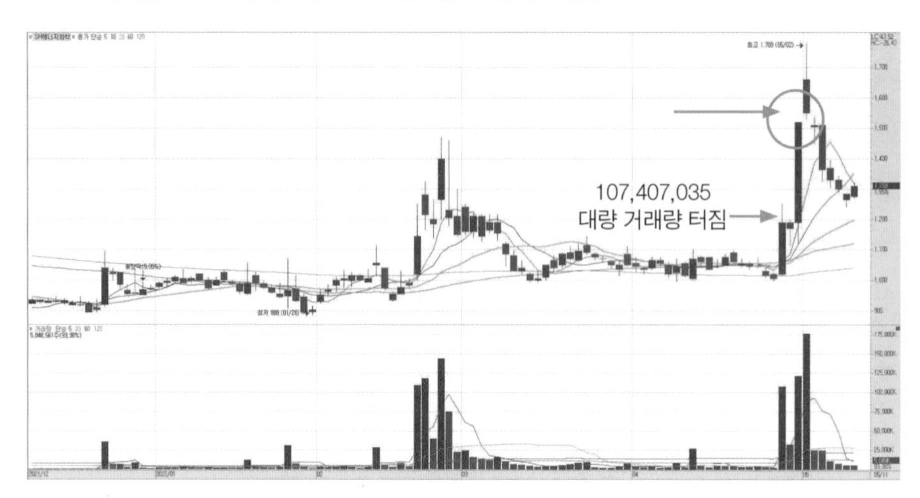

[그림 7-3] 2022년 4월 27일 이후 차트에서 보여주는 것처럼 1억 주 이상의 대량 거래량이 터지고 양봉 위꼬리를 보인 후에 다음 날 거래가 급감했다. 이때 전일의 저점을 깨지 않았고, 그다음 날 상한가를 기록했다. 그리고 또 다음 날 갭 상승 후에 더 높이 17% 이상 상승했다. 단기 보유로 4월 28일 오후 3시 10분 이후 종가에 매수 진입을 했다면 그다음 날 상한가에 매도했어도 30% 수익이다. 상한가 매도 기법에 따라 그다음 날 매도했다면 47% 이상 수익을 낼 수 있었음을 확인할 수 있다. 단기간에 엄청난 수익률이지 않은가? 이 기법의 매우 좋은 예시라고 할 수 있다. 기대수익이 예시만큼 나오지 않더라도 무엇보다 강력하게 수익을 내는 기법이라 이해하면 된다.

SH에너지화학은 2008년 미국 내 천연가스 개발 사업에 참여하기 위해 현지 법인을 설립했다. 2019년 기준 총 2004.58 네 에이커에 달하는 광산권의 갱신을 완료했고, 188.17 넷 에이커(net acres)의 생산권 등을 보유하고 있는 회사로 합성수지 및 건물 단열재 및 완충 포장재에 사용되는 스티로폼의 원재료인 EPS 레진을 생산한다. 2021년 9월 작년에 같은 기간보다 연결기준 매출액이 49.7% 증가하고 영업이익 흑자 전환에 성공했으며 주력 제품인 EPS 레진의 판매가격 인상 및 시장점유율 확대 등 판매호조로 비교적 양호한 외형을 시현하고 있다. 앞으로도 매출 증대와 지속 실적개선이 주요 관건인 회사이다.

이번 우크라이나 전쟁으로 인하여 러시아가 유럽 일부 국가에 가스 공급을 중단한다고 하자 천연가스 가격 인상이 불가피해지는 상황에 미국 현지에 천연가스 광구를 보유한 SH에너지화학이 주목받았다. 그로 인한 기대심리로 거래량이 급증하면서 주가가 상승세를 나타낸 것이다.

다음으로 누리플랜 차트를 살펴보자.

[그림 7-4] 누리플랜 2021년 10월~2022년 3월 21일까지 일봉 차트

[그림 7-4] 누리플랜 일봉 차트에서 볼 수 있는 것처럼 강남 자리 정배열 차트임을 확인할 수 있다. 여기서 위꼬리가 달린 양봉이 나왔다. 그런데 앞에서 위꼬리가 너무 길면 좋은 차트는 아니라고 이야기했다. 그러나 이럴 때는 이 종목이 '왜 급등했는가' 확인해볼 필요가 있다. 만일 단발성 재료로 뉴스가 나왔다면 매수를 포기하면 된다. 어떤 뉴스가 영향을 주는지 확인할 필요가 있다. 즉 위꼬리 거래 급감 기법은 여러 가지 차트 유형이 나오므로 원칙을 잘 이해하고 응용할 줄 아는 유연함이 필요하다. 또한 원칙을 이해하며 지키되 재료의 연속성과 강도를 보고 잘 판단하는 연습이 필요하다. 다시 말하지만 끊임없는 연습과 '반복'이 중요하다.

누리플랜의 핵심은 위꼬리 양봉이 나온 후 다음 날 거래량이 급감했고, 전일 저점을 깨지 않았기에 관심을 가질 수 있다. 위꼬리가

길면 그 꼬리의 60~70% 정도까지 상승할 수 있다는 점도 기억하자.

누리플랜은 대기환경 플랜트, 경관조명, 상업조명, 경관시설 플랜트, 사업에 필요한 설비생산, 설계, 컨설팅, 시공, 운영 그리고 사후관리까지 모든 과정을 책임지는 토털 솔루션 제공 회사로 현재 윤석열 대통령의 도시재생 및 대기환경 관련 유해가스와 악취, 굴뚝에서 나오는 하얀 수증기 염기성 탄산납 저감 기술력을 가지고 있기도 하다. 그리고 우크라이나 재건 관련주로 언급되는 미래 전망이 밝은 종목이다.

[그림 7-5] 한일철강 2021년 12월~2022년 4월까지 일봉 차트

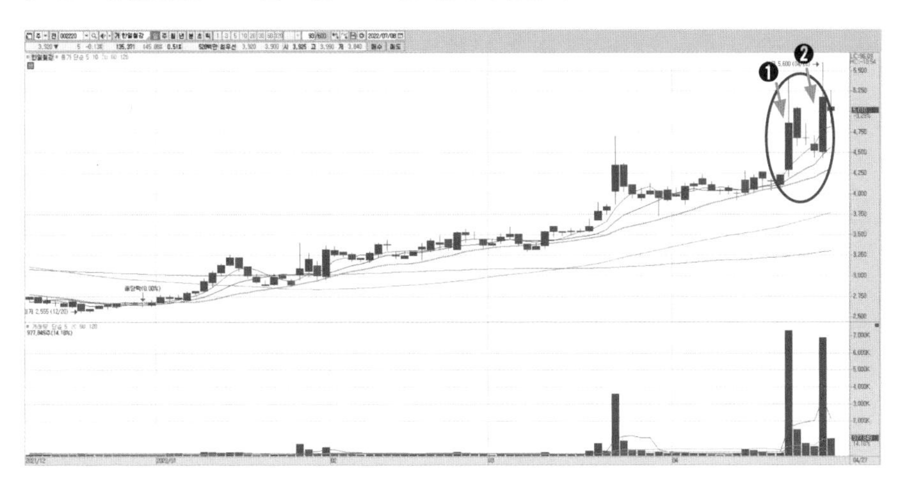

[그림 7-5] 한일철강 일봉 차트를 보자. 차트에서 보는 것처럼 ①번과 ②번 자리는 정배열 신고가 강남 자리다. 여기서 위꼬리가 나오고 거래량이 터진 후 그다음 날 거래가 급감했지만 전일의 서점을 깨지 않았다. 이러한 경우 단기간에 수익을 크게 챙길 수 있는 자

리가 된다.

한일철강은 철강 제품 제조 및 판매업을 주된 사업으로 영위하고 있다. 취급 품목은 철판류, 형강류, 기타(Coil 절단 가공, SHOT BLAST)로 구성되는데, 철판 절단 용역 45.04%, 철강재 임대 3.28%, 도매 및 상품 중개업이 49.54% 등이다. 우크라이나 전쟁으로 러시아 제재에 동참한 국가들의 기업과 개인들에게 러시아산 상품 및 원자재 수출을 금지하는 보복 제재 성격의 특별 경제 조치 적용이 이슈가 되었다. 이때 수출 중단 품목에 철강이 포함될 가능성이 언급되자 한일철강 주가에 영향을 주었다.

다음으로 신진에스엠을 살펴보자.

[그림 7-6] 신진에스엠 2021년 12월~2022년 6월 2일 일봉 차트

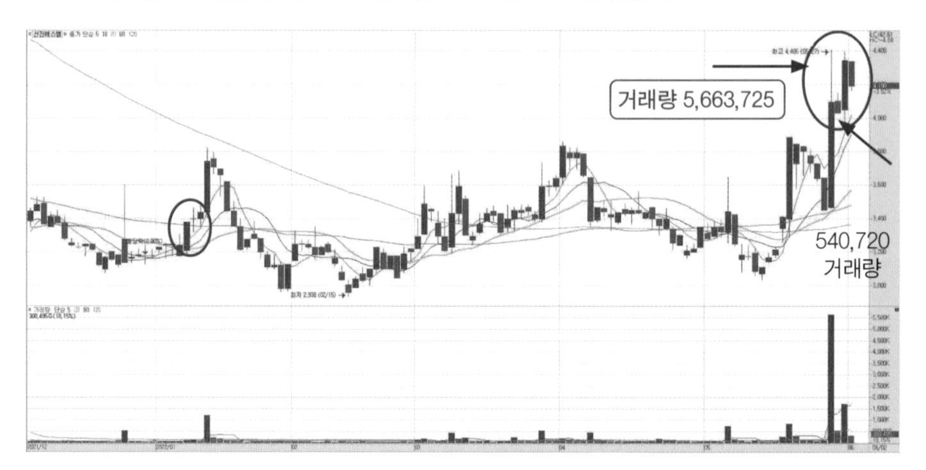

[그림 7-6] 신진에스엠 일봉 차트를 보면 신고가 정배열 차트에

서 거래량이 터진 후 다음 날 약 5분의 1 수준으로 거래량이 급감했다. 그다음 날 전일 저가를 깨지 않았고 이후 상승했음을 볼 수 있다. 위꼬리 급감 기법의 원칙에 충실한 차트다.

[그림 7-7] 신진에스엠 5월 6일~5월 19일 뉴스화면

시세 | 상세 | Signal | 업종 | 섹터 | 차트 | 일정 | 뉴스

신진에스엠, 1Q 영업익 19억2900만원…전년비 458%↑

날짜	시간	제목
05/19	16:09:27	(주)신진에스엠 [투자주의]소수계좌 거래집중 종목
05/19	10:53:38	<코>신진에스엠, 전일 대비 7.22% 상승.. 일일회전율
05/19	10:33:06	신진에스엠, +8.42% VI 발동
05/18	19:00:32	◼ 수익률 상위 5%내의 전업투자자, 그들은 어떻
05/16	10:51:59	신진에스엠, 당해사업연도 1분기 연결 영업이익 19.2
05/06	13:57:59	[특징주] 신진에스엠, 1분기 영업이익 458% 급증 소
05/06	11:13:47	신진에스엠, 1분기 영업익 19억원…전년比 458% 증가
05/06	10:41:59	신진에스엠, 1Q 영업익 19억2900만원…전년비 458%↑

신진에스엠은 표준 플레이트(철강업체가 생산한 금속 판재를 일정한 치수로 가공한 제품을 말함)를 생산하여 관련 분야에 공급하는 것을 주 사업으로 하고 있다. 국내외 총 40여 건의 가공 설비 관련한 핵심 특허 보유, 상하면·양측면 동시 가공장치, 금속판재의 절개 홈이격 장치, 금속판재 절삭용 원형톱날 등 원가절감 및 제작 효율 향상이 동사의 핵심 경쟁력이다. 표준 플레이트(판재) 산업은 전방 산업인 성형 부품 산업의 기초 부품으로 지속적인 수요가 가능하지만, 경기에 따른 설비투자의 정도에 영향을 크게 받는 산업으로 특히 자동차, 조선 등 기계산업 업황에 직접적 영향을 받는다.

[그림 7-8] 쌍용정보통신 2021년 11월~2022년 4월 5일까지 일봉 차트

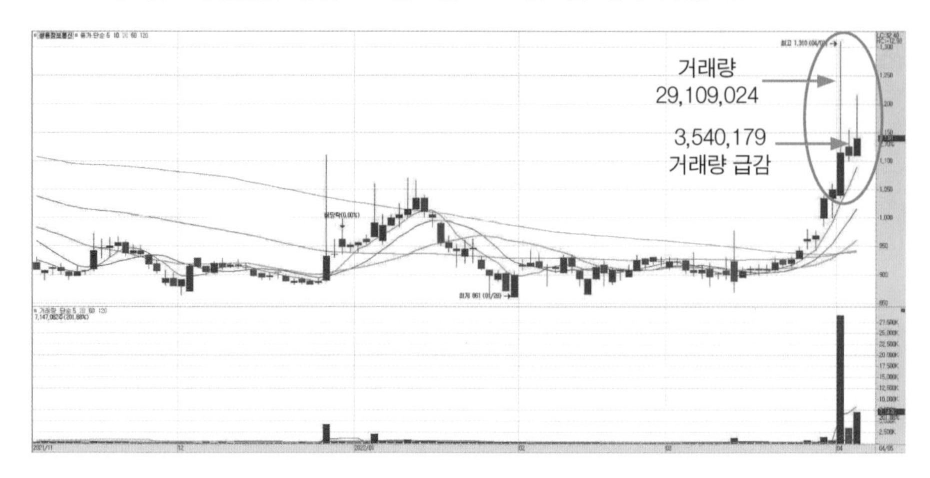

[그림 7-8] 쌍용정보통신 일봉 차트를 살펴보자. 신고가 부근 정배열 차트로 거래량이 터진 후 다음 날 거래가 급감했다. 이후 위꼬리의 60% 부근까지 상승했음을 확인할 수 있다. 거래 급감과 전일 저점을 깨지 않은 것을 확인했다면, 위꼬리가 길기 때문에 기대수익은 위꼬리의 60% 정도로 보고 매도한다.

[그림 7-9] 쌍용정보통신 2022년 3월 30일~2022년 4월 1일까지 뉴스화면

시세 | 상세 | Signal | 업종 | 섹터 | 차트 | 일정 | 뉴스

[리포트 브리핑]쌍용정보통신, '클라우드 부문 강화로 실적 턴어라운드 시작' Not Ra

날짜	시간	제목
04/01	13:07:44	쌍용정보통신, +8.57% VI 발동
04/01	13:07:37	<코>쌍용정보통신, 전일 대비 8.10% 상승.. 일일회전율은 2.
04/01	09:49:27	쌍용정보통신(010280) 상승폭 확대 +6.66%, 7거래일 연속
03/30	17:23:48	쌍용정보통신(주) (정정)단일판매·공급계약체결
03/30	15:20:53	<코>쌍용정보통신, 전일 대비 7.33% 상승.. 일일회전율은 2.
03/30	15:15:04	쌍용정보통신(010280) 상승폭 확대 +6.29%, 5거래일 연속
03/30	13:57:37	쌍용정보통신, 클라우드 부문 강화로 실적 턴어라운드 시작
03/30	10:59:04	[리포트 브리핑]쌍용정보통신, '클라우드 부문 강화로 실적

쌍용정보통신은 2020년 종합 정보기술 서비스 전문 기업인 아이티센 그룹에 편입되었고, 클라우드 사업 부분에 역량을 집중하고 있다. 쌍용정보통신은 국내 5대 정보통신기업 솔루션 회사다. 대주주 변경으로 인해 아이티센 그룹의 가족이 되어 IT 그룹의 시너지를 창출할 수 있는 기반을 마련하였다. 기존의 국민건강보험공단 정보 시스템 통합유지관리 사업과 EBS 관련 누리집 통합 운영 사업으로 안정적인 성장 기반을 마련하였다. 그리고 공무원연금공단 디지털 전환 지능형 연금 복지시스템, 한국자산관리공사 차세대 채권관리 시스템 구축, 보건복지부 지역 보건의료 정보 시스템 통합구축을 수행하며 공공사업 분야가 사업의 큰 비중을 차지하고 있다. 또한, 방위산업 및 전쟁 관련주로 다양한 국방 관련 IT시스템 구축 경험을 보유하고 있으며, 해군전술 C4I 해군 전술 C4I 체계 등 대형 프로젝트의 유지보수 및 유관 사업을 영위하고 있다.

[그림 7-10] 다스코 2022년 1월~2022년 6월 3일까지 일봉 차트

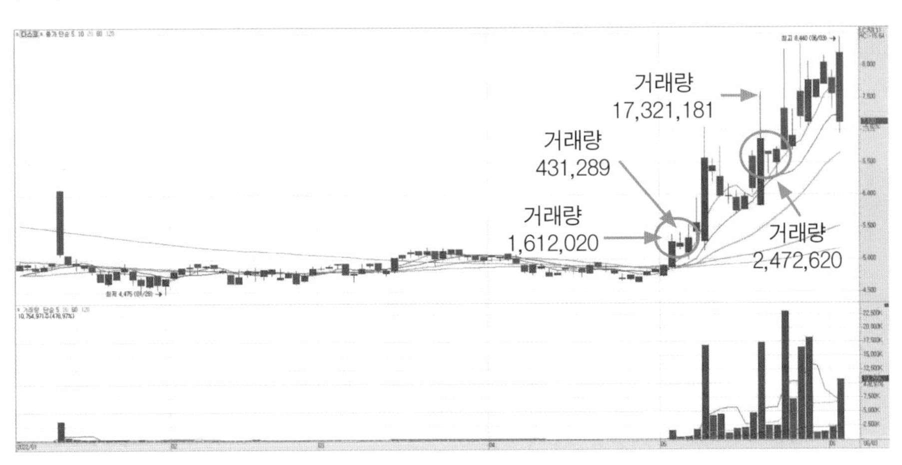

[그림 7-10] 다스코 일봉 차트에서 볼 수 있는 것처럼 정배열 강남 자리, 신고가 부근에서 거래량이 터지고 양봉 위꼬리를 달았다. 그다음 날 거래량 급감하고 오후 3시 10분 이후 재료와 거래 급감을 확인하고 종가 부근에 매수하면 다음 날 단기에 큰 수익을 챙길 수 있음을 직접 확인할 수 있다.

[그림 7-11] 다스코 2022년 6월 3일~2022년 6월 5일 뉴스화면

시세	상세	Signal	업종	섹터	차트	일정	뉴스

다스코, 임원 · 주요주주 특정증권등 소유주식수 변동

06/05	07:07:00	[공 개] " 6 월 " 재료 노출시 " 3 연 上" 예정 폭등주 공
06/03	15:57:43	다스코(주) [투자주의]단일계좌 거래량 상위종목
06/03	15:33:14	'다스코' 52주 신고가 경신, 주가 5일 이평선 하회, 단기 ·
06/03	13:06:26	우크라이나 재건 테마 엮여 주가 급등하자...상장사 임원진
06/03	10:13:54	다스코, -2.25% VI 발동
06/03	09:45:01	"제약바이오 관련주" 지금 담아야 큰 수익 납니다! "급등종
06/03	09:00:47	<유>다스코, 장중 신고가 돌파.. 8,340→8,400(▲60)
06/03	09:00:06	다스코, +10.45% 52주 신고가

다코스는 도로안전시설 전문기업으로 도로와 도로안전시설물 제조 및 설치업이 주요 사업이다. 재건 관련주로 겨울이 다가오면서 미국과 러시아와 협의가 진행된다는 뉴스로 관심이 뜨거워지는 테마주이다. 2022년 6월 전년 동기 대비 매출액은 23.5% 증가, 영업이익 흑자 전환, 당기순이익 흑자 전환, 단열재보드 시장에서 상반기 대비 매출액이 2배 이상의 흑자 전환하였다. 그러나 판관비 증가 및 이자 비용, 파생 금융부채평가손실 등의 비용 인식으로 수익성 악화, 코로나19 여파로 인해 소비 감소세가 크게 나타나고 있으므로 장기 투자는 신중해야 한다.

지금까지 위꼬리 거래 급감 기법을 살펴보았다. 재료가 단발성인지 연속성인지 확인하고, 초기에 테마가 만들어졌을 때 더 좋다는 것도 알았을 것이다. 소형주에서도 매매할 수 있는 기법이므로 투자금이 적은 개미들이 이 기법을 잘 익혀서 매매에 적용하면 단기간에 수익을 낼 수 있어서 계좌를 불려나갈 수 있다. 끊임없는 연습이 기법을 완성하는 길이다.

위꼬리 거래 급감 기법 요약

첫째, 신고가 부근 정배열(강남 자리) 차트, 급등 양봉의 꼬리, 거래량 급감에 주목한다.
둘째, 연속성 재료 및 테마 관련주로 강한 뉴스가 나왔을 때만 매수한다.
셋째, 양봉 위꼬리가 나온 다음 날 오후 3시 이후 한 번에 매수한다.
넷째, 하루에서 이틀 안에 수익이 나지 않으면 칼같이 손절매한다.

- 강남 자리에서 양봉 위꼬리가 만들어지고 다음 날 거래량이 10분의 1에서 5분의 1 수준으로 줄어야 한다. 정확하게 계산되지 않더라도 의미 있게 거래량이 줄어야 한다.
- 위꼬리는 양봉 위꼬리가 나온 것이 더 좋다.
- 단발성 재료로 급등하여 위꼬리를 만들었다면 매수하지 않는 것이 좋다.
- 재료의 종류를 구분하는 것이 위꼬리 거래 급감 기법의 핵심이므로 뉴스와 리포트를 확인해야 한다.
- 급등한 양봉에 위꼬리를 만들면 다음 날 오후 주목하고, 3시 10분 즈음 매수를 판단한다.
- 조건을 만족했더라도 전일 저점을 지지하지 못하면 반드시 전량 매도한다.

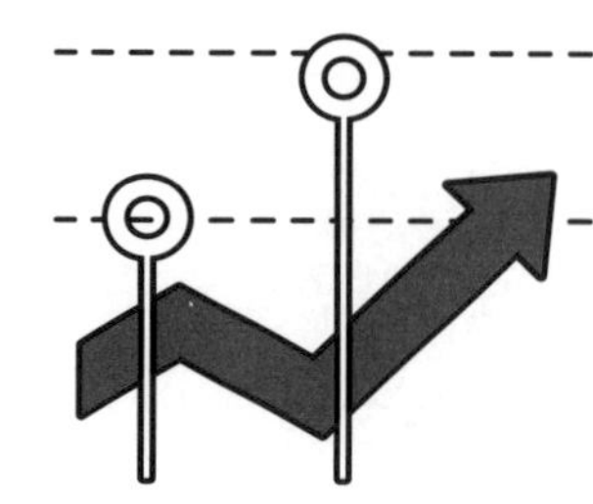

8장

압도적 매수세, 신고가 외봉 기법

마지막으로 설명할 기법은 상승장에서 주로 가능한 기법이다. 시장이 좋을 때는 하루에 10개 정도의 종목을 고를 수 있다. 신고가 기법처럼 수급과 거래량을 보는 것은 비슷하지만 원리가 조금 다르다. 주가가 상승장에 놓여 있다고 생각한다면 선택할 수 있는 종목이 많아지고, 종목별로 매매에 성공한다면 얻을 수 있는 기대수익 또한 높아지는 것이 장점이다.

신고가 외봉 기법의 원리

처음 언급한 바와 같이 이 기법은 상승장에서 유용하게 사용할 수 있다. 신고가 기법과 유사하지만 신고가 외봉 기법은 단타성 기법으로 차트가 매물을 소화시키고 봉 하나가 올라왔을 때 관성에 의해 더 상승할 수 있는 힘을 이용하는 방법이다.

이러한 종목을 찾으면 종가 부근에서 매수하여 다음 날이나 그다음 날 매도하면 된다. 신고가 외봉 기법은 당일 매매해서 하루 또는 이틀 후 청산하는 방법으로 매수 방법이 조금 다르다. 신고가 기법은 오늘 매수하지 못하면 다음 날 매수해도 되는 경우가 있지만, 신고가 외봉 기법은 종목을 고르면 당일 종가 부근에서 한 번에 매수해야 한다.

신고가 외봉 기법의 원칙

• 기관, 외인, 외국계, 프로그램의 수급이 좋아야 한다.

기관, 외인, 외국계, 프로그램, 이 네 군데의 수급이 모두 높거나, 이들 중 한 곳에서 매도하고 한 곳에서는 압도적인 매수세가 있을 때 가능하다.

• 오후 2시 30분부터 종목을 찾으며 일자별 수급 화면을 확인한다.

[키움증권 0124] 일자별 수급 화면을 띄워놓고 기관, 외인, 외국계, 프로그램 네 군데의 매수, 매도를 확인한다. 어느 한 곳에서 매도하고 있는지, 어느 한 곳에서 압도적인 매수가 있는지 꼭 확인한다. 종목은 등락률 순위 화면(키움증권 0181) 전일 대비 등락률 상위에서 2~15% 정도의 종목에서 신고가 외봉으로 보이는 종목을 찾는다. 상승장에서는 매일 5~10개 정도는 꼭 찾을 수 있다. 차트에서 볼 수 있는 신고가 외봉 몇 종목을 찾고, 이 패턴도 외워버리도록 하자.

• 수급 강도가 20~30%가 될 때 오후 3시 이후에 매수한다.

이 기법도 마찬가지로 오후 3시 10분 즈음 수급 강도를 보며 매수하는 것이 좋다. 매수 가격이 높으면 기대수익이 줄어들 수밖에 없기 때문에 매수가 가장 유리한 시간대에 매수하면 된다.

신고가 외봉 기법 매매 사례

이제 실전으로 바로 들어가보자. 신고가 기법을 이미 배웠으므로 차트가 더 쉽게 눈에 들어올 것이다.

다음은 코스모신소재 일봉 차트이다.

[그림 8-1] 코스모신소재 2021년 8월~2022년 4월 22일까지 일봉 차트

[그림 8-2] 코스모신소재 2022년 4월 4일~2022년 4월 29일까지 일별주가

[0124] 일별주가

조회 105070 코스모신소재 일자 2022/04/3 ⊙수량(주 ○금액(백만원 +외인(수량), 공매도(수량) 항목은 금액 데이터를 제공하지 않습

일자	시가	고가	저가	종가	전일비	등락률	거래량	금액(...	신용비	개인	기관	외인(...	외국계	프로그램	외인비
22/04/29	53,200	57,100	52,100	56,100	▲ 3,100	+5.85	1,399,258	76,816	6.16	-129,142	150,769	-42,632	-32,720	-39,946	8.69
22/04/28	54,400	55,100	50,800	53,000	▼ 1,400	-2.57	1,232,901	64,827	6.06	-41,833	41,582	-5,639	24,967	-139	8.83
22/04/27	52,000	55,600	51,400	54,400	▲ 300	+0.55	1,429,712	76,720	5.99	-6,726	29,400	-117,039	-37,589	-1,926	8.85
22/04/26	55,300	56,200	52,800	54,100	▼ 400	-0.73	1,271,344	68,717	5.79	-44,135	27,246	10,375	28,906	7,800	9.24
22/04/25	57,900	59,200	53,200	54,500	▼ 4,100	-7.00	2,872,026	159,561	6.10	181,323	4,747	-190,373	-83,118	150,920	9.20
22/04/22	57,200	63,000	57,200	58,600	▲ 400	+0.69	2,596,021	153,982	6.24	-269,185	128,475	128,919	135,404	109,274	9.84
22/04/21	52,400	59,700	51,700	58,200	▲ 7,200	14.12	4,576,953	258,355	6.05	-597,244	89,155	530,931	290,033	534,598	9.41
22/04/20	49,550	51,500	48,800	51,000	▲ 1,900	+3.87	1,740,489	87,292	5.70	-219,493	256,385	-37,834	-4,574	-44,074	7.64
22/04/19	45,950	49,700	45,700	49,100	▲ 3,300	+7.21	2,370,815	115,606	5.56	-587,941	244,827	350,319	204,275	370,044	7.77
22/04/18	45,100	46,700	43,900	45,800	▲ 750	+1.66	716,981	32,443	5.55	11,204	35,370	-58,477	-17,499	-58,332	6.60
22/04/15	44,500	45,700	44,450	45,050	0	0	470,318	21,268	5.49	-59,059	36,889	24,844	7,741	35,734	6.80
22/04/14	45,750	46,100	44,800	45,050	▼ 150	-0.33	635,796	28,952	5.38	-67,928	2,045	67,967	52,234	62,863	6.72
22/04/13	45,150	46,250	44,300	45,200	0	0	838,912	37,854	5.36	9,797	33,523	-43,041	-16,229	-41,576	6.49
22/04/12	42,300	45,700	42,050	45,200	▲ 1,950	+4.51	1,087,777	48,099	5.22	-143,536	149,520	-11,918	-33,702	-8,464	6.63
22/04/11	44,700	45,200	42,600	43,250	▼ 1,400	-3.14	816,971	35,791	4.93	5,117	14,762	10,501	6,265	10,264	6.67
22/04/08	41,950	45,250	41,700	44,650	▲ 2,750	+6.56	2,305,426	101,699	4.93	-277,989	243,779	17,791	42,517	33,155	6.64
22/04/07	39,300	41,950	38,850	41,900	▲ 1,850	+4.62	1,068,329	43,816	4.81	-198,550	188,202	1,796	-5,855	4,549	6.58
22/04/06	36,500	40,150	36,500	40,050	▲ 2,750	+7.37	714,960	27,818	4.81	-115,782	129,179	-11,551	13,309	-12,058	6.57
22/04/05	37,350	38,200	37,200	37,300	▲ 350	+0.95	255,729	9,612	4.79	6,154	1,475	-8,539	1,460	-9,969	6.61
22/04/04	36,950	37,000	36,100	36,950	▲ 200	+0.54	122,025	4,471	4.80	-996	8,380	-7,704	-8,241	-5,342	6.64

[그림 8-2] 코스모신소재 일별주가를 먼저 보자.

2022년 4월 19일 외봉이 출현한 날 개인은 팔고 기관, 외인, 외국계, 프로그램은 매수하고 있음을 볼 수 있다. 네 군데가 모두 매수하고 있을 때 무조건 종가에 매수하면 성공할 확률이 매우 높다. [그림 8-1] 차트를 보면 그 이후 4월 22일까지 계속 상승했다.

다음으로 [그림 8-3] 현대미포조선 일봉 차트를 보자.

신고가 나오고 ①번 외봉이 나온 후 이틀 이상 상승했다. ①번 이후 ②번 외봉에서도 한 번 더 매수할 수 있는 기회가 있었다.

2022년 8월 2일 외봉이 출현한 날 수급을 살펴보자.

[그림 8-3] 현대미포조선 2022년 3월~2022년 8월 30일까지 일봉 차트

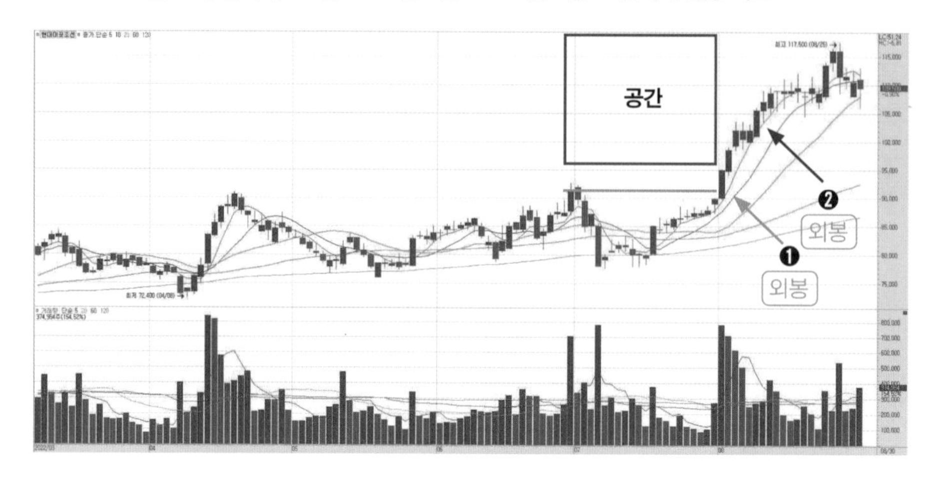

[그림 8-4] 현대미포조선 2022년 7월 22일~2022년 8월 19일까지 일별주가

1 [0124] 일별주가

조회 | 110620 | 현대미포조선 | 일자 2022/08/1 | ◉수량(주 ○금액(백만원 | *외인(수량), 공매도(수량) 항목은 금액 데이터를 제공하지 않습

일자	시가	고가	저가	종가	전일비	등락률	거래량	금액(...	신용비	개인	기관	외인(...	외국계	프로그램	외인비
22/08/19	108,500	111,500	107,000	109,500	▲ 1,500	+1.39	204,857	22,503	0.59	-19,602	-9,883	24,238	28,647	27,375	18.18
22/08/18	108,000	109,000	104,500	108,000	▼ 1,500	-1.37	253,359	27,163	0.57	-23,356	-54,697	70,435	59,282	75,824	18.12
22/08/17	109,000	112,000	107,000	109,500	▲ 500	+0.46	167,941	18,422	0.59	-9,124	-24,718	20,449	40,929	31,952	17.94
22/08/16	108,500	110,500	108,000	109,000	▲ 500	+0.46	161,086	17,574	0.60	-29,163	-36,395	60,641	50,419	60,370	17.89
22/08/12	109,000	111,000	106,000	108,500	▼ 500	-0.46	196,705	21,241	0.59	-9,982	-39,190	-10,861	40,630	26,558	17.74
22/08/11	109,000	109,000	105,500	109,000	▲ 500	+0.46	351,216	37,613	0.59	-19,902	-57,138	43,880	11,964	40,871	17.76
22/08/10	106,000	109,500	105,000	108,500	▲ 1,500	+1.40	421,976	45,734	0.57	-70,780	36,033	2,696	28,143	76,963	17.65
22/08/09	105,500	109,000	103,500	107,000	▲ 1,500	+1.42	285,909	30,416	0.57	-45,127	-39,738	74,823	64,552	50,315	17.65
22/08/08	101,000	106,000	101,000	105,500	▲ 3,500	+3.43	267,961	27,976	0.53	-92,857	32,232	12,884	42,160	40,136	17.46
22/08/05	100,000	103,000	100,000	102,000	▲ 1,500	+1.49	246,220	25,077	0.58	-78,518	-11,211	-14,483	49,500	68,869	17.43
22/08/04	102,000	103,500	98,800	100,500	▼ 1,500	-1.47	504,893	50,640	0.64	-126,215	-87,947	175,991	149,822	101,394	17.46
22/08/03	99,300	103,500	98,500	102,000	▲ 3,500	+3.55	613,825	62,031	0.62	-275,485	-88,395	337,133	283,161	272,611	17.02
22/08/02	94,900	99,000	94,100	98,500	▲ 3,500	+3.68	708,413	69,181	0.60	-270,825	-7,767	281,664	170,362	227,557	16.18
22/08/01	90,000	95,100	89,900	95,000	▲ 5,100	+5.67	780,039	73,193	0.62	-448,938	140,829	302,760	208,710	246,901	15.47
22/07/29	89,000	90,000	87,400	89,900	▲ 2,100	+2.39	271,960	24,277	0.63	-137,000	9,916	130,502	55,348	72,161	14.72
22/07/28	87,200	88,700	87,100	87,800	▲ 700	+0.80	99,817	8,767	0.62	-34,860	-3,494	35,751	15,678	23,477	14.39
22/07/27	87,400	87,900	86,700	87,100	▼ 300	-0.34	83,436	7,262	0.63	-15,086	-2,031	19,842	11,274	11,628	14.30
22/07/26	86,800	88,400	86,400	87,400	▲ 600	+0.69	105,354	9,200	0.65	-30,068	-9,329	37,952	23,330	21,105	14.25
22/07/25	86,900	88,100	86,400	86,800	▲ 300	+0.35	118,089	10,277	0.64	-40,805	-2,788	44,461	20,860	27,991	14.16
22/07/22	86,400	88,600	85,500	86,500	▲ 100	+0.12	192,008	16,659	0.66	-25,433	-36,234	61,393	28,260	27,918	14.04

[그림 8-4] 현대미포조선 일별주가에서 볼 수 있는 것처럼 외봉이 나온 8월 2일, 개인과 기관은 매도하고 있지만 외인, 외국계, 프로그램에서 압도적인 수급이 들어오고 있음을 알 수 있다. 그 후로도 계속 수급의 강도가 센 것을 볼 수 있다. ①번 8월 2일 외봉 종가

가격 95,000원에 매수했다고 하면 103,500원 정도에 매도할 수 있었다. 수익률은 17% 정도다. ②번 외봉의 종가 가격 105,500원에 매수했다고 하면 110,000원 정도에 매도했을 경우 4% 정도 수익이다. 이 종목은 두 번 정도 매매가 가능했다.

[그림 8-5] 삼강엠앤티 2022년 1월~2022년 8월 22일까지 일봉 차트

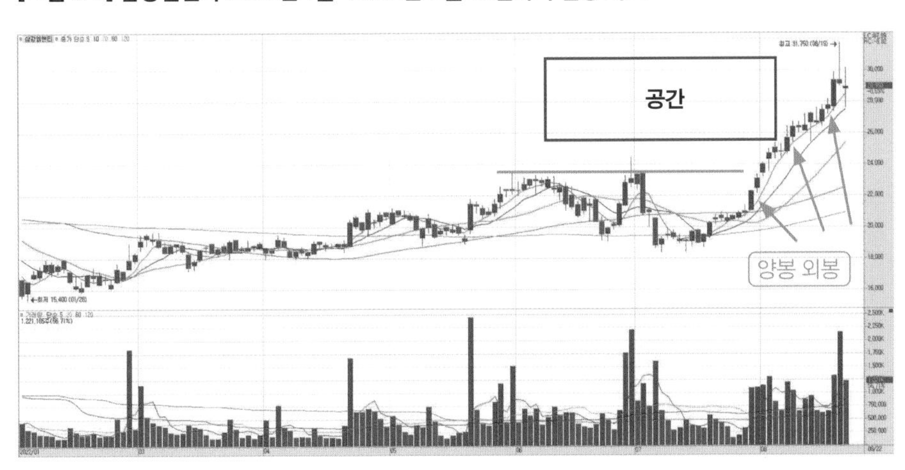

[그림 8-5] 삼강엠앤티(현 SK오션플랜트) 일봉 차트를 보자. 신고가 부근에서 외봉이 나오고 이어서 계속 양봉이 나왔다. 양봉이 계속 나올 때는 보유한다. 매물대가 없으므로 공간이 완벽하게 나왔고, 계속 상승할 수 있는 가능성이 있기 때문이다.

2022년 7월 28일 외봉 종가 22,300원에 매수했다고 한다면 8월 10일 26,750원 정도에 매도할 수 있었다. 수익률은 약 20% 정도다. 8월 10일 이후에도 계속 상승하고 8월 19일 31,750 최고 가격을 기록했다. 수익률은 42% 정도다. 단기간에 큰 수익을 낼 수 있었다는 것을 알 수 있다.

물론 모든 매매에서 최고가격에서 완벽히 트레이딩 하기란 매우 어렵다. 그러나 기법을 익히고 연습을 통해 자신만의 매매법으로 만들었다면 지속해서 수익의 폭을 늘리는 것도 실력이라는 사실을 알아두자.

[그림 8-6] 삼강엠앤티 2022년 7월 25일~2022년 8월 22일까지 일별주가

[0124] 일별주가

조회 | 00090 | 삼강엠앤티 | 일자 2022/08/2 | ◉수량(주 ○금액(백만원 | *외인(수량), 공매도(수량) 항목은 금액 데이터를 제공하지 않습

일자	시가	고가	저가	종가	전일비	등락률	거래량	금액(...	신용비	개인	기관	외인(...	외국계	프로그램	외인비
22/08/22	28,850	30,150	27,650	28,950	▼ 200	-0.69	1,221,165	35,263	2.23	-46,850	26,692	23,125	6,913	23,873	14.06
22/08/19	29,350	31,750	29,000	29,150	▼ 200	-0.68	2,153,507	64,858	2.15	16,172	-304,930	284,184	336,014	291,792	13.99
22/08/18	27,700	29,900	27,400	29,350	▲ 1,600	+5.77	1,326,212	38,569	2.18	-197,796	-48,824	243,635	220,513	256,935	13.23
22/08/17	27,550	28,150	27,250	27,750	▲ 250	+0.91	649,251	17,936	2.18	-66,758	-24,698	85,172	58,706	71,154	12.57
22/08/16	26,750	27,800	26,450	27,500	▲ 850	+3.19	616,040	16,781	2.08	-115,360	-81,645	192,547	77,828	213,519	12.34
22/08/12	26,750	27,600	26,550	26,650	▼ 50	-0.19	656,254	17,718	2.09	-37,379	34,764	-26,131	28,163	10,477	11.82
22/08/11	27,250	27,300	25,450	26,700	▲ 200	+0.75	937,586	24,750	2.16	-69,070	-2,590	56,329	46,867	76,082	11.89
22/08/10	26,150	27,200	26,150	26,500	▲ 150	+0.57	870,288	23,373	2.29	-180,571	-10,621	202,038	109,453	212,372	11.74
22/08/09	26,450	26,750	26,050	26,350	▼ 50	-0.19	640,865	16,952	2.25	-216,257	-15,505	252,217	151,242	236,049	11.19
22/08/08	25,750	26,750	25,450	26,400	▲ 700	+2.72	1,040,323	27,421	2.23	-152,964	-27,273	182,476	124,520	191,005	10.51
22/08/05	24,850	26,450	24,650	25,700	▲ 850	+3.42	1,201,418	30,983	2.25	-171,961	-32,538	210,741	121,754	210,539	10.02
22/08/04	24,800	25,300	24,450	24,850	▼ 250	-1.00	652,410	16,195	2.27	-116,568	-68,930	220,395	151,008	219,346	9.45
22/08/03	24,750	25,350	24,350	25,100	▲ 400	+1.62	830,671	20,714	2.14	-202,367	63,287	156,306	252,124	142,288	8.86
22/08/02	24,350	25,000	23,550	24,700	▲ 700	+2.92	1,304,195	31,825	2.28	-292,026	-15,997	257,788	275,215	289,389	8.44
22/08/01	23,450	24,100	23,250	24,000	▲ 900	+3.90	1,137,570	27,150	2.36	-358,329	32,837	293,139	227,350	334,383	7.74
22/07/29	22,500	23,350	22,150	23,100	▲ 800	+3.59	1,107,746	25,521	2.41	-309,394	58,597	241,511	182,247	268,653	6.95
22/07/28	21,100	22,300	21,100	22,300	▲ 1,400	+6.70	1,097,283	24,061	2.44	-395,950	140,732	273,392	122,414	253,806	6.30
22/07/27	21,000	21,350	20,650	20,900	0	0	327,265	6,863	2.47	18,242	13,380	-28,810	-3,635	-17,010	5.56
22/07/26	20,600	20,950	20,500	20,900	▲ 200	+0.97	180,623	3,763	2.47	-30,997	29,731	1,299	-9,737	27,227	5.64
22/07/25	20,500	20,750	20,400	20,700	▲ 150	+0.73	137,268	2,826	2.50	-2,583	8,287	-5,655	460	-5,183	5.64

삼강엠앤티 일별주가를 확인해볼 차례다(그림 8-6).

2022년 7월 28일 외봉이 나온 날 기관, 외인, 외국계, 프로그램 네 군데에서 모두 매수가 들어왔다. 그리고 이틀 이상 네 군데 매수가 지속적으로 들어왔다. 그 뒤 기관은 매도하고 있지만 외인, 외국계, 프로그램에서 압도적인 매수세가 이어지면서 계속 주가가 상승하고 있는 모습을 볼 수 있다.

[그림 8-7] 삼성바이오로직스 2022년 1월~2022년 8월 16일까지 일봉 차트

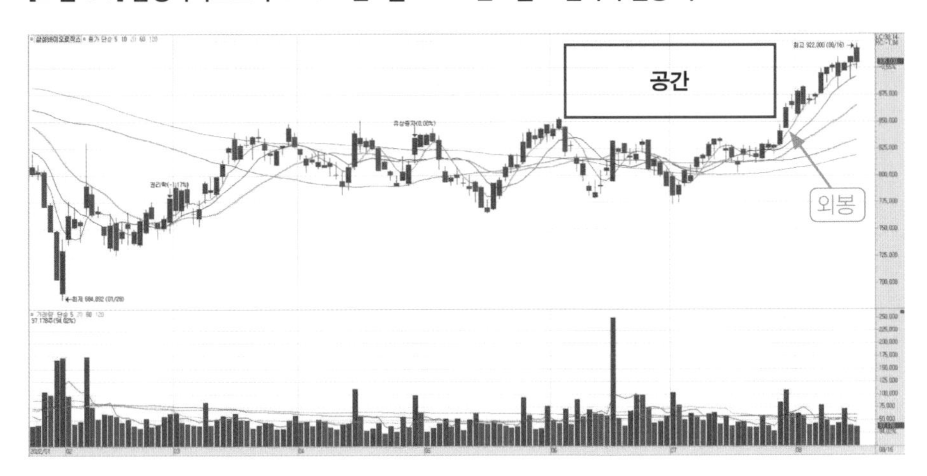

[그림 8-7] 삼성바이오로직스 일봉 차트에서 볼 수 있는 것처럼 신고가 부근 외봉 출현 이후 최고가 922,000원을 기록했다. 단기간에 큰 수익을 낼 수 있었던 차트다.

[그림 8-8] 삼성바이오로직스 2022년 7월 18일~2022년 8월 12일까지 일별주가

[0124] 일별주가

조회 '07940 삼성바이오로 일자 2022/08/1 ◉수량(주 ○금액(백만원 *외인(수량), 공매도(수량) 항목은 금액 데이터를 제공하지 않습

일자	시가	고가	저가	종가	전일비	등락률	거래량	금액(...	신용비	개인	기관	외인(...	외국계	프로그램	외인비
22/08/12	905,000	910,000	890,000	910,000	▲ 6,000	+0.66	39,544	35,770	0.04	-10,453	11,434	-201	2,462	6,547	10.78
22/08/11	897,000	905,000	897,000	904,000	▲ 2,000	+1.35	71,857	64,706	0.04	-12,062	8,119	5,364	4,858	6,846	10.78
22/08/10	904,000	910,000	880,000	892,000	▼ 0,000	-1.11	43,858	39,092	0.04	1,610	-2,108	336	2,907	3,664	10.78
22/08/09	900,000	904,000	896,000	902,000	▲ 2,000	+0.22	38,539	34,695	0.04	-6,343	1,710	2,391	8,468	13,821	10.78
22/08/08	894,000	900,000	886,000	900,000	▲ 5,000	+0.56	49,453	44,268	0.04	-7,668	2,807	-5,388	1,972	16,087	10.77
22/08/05	876,000	899,000	876,000	895,000	▲ 0,000	+2.29	78,645	70,254	0.04	-35,099	27,619	10,341	8,721	26,727	10.78
22/08/04	873,000	876,000	866,000	875,000	▲ 4,000	+0.46	43,618	38,016	0.04	-3,076	-1,710	5,159	2,907	11,582	10.77
22/08/03	870,000	875,000	866,000	871,000	▲ 5,000	+0.58	40,455	35,199	0.04	-4,063	579	2,656	3,783	7,636	10.76
22/08/02	882,000	883,000	860,000	866,000	▼ 2,000	-1.37	57,857	50,351	0.04	4,401	-4,411	-1,617	-574	-2,087	10.75
22/08/01	857,000	879,000	856,000	878,000	▲ 3,000	+1.50	63,497	55,287	0.04	-11,116	-3,004	15,702	17,609	20,162	10.76
22/07/29	868,000	875,000	862,000	865,000	▲ 2,000	+0.23	62,152	53,962	0.05	-14,216	4,834	14,422	21,282	11,030	10.73
22/07/28	844,000	867,000	844,000	863,000	▲ 2,000	+2.62	108,584	93,449	0.05	-36,242	33,839	8,170	7,219	6,776	10.71
22/07/27	829,000	847,000	828,000	841,000	▲ 3,000	+1.57	84,428	70,879	0.05	-21,581	12,836	9,910	28,153	30,483	10.70
22/07/26	826,000	829,000	820,000	828,000	▼ 1,000	-0.12	28,450	23,492	0.05	216	3,073	-3,207	-538	-1,386	10.69
22/07/25	826,000	833,000	824,000	829,000	0	0	38,835	32,219	0.05	-7,158	15,870	-8,679	-2,412	12,317	10.69
22/07/22	816,000	830,000	815,000	829,000	▲ 2,000	+1.47	56,066	46,300	0.05	-16,907	10,314	-902	15,835	21,788	10.71
22/07/21	820,000	826,000	812,000	817,000	▼ 6,000	-0.73	35,928	29,367	0.05	6,915	-4,807	-2,633	2,180	1,879	10.71
22/07/20	823,000	827,000	817,000	823,000	▲ 4,000	+0.49	35,555	29,275	0.05	-3,765	2,198	3,512	5,138	9,775	10.71
22/07/19	824,000	828,000	812,000	819,000	▲ 9,000	+1.11	46,882	38,466	0.05	-6,900	6,012	108	7,711	12,442	10.71
22/07/18	813,000	817,000	803,000	810,000	▼ 7,000	-0.86	46,011	37,196	0.05	11,578	-3,715	-8,648	-1,686	1,720	10.71

[그림 8-8] 삼성바이오로직스 일별주가를 보면 7월 27~29일까지 3일 연속으로 기관, 외인, 외국계, 프로그램 네 주체가 매수하고, 개인만 매도하고 있는 것을 알 수 있다. 이렇게 네 군데 모두 매수하고 있으면서 외봉이 나올 때는 무조건 매수하는 게 맞다.

신고가 외봉이 출현하는 곳은 위로 공간이 완벽하게 열려 있고, 매물대가 없어 상승할 수밖에 없는 자리이다.

[그림 8-9] 케어젠 2022년 3월~2022년 8월 10일까지 일봉 차트

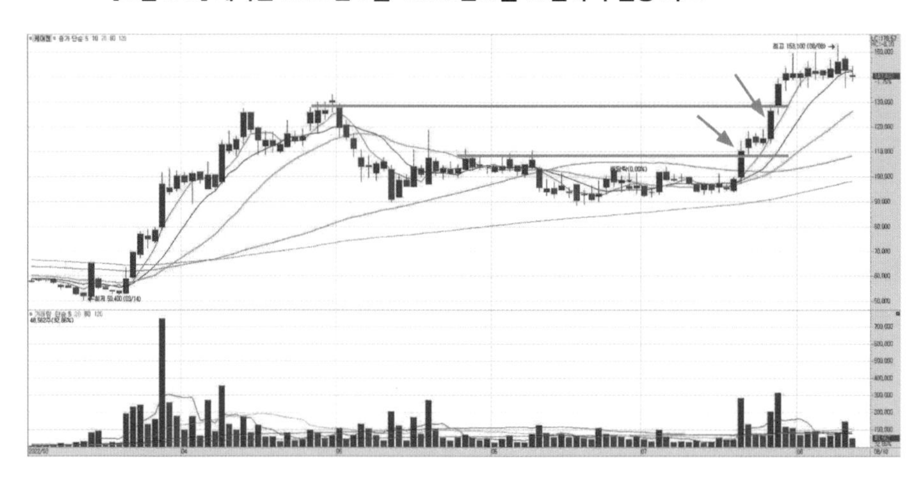

[그림 8-9] 케어젠 일봉 차트에서도 신고가 외봉을 확인할 수 있다. 신고가 외봉 출현 후 주가는 더욱 상승했다.

[그림 8-10] 케어젠 2022년 7월 18일~8월 12일까지 일별주가

[0124] 일별주가

조회 | 14370 | 케어젠 | 일자 2022/08/1 | ◉수량(주 ○금액(백만원 | +외인(수량), 공매도(수량) 항목은 금액 데이터를 제공하지 않습

일자	시가	고가	저가	종가	전일비	등락률	거래량	금액(...	신용비	개인	기관	외인(...	외국계	프로그램	외인비
22/08/12	144,900	150,300	138,400	139,500	▼ 4,000	-2.79	102,982	14,764	2.21	21,605	2,528	-13,224	-9,468	-13,427	3.51
22/08/11	139,800	147,700	139,800	143,500	▲ 3,100	+2.21	66,138	9,573	2.22	-15,377	9,213	5,114	-1,379	7,058	3.63
22/08/10	140,900	144,400	138,500	140,400	▼ 2,500	-1.75	48,562	6,850	2.15	-9,269	-1,312	-21	9,343	10,779	3.59
22/08/09	147,400	148,400	135,700	142,900	▼ 3,400	-2.32	147,782	20,781	2.12	18,743	434	-19,799	-10,849	-18,304	3.59
22/08/08	141,600	153,100	141,500	146,300	▲ 2,800	+1.95	84,630	12,588	2.12	-7,910	1,631	3,882	3,417	5,716	3.77
22/08/05	140,200	147,000	140,200	143,500	▲ 2,500	+1.77	65,115	9,385	2.14	-16,314	1,652	13,071	9,038	12,398	3.73
22/08/04	142,700	142,900	139,000	141,000	▼ 600	-0.42	54,034	7,584	2.07	-3,293	-4,603	5,753	7,708	5,272	3.61
22/08/03	142,600	150,000	139,300	141,600	▼ 2,100	-1.46	86,733	12,488	2.03	8,748	-451	-6,863	122	-8,024	3.56
22/08/02	140,700	146,500	136,000	143,700	▲ 2,200	+1.55	91,268	12,950	2.05	-6,856	-2,981	5,930	9,639	10,530	3.62
22/08/01	140,000	142,600	136,300	141,500	0	0	67,399	9,426	2.07	-7,910	345	9,984	8,062	8,837	3.57
22/07/29	140,100	149,500	139,300	141,500	0	0	105,936	15,215	2.02	-16,182	577	18,339	15,382	17,877	3.47
22/07/28	139,000	143,900	134,800	141,500	▲ 4,100	+2.98	116,294	16,235	1.89	-11,484	1,590	9,735	9,324	9,791	3.30
22/07/27	129,000	139,500	125,200	137,400	▲ 0,900	+8.62	316,234	42,270	1.69	-46,005	37,586	7,690	9,873	5,904	3.21
22/07/26	115,400	128,300	113,700	126,500	▲ 1,000	+9.52	206,630	25,391	1.68	-22,823	20,982	79	-3,738	-3,500	3.14
22/07/25	113,700	119,000	112,900	115,500	▲ 1,600	+1.40	64,369	7,424	1.64	2,603	1,400	-16,291	-3,322	-5,080	3.14
22/07/22	116,000	117,500	112,500	113,900	▼ 1,300	-1.13	68,847	7,903	1.57	-9,917	4,884	2,605	1,630	5,217	3.29
22/07/21	111,900	118,100	109,300	115,200	▲ 4,700	+4.25	129,918	14,748	1.48	3,421	-1,340	-14,818	-11,578	-13,006	3.27
22/07/20	100,100	114,400	97,600	110,500	▲ 1,500	11.62	283,100	30,581	1.48	-19,453	-1,162	17,672	6,467	18,795	3.41
22/07/19	94,600	99,800	94,000	99,000	▲ 3,900	+4.10	40,146	3,927	1.42	-10,082	1,753	8,426	7,053	9,409	3.24
22/07/18	95,500	97,400	94,600	95,100	▼ 2,400	-2.46	40,711	3,884	1.46	9,953	-2,139	-9,114	-5,239	-8,182	3.16

[그림 8-10] 케어젠 2022년 7월 26일 일별주가를 보면 전일 대비 9.52%가 상승했다. 7월 27일 이후 기관, 외인, 외국계, 프로그램에서 매수가 지속해서 들어오고 있음을 알 수 있다.

[그림 8-11] 네이처셀 2022년 2월~8월 4일까지 일봉 차트

[그림 8-11] 네이처셀 일봉 차트도 마찬가지다. 신고가 부근에

서 외봉 출현 후 계속 상승했다. 이제 익숙하지 않은가?

수급을 살펴보자.

[그림 8-12] 네이처셀 2022년 7월 8일~8월 4일까지 일별주가

1 [0124] 일별주가 · 자동일지

조회 · 107390 · 네이처셀 · 일자 2022/08/0 · ⊙수량(주 ○금액(백만원 · *외인(수량), 공매도(수량) 항목은 금액 데이터를 제공하지 않습

일자	시가	고가	저가	종가	전일비	등락률	거래량	금액(...	신용비	개인	기관	외인(...	외국계	프로그램	외인비
22/08/04	23,350	24,200	23,100	23,450	▲ 100	+0.43	497,660	11,717	2.45	-47,552	-13,388	57,923	56,491	62,326	5.78
22/08/03	24,050	24,600	23,200	23,350	▼ 400	-1.68	560,662	13,278	2.44	148,627	1,396	-147,084	-72,159	154,848	5.69
22/08/02	23,350	23,850	22,650	23,750	▲ 450	+1.93	457,209	10,713	2.48	-44,205	-25,519	-95,050	37,163	71,521	5.93
22/08/01	23,650	23,800	21,500	23,300	▼ 600	-2.51	1,046,810	23,576	2.49	91,526	-21,698	-48,053	-45,918	-72,632	6.08
22/07/29	24,200	24,700	23,700	23,900	▼ 400	-1.65	586,921	14,201	2.40	-34,021	9,785	2,744	-10,417	20,699	6.15
22/07/28	24,550	25,150	23,700	24,300	▲ 50	+0.21	667,412	16,214	2.45	93,528	8,608	-58,996	-68,596	107,221	6.15
22/07/27	22,000	24,600	22,000	24,250	▲ 1,850	+8.26	1,626,270	38,725	2.49	-180,585	-517	218,397	118,171	175,337	6.24
22/07/26	22,050	22,950	21,200	22,400	▲ 350	+1.59	1,189,174	26,326	2.31	63,476	-8,906	-101,847	-1,828	-66,626	5.90
22/07/25	26,050	28,150	20,800	22,050	▼ 4,250	16.16	4,492,103	103,975	2.33	145,638	20,039	-266,135	-64,155	146,374	6.06
22/07/22	25,600	26,700	25,500	26,300	▲ 400	+1.54	835,709	21,976	2.30	-142,827	-32,299	142,492	134,181	172,375	6.48
22/07/21	25,850	26,250	25,300	25,900	▲ 100	+0.39	927,992	23,974	2.21	-68,544	-8,016	90,584	79,616	74,554	6.26
22/07/20	24,900	26,050	24,400	25,800	▲ 1,350	+5.52	1,688,462	42,807	2.10	-119,816	-24,551	128,903	55,957	137,499	6.11
22/07/19	22,650	24,500	22,350	24,450	▲ 1,850	+8.19	1,631,531	38,897	2.02	-99,245	-1,303	92,659	82,702	97,032	5.91
22/07/18	21,750	22,900	21,600	22,600	▲ 850	+3.91	1,047,576	23,431	1.99	-45,737	9,530	60,266	43,320	34,854	5.76
22/07/15	21,250	22,150	21,000	21,750	▲ 400	+1.87	1,323,618	28,578	1.90	48,158	-12,485	-25,441	-4,772	-36,246	5.66
22/07/14	19,200	21,500	19,000	21,350	▲ 2,050	10.62	1,996,713	41,068	1.83	-256,813	3,792	238,744	161,525	242,806	5.70
22/07/13	19,300	19,550	19,050	19,300	▲ 100	+0.52	442,764	8,550	1.81	83,670	35,041	-103,266	-46,578	107,639	5.32
22/07/12	18,850	19,600	18,500	19,200	▲ 200	+1.05	581,135	11,064	1.78	55,355	-29,646	-55,427	-28,799	-31,207	5.49
22/07/11	19,000	19,300	18,800	19,000	▲ 50	+0.26	313,036	5,954	1.72	72,801	-31,026	-60,419	-15,277	-43,276	5.57
22/07/08	19,150	19,300	18,650	18,950	▼ 150	-0.79	484,082	9,171	1.72	68,693	1,153	-78,287	-27,432	-75,171	5.67

[그림 8-12] 네이처셀의 일별 주가에서 외봉이 나온 날 2022년 7월 14일 기관, 외인, 외국계, 프로그램에서는 매수하고 개인은 팔고 있음을 볼 수 있다. 그 이후 기관이 팔더라도 외인, 외국계, 프로그램의 매수세가 확연하게 더 크다. 이때도 개인은 계속 팔고 있다. 그리고 7월 25일 최고가 28,100원을 기록하고 하락했다.

[그림 8-13] 레인보우로보틱스 2022년 3월~8월 22일까지 일봉 차트

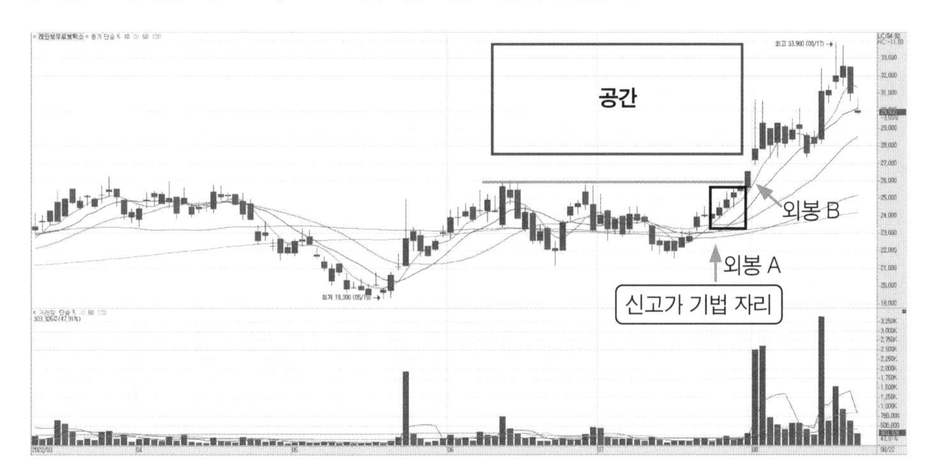

[그림 8-13] 레인보우로보틱스 일봉 차트에서 신고가 기법 매수 자리 A가 나온 후 신고가에 들어갔다. 그러면서 외봉 B가 출현하는 것을 확인할 수 있다. 외봉이 출현할 때 완벽하게 공간이 열리고 위로 많이 상승했음을 차트에서 확인할 수 있다.

[그림 8-14] 레인보우로보틱스 2022년 7월 25일~2022년 8월 22일까지 일별주가

[0124] 일별주가

조회 | 277810 | 레인보우로보 | 일자 2022/08/2 | ◉수량(주 ○금액(백만원 | *외인(수량), 공매도(수량) 항목은 금액 데이터를 제공하지 않습

일자	시가	고가	저가	종가	전일비	등락률	거래량	금액(...	신용비	개인	기관	외인(...	외국계	프로그램	외인비
22/08/22	30,000	30,750	29,800	29,900	▼ 1,100	-3.55	303,326	9,144	1.63	-37,208	2,712	36,152	24,248	31,760	4.67
22/08/19	32,500	32,500	30,600	31,000	▼ 1,550	-4.76	633,132	19,808	1.65	114,528	-37,435	-71,166	-38,392	-87,625	4.44
22/08/18	31,900	33,750	31,400	32,550	▲ 550	+1.72	938,709	30,882	1.55	-67,708	-2,002	69,199	42,676	85,909	4.88
22/08/17	31,650	33,900	31,250	32,000	▲ 850	+2.73	1,536,729	49,973	1.63	74,151	-44,824	-25,392	-13,588	-24,765	4.46
22/08/16	30,900	31,500	30,450	31,150	▲ 50	+0.16	637,550	19,870	1.65	-13,996	552	13,141	3,773	5,548	4.61
22/08/12	28,400	32,400	28,150	31,100	▲ 2,950	10.48	3,380,503	104,809	1.68	3,257	-102,718	97,122	63,759	90,764	4.53
22/08/11	28,500	28,850	27,900	28,150	▲ 550	+1.99	267,605	7,578	1.49	-9,979	2,029	7,836	12,544	7,854	3.93
22/08/10	28,600	28,750	27,350	27,600	▼ 1,400	-4.83	425,587	11,868	1.48	52,155	5,314	-57,562	-35,936	-60,361	3.88
22/08/09	29,200	30,150	28,000	29,000	▲ 100	+0.35	573,130	16,651	1.71	-26,915	-5,992	33,560	22,329	30,111	4.24
22/08/08	28,400	29,550	28,250	28,900	▲ 750	+2.66	575,945	16,668	1.61	-28,550	18,926	5,743	19,950	5,277	4.03
22/08/05	29,100	29,200	27,900	28,150	▼ 1,150	-3.92	403,199	11,412	1.64	62,794	-28,734	-33,825	-30,093	-44,204	3.99
22/08/04	28,200	29,300	27,350	29,300	▲ 1,250	+4.46	528,240	15,049	1.34	-27,382	15,557	12,667	8,033	11,963	4.20
22/08/03	29,000	29,000	27,350	28,050	▼ 1,250	-4.27	720,427	20,113	1.29	86,394	-1,880	-81,265	-62,935	102,743	4.12
22/08/02	27,850	30,600	27,850	29,300	▲ 1,450	+5.21	2,603,107	76,752	0.92	-243,803	-34,863	286,039	268,179	288,355	4.63
22/08/01	27,200	30,650	26,900	27,850	▲ 1,300	+4.90	2,501,795	72,252	0.93	73,510	-30,556	-16,192	-1,335	-42,905	2.86
22/07/29	25,650	26,550	25,450	26,550	▲ 1,100	+4.32	306,158	7,980	0.92	-66,779	17,199	48,200	44,142	36,284	2.96
22/07/28	25,600	25,850	25,250	25,450	▲ 100	+0.39	175,909	4,491	0.95	-29,690	13,975	18,973	20,956	22,536	2.66
22/07/27	25,050	25,500	24,500	25,350	▲ 450	+1.81	132,743	3,321	0.97	-18,616	6,548	11,810	11,821	9,620	2.54
22/07/26	24,450	25,400	24,400	24,900	▲ 450	+1.84	225,433	5,628	0.96	-24,462	10,065	13,561	10,049	13,302	2.47
22/07/25	24,050	24,800	23,850	24,450	▲ 350	+1.45	157,602	3,851	0.95	-10,974	12,288	-1,331	-3,512	-661	2.38

[그림 8-14] 레인보우로보틱스 일별주가에서 2022년 7월 29일 외봉이 출현할 때 기관, 외인, 외국계, 프로그램에서 모두 매수하고 개인은 매도하고 있음을 확인할 수 있다.

[그림 8-15] 레인보우로보틱스 2022년 8월 22일 이후 일봉 차트

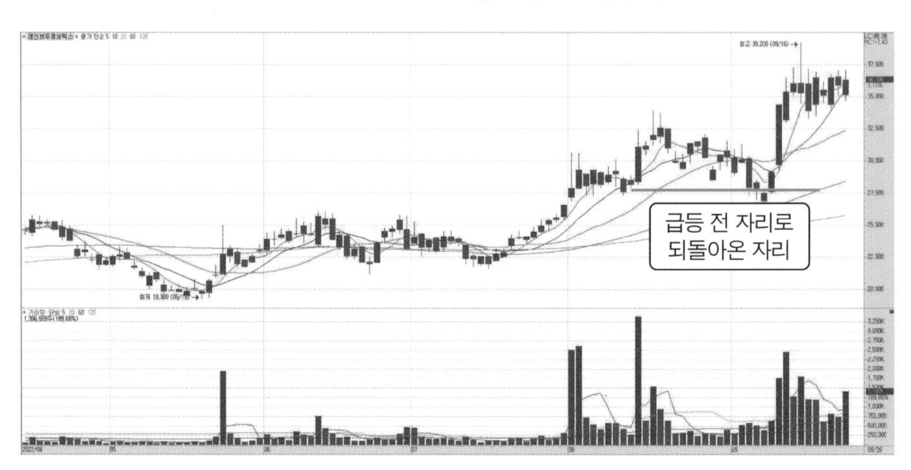

[그림 8-15] 레인보우로보틱스 2022년 8월 22일 이후 일봉 차트에서 볼 수 있는 것처럼 하락했다가도 다시 상승했음을 보여주고 있다. 이 종목은 신고가 기법까지 모두 설명이 되는 차트다.

마지막으로 현대중공업 차트를 살펴보자.

[그림 8-16] 현대중공업 2021년 12월~2022년 4월 26일까지 일봉 차트

[그림 8-16] 현대중공업 일봉 차트에서 보이는 것처럼 신고가가 나온 후 2022년 4월 15일 깔끔하게 외봉이 출현하고 계속 상승하고 있다. 수급을 보자.

[그림 8-17] 현대중공업 2022년 4월 4일~2022년 4월 29일까지 일별주가

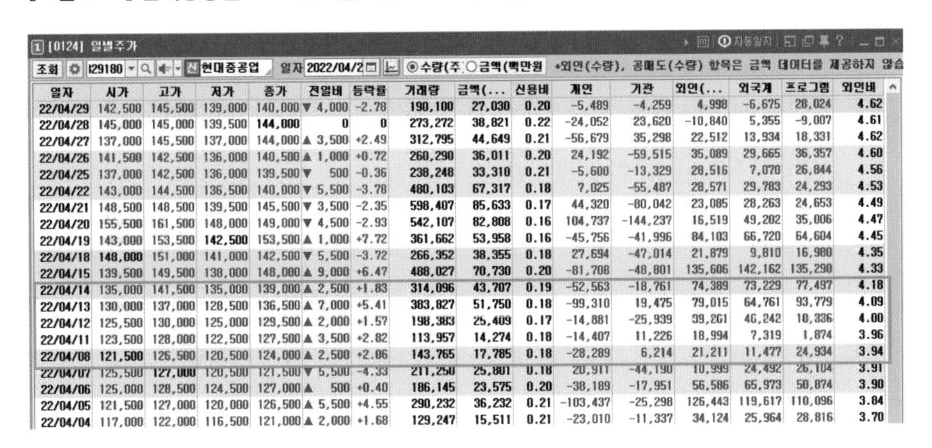

1 [0124] 일별주가

조회 129180 현대중공업 일자 2022/04/2 ◉수량(주 ○금액(백만원 +외인(수량), 공매도(수량) 항목은 금액 데이터를 제공하지 않습

일자	시가	고가	저가	종가	전일비	등락률	거래량	금액(...	신용비	개인	기관	외인(...	외국계	프로그램	외인비
22/04/29	142,500	145,500	139,000	140,000	▼ 4,000	-2.78	190,100	27,030	0.20	-5,489	-4,259	4,998	-6,675	28,024	4.62
22/04/28	145,000	145,000	139,500	144,000	0	0	273,272	38,821	0.22	-24,052	23,620	-10,840	5,355	-9,007	4.61
22/04/27	137,000	145,500	137,000	144,000	▲ 3,500	+2.49	312,795	44,649	0.21	-56,679	35,298	22,512	13,934	18,331	4.62
22/04/26	141,500	142,500	136,000	140,500	▲ 1,000	+0.72	260,290	36,011	0.20	24,192	-59,515	35,089	29,665	36,357	4.60
22/04/25	137,000	142,500	136,000	139,500	▼ 500	-0.36	238,248	33,310	0.21	-5,600	-13,329	28,516	7,070	26,844	4.56
22/04/22	143,000	144,500	136,500	140,000	▼ 5,500	-3.78	480,103	67,317	0.18	7,025	-55,487	28,571	29,783	24,293	4.53
22/04/21	148,500	148,500	139,500	145,500	▼ 3,500	-2.35	598,407	85,633	0.17	44,320	-80,042	23,085	28,263	24,653	4.49
22/04/20	155,500	161,500	148,000	149,000	▼ 4,500	-2.93	542,107	82,808	0.16	104,737	-144,237	16,519	49,202	35,006	4.47
22/04/19	143,000	153,500	142,500	153,500	▲ 1,000	+7.72	361,662	53,958	0.16	-45,756	-41,996	84,103	66,720	64,604	4.45
22/04/18	148,000	151,000	141,000	142,500	▼ 5,500	-3.72	266,352	38,355	0.18	27,694	-47,014	21,879	9,810	16,980	4.35
22/04/15	139,500	149,500	138,000	148,000	▲ 9,000	+6.47	488,027	70,730	0.20	-81,708	-48,801	135,606	142,162	135,290	4.33
22/04/14	135,000	141,500	135,000	139,000	▲ 2,500	+1.83	314,096	43,707	0.19	-52,563	-18,761	74,389	73,229	77,497	4.18
22/04/13	130,000	137,000	128,500	136,500	▲ 7,000	+5.41	383,827	51,750	0.18	-99,310	19,475	79,015	64,761	93,779	4.09
22/04/12	125,500	130,000	125,000	129,500	▲ 2,000	+1.57	198,383	25,409	0.17	-14,881	-25,939	39,261	46,242	10,336	4.00
22/04/11	123,500	128,000	122,500	127,500	▲ 3,500	+2.82	113,957	14,274	0.18	-14,407	11,226	18,994	7,319	1,874	3.96
22/04/08	121,500	126,500	120,500	124,000	▲ 2,500	+2.06	143,765	17,785	0.18	-28,289	6,214	21,211	11,477	24,934	3.94
22/04/07	125,500	127,000	120,500	121,500	▼ 5,500	-4.33	211,250	25,801	0.18	20,911	-44,190	10,999	24,492	26,104	3.91
22/04/06	125,000	128,500	124,500	127,000	▲ 500	+0.40	186,145	23,575	0.20	-38,189	-17,951	56,586	65,973	50,874	3.90
22/04/05	121,500	127,000	120,000	126,500	▲ 5,500	+4.55	290,232	36,232	0.21	-103,437	-25,298	126,443	119,617	110,096	3.84
22/04/04	117,000	122,000	116,500	121,000	▲ 2,000	+1.68	129,247	15,511	0.21	-23,010	-11,337	34,124	25,964	28,816	3.70

[그림 8-17] 현대중공업의 일별주가를 한번 살펴보자. 기관, 외

인, 외국계, 프로그램의 수급이 모두 높으면 더 좋겠지만 현대중공업은 외인, 외국계, 프로그램에서 압도적인 매수세가 이어지고 있음을 볼 수 있다.

지금까지 신고가 외봉 기법에 해당하는 종목을 살펴보았다. 시장이 상승장을 타고 있을 때는 하루에도 5~10개 종목 이상 나타난다. 위로 공간이 완벽하게 열리면서 단기간에 큰 수익을 낼 수 있는 기법이라는 것을 알았을 것이다. 특히 네 주체의 매수세가 매우 중요하다는 것을 자연스럽게 알게 되었을 것이다. 이 기법으로 매수 진입했을 때는 다음 날 약 마이너스 2% 정도 음봉이 출현하면 손절매하자. 그러나 장이 좋고 신고가 외봉으로 올라올 때는 다음 날 대부분 상승하는 것이 일반적이다.

데이짱이 20년이 넘는 세월 동안 노력해서 체득한 매매 기법으로 이처럼 수익을 낼 수 있다는 것을 확인했다. 독자 여러분도 데이짱을 벤치마킹하여 반드시 수익을 내면 좋겠다. 반복적인 연습을 이길 사람은 없다. 여러분도 할 수 있다.

신고가 외봉 기법 요약

첫째, 상승장일 때 네 곳의 주체(기관, 외인, 외국계, 프로그램)의 수급이 중요하다. 그러나 이들 중 한 곳에서 매도하고 한 곳에서는 압도적인 매수세가 있을 때도 가능하다.
둘째, 오후 2시 30분 즈음 종목을 찾고 일자별 수급 화면을 확인한다.
셋째, 수급 강도가 20~30% 정도일 될 때 오후 3시 10분 즈음 매수하면 좋다.

- 종가에 매수하고 다음 날 약 2% 정도의 음봉이 나오면 손절매한다.
- 신고가 외봉으로 올라갈 때는 다음 날 대부분 상승하는 것이 일반적이다.

3부

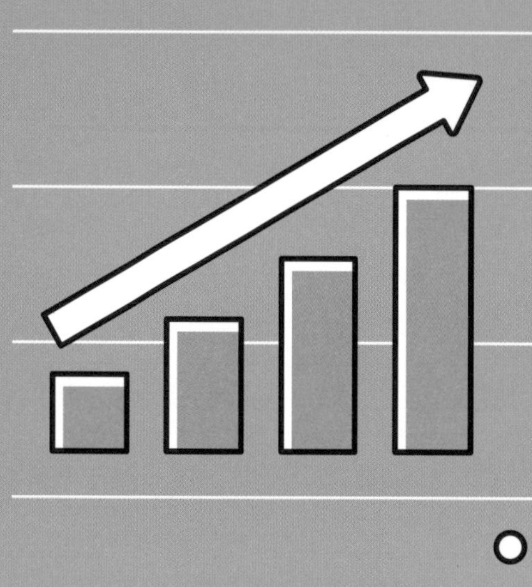

매도 기법

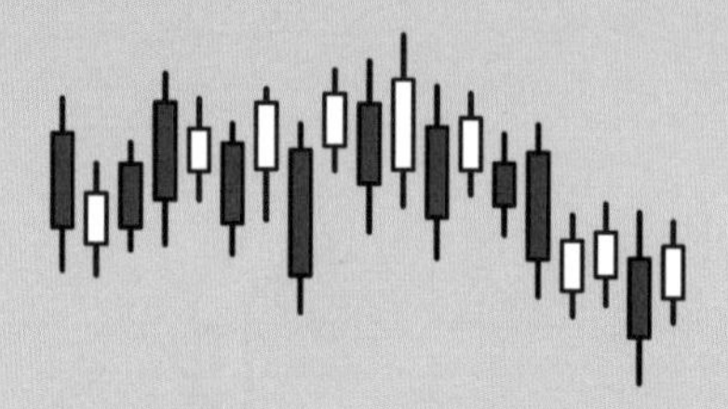

주식이든 부동산이든 혹은 어떤 재화이든 투자를 통해 돈을 벌기 위해서는 무언가를 '싸게' 사서 '비싸게' 팔아야 한다. 그런데 실제로 사는 것보다 파는 게 매우 어렵다. '매수는 기술이고 매도는 예술이다'라는 시장의 격언은 우스갯소리가 아니다. 매수할 때는 여러 가지 기술적 분석을 포함해 회사의 재무, 뉴스 등 근거를 통해 들어간다. 그런데 매도할 때는 납득할 만한 근거를 찾기가 쉽지 않다. '무릎에 사서 어깨에서 팔아라'는 격언을 잠시만 곱씹어보자. 도대체 어디가 어깨일까? 주가의 머리는 어디일까? 어제의 어깨는 내일의 머리가 되기도 하고, 머리를 뚫고 올라가면 어제의 어깨가 더는 어깨가 아니게 된다. 매수하고 나면 온갖 인간의 심리가 작동하기 시작한다. 불안, 욕심, 흥분, 분노 등의 심리에 지배받지 않으려면 매도의 방법을 알아야 한다.

데이짱은 공매도를 누구보다 잘한다. 그래서 언제 매도해야 하는지 누구보다 명확하게 알고 있다. 우리나라에서 데이짱만큼 두 포지션 모두 자유롭게 넘나드는 트레이더를 찾기란 쉽지 않다고 말하고 싶다. 데이짱이 어떤 관점에서 매도를 이야기하는지 잘 살펴보고 성공적으로 매매를 마치길 바란다.

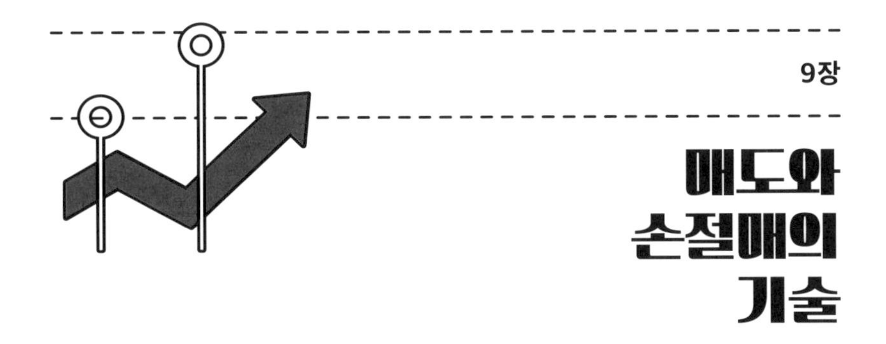

9장

매도와 손절매의 기술

매수를 잘해놓고 충분히 수익이 났는데도 매도를 안 해서 큰 수익을 챙기지 못하거나, 원금에 겨우 탈출하는 경우가 있다. 반대의 경우는 매수를 잘못했는데도 손절매를 안 해서 큰 손실을 입는 경우가 있다. 두 경우 모두 매도의 방법을 모르거나 손절매하지 못해 발생하는 일이다. 매도를 어떻게 하는지 잘 배워서 수익은 극대화하고 손실의 폭은 최소한으로 줄이는 것이 투자를 하는 목적이다.

데이짱은 재료주와 테마주를 대상으로 공매도를 오랫동안 해왔다. 공매도의 기법상 주가가 상승하면 손실이 날 수밖에 없어 매도 기법에 아주 강하다. 특히 공매도로 거의 손실을 보지 않는다. 즉 언제 매수하고 언제 매도해야 하는지 정확하게 알고 있다는 뜻이다. 집필을 시작할 때 독자가 매수와 매도 두 가지 관점에서 모두 인사이트를 얻는 책이 되길 바랐다.

매도에는 두 가지가 있다. 수익이 나서 매도하는 것과 손실이 나서 손절매하는 것이다. 전자의 목표는 이익의 극대화이고, 후자의 목표는 손실의 최소화다. 앞에서 배운 대표적인 기법의 매도법부터 차례대로 배워보자.

강남 매도 기법

가장 맨 처음에 소개한 기법으로 안전한 자리에서 수익을 내는 좋은 매매법이다. 강남 기법의 매도는 두 가지 방법이 있다. 하나는 강남 기법이 성공했을 때 매도하는 방법이고, 다른 하나는 기법이 성공하지 못하고 역배열이 되었을 때 매도하는 방법이다.

강남 기법이 성공했을 때 매도하는 방법

강남 기법으로 매수에 성공한 경우 1차적으로 저항선 부근 목표가의 80% 인근에서 매수 수량의 80~90%가량 매도하고, 나머지 수량은 역배열이 될 때 매도하면 좋다. 물론 목표가 전에 적당한 수익을 내고 분할하여 매도하는 방법도 있다. 그러나 전체 장의 분위기와 지수의 추이를 보고 분위기가 좋다면 맨 처음 소개한 방법대로 매도하면 수익을 가장 극대화할 수 있다.

강남 자리에서 매수 진입하는 곳과 매도하는 곳을 머리에 저장해서 차트를 보기만 해도 기계적으로 매매할 수 있어야 한다. 역사가 반복되듯이 차트도 세력의 습성에 의해서 반복되는 패턴이 계속 나오기 때문이다.

강남 기법이라고 모두 완벽히 성공하는 것은 아니다. 강남 자리에서 매수했다고 해도 장이 안 좋을 때는 3~5% 정도의 수익을 내고 3분의 1에서 2분의 1 정도를 매도한다. 강남 자리에서 매수 진입을 성공했으나 크게 상승하지 못하고 조금 상승하다 역배열이 될 때는 즉시 매도해야 한다.

강남(안전 그물망) 출현 후 천천히 역배열될 때도 꼭 매도해야 한다. 만약 매도하지 못하면 역배열된 후에 크게 하락할 위험이 있다. 기본적으로 매수 후 저항선 부근 80% 정도에서 매도하고 조금 더 상승하면 역배열될 때 모든 물량을 매도한다. 일반적으로 5일 이동평균선이 10일 이동평균선을 크로스할 때 매도한다.

강남 자리여서 매수했지만 크게 상승하지 못하고 역배열된 종목을 살펴보자.

[그림 9-1] 씨젠 2022년 1월~2022년 6월 20일까지 일봉 차트

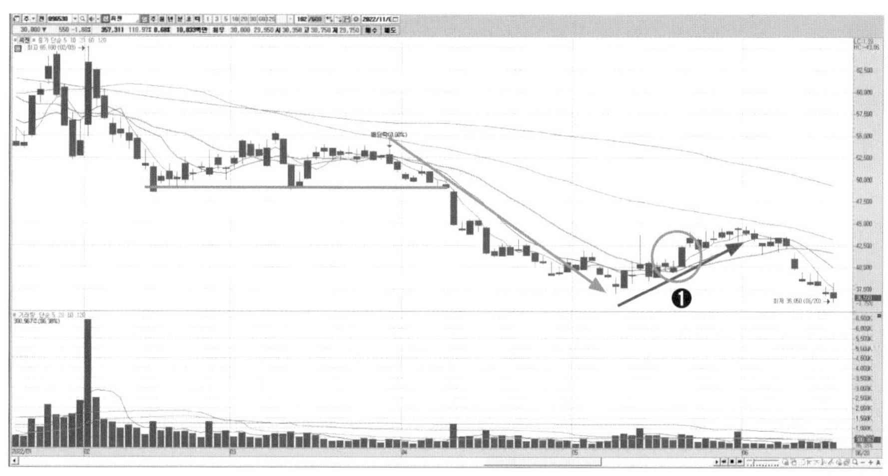

[그림 9-1] 씨젠 일봉 차트를 살펴보자. 강남 자리가 나왔고 42,000

원 부근에서 매수 진입했다고 하자. 약 44,000원 정도까지 대략 5% 정도의 수익이 났다. 역배열이 되는 자리의 가격은 42,200원 부근이다. 여기서는 모든 보유량을 원금 손절매에 들어가야 한다. 주식을 거래할 때는 수수료가 발생한다. 앞서 상승했을 때 3분의 1에서 2분의 1 정도의 물량을 미리 매도해두었다면 수수료를 제하고도 약수익이 발생할 것이다.

[그림 9-1] 씨젠 차트를 보면 역배열이 된 후 음봉으로 갭 하락하고 난 후 주가가 쭉쭉 떨어진다. 역배열이 될 때 아쉬운 마음에 원금 손절매를 하지 않았다면 큰 손실을 입었을 것이다. 그러므로 역배열이 되면 단칼에 손절매해야 한다.

다음 SK 일봉 차트를 보자.

[그림 9-2] SK 2021년 11월~2022년 6월까지 일봉 차트

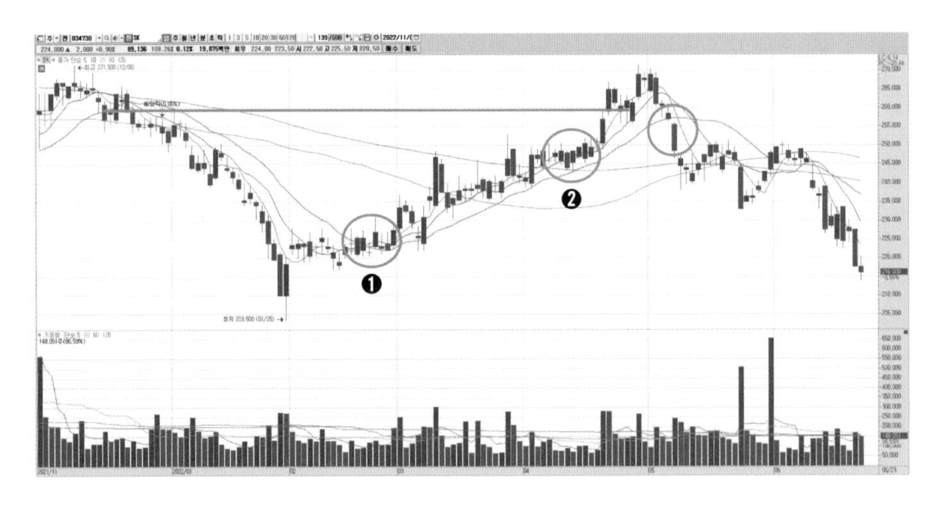

[그림 9-2] SK 일봉 차트는 강남 기법을 잘 보여준다. 이럴 때는 ①번 강남 자리에서 매수 진입하고 저항선 80% 부근 ②번에서 매도한다. 이 차트에서 보는 것처럼 ②번에서 수급과 거래량이 늘어나고 있다면 조금 더 홀딩해도 좋다.

그러나 잊지 말아야 할 것은 '원칙'이다. 주가가 상승하고 더 튀어 오를 것 같다는 느낌에 전량 보유하고 있는 어리석은 짓은 하지 말아야 한다. 왜냐하면 저항선 80% 부근에서 보유 수량의 80~90%를 매도한다는 것은 '원칙'이었기 때문이다. 결과적으로 저항선 80%에서 더 상승했다고 하더라도, 혹은 물량을 전혀 매도하지 않고 있다가 더 큰 수익을 얻었다고 해도 요행일 뿐이라는 점을 명심하길 바란다. 원칙은 지키라고 있는 것이지 때에 따라 마음대로 변주하라고 존재하는 것이 아니다. 주가가 올라서 망정이지 떨어졌다면? 큰 수익을 얻었더라도 리스크 관리는 실패한 셈이 되고, 수익을 얻었더라도 성공적인 트레이딩이라고 착각해서도 안 된다. 원칙을 지켜 자신만의 매매를 했을 때 비로소 성공적인 트레이딩이 완성되는 것이다.

[그림 9-2] 차트에서 역배열될 때 20일 이동평균선 부근에서 마지막 불꽃 같은 양봉이 나온 후 음봉이 크게 나왔다. 역배열로 변할 때는 장중에라도 꼭 손절매해야 하는데, 그 이유는 큰 음봉이 나오면 손실이 눈덩이처럼 커질 수 있기 때문이다. 저항 부근의 80% 정도에서 보유물량을 대부분 매도해두면 나머지 물량 가격이 하락해도 크게 손실을 입지 않는다.

[그림 9-3] 삼성바이오로직스 2021년 11월~2022년 6월 16일까지 일봉 차트

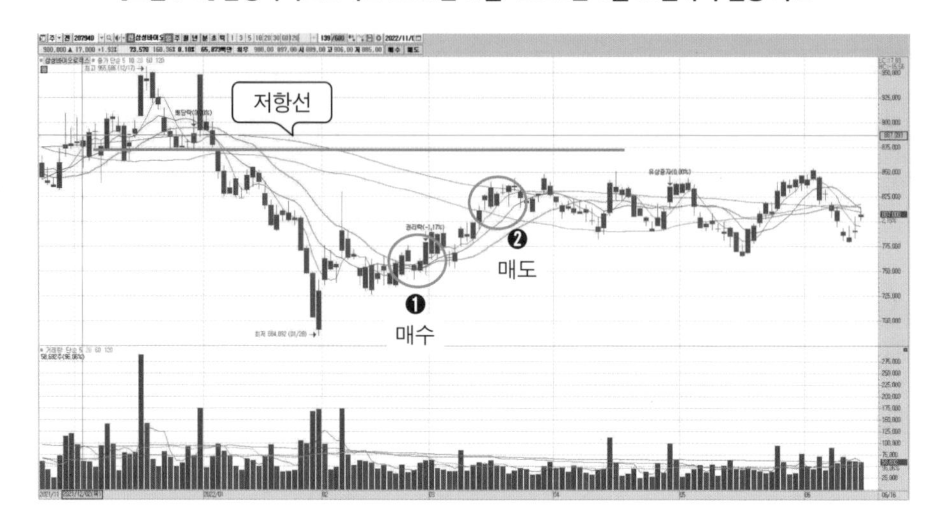

[그림 9-3] 삼성바이오로직스 일봉 차트에서도 마찬가지다. ①번 강남 자리에서 매수 진입 후에 저항 부근 80% 정도의 ②번에서 매도한다. 이때 역배열될 때 보유 물량 전부를 매도해야 한다. 역배열이 시작할 때 바로바로 매도해야 한다는 것을 꼭 기억하길 바란다.

[그림 9-4] 셀트리온 2021년 11월~2022년 6월 16일까지 일봉 차트

[그림 9-4] 셀트리온 일봉 차트는 ①번 강남 자리에서 매수 진입하지만 크게 상승하지 못함을 보여준다. 저항선 부근 80% 정도에도 미치지 못하고 역배열되는 ②번 자리가 출현했다.

[그림 9-5] 업종 차트: 의약품 2021년 12월~2022년 5월 6일까지 일봉 차트

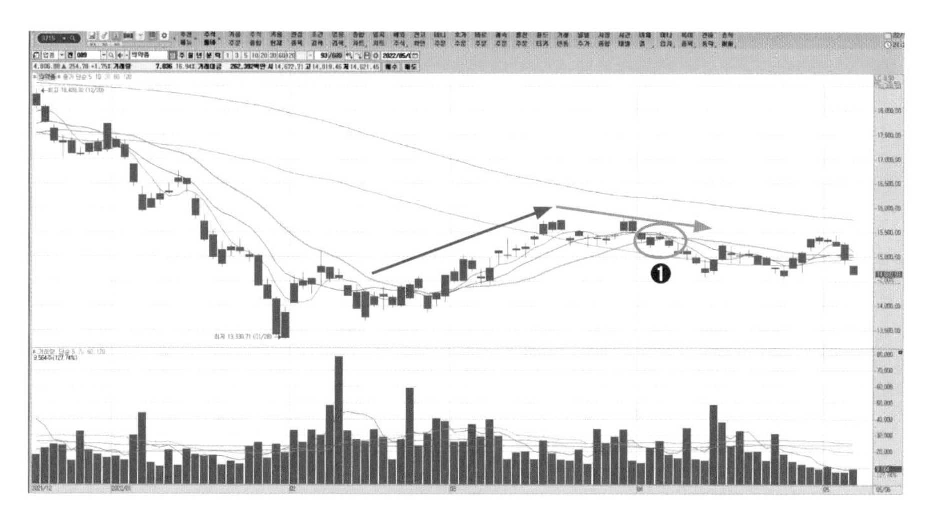

[그림 9-5]는 업종 차트다. 무엇이 보이는가? 이 차트와 [그림 9-4] 셀트리온 차트를 비교해서 보자. 흐름이 비슷하지 않은가? 두 차트가 서로 유사하게 움직임을 알 수 있다. 매매하는 종목의 업종을 파악한 후 업종 차트의 흐름을 살펴보며 때때로 확인하는 것도 매우 좋은 방법이다.

[그림 9-6] 카카오 2021년 9월~2022년 4월 일봉 차트

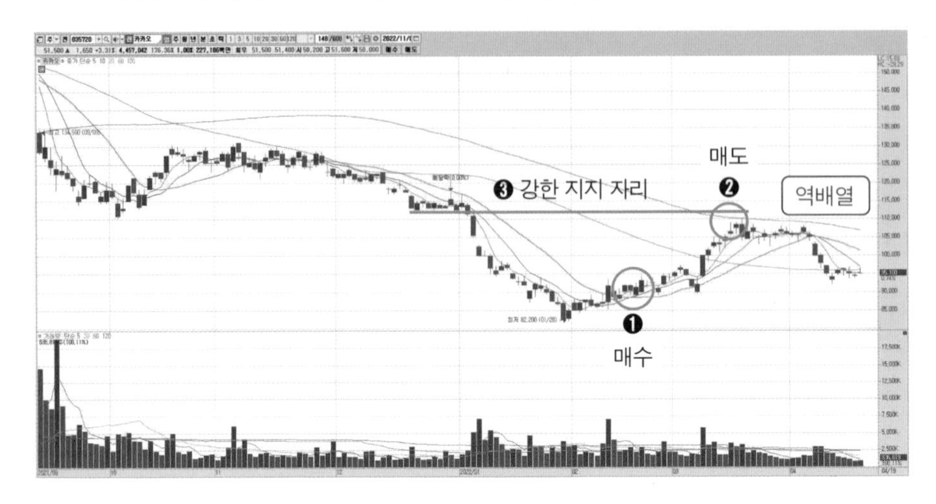

[그림 9-6] 카카오 일봉 차트를 보자. ①번 강남 자리에서 매수 진입한 후에 ③번 강한 지지 자리였던 곳은 상승할 때 강한 저항 자리가 되기에 저항 부근에서 수익 실현해야 한다. 그러므로 강한 저항으로 보이는 ②번에서 전량 매도해야 한다.

강남 기법은 신고가 기법과 달리 10종목 매수했을 때 저항을 넘기는 종목은 한두 개가 나올까 말까이다. 따라서 항상 목표가는 저항이나 저항 부근 80%까지 보는 것이 맞다.

다음은 강남 자리에서 매수했는데 주식가격이 너무 가파르게 상승할 때는 어떻게 매도하는지 알아보자.

[그림 9-7] SK이노베이션 2021년 11월~2022년 6월 16일까지 일봉 차트

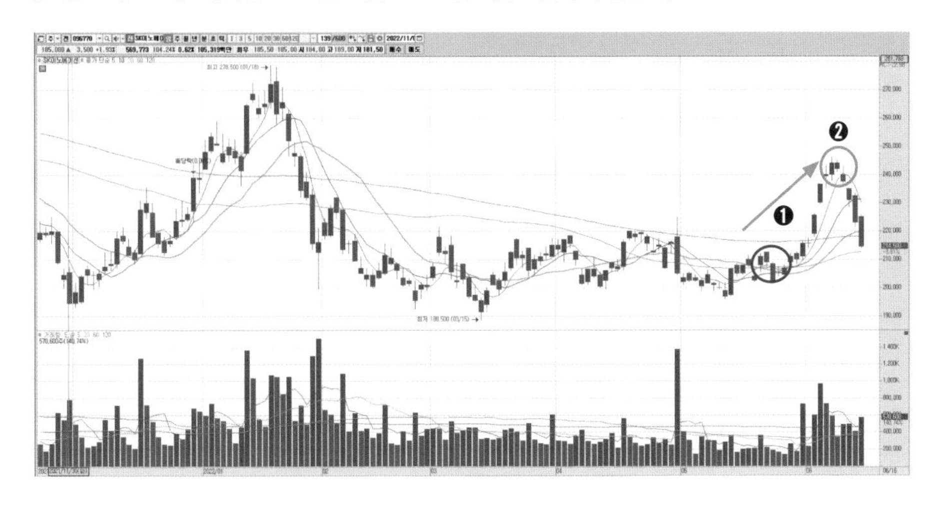

[그림 9-7]은 SK이노베이션 일봉 차트다.

강남 자리 ①번에서 매수했는데 상승 각도가 급하게 70~90도로 급상승하는 경우다. 이때는 ②번 5일 이동평균선이 깨지면 장중에라도 매도해야 한다.

강남 기법이 실패했을 때 매도하는 방법

지수가 계속 하락할 때는 강남 자리에서 매수한 후에 상승하면 3~5% 정도 수익에서 보유 물량의 3분의 1 정도는 매도해야 한다. 약세장에서는 우량주들도 줄줄이 역배열될 때가 있어 손절매해야만 하는 경우가 발생한다. 따라서 약수익을 낼 때 수수료를 제하고도 본전을 찾을 수 있다. 강남 자리가 만들어지고 완만하게 상승하다가 역배열이 된 후에는 하락의 폭이 크기 때문에 매도할 자리를 놓쳐서는 안 된다.

[그림 9-8] 아프리카TV 2021년 11월~2022년 6월까지 일봉 차트

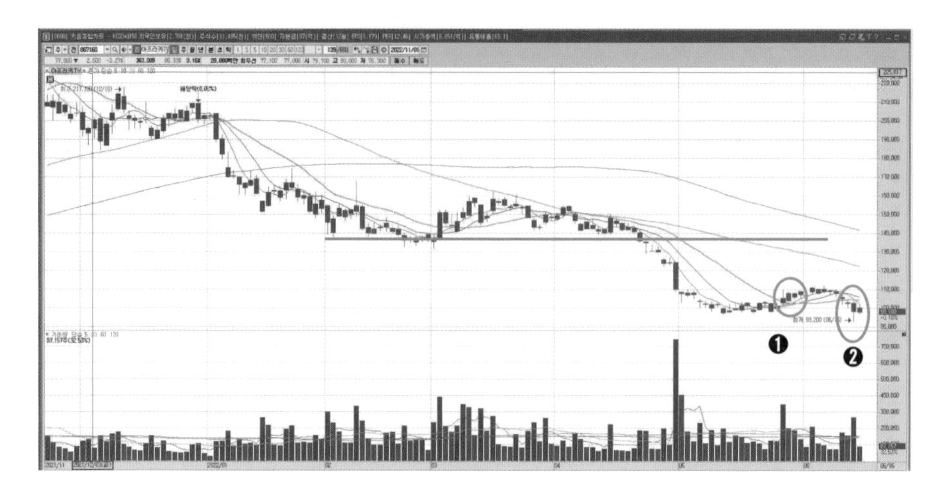

[그림 9-8] 아프리카TV 일봉 차트는 강남 자리 매수 후에 ①번 방향으로 상승하지 못하고 역배열되면서 ②번 방향으로 하락하고 있는 모습을 보여준다.

강남 기법 매도 요약

첫째, 강남 기법 매수 성공 시
강남 자리에서 매수하고 저항선 80% 부근에서 보유 물량의 80~90% 매도한다.

둘째, 강남 기법 매수 실패 시
지수가 계속 하락할 때 강남 자리에서 매수한 후 상승하면 3~5% 정도의 수익으로 만족하고 보유물량의 3분의 1에서 2분의 1 정도를 매도한다.

★ 차트가 역배열될 때는 바로바로 매도해야 한다는 것을 기억하라.

신고가 기법 매도

매도를 자유롭게 하려면 매수를 잘해야 한다. 매수를 잘하면 수익을 아무 때나 낼 수 있어서 매도가 매우 쉽다. 매수를 잘해놓고 수익 실현을 하지 못해 본전에 나오거나 2~3% 정도 수익을 보고 나오는 경우가 많다. 시장의 분위기도 매도를 부르는 데 한몫하지만, 수익을 얻는 그릇도 사람마다 모두 다르다.

마이너스 15%가 되면 이유 불문하고 손절매해야 한다. 물론 마이너스 10%에서 손절매해도 된다. 다만 손절매 폭이 너무 작으면 트레이딩 기회를 잃을 수도 있어 자신만의 적정한 선을 정하면 좋다.

대형주는 시가총액이 커서 주가가 바로 상승하기 힘든 경우가 있다. 이때는 손절매하고 매수 진입 자리를 다시 확인한 후 재매수 진입하는 것이 기회비용을 잃지 않는다. 대부분 큰 손실이 나는 경우는 본전에 왔을 때 손절매를 하지 않아서 치명적인 손실을 보게 되는 것이다. 사람은 누구나 실수할 수 있다. 그러나 실수를 한 후에 어떻게 대응하느냐에 따라서 원금을 찾을 수도 있고 손실을 눈덩이처럼 불릴 수도 있다.

매도 방법은 특별하게 해야 하는 때도 있지만, 가장 기본적인 매도 방법을 설명하고자 한다. 신고가는 상승 각도가 70~90도 각도로 상승하는 종목도 있고 35도, 45도로 완만하게 상승하는 차트도 있다. 상승 각도에 따라서 매도 방법을 알아보자.

[그림 9-9] 현대글로비스 2021년 11월~2022년 6월까지 일봉 차트

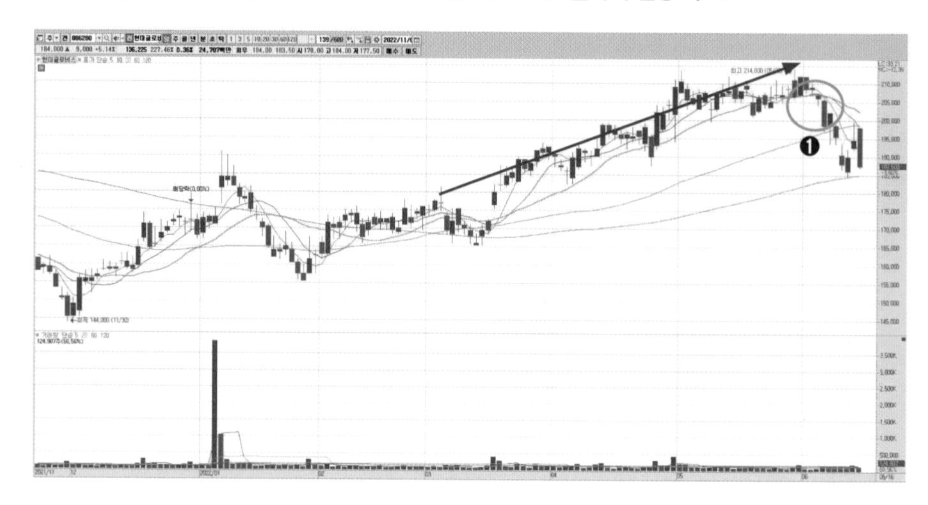

[그림 9-9] 현대글로비스 일봉 차트에서 볼 수 있는 것처럼 5일 이동평균선이 20일선 이동평균선을 지지하면서 완만하게 올라가는 모습을 보여주고 있다. 이런 차트에서는 20일 이동평균선이 무너질 때 ①번 자리에서 전량 매도하면 된다.

[그림 9-10] 메리츠화재 2021년 8월~2022년 2월까지 일봉 차트

[그림 9-10] 메리츠화재 일봉 차트를 보면 상승 각도가 상당히 가파르다. 이때는 5일 이동평균선이 10일 이동평균선을 깨는 자리 ①번 자리나, 20일 이동평균선이 무너지는 ②번에서 전량 매도하면 거의 고점에서 매도할 수 있다.

[그림 9-11] 롯데지주 2021년 11월~2022년 6월 16일까지 일봉 차트

[그림 9-11] 롯데지주 일봉 차트다. 강남 자리 ①번 출현 후 신고가 자리 ②번이 나오고 수급까지 따라주면서 거래량이 크게 터지지 않고 있음을 볼 수 있다.

[그림 9-12] 롯데지주 2022년 4월 29일~2022년 5월 18일까지 종목별 기관매매와 매수 평균단가

일별 기관매매종목 | 종목별 기관매매추이

004990 | 롯데지주 | 누적기간 | 기간입력 | 2021/09/01 - 2022/06/20 | 차트 | 유의사항

구분	개인		기관		외국인	
추정평균가(매수/매도)	32,035	32,192	32,828	32,051	31,756	31,922

*단위: 단주 ◉대비 ○등락

날짜	종가	대비	거래량	개인		기관		외국인		
				기간누적	일별순매매	기간누적	일별순매매	기간누적	일별순매매	소진율
22/05/18	34,200	0	109,180	-811,932	+8,235	+1,432,138	+20,382	-615,857	-45,157	7.68%
22/05/17	34,200 ▼	650	208,530	-820,167	+19,015	+1,411,756	+21,370	-570,700	-43,743	7.72%
22/05/16	34,850 ▼	50	134,680	-839,182	-17,224	+1,390,386	+35,420	-526,957	+17,109	7.76%
22/05/13	34,900 ▲	2,000	424,505	-821,958	-221,045	+1,354,966	+164,014	-544,066	+122,172	7.75%
22/05/12	32,900 ▼	150	122,685	-600,913	-31,491	+1,190,952	+23,776	-666,238	+4,337	7.63%
22/05/11	33,050 ▼	450	133,905	-569,422	+17,641	+1,167,176	+16,728	-670,575	-35,487	7.63%
22/05/10	33,500 ▼	50	130,638	-587,063	-12,887	+1,150,448	-5,913	-635,088	+15,609	7.66%
22/05/09	33,550 ▼	350	128,368	-574,176	-15,940	+1,156,361	+34,403	-650,697	-16,728	7.65%
22/05/06	33,900 ▼	450	87,341	-558,236	+11,829	+1,121,958	+13,792	-633,969	-18,164	7.66%
22/05/04	34,350 ▲	50	93,143	-570,065	-8,960	+1,108,166	+28,987	-615,805	-13,833	7.68%
22/05/03	34,300	0	83,499	-561,105	-16,645	+1,079,179	+23,836	-601,972	-4,023	7.69%
22/05/02	34,300 ▲	50	77,613	-544,460	-1,743	+1,055,343	+11,119	-597,949	-3,889	7.70%
22/04/29	34,250 ▲	100	108,770	-542,717	-16,258	+1,044,224	+25,481	-594,060	-4,653	7.70%

[그림 9-12] 롯데지주 종목별 기관매매와 매수 평균단가를 보자. 최고 가격을 기록하기 전 신고가 기법의 원칙 중 압도적으로 기관이나 외국인의 매수량이 들어오는 종목을 찾아서 매수 진입하면 된다고 했다.

2022년 1월 이후부터 개인과 기관의 누적 매수량이 늘어났고 개인들은 매도하기 시작하면서 기관은 더 많이 매수했다. 거래량이 크게 터지지 않으면서 완만하게 상승하는 종목은 매수 힘이 강해서 더 많이 상승할 여력이 있다는 것을 알 수 있다. 세력들은 고점에서 풀기 위해 물량을 갖고 있음을 보여주는 것으로 이해하면 된다.

[그림 9-13] 메리츠금융 2021년 10월~2022년 5월 11일까지 일봉 차트

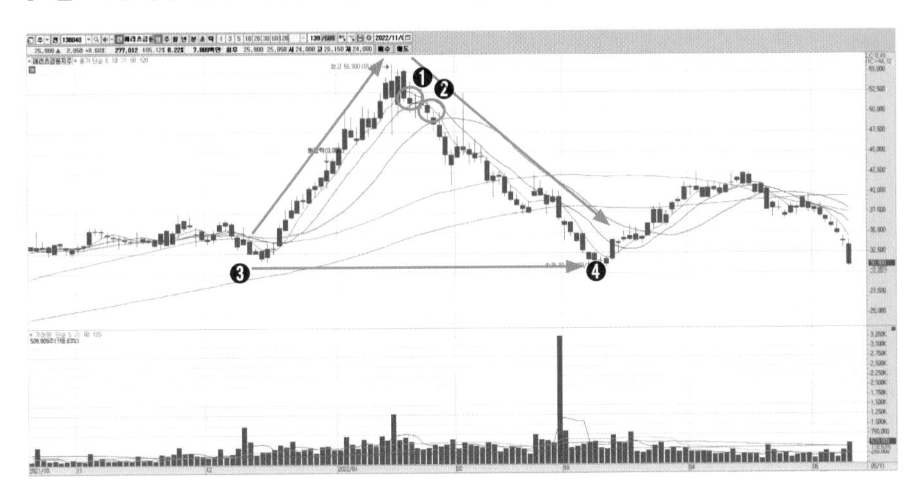

[그림 9-13] 메리츠금융 일봉 차트에서는 가파르게 상승했던 종목은 고점을 기록하고 상승하기 전 ③번 자리까지 수렴하는 것을 알 수 있다. 그러므로 상승 각도가 70~90도 이상일 때는 ①번과 ②번 자리에서 역배열될 때 반드시 매도해야 한다.

[그림 9-14] 한국항공우주 2021년 4월~2022년 6월 23일까지 일봉 차트

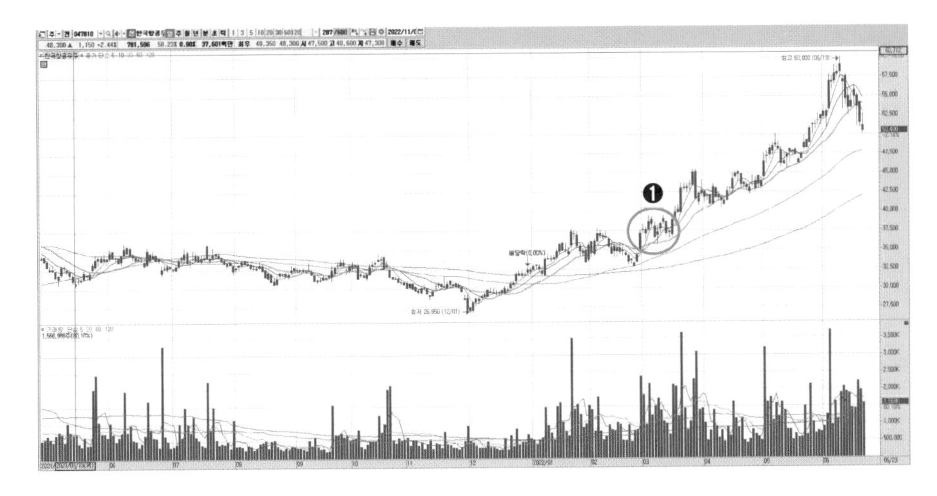

[그림 9-14] 한국항공우주 일봉 차트를 살펴보자. 강남 출현 후 신고가 자리 ①번을 계속 갱신하면서 완만하게 상승하고 있는 모습을 보여주고 있다. 그리고 수급도 계속 늘어나는 것을 알 수 있다. 이런 종목은 매수하고 5일 이동평균선이 10일 이동평균선을 깨거나, 20일 이동평균선을 깰 때 매도하면 된다. 이렇게 매수 힘이 강한 종목은 지수가 하락해도 금방 바닥으로 급락해버리는 일은 생기지 않는다. 고점에서 왔다 갔다 하거나 헤드앤드숄더 패턴을 만들면서 물량을 개미에게 떠넘기기도 한다. 횡보가 길어지기도 하고 더 높이 상승할 수도 있다.

[그림 9-15] 한국항공우주 2022년 5월 31일~6월 20일까지 기관별 매매추이와 매수 평균단가

047810 한국항공우주 | 누적기간 기간입력 2021/09/01 ~ 2022/06/20 | 차트 | 유의사항

*단위: 단주 | ◉대비 ○등락

구분	개인		기관		외국인	
추정평균가(매수/매도)	40,378	40,566	39,293	39,581	40,445	39,448

날짜	종가	대비	거래량	개인 기간누적	개인 일별순매매	기관 기간누적	기관 일별순매매	외국인 기간누적	외국인 일별순매매	소진율
22/06/20	54,900	▲ 600	1,425,432	-10,725,595	+9,198	+4,152,055	+141,487	+7,235,320	-132,340	21.00%
22/06/17	54,300	▼ 600	1,434,389	-10,734,793	-135,642	+4,010,568	+33,994	+7,367,660	+121,486	21.14%
22/06/16	54,900	▲ 300	1,870,420	-10,599,151	-460,003	+3,976,574	+125,755	+7,246,174	+330,581	21.01%
22/06/15	54,600	▼ 2,200	1,915,245	-10,139,148	-261,106	+3,850,819	+41,819	+6,915,593	+234,676	20.67%
22/06/14	56,800	▼ 1,300	2,068,564	-9,878,042	-96,034	+3,809,000	-47,350	+6,680,917	+175,550	20.43%
22/06/13	58,100	0	1,888,678	-9,782,008	+111,682	+3,856,350	+101,103	+6,505,367	-206,187	20.25%
22/06/10	58,100	▲ 200	1,126,017	-9,893,690	+51,905	+3,755,247	-63,083	+6,711,554	+52,047	20.47%
22/06/09	57,900	▲ 1,000	1,632,417	-9,945,595	+112,961	+3,818,330	+49,765	+6,659,507	-200,465	20.41%
22/06/08	56,900	0	953,704	-10,058,556	+25,452	+3,768,565	+16,879	+6,859,972	-38,932	20.62%
22/06/07	56,900	▲ 4,600	3,711,671	-10,084,008	-860,021	+3,751,686	-75,063	+6,898,904	+968,614	20.66%
22/06/03	52,300	▼ 600	1,260,294	-9,223,987	+131,138	+3,826,749	-101,389	+5,930,290	-2,348	19.66%
22/06/02	52,900	▲ 400	909,489	-9,355,125	+69,978	+3,928,138	-60,027	+5,932,638	-25,368	19.67%
22/05/31	52,500	▲ 700	736,308	-9,425,103	-63,883	+3,988,165	-90,926	+5,958,006	+183,258	19.69%

[그림 9-15] 한국항공우주 기관별 매매추이와 매수 평균단가에서 볼 수 있듯 개인은 계속 매도하고, 기관과 외국인의 누적 수량은 계속 늘어나고 있다.

2022년 6월 23일 이후 한국항공우주 일봉 차트를 보자.

[그림 9-16] 한국항공우주 2022년 6월 23일 이후 일봉 차트

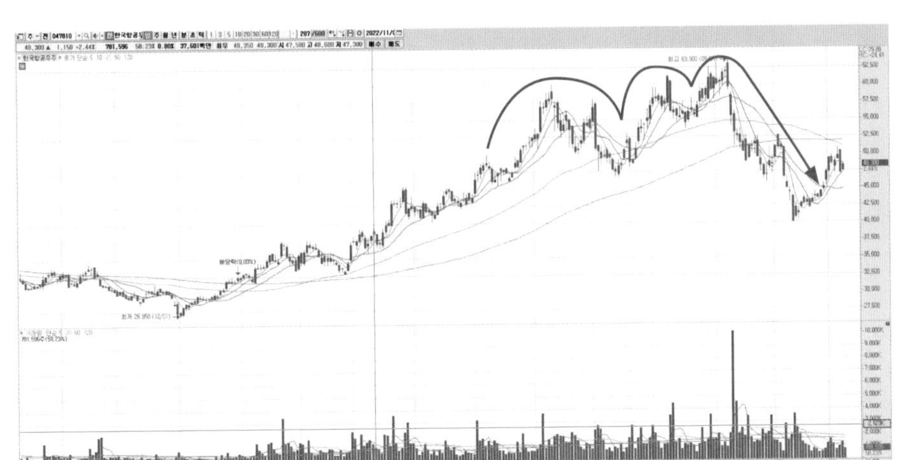

[그림 9-16] 2022년 9월 7일 최고 가격 63,900원을 기록하고 삼산(헤드앤드숄더) 패턴을 만든 후 주가는 곧장 하락하고 있는 모습이다. 매도를 어렵게 생각하지 말고 공부한 패턴을 그림처럼 생각하고 외워서 매도하면 된다.

신고가 기법 매도

- 상승 각도가 35~45도 정도로 완만하게 상승할 때는 20일 이동평균선이 무너질 때 전량 매도하면 된다.
- 상승 각도가 80~90도 정도로 가파르게 수직 상승할 때는 5일 이동평균선을 깨거나 10일 이동평균선을 돌파했을 때 전량 매도한다.
- 상승 각도가 35~35로 완만하게 상승하며 신고가를 계속 갱신하면서 거래량이 터지지 않는 종목은 아주 좋은 강한 종목이다. 이때는 데드크로스가 생길 때까지 보유하다 전량 매도한다.

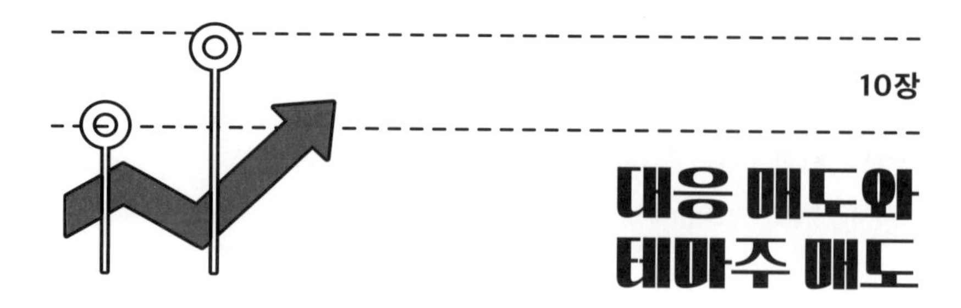

10장

대응 매도와 테마주 매도

만약 보유하고 있는 종목이 20~30% 정도 손실 중이다. 이렇게 손실이 났을 때 대응을 안 해주면 손실금은 계속 불어나게 된다. 보유 종목이 급등한 날 대응을 해줘야 손실금을 줄일 수 있다. 어떻게 대응을 하는지 몇 종목을 살펴보자. 또한, 테마주를 어떻게 매도해야 좋은지 함께 알아보자.

대응 매도

'주식은 예측이 아니라 대응이다'라는 시장의 격언이 있다. 주가가 내리면 잘라버리고, 오르면 보유하는 방법은 아주 간단한 듯하지만 인간의 심리가 작용하여 판단과 실행이 쉽지 않다. 시세에 순응하는 매매는 위험을 줄이고 수익을 보존하는 방법임을 알아야 한다. 그래서 대응 매도라고 이름을 붙였다.

의미를 알았으니 바로 예를 보며 살펴보자.

[그림 10-1] 삼진엘앤디 2021년 10월~2022년 6월까지 일봉 차트(1)

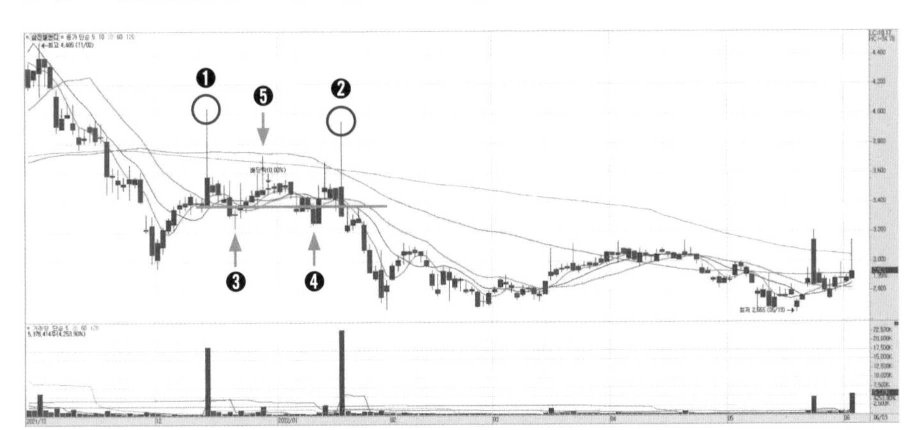

[그림 10-1] 삼진엘앤디 일봉 차트를 보자. ①번 자리에서 급등할 때 당일 19.38% 정도 상승하고 4,035원을 기록했다. 그리고 일주일 후에 급등 전 가격인 ③번 자리 3,300원 정도로 되돌아왔다. ③번 자리에서 다시 ⑤번까지 상승했다가 일주일 정도 지나서 다시 또 급등하기 전의 가격인 ④번 자리로 되돌아왔다.

예를 들어 이해해보자. 이미 4,000원 이상에 1,000주가 물려 있다고 가정해보는 것이다.

①번 자리에서 30% 정도 300주를 매도한 금액으로 ③번 자리에서 3,300원의 가격으로 재매수한다. 약 63주가 더 확보된 상황에서 ②번 전고점 부근에서 63주를 매도하면 37,800원 수익이다. 그러나 ①번 자리에서 1,000주를 전부 매도하고 ③번 자리에서 매도한 금액

으로 약 1,320주를 재매수할 수 있다. 보유 물량이 320주가량 늘어났다. ②번 자리에서 1,320주를 전부 매도하면 792,000원 수익이다.

4,000원 이상에서 물려 있었다고 해도 이런 식의 대응을 통해서 손실금을 줄여야 한다. 만약 본전 가격을 계속 기다리기만 하고 있다가 ②번 자리 이후 계속 하락하는 차트를 마주할 수 있다. 그러면 손실금이 눈덩이처럼 불어나고 기회비용을 모두 잃어버리게 된다. 그러나 이처럼 대응하기란 처음에는 쉽지 않다. 왜 이런 결정을 할 수 있었는지 삼진엘앤디 두 번째 차트를 보며 이야기해보자.

[그림 10-2] 삼진엘앤디 2021년 10월~2022년 6월까지 일봉 차트(II)

[그림 10-2] 삼진엘앤디 두 번째 차트의 패턴을 살펴보자. 무엇이 보이는가? 헤드앤드숄더 패턴이 나온 후 위꼬리를 길게 만든 음봉이 나오면서 아래로 하락하는 모습을 보여준다. 이 헤드앤드숄더 패턴은 20일 이동평균선을 지지하지 못하면 큰 하락을 불러오는 차트로 바뀌는 것을 알아야 한다. 그러므로 예를 들었던 1,000주를 그

대로 물린 채 갖고 있었다면 큰 손실을 볼 수 있다. 누구나 이처럼 매매하기란 쉽진 않지만, 순간순간 반등하거나 급등할 때를 이용해 대응하면 손실금을 크게 줄일 수 있다. 즉 여기서 반드시 기억해야 하는 점은 '대응'에 관한 매매 인사이트다.

당일 급등할 때는 어디에서 매도해야 하는지 데이짱의 오랜 경험을 공부해보자.

[그림 10-3] 삼진엘앤디 2022년 6월 16일 5분봉 차트

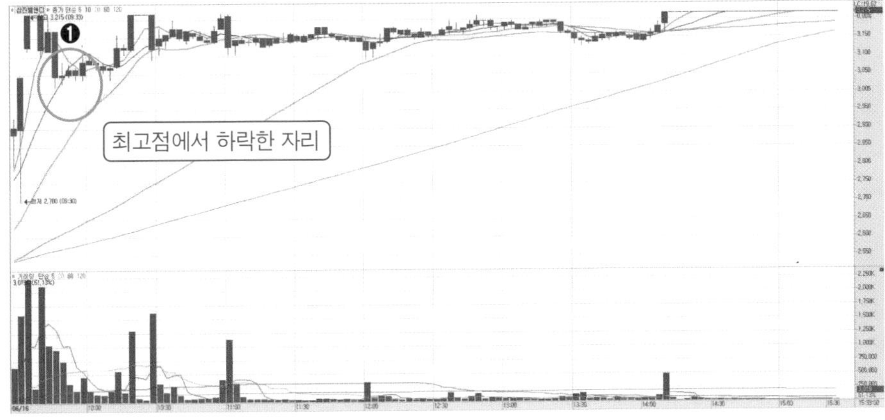

[그림 10-3] 삼진엘앤디 2022년 6월 16일 5분봉 차트이다. 차트에서 볼 수 있는 것처럼 상한가 3,215원을 기록하고 ①번에서 저가 3,015원, 약 6.3%의 하락이 나왔다. 일반적으로 최고점을 기록하고 8~9% 정도 하락하면 상한가로 못 가는 경우가 많은데 이 종목은 6.3% 정도의 하락이 나온 후 상한가에 안착했다.

[그림 10-4] 삼진엘앤디 2022년 6월 16일~17일 5분봉 차트

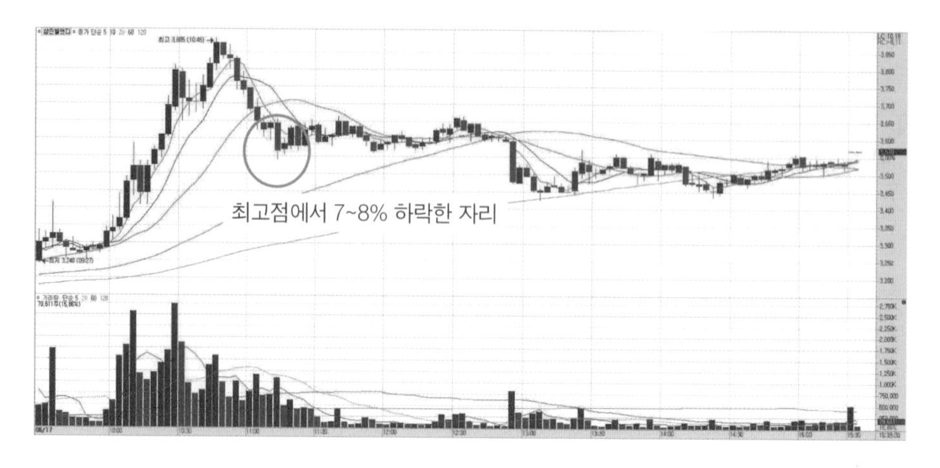

이번에는 상한가 안착 후 다음 날 차트를 보자(그림 10-4). 다음 날 아침 다시 급등했고 매도 자리를 표시해두었다. 상한가에 들어간 종목에 진입했다면, 다음 날 최고가에서 7~8% 정도 하락한 자리에서 매도하면 좋다. 왜 7~8% 정도냐고 묻는다면 20년 넘게 많은 매매를 해보고 나온 결과라고 말할 수 있다. 최고가 3,885원을 기록하고 3,540원으로 떨어져 약 8.9% 하락했음을 알 수 있다.

삼진엘앤디는 삼성 태블릿 PC 성장 관련 수혜주로 LCD 부품인 삼성전자의 태블릿 PC용 몰드 프레임은 삼진엘앤디가 80% 정도 점유하고 있다. 이제 예로 든 종목의 배경을 간단하게 정리해서 보고자 한다. 이렇게 차트와 종목의 배경을 눈에 익히는 연습을 해보자. 단기 매매라고 할지라도 가장 기본적인 기업 배경을 확인하는 습관이 매우 중요하기 때문이다.

[표 10-1] 삼진엘앤디 종목 배경

대표 지분율	중소기업, 코스닥 상장
기업 구분	중소기업, 코스닥 상장
업종	그 외 기타 제품 제조업
주요 제품	전자부품(TV moldframe, 이차전지 부품, 도광판) 자동차부품(헤드램프용), LED 조명 제조판매
설립일	1987년 1월 6일
상장일	2004년 2월 6일
기타	- 주요 매출처는 삼성디스플레이, 삼성SDI, 솔루엠, KMBT - 2022년까지 스마트홈 10만 호로 2025년 내수시장 30조 원 규모로 성장을 전망하고 있다.

스마트홈이란?

태국 Top 3 건설사가 참여해서 지은 최고급 주택단지에 삼성전자 최신 가전제품과 스마트홈 시스템을 구축하려고 한다. 삼성 가전제품을 연계하여 사용상 편리성과 에너지 절감까지 실현할 선진 모델을 제시한 미래형 주택으로 평가되고 있다. 국내 최초로 유럽 시장 진출에 이어 개발도상국까지 영역을 확장 중이며 사업의 속도를 내고 있다. 태국 방콕 중심가에서 30분 정도 거리에 있는 고급 주택단지에 냉장고, TV, 에어컨, 세탁기, 공기청정기 등 주요 가전제품과 스마트홈 시스템을 패키지로 공급하며 주요 서비스로는 스마트 싱크 애플리케이션을 이용한 가전제품의 작동이다. 취침, 기상, 영화 감상 등 10가지 모드(상태)에 맞춰주는 가전 제어, 방문객 확인, 공기의 질에 관한 관리, 주요 가전제품을 활용한 게임과 재택근무 양식 제공, 에너지 절감 등을 추구한다.

이제 아남전자의 사례를 공부해보자.

[그림 10-5] 아남전자 2021년 12월~2022년 8월 5일 일봉 차트

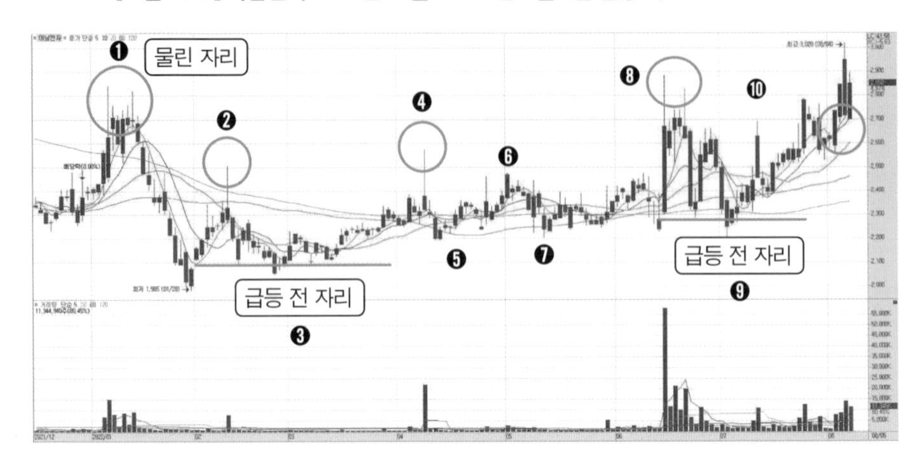

[그림 10-5] 아남전자 일봉 차트에서 ①번에서 물렸다고 생각해 보자. 개미투자자는 물리면 넋 놓고 있는 경우가 많다. 또 계속 하락하면 크게 손실을 보면서 손절매도 하지 못한다. 그러다 주가가 조금 회복하면 손해를 보더라도 다 팔아버리고 두 번 다시 물렸던 종목은 쳐다보지도 않는 것이 일반적이다. 그러나 이젠 데이짱의 기법을 배워서 물리더라도 빠져나올 방법을 찾기를 바란다.

물렸던 종목이 급등 전 자리로 돌아가는 동안 재무제표도 살펴보고 튼실한 기업인지, 대주주 지분율이 20% 이상인지, 앞으로의 성장 가능성이 있는지 등을 확인한다. 그리고 빠른 주가 하락에 손 놓고 대응하지 못했다면 급등 전 자리로 돌아올 때 여력이 있다면 추가 매수하고, 추가 매수를 못 하면 배운 대로 매매해보자.

공이 높은 곳에서 떨어지면 다시 튀어 오르듯 ②번 자리로 일시적인 반등을 예상하고 대응을 준비해야 한다. 높은 곳에서 떨어진 공은 처음에는 높이 튀어 올랐다가 점점 높이가 낮아지면서 통통통

튀면서 횡보하다가 방향이 다시 나오는 것이 일반적이다.

아남전자는 ③~⑦번 부근까지 횡보하다 다시 급등한 모습을 보이고 있다. 횡보하는 동안 지루한 개미들은 다 팔고 나가기 마련이지만, 아남전자는 삼성전자에 관한 뉴스와 호재가 나올 때마다 이런 차트 모양을 만들고 있다. 개미투자자는 인내심이 부족하다. 세력의 습성을 파악하고 호랑이한테 물려가도 정신만 차리면 되듯 물렸다고 손가락만 빨고 있지 말라고 진심으로 충고하고 싶다. 꼭 아남전자처럼 횡보하다 위로 간다는 보장이 없는 종목도 있으니 아니다 싶은 종목은 정말 손절매가 필수다.

예를 들어 ①번 자리를 따라 들어갔다가 물리거나, 또는 그전에 이미 물려 있는 보유 종목을 어떻게 대응할지 다시 살펴보자. 대략 2,800원에 1,000주 정도를 물렸다고 하자. ②번 자리에서 급등이 나왔을 때 2,500원 인근에 전부 매도한다. 손실금은 약 300,000원이다. 일주일 후 급등 전 가격으로 회귀했을 때 매도한 돈으로 다시 재매수한다. 완전히 저가에 매수할 수 없으니 2,100원 인근에 매수했다고 하면 대략 1,190주를 매수할 수 있다. 그러다가 다시 ④번 자리처럼 급등할 때 전량을 매도한다. 이때도 최고가에 매도할 수 없으니 대략 2,400원 정도에 정리하면 매도 수익은 357,000원이다. 손실금과 수익금이 얼추 맞춰지고 결국 본전을 찾은 셈이다.

[표 10-2] 아남전자 종목 배경

최대주주지분율	33.46%
매출액	3,598억 원
기업 구분	코스피
업 종	전기 전자 제조업
주요 제품	AUDIO
설립일	1973년 4월 20일
상장일	1984년 8월 11일
기타	국내 최초로 컬러 TV를 생산하며 현재까지 50년간 디지털 영상기기와 연계된 가전제품 등을 생산함 주로 홈 오디오 AV 기기를 생산 판매하고 있다. 초창기 TV 부분에서는 삼성전자와 LG전자에 이어 시장점유율 3위를 기록했을 정도였으나, TV 사업 경쟁에서 뒤처지기 시작하며 오디오 사업을 중점으로 사업 방향성을 진행하였다.

다음으로 이수화학을 살펴보자.

[그림 10-6] 이수화학 2021년 11월~2022년 6월 22일 일봉 차트

[그림 10-6] 이수화학 일봉 차트를 보면 무엇이 보이는가? 그어 놓은 선이 보이는가? 선이 없어도 차트가 눈에 들어올 때까지 반복해서 봐야 한다. 이 차트는 급등한 가격이 급등 전 가격으로 다시 하락하고, 어디에서 지지가 되는지 잘 보여주고 있다.

만일 17,000원 부근에서 100주를 매수했는데 물렸다고 하자. 급격하게 상승하는 모습을 보며 나도 모르게 뇌동매매 하는 사람이 많기 때문이다. 이때 손실 중이라면 급등 전 자리인 14,500원 부근에서 100주를 추가 매수한다. 평균단가는 17,000원에서 15,750원이 되었다. 물을 탄 것처럼 가격이 희석된다고 하여 물타기로 이름 붙은 것처럼 가격이 일부 희석되었다.

저항 부근에 스톱로스를 걸었다면, 저항이 15,850원을 기록했으므로 그것보다 높지 않았다면 전량 자동 매도할 수 있다. 일부 손실을 볼 수는 있지만 손실 금액이 크지 않다.

다른 방법으로 급등 전 가격으로 하락했다가 다시 15,850원이 된 날 전량 매도한다. 손실금은 대략 150,000원이고 다시 하락하여 12,850원 부근에서 재매수하면 대략 122주 정도를 살 수 있다. 저항 부근의 가격이 대략 15,050원이라 하고 이곳에서 전량 매도했다면 대략 260,000원 정도의 수익을 얻을 수 있어 본전을 충분히 넘어서게 된다.

보유하고 있는 종목이 하락할 때 그대로 놔두면 손실은 눈덩이처럼 불어나게 된다. 그리고 더 안타까운 점은 대응하지 않고 손 놓고 있다가 적절한 대응 시기까지 놓친다는 뜻이다. 차트가 하락하다 공처럼 튀어 오르면 일단 전부 매도하고, 급등 전 가격으로 회귀하면 재매수해서 수익을 챙길 수 있다. 단, 재매수할 때는 가능한 정배열 차트에서 시도해야 한다. 그리고 문제가 없는 회사인지 기본적인 종목 개요와 뉴스 정도는 살펴봐야 리스크를 줄일 수 있다.

[그림 10-7] 이수화학 2022년 6월 16일 뉴스

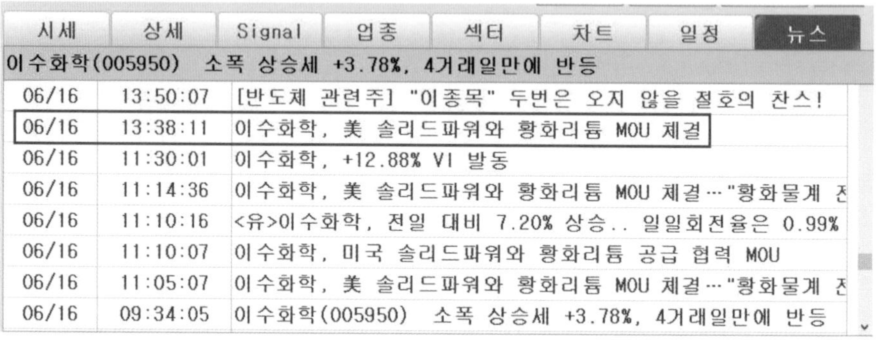

시세 | 상세 | Signal | 업종 | 섹터 | 차트 | 일정 | 뉴스

이수화학(005950) 소폭 상승세 +3.78%, 4거래일만에 반등

06/16	13:50:07	[반도체 관련주] "이종목" 두번은 오지 않을 절호의 찬스!
06/16	13:38:11	이수화학, 美 솔리드파워와 황화리튬 MOU 체결
06/16	11:30:01	이수화학, +12.88% VI 발동
06/16	11:14:36	이수화학, 美 솔리드파워와 황화리튬 MOU 체결…"황화물계 전
06/16	11:10:16	<유>이수화학, 전일 대비 7.20% 상승.. 일일회전율은 0.99%
06/16	11:10:07	이수화학, 미국 솔리드파워와 황화리튬 공급 협력 MOU
06/16	11:05:07	이수화학, 美 솔리드파워와 황화리튬 MOU 체결…"황화물계 전
06/16	09:34:05	이수화학(005950) 소폭 상승세 +3.78%, 4거래일만에 반등

[표 10-3] 이수화학 종목 배경

대표 지분율	28.16%
기업 구분	코스피 화학
업종	석유화학계 기초 화학물질 제조업
주요 제품	건설사업부분/석유화학사업부문/의약사업부문
설립일	1969년 1월 17일 2016년에 이수화학으로 사명 변경함
상장일	1988년 4월 28일
기타	2021년 하반기부터 온산 공장에 황화리튬 데모 설비 구축을 시작했고 2022년 12월부터는 전고체 배터리 전해질 원료인 황화리튬을 양산화할 것이라고 한다. 전 고체전해질 시장 규모는 성장세를 보여 2025년에는 350톤(2,000억 원), 2028년에는 1만 7,000톤(2조 1,000억 원), 2030년에는 7만 6,000톤(4조 6,000억 원) 수준으로 예상한다.

[그림 10-8] 동국알앤에스 2021년 12월~2022년 7월 22일까지 일봉 차트

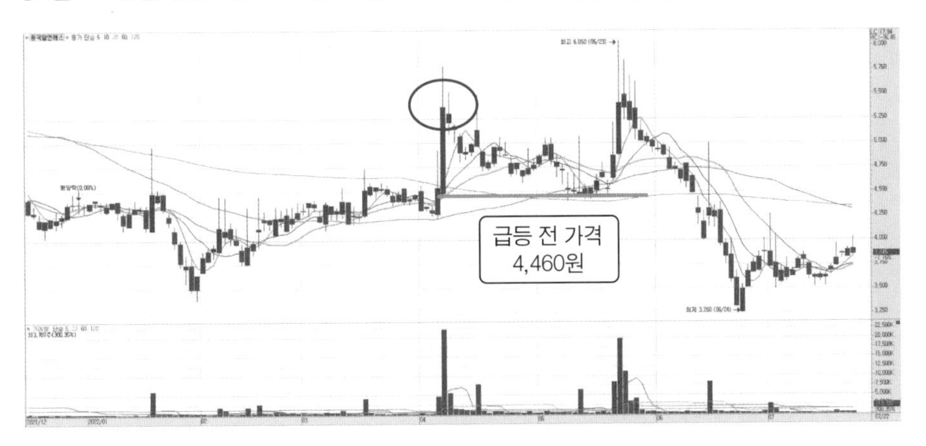

[그림 10-8]은 동국알앤에스 일봉 차트이다. 차트를 보면 주가가 급등한 후 급등 전 가격으로 회귀하는 것을 볼 수 있다. 우리는 앞에서 아남전자 차트를 공부하면서 주포들이 뉴스를 이용하는 습성이 있다는 것을 배웠다. 그렇다면 우리도 잘 대응할 수 있다. 물렸다고 손절매만 하고 종목만 계속 갈아탄다면 투자금은 많이 줄어들 것이다. 그러므로 이미 선택한 종목이 있다면 이 종목 주포의 습성을 개미투자자도 이용하여 물린 자리에서 급등 전 가격으로 내려왔을 때 추가 매수를 하거나, 전부 매도하고 지지를 보이는 자리에서 재매수 후 보유 주식수를 늘린 다음 수익을 내고 나오는 시나리오를 계획할 수 있다.

이 종목은 이전부터 5,500원 부근에 100주가량 물려 있다고 가정해보자. 2022년 4월 15일 5,490원까지 오를 때 상승을 포착했다면 이날 전량 매도해서 급등 전 가격 인근 지지를 확인하고 다시 재매수할 수 있다. 대략 20%가량의 물량을 늘린 다음 상승할 때 원금

이상에서 매도하면 된다. 전고점의 80% 인근에 스톱로스를 걸어두면 안전하게 매도할 수 있을 것이다. 거듭 말하지만 물려 있다고 가만히 있지 말고 어떻게 대응할 것인지 시나리오를 짜는 연습을 해야 한다. 물론 대응 시나리오대로 움직이지 않는다면 더 큰 손실을 보기 전에 칼같이 잘라내야 할 때도 있다. 거듭 말하지만, 핵심 포인트는 '대응'에 있다.

[그림 10-9] 동국알앤에스 2022년 4월 7일 뉴스

시세 | 상세 | Signal | 업종 | 섹터 | 차트 | 일정 | 뉴스

오후 2:30 현재 코스닥은 35:65으로 매수우위, 매수강세 업종은 통신서비스업(2.00%

날짜	시간	제목
04/07	14:30:45	오후 2:30 현재 코스닥은 35:65으로 매수우위, 매수강세 업…
04/07	14:30:44	코스닥 상승률 상위 50종목
04/07	14:00:28	오후 2:00 현재 코스닥은 35:65으로 매수우위, 매수강세 업…
04/07	13:44:22	동국알앤에스(075970) 급등세 기록중 +23.34%
04/07	13:30:09	[장중수급포착] 동국알앤에스, 기관 10,000주 대량 순매수…
04/07	13:24:50	[특징주] 동국알앤에스, 펠로시 美하원의장 대만 방문 미중
04/07	13:23:03	[한경인포] 기타 펀드 Best 10 수익률 순위
04/07	13:06:14	동국알앤에스, +8.59% VI 발동

동국알앤에스는 희토류 관련주로 호주 ASM의 희토류 생산시설을 세우고 국내에 희소금속을 공급하고 있다. 고순도 금속 정제공장 공동개발협약을 체결하여 희토류 생산에 지원하고 있어서 중국이 희토류를 무기화할 때마다 수혜를 입고 있다. 희토류는 반도체, 미사일, 레이더 등의 첨단 군사 무기를 제조할 수 있고 중국은 전 세계 80%를 공급하고 있다.

[표 10-4] 동국알앤에스 종목 배경

대표 지분율	53.27%
기업 구분	코스닥 제조
업종	기타 비금속 광물제품 제조업
주요 제품	내화물(정형, 부정형), 세라믹/파이프(단관각관) HGI강외
설립일	2004년 1월 1일
상장일	2004년 2월 13일
기타	희토류 테마 관련주로 열에 잘 견디는 내화물, 세라믹이 전체 매출의 68%를 차지하고 있고, 파이프등 스틸 제품도 31%의 매출을 하고 있다. 동국S&C가 최대 주주이며 동국S&Csms 모회사인 동국산업이 최대주주로 있다.

소형주들은 어떤 뉴스가 나와서 상승했다고 하더라도, 상승하기 전의 가격으로 다시 회귀한다. 그러므로 급등한 후에 하락하게 되면 기다렸다가 매수하여 수익을 낼 수 있다. 고점에서 물렸다고 하더라도 마냥 손 놓고 하락을 보고 있지 말고, 대응 시나리오를 세워 원금을 회복할 수 있는 방법을 고심해보자. 이러한 과정을 거치면서 자신만의 대응법이 만들어지고, 위기에서도 강한 트레이딩을 할 수 있는 근본이 된다.

트레이딩을 하며 완벽하게 손실을 막을 순 없다. 목표는 손실을 가장 적게 입는 것이다. 성공적인 매매가 이어지면 결국 계좌는 플러스가 된다. 다만, 실패한 매매라고 할지라도 '대응'의 관점에서 컨트롤할 수 있어야 좋은 트레이더가 될 수 있다는 점을 명심하길 바란다.

대응 매도 요약

첫째, 최고점 부근에서 매수 진입하고 하락할 때 손절하지 못한 경우 그대로 두면 손실금이 눈덩이처럼 불어난다. 따라서 급등 전 가격으로 회귀하는 것을 확인한 후 다시 튀어 올라갈 때, 저항 부근의 80% 정도에서 전량 매도한다.

둘째, 헤드앤드숄더 패턴이 나온 후에 역배열이 되면 뒤를 돌아보지 말고 반드시 매도한다.

셋째, 5분봉상 최고가에서 7~8% 이상 하락하면 무조건 매도한다.

넷째, 소형주는 급등 전 가격으로 되돌아올 가능성이 크므로 저항 부근에 도달하면 매도한다.

테마주 매도

테마주를 모르는 투자자는 없을 것이다. 시장에서 가장 주목을 받는 종목을 테마주라고 한다. 그런데 이 테마주는 군중 심리로 실적과 무관하게 상승하는 경우가 많다. 단기간에 급등하고, 실적과 무관하게 상승하므로 상승 전 가격 부근으로 거의 대부분 회귀한다. 대표적으로 대통령 선거 인물주, 전염병, 지진, 전쟁 테마주 등이 이에 속한다.

그중에 정치 테마주와 전염병 테마주 중 대표적인 예를 들 수 있는 기업으로 설명해보겠다.

| 정치 테마주

● 서연

윤석열 대통령은 검찰총장 시절부터 야권 대선 후보로 거론되었다. 학연 동문이 기업의 임원으로 있는 곳 중 하나가 서연이다. 1972년에 설립 후 2014년 회사 분할로 사명을 변경해 주식시장에 상장되었고 서연의 유재만 사외이사가 서울대학교 법대 동문으로 관련주로 편입되었다고 한다. 주요 사업은 자동차 부품 제조로 자동차 도어 트림과 상용차 시트를 생산하고 있다.

[그림 10-10] 서연 2020년 5월~2022년 7월까지 주봉 차트

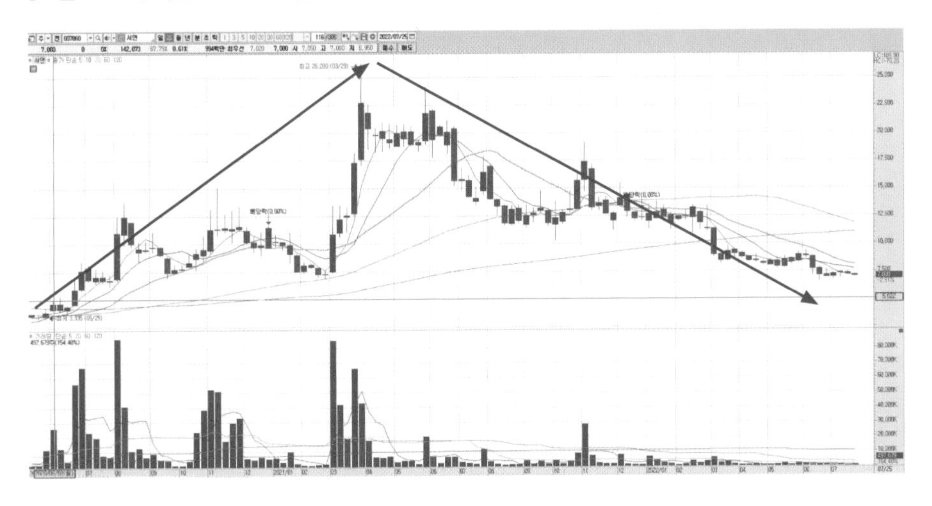

[그림 10-10] 서연을 주봉 차트를 보자. 2021년 3월 29일 26,200원을 기록하고, 2022년 7월 22일 6,580원을 기록했다. 이 차트에서 무엇을 확인할 수 있을까? 주가가 급등하기 전 가격으로 다시 하락

했음을 볼 수 있다. 전형적인 선거 인물 테마주의 주가 흐름을 보여 주고 있다.

단기 트레이딩이라 하더라도 재무제표를 훑어보는 것을 간과하면 안 된다고 계속해서 강조했다. 서연의 재무제표를 한번 확인해보자. 2018년까지 매출액이 감소하다가 일정 금액을 유지하고 있으며, 순이익률이 마이너스로 당기순이익이 적자인 회사다.

[그림 10-11] 서연의 재무제표

007860 서연 40% 설정 ◉Snapshot ○기업개요 ○재무제표 ○재무비율 ○투자지표 ○경쟁사비교
재무차트 ○Disclosure ○컨센서스 ○지분분석 ○업종분석 ○금감원공시 ○IR정보

IFRS(연결)	2019/12	2020/12	2021/12	2022/12(E)	2021/09	2021/12	2022/03
매출액	22,026	22,373	24,793		5,769	7,041	6,800
영업이익	332	530	837		182	145	295
영업이익(발표기준)	332	530	837		182	145	295
당기순이익	-953	-255	443		262	-135	321
지배주주순이익	-600	-54	237		135	-41	211
비지배주주순이익	-354	-202	206		127	-94	110
자산총계	22,154	21,510	21,379		22,013	21,379	22,753
부채총계	14,104	13,244	12,316		12,778	12,316	13,318
자본총계	8,050	8,266	9,063		9,236	9,063	9,435
지배주주지분	4,224	4,295	4,686		4,765	4,686	4,935
비지배주주지분	3,826	3,971	4,377		4,471	4,377	4,499
자본금	117	117	117		117	117	117
부채비율	175.20	160.23	135.90		138.35	135.90	141.17
유보율	3,533.64	3,593.80	3,927.22		3,994.21	3,927.22	4,139.41
영업이익률	1.51	2.37	3.38		3.15	2.07	4.34
지배주주순이익률	-2.72	-0.24	0.95		2.33	-0.58	3.10
ROA	-3.88	-1.17	2.06		4.80	-2.49	5.82
ROE	-13.31	-1.26	5.27		11.61	-3.45	17.53
EPS (원)	-2,554	-228	1,008		573	-174	898
BPS (원)	18,168	18,469	20,136		20,471	20,136	21,197
DPS (원)	50	50	100			100	
PER	N/A	N/A	12.20				
PBR	0.16	0.52	0.61		0.59	0.61	0.42
발행주식수	23,480	23,480	23,480		23,480	23,480	23,480
배당수익률	1.71	0.52	0.81			0.81	

주식에서 펀더멘털 지표에는 EPS*, PER**, BPS, PBR 등이 있는데 기업이 얼마나 돈을 벌고 있는지를 알아보려면 EPS와 PER을 보면 도움이 된다. 당기순이익이 높을수록 EPS도 높다는 것을 상식으로 알고 있으면 좋다. EPS와 당기순이익은 비례관계에 있기 때문이다.

* **EPS(Earning Per Share):** 주당 순이익을 말한다. 즉 기업의 주식 한 주가 돈을 얼마나 벌었는지를 나타내주는 지표다. EPS(주당 순이익)=당기순이익/발행주식 총수로 계산하면 된다. 한 회사의 발행주식 총수는 매일 변하는 것도 아니고 자주 변하는 것도 아니기 때문에 EPS와 당기순이익은 비례관계로 보면 된다.

** **PER(Price Earning Ratio):** 주가수익비율을 말한다. 쉽게 이해하려면 PER의 수치가 높으면 기업의 수익 대비 고평가된 상태다. PER이 낮으면 기업의 수익 대비 저평가되었다고 말한다. PER(주가수익비율)=주가/주당순이익(EPS)로 계산한다. 주식가격에 비해서 EPS가 높으면 PER가 낮아져서 기업의 수익 대비 저평가되었음을 알 수 있다.

재무제표를 분석할 때 EPS가 유지되고 있는지, 증가하는지, 감소하는지 정도를 확인하는 것도 좋은 방법이다. EPS의 수치가 높더라도 주가가 고평가 상태라면 PER이 높을 것이다.

● 대영포장

[그림 10-12] 대영포장 주봉 차트에도 똑같은 현상이 나타난다. 급등 후 다시 원래 가격으로 회기했다.

[그림 10-13]의 대영포장 재무제표를 보면 2021년 PER은 높은 수치를 나타내고 있다. 골판지와 상자를 제조하여 판매하고 있는 회사로 7개의 계열사를 갖고 있다.

[그림 10-12] 대영포장 2020년 5월~2022년 7월 주봉 차트

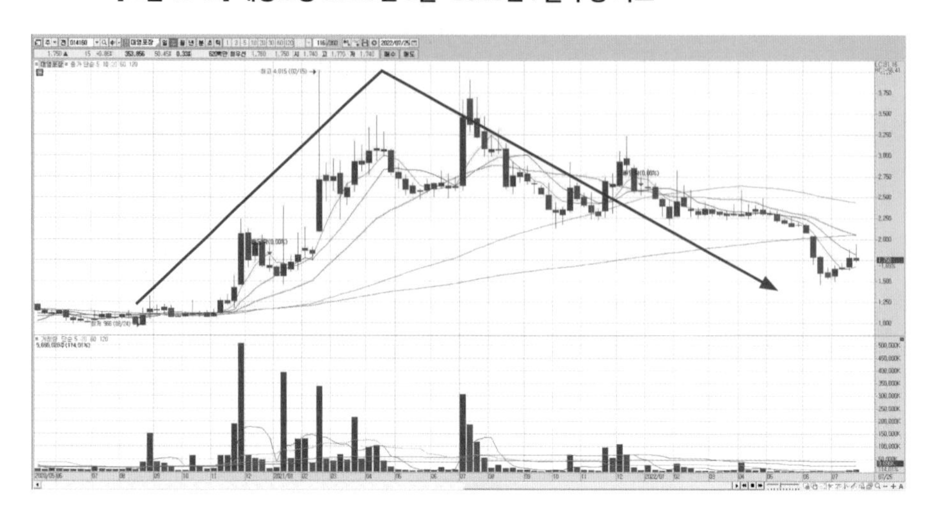

대영포장 사례에서는 BPS*와 PBR**을 한번 알아보자. BPS와 PBR은 회사의 자산이 시가총액에 비해 얼마나 있는지 알 수 있는 지표다. 쉽게 말하면 재무제표 건전성과 관련이 있는 지표다.

* **BPS(Bookvalue Per Share):** 주식 1주당 기업의 순자산을 알 수 있는 지표다. 쉽게 말하면 기업이 도산했을 때 내가 그 회사의 주식을 1주를 가지고 있는데 그 회사에서 내가 가져올 수 있는 금액이 얼마인가를 계산할 수 있다. BPS(주당순자산)=순자산/발행주식 총수로 계산된다. 회사의 자산이 많으면 BPS 수치가 높아진다.

** **PBR(Price Bookvalue Ratio):** 회사의 주식가격에 비해 기업자산 가치가 얼마나 되는지 알려주는 지표로 시가총액에 비해 자산이 많으면 재무 건전성이 높을 경우가 많다. 그래서 PBR이 낮으면 기업의 자산가치 대비 저평가되었다고 한다. PBR이 높으면 기업의 자산가치 대비 고평가되었다고 말한다. 그러므로 PBR이 낮으면 BPS 수치가 높다.

[그림 10-13] 대영포장 재무제표

기업개요 | 기업분석 | ETF정보 | 리서치동향 | 컨센서스 | 랭킹분석 | 부가정보 | 종목별증자예정현황 | IR정보

014160 | 40% 대영포장 | 설정 | ◉Snapshot ○기업개요 ○재무제표 ○재무비율 ○투자지표 ○경쟁사비교 | 재무차트 | ○Disclosure ○컨센서스 ○지분분석 ○업종분석 ○금감원공시 ○IR정보

Financial Highlight [별도|전체] 단위 : 억원, %, 배, 천주 연결 | 별도 | 전체

IFRS(별도)	Annual				Net Quarter		
	2019/12	2020/12	2021/12	2022/12(E)	2021/09	2021/12	2022/03
매출액	2,701	2,607	3,226		802	889	817
영업이익	134	47	122		30	-3	31
영업이익(발표기준)	134	47	122		30	-3	31
당기순이익	108	33	101		24	-3	10
자산총계	2,122	2,080	2,461		2,381	2,461	2,438
부채총계	617	541	788		704	788	756
자본총계	1,505	1,539	1,672		1,678	1,672	1,682
자본금	542	542	542		542	542	542
부채비율	40.99	35.13	47.14		41.94	47.14	44.93
유보율	187.35	193.54	218.15		219.17	218.15	219.93
영업이익률	4.96	1.80	3.79		3.80	-0.31	3.76
순이익률	4.00	1.27	3.12		2.96	-0.33	1.19
ROA	5.01	1.58	4.43		4.17	-0.48	1.59
ROE	7.42	2.18	6.26		5.76	-0.69	2.32
EPS (원)	100	31	93		22	-3	9
BPS (원)	1,437	1,468	1,591		1,596	1,591	1,600
DPS (원)							
PER	11.15	54.14	27.93				
PBR	0.77	1.13	1.63		1.54	1.63	1.45
발행주식수	108,395	108,395	108,395		108,395	108,395	108,395
배당수익률							

● 덕성

[그림 10-14] 덕성 주봉 차트도 마찬가지다. 테마주답게 급등하기 전 주가로 회귀함을 명확하게 확인할 수 있다. 덕성은 합성피혁 및 합성수지 제조, 판매를 주요 사업으로 영위하며 신발류, 의류, 스포츠류, 가구, 자동차 내장제, IT 액세서리 등의 일반 소비용품의 소재용으로 사용되고 있다.

[그림 10-14] 덕성 2020년 5월~2022년 7월까지 주봉 차트

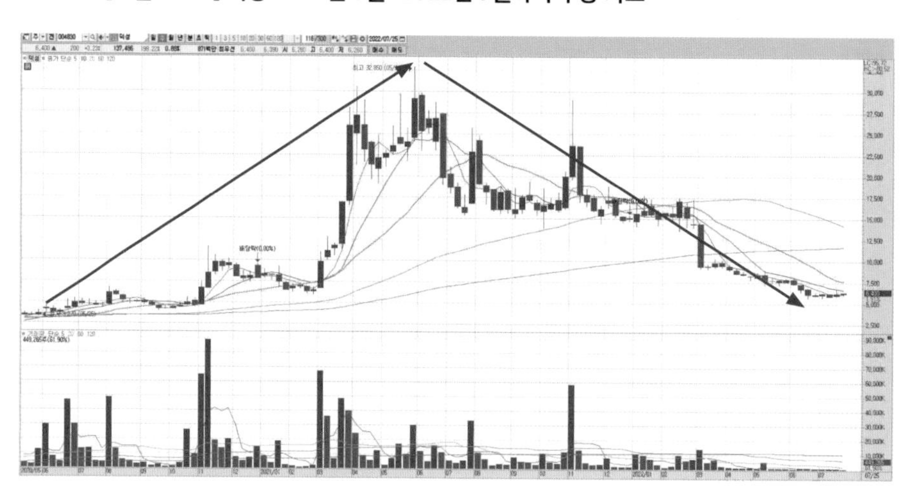

윤석열 대통령이 과거 검찰총장직을 사퇴 후 대권 지지율이 수직으로 상승했다는 소식과 함께 급등세를 보였다. 단발성 이슈를 통해 급등과 급락이 일어나는 테마주의 성격을 강하게 보였던 종목이다. 테마주는 리스크가 커 초보 투자자는 매매하지 말 것을 권하고 싶다.

'원수의 자식에게 선물투자를 가르쳐라. 노숙자가 되는 지름길이다'라는 말이 있다. 그런데 테마주도 비슷하게 위험하다고 생각하면 된다. 실적과 상관없이 급등 후 회귀하는 성질을 반드시 기억해야 한다. 만약 그러한 것을 모르고 진입했다면, 반드시 하락하기 시작할 때 매도로 대응해야 한다는 것을 명심하자.

● 에이텍

에이텍은 이재명 대선주자의 테마주로 알려져 있다. [그림 10-15] 에이텍 주봉 차트를 보면 2020년 8월 14일 47,950원을 기록하고 2022년 6월 17일 10,000원을 기록하고 있다. 이 회사는 LCD 디스플레이 응용 제품을 제조, 생산, 판매하고 있다. 공공기관용 PC와 모니터 시장을 주 타깃으로 삼고 있으며, 2022년 1분기 전체 공공기관용 PC 조달 시장에서 시장의 16%의 점유율을 확보하고 있다고 알려진 회사다.

이재명 대선후보가 성남시 시장일 때 에이텍의 최대 주주인 신승

[그림 10-15] 에이텍 2019년 5월~2022년 7월까지 주봉 차트

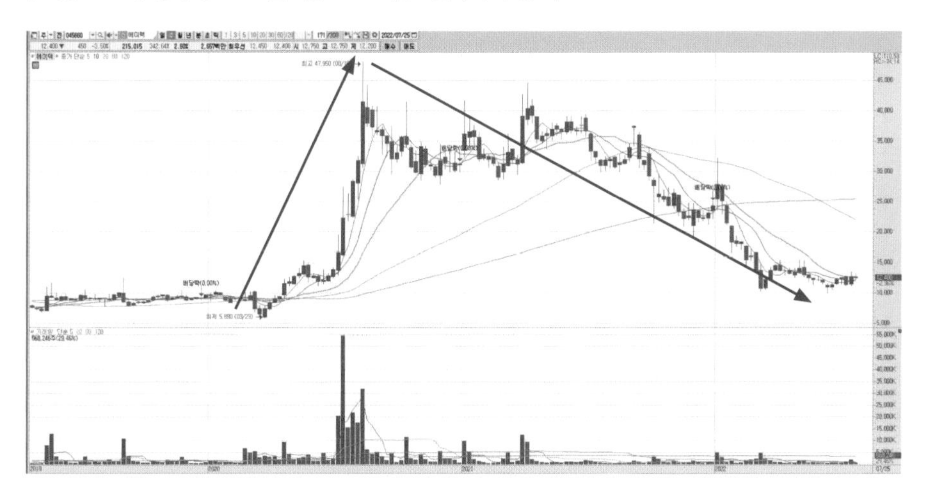

영 씨와 성남 창조경영 최고경영자 포럼 운영 위원직을 맡아 친분을 쌓으며 이재명 대선주자 관련 테마주가 되었다.

정치 테마주는 뉴스에 따라서 변화가 많고 급등락의 폭이 크다. 에이텍 차트도 정치 테마주의 전형적인 패턴을 보여주고 있음을 우리는 반복 학습했다. 대선 관련 종목 몇 개를 살펴본 결과 테마주는 실적과는 상관없이 급등했다가 급등하기 전 가격으로 되돌아간다는 것을 쉽게 알 수 있다.

● 에이텍티앤

[그림 10-16]은 에이텍티앤(현 에이텍모빌리티) 주봉 차트다. 이재명 대선주자 관련 테마주로 교통카드 솔루션 개발, 제조 및 기타 무선통신 장비의 개발과 제조를 주요 사업으로 하는 회사다. 에이텍티앤은 급등하기 전 가격 부근으로 테마주 거품이 빠졌음을 알 수 있다.

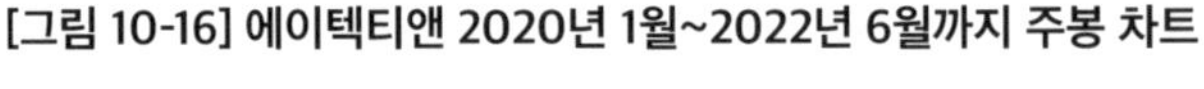

[그림 10-16] 에이텍티앤 2020년 1월~2022년 6월까지 주봉 차트

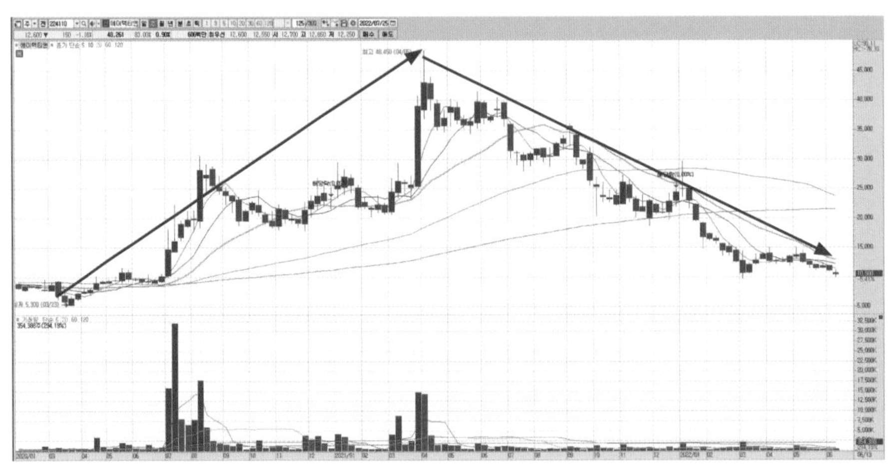

앞에서 우리는 대선 테마주 종목의 차트 패턴을 공부했다. 테마주에 진입할 때 대응법을 깨달았으니 이 책의 독자들은 테마주를 대하는 태도가 달라질 것이라고 생각한다.

[그림 10-17] 에이텍티앤 선거일 일정 전의 테마 뉴스

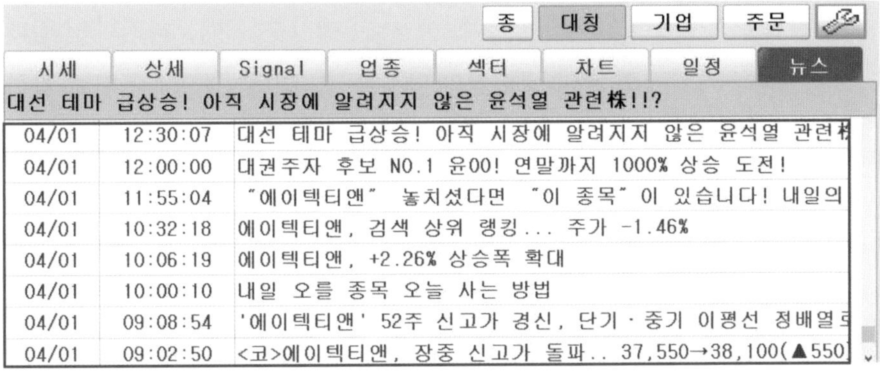

종 | 대칭 | 기업 | 주문

시세 | 상세 | Signal | 업종 | 섹터 | 차트 | 일정 | 뉴스

대선 테마 급상승! 아직 시장에 알려지지 않은 윤석열 관련株!!?

날짜	시간	제목
04/01	12:30:07	대선 테마 급상승! 아직 시장에 알려지지 않은 윤석열 관련株
04/01	12:00:00	대권주자 후보 NO.1 윤00! 연말까지 1000% 상승 도전!
04/01	11:55:04	"에이텍티앤" 놓치셨다면 "이 종목" 이 있습니다! 내일의
04/01	10:32:18	에이텍티앤, 검색 상위 랭킹... 주가 -1.46%
04/01	10:06:19	에이텍티앤, +2.26% 상승폭 확대
04/01	10:00:10	내일 오를 종목 오늘 사는 방법
04/01	09:08:54	'에이텍티앤' 52주 신고가 경신, 단기·중기 이평선 정배열로
04/01	09:02:50	<코>에이텍티앤, 장중 신고가 돌파.. 37,550→38,100(▲550)

[그림 10-18] 형지엘리트 2020년 3월~2022년 7월까지 주봉 차트

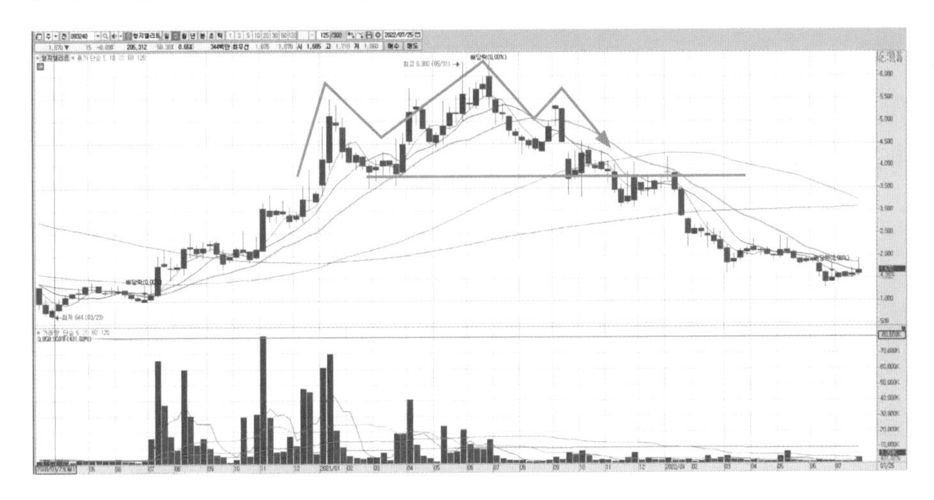

- **형지엘리트**

[그림 10-18] 형지엘리트 주봉 차트를 보면 전형적인 대선 테마주 패턴을 볼 수 있다. N자형 계단식 상승 후 W자형 계단식으로 하락하다가, 결국 급등 전 가격으로 돌아갔다.

다음 [그림 10-19]의 차트를 보면 테마주를 매도하거나 손절매할 때 지지선을 깨면 매도해야 함을 알 수 있다. 고점에서 왔다 갔다 횡보한 후 결국 캔들이 20일 이동평균선을 머리에 이고 하락하는 전형적인 패턴을 볼 수 있다.

[그림 10-19] 형지엘리트 2020년 3월~2022년 7월까지 주봉 차트

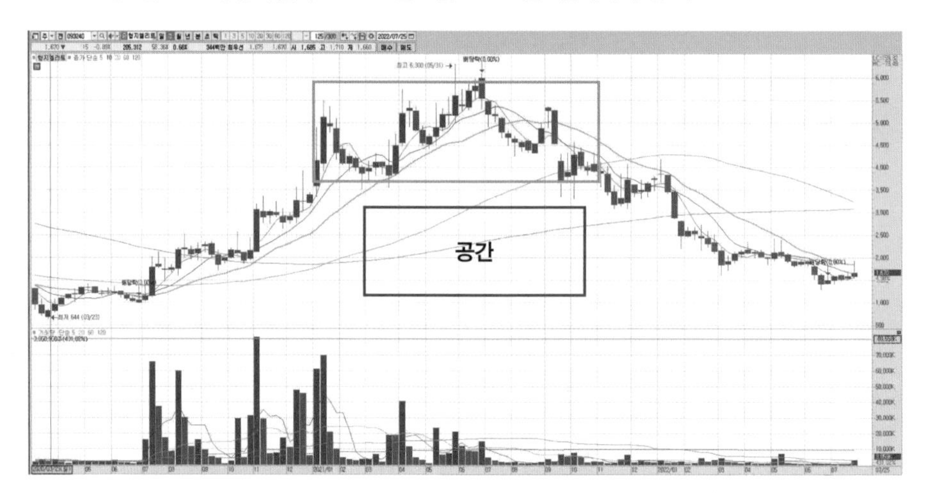

| 코로나 음압병실 테마주

● 에스와이

[그림 10-20] 에스와이 주봉 차트를 보자. 2020년 12월 14일 6,840원의 주식가격을 기록하고 2022년 6월 24일에 2,610원을 기록하고 있다.

조립식 샌드위치 패널 제조 및 판매를 주 사업으로 하고 있다. 에스와이이는 전국 코로나 확진자가 연일 증가세를 기록하자 거리두기 2.5단계로 격상했다는 소식으로 이동식 모듈러 음압병동 기술 등을 보유한 에스와이 주가에 관심이 쏠렸다. 음압병동 테마주로 상승세를 타다가 결국 급등하기 전 가격으로 되돌아갔음을 볼 수 있다.

[그림 10-20] 에스와이 2020년 2월~2022년 6월까지 주봉 차트

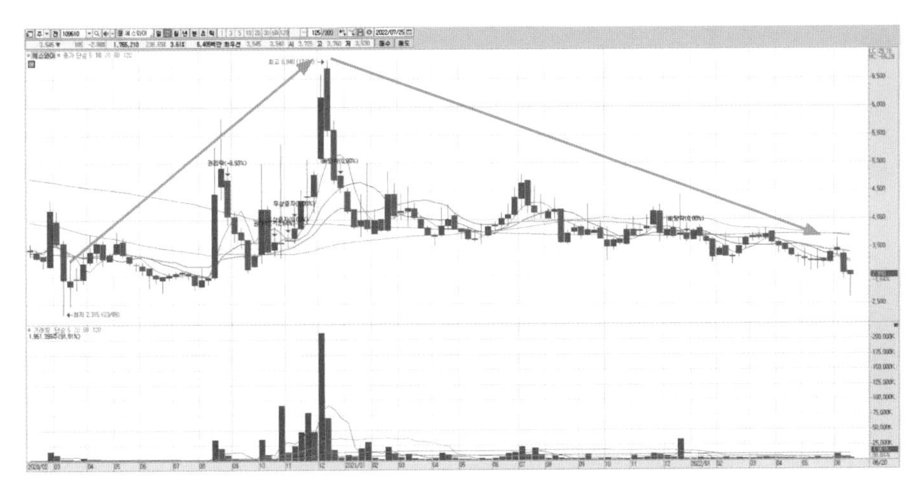

● **우정바이오**

[그림 10-21]은 우정바이오 주봉 차트다. 테마주 패턴에서 A자형 상승과 하락을 보여주는 전형적 패턴이다. 이등변 삼각형 패턴도 있고 급등한 후 느리게 하락하는 직사각형 패턴들도 있다. 바이오주들은 일반적으로 실적과 관련 없이 갑작스러운 병원균인 바이러스에 의해서 급등락의 폭이 심한 편이다.

[그림 10-21] 우정바이오 2019년 8월~2022년 1월까지 주봉 차트 1

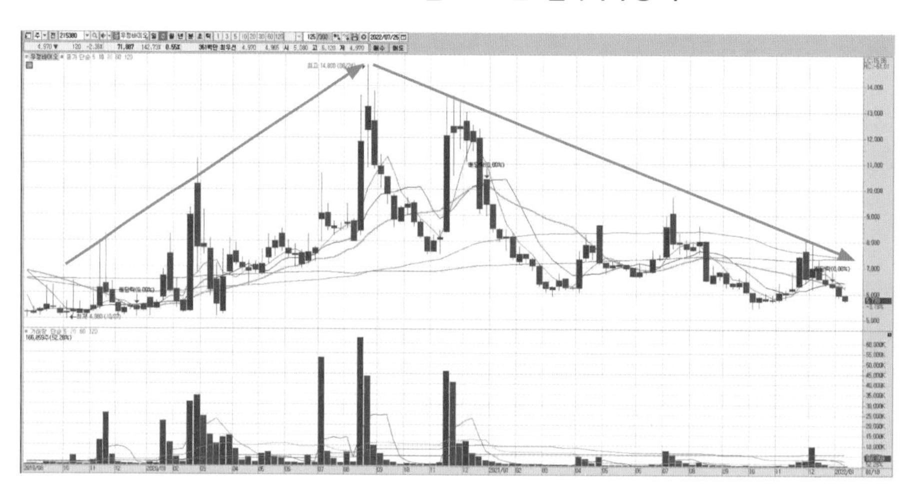

[그림 10-22] 우정바이오의 주봉 차트를 보면 매도할 구간을 알 수 있다. 테마주의 성격상 죽음의 계곡으로 치닫고 있을 때는 바닥이 어딘지 모르기 때문에 매수는 절대 금지다.

[그림 10-22] 우정바이오 2019년 8월~2022년 1월까지 주봉 차트 2

● GH신소재

[그림 10-23] GH신소재 주봉 차트를 살펴보자. 코로나 변이 확진자가 국내에 처음 확인되면서 재유행 우려가 커진 데다 병상 부족

[그림 10-23] GH신소재 2019년 9월~2022년 6월까지 주봉 차트

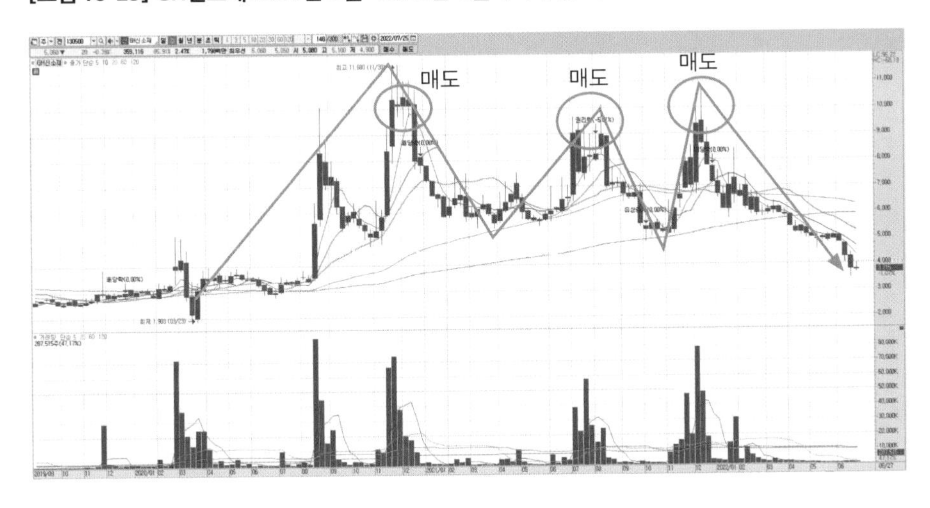

및 의료 대란 현실화로 병상과 인력의 태부족 사태가 재현될 상황의 뉴스를 연일 쏟아냈다. 그러자 GH신소재의 주식가격이 고점에서 계속 오르락내리락하는 모습을 보였다. GH신소재는 산업용 클린룸과 방음기 제조 등을 전문으로 하는 음압병실 개발업체 원방테크 주식을 보유하고 있어 음압병실 관련 테마주로 편입되었다.

고점에서 횡보하는 패턴으로 차트의 고점인 산마다 음봉이 출현한 후 저항을 돌파하지 못할 때 매도해야 하는 패턴이다. A자형 패턴과는 달리 헤드앤드숄더 패턴(삼산)이므로 산이 한 개씩 생길 때마다 매도해야 하는 것이다.

강남 기법, 신고가 기법, 보유 종목(소형주 포함), 테마주 등의 매도를 어떻게 할 것인지 공부했다. 이러한 패턴을 외우면 매매할 때 유용하게 활용할 수 있다는 것을 깨달았을 것이다. 각각 매도하는 법을 공부해서 손실금이 눈덩이처럼 불어나는 일이 생기지 않도록 해야 할 것이다.

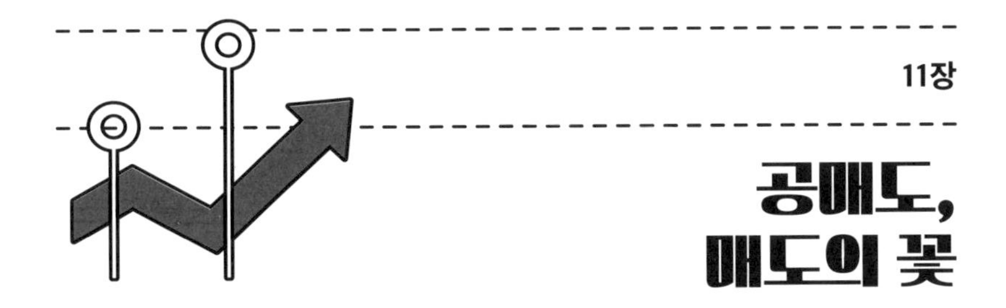

11장

공매도, 매도의 꽃

필자는 2020년 국내 최초로 공매도를 주제로 한 투자서적《실전 공매도》를 출간하였다. 국내에서 아직 개인투자자가 진입 장벽 없이 자유롭게 공매도 전략을 구사하긴 어렵지만, 공매도를 이해함으로써 매수 및 매도를 훨씬 심도 있게 이해할 수 있게 되었다. 공매도 제도 자체의 논란은 차치하더라도 공매도를 어떤 관점에서 바라보느냐에 따라 개인의 투자 실력 향상에 큰 도움이 될 수 있다. 많은 독자로부터 칭찬과 응원을 받은 첫 책이었다.

이 책은 주식을 트레이딩함에 있어 매수와 매도를 중점적으로 다룬 탓에 공매도를 결코 빼놓을 수 없다. 공매도에 관하여 더 구체적이고 자세한 매매법은 필자의 첫 책으로 공부하고, 여기서는 이 책을 통해 꼭 이해하면 좋을 내용만 압축하여 다루려고 한다.

공매도(Short Stock Selling)란?

공매도(공賣渡)의 공(空)자는 한자로 빌 공자로 사전을 찾아보면 빌 공의 뜻은 '비다, 없다, 부질없다' 등으로 뜻풀이가 나와 있으며 또는 아라비아 숫자 '0' 등으로 풀이되어 있다. 실질적인 뜻도 간단하다. 실제 가지고 있지 않은 주식을 매도하는 것을 말한다. 그래서 개인투자자는 이해가 어려울 수 있다.

공매도는 주식을 갖고 있지 않기 때문에 우선 남의 주식을 빌려서 비싸게 팔고, 나중에 싸게 사서 빌려온 주식을 갚는 원리다. 주식은 싸게 사서 비싸게 판다라는 생각만 하면 무슨 말인지 더 이해되지 않을 수도 있다. 즉 매수 관점과 반대로 (실제로 소유하지 않은 주식을) 먼저 비싸게 팔았으므로 주가가 쌀 때 (실제로 주식을) 사서 갚은 후 그 차액을 수익으로 얻는 것이다.

더 쉽게 예를 들어보자.

K라는 주식을 1주당 10,000원에 매수한 후 시간이 흘러서 15,000원이 되어 팔면 5,000원의 차액이 수익으로 남는다. 반대로 공매도는 1주당 15,000원에 먼저 팔고 이 주식이 10,000원으로 가격이 내려가면 1주를 매수해 빌린 주식을 갚는다. 그리고 여기서 발생한 5,000원의 차익으로 수익을 내는 방법이다.

우리나라 공매도는 기관과 외인에게만 허용되기 때문에 개인투자자는 하락장에서 놀란 토끼 눈을 하고 하락하는 장을 그저 바라보

는 방법밖에 없는 현실이다. 2018년 4월 17일 삼성증권 배당 사고는 공매도와 관련 없는 사고라고 판정이 났음에도 불구하고 삼성증권 사고는 공매도 제도에 대한 불만을 터져 나오게 했다. 급기야는 삼성증권사의 배당 사고 한 달 후에 골드만삭스 증권사의 400억 원의 무차입공매도 사고가 불거져 청와대 국민신문고로 공매도 폐지에 관한 청원은 20만 건을 넘어갔다고 한다. 그러나 금융당국은 공매도가 주가 하락의 주원인으로 보기는 힘들다며 개인투자자에게 공매도 시장에 참가할 수 있는 길을 넓혀줄 의견을 내놓겠다고 밝혔다. 또 금융당국은 주식을 더는 국민연금 등 기관투자자들에게 빌려주지 않기로 하기도 했었다.

그러나 주식시장에서 공매도를 현실적으로 없애는 것은 어려운 과제라고 한다. 선진국에서는 이미 공매도가 하나의 금융투자 기법으로 활용되고 있으며 공매도의 장점이 주가 하락에 주요인이 될 수는 없다는 견해 때문이다. 주가엔 금리, 환율, 국내 또는 글로벌 경기 상황, 정치적인 문제, 중미 무역전쟁 같은 외교 문제 등의 여러 가지 요인이 영향을 주기 때문이다. 삼성증권 배당 사고 이후 민원이 빗발치자 정부는 대여 가능 주식의 규모를 늘리기로 했다. 대여 가능 주식의 규모가 늘어난다는 것은 대주거래를 하는 개인투자자에게는 좋은 소식이 아닐 수 없다. 아직은 개인투자자에게 공매도가 허용되지 않고 있지만, 공매도와 유사한 대주거래를 통해 매매가 가능하다. 대주거래부터 익숙해지면, 그 어느 날 개인투자자들에게 공매도가 허용되는 날 쉽게 적응할 수 있다고 본다.

공매도의 역사와 일화

공매도는 17세기 네덜란드에서 처음 시작되었다고 알려져 있다. 네덜란드는 최초의 주식회사인 동인도회사와 최초의 증권거래소를 탄생시킨 나라이다. 네덜란드의 한 상인이 동인도회사에서 쫓겨난 것에 앙심을 품고 주가를 떨어뜨리기로 계획했고, 다른 주주들과 동인도회사 주식을 빌려서 판 뒤 나중에 되사서 갚아 주기로 계약을 했다고 한다. 영국 함대의 공격 소식 등 유언비어를 퍼뜨렸고, 주가가 급락하자 네덜란드 당국이 공매도 규제에 나선 것이 시작이다.

2008년 미국의 리먼브라더스(Lehman Brothers)의 파산을 시점으로 서브프라임 모기지(Subprime Mortgage Crisis) 사태가 일어난 것을 기억하는가? 리먼은 미국의 투자은행 빅5 중 하나로 1850년에 설립된 세계적인 규모의 투자은행으로 서브프라임 모기지론의 붕괴로 인해 2008년 9월 15일 파산신청을 하게 된다.

서브프라임 모기지론은 우리나라의 주택담보대출 같은 제도로 미국에서 저소득층이 집을 살 때 주로 이용하는 융자 제도다. 미국 금리가 조금씩 오르기 시작하면서 변동금리로 대출받은 서브프라임 신용등급자는 원금과 이자를 갚지 못하는 사태가 발생하기 시작했고, 리먼브러더스는 결국 국가의 도움을 받으려 했었다. 그러나 당시 미국 부시 대통령은 리먼브러더스의 파산을 막지 못했다.

우리나라도 리먼브러더스의 파산으로 인한 사태를 피해갈 수는 없었다. 2008년 가을 대한민국 주식시장은 40%나 하락해 코스피 지수가 1000 밑으로 내려갔으며 코스닥 지수는 300선 밑으로 곤두박질치는 끔찍한 하락장이 펼쳐졌다. 증권회사 직원이 고객들에게 시달려 다른 지점으로 옮기기도 했다. 증권사뿐만 아니라 각 보험회사에서 판매했던 변액보험의 해약금이 반토막 났었고 고객들의 문의 전화로 회사마다 통화가 쇄도했었다. 주식시장 폭락의 원인에 공매도가 원흉으로 찍혔고 결국 정부에서 2008년 10월에서 2009년 6월까지 공매도를 금지했다. 미국도 19개 투자은행 주식에 대해 30일간 금지한 바 있다. 이어서 프랑스, 스페인, 이탈리아, 벨기에 등도 공매도가 금지되었다.

우리나라는 2007년 7월 25일 코스피 지수는 2,000포인트를 처음 돌파에 이어 10월 2일 두 번째 남북회담이 열리기 전까지 주식시장의 상승 랠리는 이어졌었다. 코스피 지수가 올라가면서 각 증권사와 보험회사에서는 주식과 관련된 상품 판매율이 최대로 높아졌고, 여기저기서 주식시장이 나빠질 거라는 소식들이 조금씩 퍼지기 시작했다.

2008년 4월쯤에는 주식시장의 하락 예고 소식들이 난무했고 8월부터는 눈에 띄게 코스피 지수가 하락했다. 매일매일 지수가 내려갔고 어떤 우량주는 3일씩 하한가를 찍기도 하였다. 그때 필자는 하한가 종목으로 하락장에서도 매일 수익을 내고 있었지만 다른 개인투자자들은 신용을 쓴 이유로 반대매매도 많았고 계좌가 반으로 줄어든 개인투자자들이 속출했었다. 사상 최대치의 코스피 지수 2,000포인트를 돌파한 후 2008년 세계 금융위기가 가져다준 주식시장의 폭락은 마치 쓰나미 같았다. 하지만 이 쓰나미 같았던 주식시장에서도 하락을 예측한 공매도 세력은 수익을 낼 수 있었겠지만, 당시 정부에서 공매도를 금지했다. 그러나 KCGS 보고서에 따르면 기업의 회계 정보가 불투명할수록 공매도가 주가 급락의 위험을 증가시킨다는 연구 결과가 있다. 즉 공매도로 피해보는 거품이 많은 기업의 정보를 전달하는 역할을 충실히 이행하고 있는 것이라고 볼 수 있다.

공매도의 이런 순기능이 있음에도 우리나라의 공매도 규제는 선진국에 비해서 직접규제의 강도가 5년간 높은 방향으로 지속되었다. 또한, 2020년 3월 코로나 펜데믹을 겪는 동안 공매도를 1년 넘게 금지했었다. 공매도 재개를 앞두고 국내 공매도 관련 제도에 대한 비판과 의문이 많이 제기되었다고 한다. 과연 공매도 금지 연장이 주식시장의 지옥을 막는 방법인가?

윤석열 대통령은 개인의 공매도 주식담보배율을 기관, 외국인(105%) 기준으로 인하하고 '공매도 서킷 브레이커 도입' 등 현행 공매도 과열종목 지정제도를 개선, 보완하기로 했다고 한다. 이로써 조금씩 선진화된 자본시장이 형성되면 기울어진 운동장이 조금 덜 기울어지지 않을까 필자는 생각한다.

이 책을 읽는 개인투자자들이 공매도를 적극적으로 활용하여 주식시장의 판도를 선진국 수준으로 올려줄 것을 기대한다. 역사적으로 개인투자자는 공매도를 적대시하고 있다. 말도 많고 탈도 많은 공매도를 금융당국은 현실적으로 없앨 수 없다고 하면서 여론을 무시할 수도 없다 보니 개인투자자를 달래는 정책을 내놓을 수밖에 없는 상황에 부닥쳐 있다.

공매도의 장단점

공매도를 무작정 욕하기 전에 왜 금융당국은 공매도를 제도적으로 허용하고 있는지도 궁금하다. 처음 공매도 관련 책을 쓰게 된 이유 중 하나가 개인투자자들이 주식에 대한 지식도 없이 또는 남이 추천해주는 종목을 분석도 없이 투자금을 전부 날려 버리거나 크게 원금을 손실하는 일이 생기기 때문이었다. 주식에 대한 지식을 정확히 전하고 싶었다. 공매도에 대하여 올바르게 이해하고 잘 활용한다면 지금보다 우리들의 소중한 자산을 더욱 쑥쑥 키울 수 있기 때문이다.

공매도의 장점

첫째, 주주들이 어떤 이유로든지 주식을 장기 보유하게 되면 그 숫자만큼 시장에서 거래되는 주식 수가 줄어든다. 이런 부동 주식을 시장으로 나오게 해서 시장의 거래를 증가시켜 주식시장의 유동성을 높여준다.

둘째, 공매도는 증권시장에서 개인투자자들에게 고평가된 주식 투자의 위험을 경감시켜주는 기능을 한다. 예를 들어 K라는 주식이 성장성도 없고 실적도 받쳐주지 못함에도 불구하고 본래 가치보다 너무 높게 평가되었고 사업 전망도 나빠질 것이라면, 이 보이지 않는 거품은 언젠가는 꺼질 것이다. 정확한 정보를 알 수 없는 개인투자자는 공매도 숫자가 늘어나는 종목의 하락을 예측할 수 있기에 신규 진입을 하지 않거나 보유 중인 주식은 손절매할 수도 있다. 그리고 기회비용도 잃지 않게 된다. 그러므로 공매도는 가격의 거품을 꺼지게 해주고 주가를 실제 가치에 가까워지게 한다.

셋째, 주가가 급락할 때 신규 개인 투자가들은 떨어지는 칼날을 잡는 것이 두려워 쉽게 주식을 사려고 하지 않음으로 사려는 힘이 약해져 주가가 더 많이 내려가기도 한다. 이때 공매도 상환은 사려는 힘으로 작용하여 급락하는 주가를 반등시키는 역할을 하기도 한다. 즉 공매도 세력들은 어느 정도 주가가 하락하면 추가 하락으로 수익을 더 내기보다는 이미 난 수익을 챙기고 싶은 심리가 더 강하다. 따라서 신규 개인투자자들은 저점에서 매수할 기회가 되기도 한다.

사례를 하나 들어보자. 2008년 세계 금융위기 여파로 여러 국가는 공매도를 금지했는데도 주가는 더욱 하락했다. 주식시장을 상승으로 반전시킬 수 있는 세력들이 주식을 사고 싶어도 공매도 금지로 살 수 있는 물량이 적어 결국 큰손들의 매수가 늦어졌다고 한다. 당시의 공매도 금지 조치는 효과가 크지 않았음을 보여준다. 오히려 가치투자나 장기 투자를 하는 개인투자자 중에는 하락장을 매수할 기회라고 생각하고 있기도 하다.

넷째, 장기 보유 주주에게는 대여 수수료로 수익이 발생하게 된다. 개인투자가가 어떤 회사 종목을 높은 가격에 산 이후로 하락이 계속 지속하면 손절매를 하지 못하게 되어 1년이고 2년이고 3년이고 주식을 보유하면서 추가 매수하기도 하고, 한숨만 푹푹 쉬기도 한다. 이렇게 고통스러운 나날을 보내면서 언제 올라갈지도 모르는 주식을 대여한다면 기다리는 동안 대여 수수료를 챙길 수 있다. 참고로 국민연금은 배당수익 이외에도 주식대여 수수료로 138억 원이라는 큰 수익을 올렸다는 기사도 있다.

SEC(미국증권거래위원회)의 자료를 분석해보면 공매도가 나스닥에서 31%, 뉴욕증권거래소에서는 24%로 전체 거래량에서 공매도가 차지하는 비율이 높다. 이 자료는 공매도가 주식시장에 많은 영향을 끼치며 중요한 역할을 하고 있다는 것을 보여주고 있다.

우리가 이름만 대면 알 수 있는 미국의 가치투자자인 워런 버핏도 공매도가 증가하는 종목에는 투자하지 않는다고 했다. 특정 종목의 공매도 수량 증가 이유는 여러 가지가 있는데 주식의 하락을 바라고 있는 투자자들이 있기 때문이다. 적대적 M&A를 하는 세력이나 대주주가 경영권 방어를 위해 주식을 대량으로 보유하고 있으면서 대여 수수료만 챙기려 하는 경우, 이미 투자한 회사의 악재를 우려해 짧은 기간에 매집하기 위해서 큰손들은 주식의 하락을 바라고 있다면 정확한 정보를 얻기 힘든 개인투자자에게 공매도는 주식을 신규로 매수할 때 대차잔고가 늘어나는 종목을 피할 수 있는 안전그물망 같은 역할을 한다.

공매도의 단점

첫째, 공매도 세력은 주가가 하락해야만 수익이 나기 때문에 공매도를 한 후 주가 하락을 유도하려는 허위 정보를 유포할 수도 있다. 실제로 특정 종목에 기관과 외인의 공매도가 들어갔다는 말만 나와도 주가 하락을 부추기는 효과가 생긴다. 주가가 하락할 때는 나쁜 정보에 더 민감한 반응을 보이기 때문에 심리적으로 위축된 개인투자자는 손절매하는 경우도 많아 주가의 변동성이 더욱더 커지게 된다. 공매도 세력은 증권시장의 변동성을 악용해서 주가가 크게 하락할 때 큰 이익을 얻어가기도 한다.

텔루스라는 종목이 어느 날 공시가 떴는데 공매도 거래금지라고 공시가 나온 후 주가가 많이 하락했다. 당시 텔루스는 삼성전자 갤럭시10의 렌즈를 공급하는 디오스텍과 합병 절차를 밟고 있었다. 텔루스를 대량으로 샀던 조합원 K씨는 사업자금 회전이 안 된다며 큰 손해를 보고 팔았다. 그리고 다시는 주식을 하지 않겠다고 하소연해왔다. 공매도 거래금지 공시만 나왔는데도 그 후 텔루스의 주가는 계속 하락했다. 텔루스뿐이겠는가. 수많은 종목이 공시만 나와도 투매가 나오고 투자심리가 약해진다는 것은 주식 매매를 해본 개인투자자들은 다 공감하는 내용이다.

둘째, 공매도한 후에 주가가 하락할 것이라는 예측을 벗어나 주가가 급등하면 공매도한 투자가의 손실은 많이 증가해 공매도한 투자자가 빌려온 주식을 약속기일까지 반환하지 못하는 사태가 생기기도 한다. 공매도 투자로 수익을 내려다 오히려 손실을 크게 볼 수 있기에 정확한 분석과 기법이 없이 공매도를 시도했다가는 큰코다칠 수가 있다.

공매도의 장단점들을 살펴보면서 단점보다는 장점들이 많다는 것을 알았고, 그렇다면 우리는 공매도에 대해서 더 정확하게 공부를 해둘 필요가 있다.

공매도의 종류와 알아야 할 용어

차입공매도와 무차입공매도

공매도는 차입공매도와 무차입공매도가 있다. 다시 차입공매도는 대차거래와 대주거래로 분류된다. 차입공매도란 주식을 가지고 있는 사람으로부터 주식을 빌려와 그 수량 한도 내에서만 공매도할 수 있는 제도다. 차입공매도는 투자 주체가 누구냐에 따라서 대차거래와 대주거래로 나눈다.

무차입공매도는 차입공매도와는 반대로 주식을 빌려오지 않은 상태에서 증거금 등 담보를 제공하고 공매도를 할 수 있는 제도로서 우리나라는 허용하지 않고 있다. 그러므로 우리나라에서 거래되는 공매도는 모두 차입공매도라고 이해하면 된다(미국은 증거금만 있으면 무차입공매도가 무제한 가능하다). 그러나 설명을 이렇게 해도 저렇게 해도 이해가 잘 안 될 수 있다. 공매도와 대차거래는 개인투자자에게 허용된 거래가 아니므로 굳이 이 책에서 자세하게 설명할 필요는 없다고 생각한다. 그래서 이 책에서는 개인이 할 수 있는 공매도 유형인 대주거래, CFD(Contract For Difference, 차액결제거래), 주식선물 등에 관해서 핵심적으로 다루려고 한다.

대주거래

대주거래는 개인투자자가 증권회사로부터 주식을 빌려오는 거래다. 증권회사가 개인투자자에게 주식을 빌려주는 신용거래는 매수대금을 빌려주는 신용융자거래와 같은 것이다. 대주거래는 자기

대주와 유통대주가 있다. 자기대주는 증권회사가 보유한 주식을 공매도 계좌를 개설한 고객에게 빌려주는 것이고, 유통대주는 증권 금융사들이 보유한 주식을 모아서 고객에게 빌려주는 형태로 거래 규모가 큰 기관과 기관이 주고받는 경우가 많아서 개인투자자에게는 서비스하는 곳이 거의 없었지만 신한증권에서 일본의 개인 공매도 제도와 유사하게 대주거래 종목을 대주거래 할 수 있게 해주고 있다. 각 증권사별로 점점 종목 수가 늘어날 추세다.

[표 11-1] 대주거래와 공매도의 차이점

	대주거래	공매도
거래 형식	증권사로부터 주식을 빌려서 매도	국민연금 등에서 주식을 빌려서 매도
거래 장소	HTS에서 가능	증권사 통해 거래
거래 대상	개인(신용계좌) 기관, 외국인	기관, 외국인에게만 허용
수수료	일반거래 수수료의 3~7배	증권사별 수수료 정함
한도	증권사별 개인별로 관리	한도없음
담보비율	140%	105%
만기일	90일(3개월마다 무한대 연장 가능)	없음

공매도와 대주거래는 하락해야 수익을 낼 수 있기에 매매 기법이 거의 유사하다. 공매도는 우선 매수가 아닌 매도를 한다. 즉 주식을 비싸게 빌려와 판 후 주가가 다시 상승하면 손실이 발생하게 되므로 앞으로 주가 하락이 확실하다고 생각할 때 매매해야 한다. 이러한 위험성 때문에 개인투자자에게 공매도를 허용하게 되면 확실한 지

식이 없는 경우 큰 손실이 날 수 있다. 그러나 개인투자자가 할 수 있는 대주거래는 90일(3개월마다 무한대 연장 가능) 동안 여유가 있어 일시적으로 주가가 급등하더라도 기다릴 수 있는 여유가 있다. 수수료는 일반거래 수수료보다 3~7배 정도 비싸다고는 하지만 공매도가 횡행하는 종목들은 하락률이 15~40% 높아서 수수료는 크게 부담되지 않는다고 본다.

해외의 공매도

우리나라 개인투자자가 거래하기 용이하므로 미국의 대주거래가 도입되기 전에 우리나라의 대주거래를 많이 활용해서 기법을 쌓아 두면 어떠한 새로운 공매도가 도입된다 해도 잘 적응할 수 있다고 본다. 주식거래의 형태가 시대의 흐름에 따라서 조금씩 달라지지만, 주식에 대한 정확한 지식을 갖고 있다면 다 적응할 수 있다.

어떤 장에서도 수익을 낼 수 있게 개인투자자는 무장해야 한다. 피 같은 돈을 잃으면 실제로 피가 마르고 뼈까지 마르는 일이 발생하기 때문이다. 증권회사는 고객들의 주식거래 수수료로 수익을 내는 회사다. 만약 주식시장에 공매도가 없다면 주식들이 다 잠자고 있을 때 증권회사는 수수료 수입이 없어지게 된다. 그래서 개인투자자에게 공매도를 할 수 있게 해준 것이 대주거래이다. 대주거래는 미국과 우리나라가 조금 다르다. 우리나라도 언젠가는 미국의 복잡한 대주거래를 도입할 수도 있다고 한다. 그렇다면 현재의 대주거래가 신토불이 공매도라고 말할 수 있다.

이미 선진국이나 가까운 일본에서는 개인투자자들의 공매도 비중이 점점 높아져가고 있는 현실이지만 우리나라에서는 개인이 할 수 있는 대주거래의 특성상 보유 기간이 길면 길수록 수익을 크게 낼 수 있는 확률이 높아진다. 과거에는 보유 기간이 30~60일로 너무 짧고 수수료도 비싼 편이었지만 현재는 보유 기간이 90일(3개월마다 무한대 연장 가능)로 늘어나서 예전보다는 개인에게 공매도 거래에서 유리하다고 볼 수 있다. 외국인과 기관은 상장주식 전부를 낮은 이율로 만기 없이 빌릴 수 있으니 너무나 불공평하고 답답한 실정이 아닐 수 없다.

실제로 한국의 개인투자자들은 공매도하는 방법도 거의 모르고 고수들의 영역으로 알고 있으며 참여도도 미미하다. 그러나 일본은 개인투자자들의 공매도 거래가 전체 거래량의 23.5%로 미국과 유럽 35~40%의 비중과 비슷하다. 왜 일본의 개인투자자들은 공매도 참여율이 높을까? 일본은 외국인과 기관에 주는 혜택을 개인투자자들에게도 주는 정책을 쓰고 있다고 하니 우리나라에도 이런 좋은 정책은 하루라도 빨리 도입되기를 바란다.

[표 11-2] 한국과 일본의 개인투자자들의 공매도 비교

	한국	일본
수수료	기관, 외국인보다 높다.	기관, 외국인과 똑같은 혜택을 받는다.
보유 기간	90일(3개월마다 무한대 연장 가능)	6개월
참여 비율	코스피 5.5% 코스닥 0.9%	23.5%(한국의 각각 34~60배)
종목	현재 300여 종	종목 제한 없다.

수량	수량 제한 있다.	수량 제한 없다.
공급 기관	개별 증권사가 대주재원 확보가 어려운 현실임	중앙집중방식(주식 대차재원 공급기관 존재한다)

업틱룰(Up-tick Rule)

빌려온 주식을 팔 때(매도 포지션을 취한다고 한다) 공매도 세력들이 주가를 찍어 내리지 못하게 하려는 제도로 현재가(시장가)보다 높은 호가에서만 주문을 넣게 하는 것이다. 전문가들의 말에 의하면 업틱룰이 주가 하락을 낮추는 효과가 있다고 하지만 실질적으로 큰 효과가 있지는 않다. 호가창을 보면 업틱룰로 매매를 해야 하는 것이 무엇인지 쉽게 알 수 있다. 시장가보다 비싼 가격으로 주문을 넣어야 한다는 것이다.

공매도도 일반주식 매매처럼 호가창을 보면서 매수와 매도를 한다. 우리는 호가창에 대해서 일반적으로 이렇게 알고 있다. 매도호가의 물량이 많고 매수호가의 물량이 적을 경우는 일반적으로 상승의 조건이라고 여긴다. 세력들이 저가에 매수한 주식을 팔려고 할 때 매도호가에 주식을 쌓아둔다. 그래서 주식의 가격이 올라가는 것이다. 주식 초보는 수요-공급의 원칙에 따라서 상품이 하나인데 사려는 사람이 많으면 그 가치가 올라간다고 생각하여 매수호가의 물량이 많으면 주가가 올라간다고 잘못 판단할 수도 있다. 하지만 주식은 매도 호가창에 물량이 많아야 주가가 올라간다.

무조건 매도 호가창에 물량이 많다고 주가가 오르거나 매도 호가의 물량이 적다고 주가가 내리는 것은 아니다. 주가가 올라가는 것은 일정한 조건을 갖춰야 하기 때문이다. 또한, 세력이 개인투자자를 속이기 위해서 허위로 매도호가에 물량을 쌓아놓기도 하고, 허위로 매수호가에 물량을 쌓아놓기도 한다. 그렇다면 반대로 매도호가의 물량이 적고 매수호가의 물량이 많은 경우는 하락의 조건이다. 그렇다면 공매도는 일반 투자와 반대로 주식을 비싸게 팔고 싸게 사서 갚아야 한다면 일반 주식매매 호가창의 개념도 반대로 생각해야 한다는 것이다. 매도호가의 물량이 매수호가의 물량보다 더 많이 쌓여 있을 때 개인투자자는 매수한다. 공매도할 때는 이 호가창은 손실이 날 가능성이 크다.

주식 호가창에서는 공급(매도량)이 많을수록 주가 가격이 상승하는 것이 일반적이다. 그래서 공매도하기 좋은 호가창인지 구별하는 것은 매우 중요하다. 개인투자자는 내가 보유한 종목이나 신규로 진입하려는 종목이 공매도 과열종목 공시가 뜨거나 공매도 과열금지 종목으로 지정, 또는 유상증자가 뜨거나 하면 공매도가 시작될 수 있음을 인지하고 주식을 팔거나 신규 진입에 신중해야 한다.

쇼트커버링(Short Covering)

쇼트커버링은 차입판매 주식정리라고 말하기도 한다. 쇼트(short)는 주식을 빌려와 비싸게 판 것을 말한다. 커버(cover)는 빌려온 주식을 갚기 위해서 주식을 사서 갚는 것을 말한다.

공매도 세력들은 주가가 하락할 것을 예상하고 공매도했는데 실적 상승이 갑자기 나오거나 호재 공시로 인해서 주가가 상승하면 공매도 세력은 큰 손실을 볼 수밖에 없다. 따라서 빌려온 주식을 비싸게 매도한 것을 커버하기 위해 빠른 쇼트커버링을 하게 된다. 이때 공매도 세력이 주식을 사서 갚아야 하므로 단기 급등이 나온다. 쇼트커버링이 일어날 때 물려 있던 종목이 있다면 빠져나올 수도 있고, 신규로 진입해서 단기 수익을 낼 수도 있다. 따라서 공매도가 무조건 나쁘다는 생각하기보다는 공매도의 성격을 잘 알아서 이용할 줄 아는 트레이더가 현명한 것이다.

그동안 가장 공매도가 많았었던 종목은 시가총액이 높은 삼성전자, SK하이닉스, 셀트리온이다. 셀트리온은 실적과 상관없이 공매도가 많이 이루어진 종목으로, 심지어 공매도 세력 때문에 셀트리온 사장은 "기업을 그만하고 싶다"라는 말을 했다고도 한다. 셀트리온의 기업가치에 장기 투자하는 주주들로 인해 잠자는 셀트리온 주식을 깨우고 싶은 공매도 세력들은 온갖 유치한 방법을 다 쓰며 기업의 가치를 떨어뜨리게 해 공매도가 더욱 개인투자자에게는 욕을 먹고 있는 현실이다.

2019년 4월 21일 삼성전기 실적발표로 주가가 올라가자 공매도 세력들은 쇼트커버링이 급한 나머지 단기 급등이 나왔다. 그렇다면 일반투자자는 단기 투자 수익을 챙길 수가 있다고 생각하고 삼성전기 신규 진입을 시도했다면 주가가 얼마만큼 올라갈까 궁금하다. 즉 신규 진입한 주식을 어느 가격에 팔아야 할 것인지에 대해 알고 싶은 것이다.

공매도 평균단가를 안다면 주가가 얼마반큼 올라갈지 예측할 수가 있다. 그렇다면 공매도 평균단가는 어떻게 알 수 있는가? 증권사마다 공매도 추이에 대한 자료들을 통해 공매도 기간과 공매도 수량을 알아낸 후 평균단가를 계산하면 된다. 그리고 공매도 수량이 전체 거래량의 몇 퍼센트를 차지하는지도 체크해두면 좋다. 전체 거래량에서 공매도가 차지한 비율이 너무 작다면 쇼트커버링에 의한 단기 상승을 크게 기대할 수 없다.

A라는 회사의 공매도 평균단가가 100원인데 현재의 가격은 120원이다. 공매도 세력은 현재가보다 저점에서 쇼트(매도)를 했고 손실을 보고 있다. 빌려온 주식도 갚아야 하고 수익도 올려야 한다면 공매도 세력은 계속 쇼트커버링을 위해 주식을 사야 한다. 얼마나 사야 할까? 저점에서 쇼트(매도)를 했고 수익도 보지 못한 상태여서 손실을 막기 위해 마음도 급하다 보니 주식가격을 계속 올릴 수밖에 없다. 무슨 말이냐 하면, 일반 매매에서 주가가 내려가면 계속 추가 매수를 해서 평균단가를 낮추듯이 공매도도 갑자기 주가가 오르면 평균단가를 높여야 한다. 공매도 세력은 갚을 주식도 사야 하고 일반 매매 같은 순매수를 해서 수익도 내야 하니 주식을 많이 살 수밖에 없는 것이다.

주식은 늘 오르기도 하고 내리기도 하고 횡보하기도 한다. 주식이 계속 오르면 너도나도 주식을 하게 된다. 그리고 주식시장은 과열되어 주식이 가진 가치보다 고평가되는 경우가 생긴다. 또는 여러 가지 악재로 인해서 주식시장이 계속 하락하기도 한다. 주식시장이 과열될 때는 거품을 빠지게 하는 공매도 세력이 들어오고 주식시장이 침체할 때는 기관이나 큰손들은 손절매로 큰돈을 뺄 수 없어 공매도에 참여하게 된다. 하락장에서 개인투자자는 화가 난다. 기관과 큰손들은 공매도로 수익을 내고 있고 개인투자자는 계속 손실이 불어만 가고 있는데 얼마만큼 주가가 하락할지도 모르니 추가 매수를 할 수도 없기 때문이다. 넋 놓고 한숨만 쉬지 말고 개인투자자도 대주거래를 통해서 수익을 내야 한다. 대주거래에 도전하기 어렵다면 적어도 원리 정도는 반드시 이해하면 좋다.

일반인이 공매도 할 수 있는 방법, 대주거래

일반 개미투자자들이 공매도를 할 수 있는 방법은 총 세 가지다. 본인이 증권계좌가 있다고 바로 공매도를 할 수 있는 것이 아니다. 다음 계좌 중 하나라도 있어야만 공매도를 할 수 있다.

① 대주계좌	② CFD계좌	③ 주식선물

대주계좌

개인이 공매도를 할 수 있는 계좌로, 이 세 가지 방법 중 가장 만들기 쉽다. 대주거래는 증권사로부터 주식을 빌려서 매도한 뒤 일정 기간이 지나 같은 종목을 매수해 갚는 투자법이다. 대주거래는 현재 개인투자자가 가장 많이 하는, 주식시장의 급락이나 하락장에서 공매도의 '대체투자법'이다. 현재는 코스피 200개, 코스닥 150개 등 총

350개 종목이 대주거래가 가능하며 대주거래를 위해서는 한국거래소에서 시행하는 개인 공매도 교육을 이수하고 모의 거래 교육 이수해야 한다.

지난 2021년 11월 1일부터 제도가 바뀌어 대주거래 보유 기간이 60일에서 90일로 늘었다. 연장하면 무한대로 보유할 수 있다. 보유기간이 60일일 때는 기간이 짧아서 공매도가 어려웠다. 이제는 장기보유가 가능해져 공매도 투자가 훨씬 유리하다. 그러므로 이 책을 통하여 개인투자자도 하락장에서 공매도 기능을 활용하여 수익을 내길 바라는 마음이 크다.

대주계좌 교육 이수

2020년 5월부터 17개 증권사가 2조~3조 원 규모의 대주 서비스를 제공하고 있다. 투자 경험에 따라 차등화된 투자 한도가 적용될 예정이며 신규 투자자의 경우 3,000만 원이 적용될 예정이다. '금융투자교육원(www.kifin.or.kr)'을 검색해서 홈페이지로 들어가 수강 신청하고, 100% 진도로 수료한 후에 수료번호를 증권사에 제출하면 된다. 수강료는 3,000원이다.

교육 내용은 공매도의 개념과 기능, 긍정적인 위험성의 이해와 다양한 투자 전략 및 규제, 대주거래 등을 이해할 수 있는 과정으로 되어 있다. 동영상 교육을 시청하고 1시간 후 자동수료 처리된다. 공매도는 교육받고 수료증 받은 후 모의 거래를 해야만 한다. 모의 거래 위해서 KRX(www.krx.co.kr 한국거래소) 사이트에 들어가서 진행해야 한다.

[그림 11-1] 공매도 교육 수료증

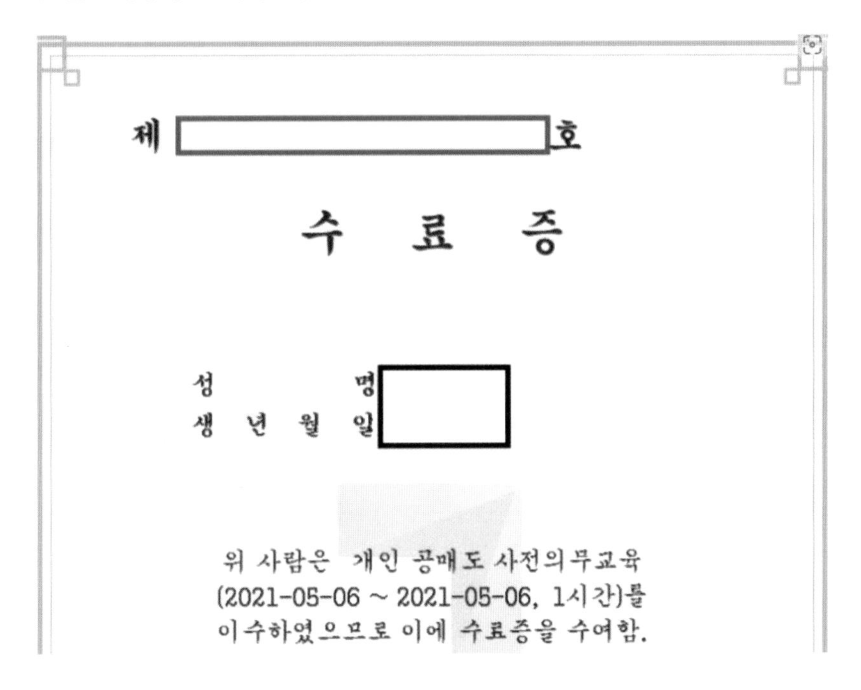

제 호

수 료 증

성 명

생 년 월 일

위 사람은 개인 공매도 사전의무교육
(2021-05-06 ~ 2021-05-06, 1시간)를
이수하였으므로 이에 수료증을 수여함.

[그림 11-2] 대주매매 주문 화면 0334(키움증권 기준)

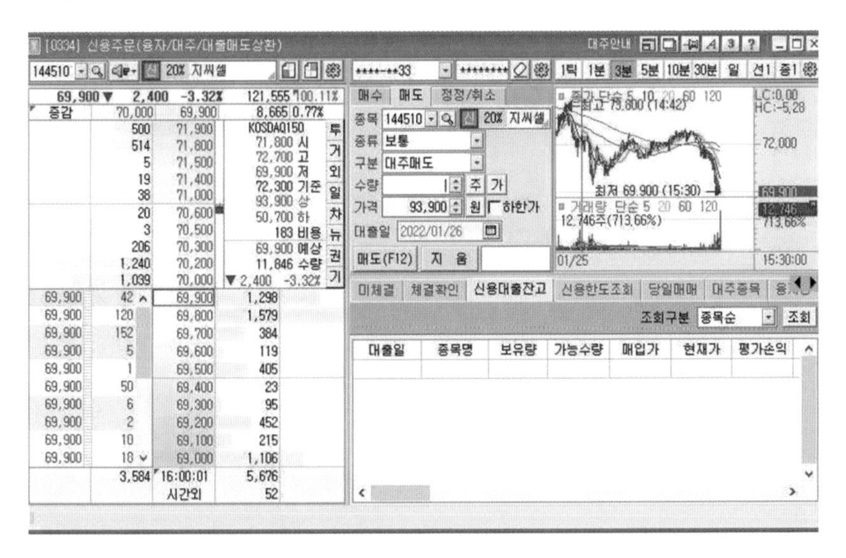

[그림 11-3] 대주가능 종목 찾기 화면 0878(키움증권 기준)

1 [0878] 신용대주가능종목 - 신용대주가능종목

증거금률별종목 | 담보대출가능종목 | 대주가능종목 | 신용융자가능종목 | 주식상태변경이력

◉전체 ○코스피 ○코스닥 ◉전체 ○A군(2.5%) ○B군(4.0%) 조회 다음

058470 신 20% 리노공업 < 신용대주 가능 > □자동조회 ?

종목번호	종목명	현재가	대주가능수량
058470	리노공업	171,800	593
060720	KH바텍	14,920	39,125
061970	엘비세미콘	7,820	44,996
064260	다날	5,660	222,956
064350	현대로템	26,900	439,743
064550	바이오니아	40,500	10,655
064760	티씨케이	107,400	2,676
066570	LG전자	110,600	197,020
066970	엘앤에프	230,500	3,904
067160	아프리카TV	93,500	1,394
067310	하나마이크론	11,060	38,952
068240	다원시스	14,650	50,043
068270	셀트리온	162,400	40,673
068760	셀트리온제약	62,200	9,207
069260	TKG휴켐스	19,440	40,909
069620	대웅제약	124,200	521
069960	현대백화점	61,000	9,876
071050	한국금융지주	62,400	31,998
074600	원익QnC	25,350	26,639
078340	컴투스	64,700	26,964
078600	대주전자재료	96,200	2,633

※ 신용대주가능종목 및 대주가능수량은 장중 변동될 수 있습니다.
※ 대주가능수량이 있더라도 회사한도초과 등의 이유로 주문이 불가할 수 있습니다.
※ 공매도 과열종목, 시장조치 종목 등은 대주가능종목에서 제외됩니다.
※ 대주매도 주문은 증권금융으로부터 가능수량 차입 → 거래소 주문 순으로 진행됩니다.

[100000] 조회가 완료되었습니다.

CFD(Contract For Difference, 차액결제거래)계좌

전문투자자라고 불리는 계좌로 CFD는 개인이 주식을 보유하지 않고 진입 가격과 청산 가격의 차액(매매 차익)만 현금으로 결제하는 장외파생계약이다. CFD 계좌를 개설하려면 전문투자자 등록을

해야 한다. 증권사마다 자격 조건이 충족되어야만 만들 수 있는 계좌다. 코로나19 펜데믹 이전에는 약 2,000개 종목을 거래할 수 있었으나, 코로나19 펜데믹 이후 현재는 약 350개 종목 정도 가능하다. 대주매매가 가능한 종목들과 겹치는 종목도 많다. 이자는 대주거래와 똑같다. 1년간 2.6~4%이며 종목마다 이자가 조금 차이가 있다. CFD 매매의 장점은 레버리지를 2.5배 쓸 수 있으며 하락과 상승 양방향 다 매매가 가능하다. 즉 콜과 풋이 다 가능하다는 이야기다. 앞으로 CFD계좌로 공매도를 할 수 있는 종목이 늘어날 예정이다. 대주거래에 비해서 계좌개설이 까다롭다.

다음은 키움증권 CFD계좌 개설할 수 있는 자격 기준표다.

[그림 11-4] CFD계좌 개설할 수 있는 자격 기준표

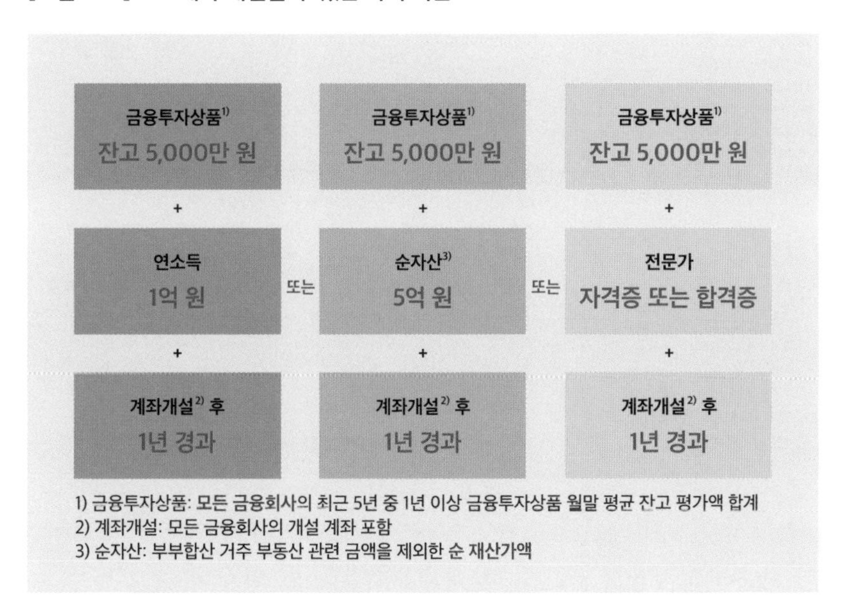

대주거래는 CFD 매매와 비교해 공매도할 수 있는 수량이 부족하다. 단발성 재료로 상승하는 종목을 대주 매매를 하려고 하면, 이미 공매도 선수들이 물량을 확보해간 상태라 수량이 부족하다는 것이다. 보유 기간에 따른 이자(1년 기준)를 내야 하는데 CFD와 대주거래는 이자가 비슷하다. 종목도 거의 흡사하다. 다만 대주거래는 보유 기간 이후 갱신을 별도로 해야 하고 CFD는 무한대로 보유할 수 있다. 무엇보다 CFD는 계좌개설 조건이 까다롭다. 대주거래는 개인이 쉽게 계좌를 개설할 수 있어 물량 확보가 CFD에 비해 어렵다.

[그림 11-5] CFD주문창 화면 7920(키움증권)

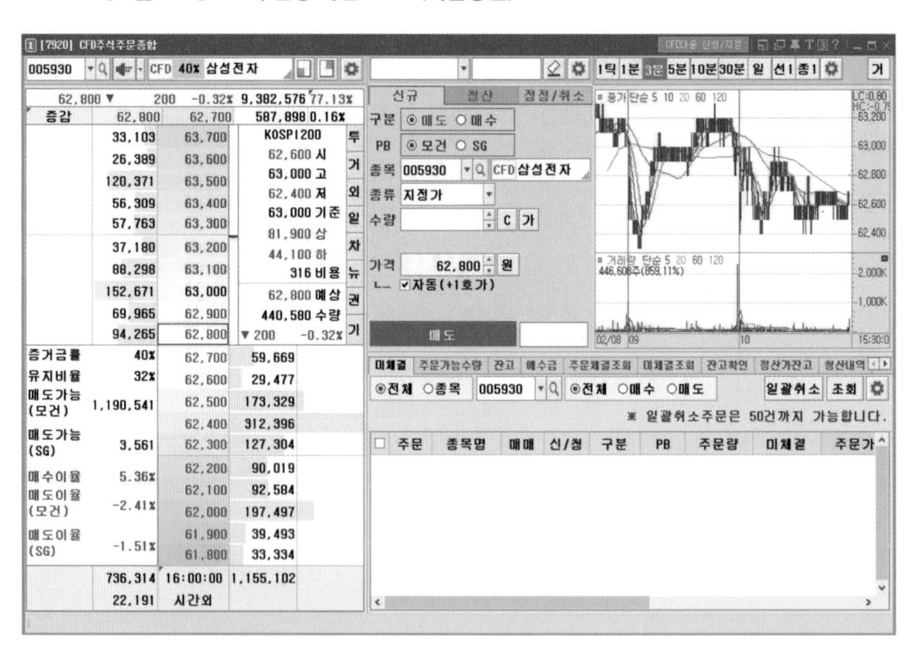

대주거래, CFD, 주식선물 거래에서 차트를 보는 방법은 모두 똑

같다. 그러므로 대주거래 매도 기법을 알려주고자 한다.

[그림 11-6] 안랩 일봉 차트를 보면 안랩은 대선테마주로 일정에 의한 신고가를 찍고 하락했음을 보여주고 있다. 안랩은 대선 때마다 주식가격이 최고점을 찍은 후에 하락했음을 우리는 이미 알고 있다.

[그림 11-6] 안랩 2022년 2월~2022년 7월 일봉 차트

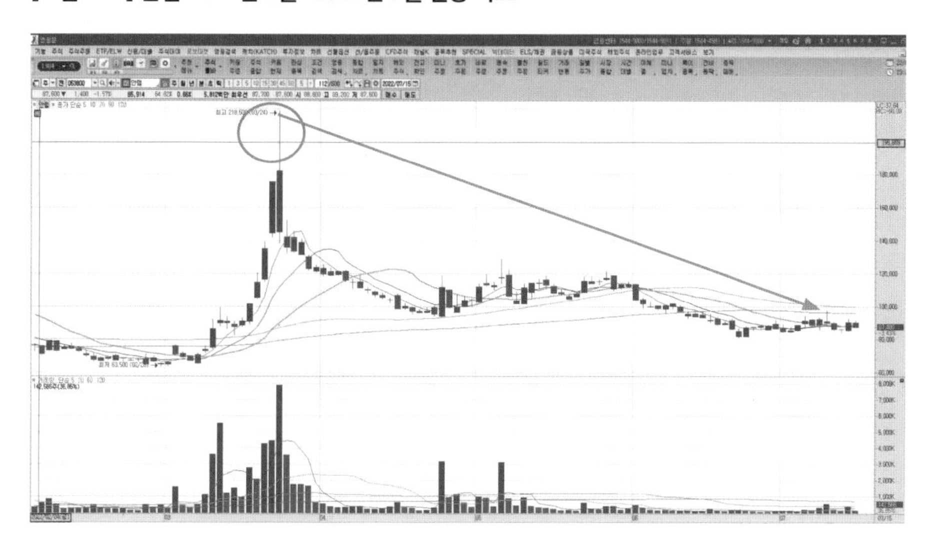

[그림 11-7] 안랩 뉴스 화면

시세	상세	Signal	업종	섹터	차트	일정	뉴스

[특징주] 안랩, 최고가 찍고서 폭락…17%대 하락 마감(종합)

날짜	시간	제목
03/24	16:00:09	[긴급] "안랩" 급락하고 있는 이유
03/24	15:49:41	[특징주] 안랩, 최고가 찍고서 폭락…17%대 하락 마감(종합)
03/24	15:48:40	[특징주] 안랩, 장중 최고가 21만원 찍고 14만원대로 '급락'
03/24	15:36:42	코스닥 하락률 상위 50종목
03/24	15:01:52	외국인이 1400억원 베팅한 안랩, 최고가 찍고 급락
03/24	14:56:13	단기적으로 올라갈 종목은 따로 있다!
03/24	14:52:53	[특징주]안랩, 사상 최고가 찍고 수직낙하…20% 급락
03/24	14:31:13	외국인 1400억 베팅 안랩, 20만원 찍고 급락···짙어지는

[그림 11-8] 데이짱 김영옥 저자의 안랩 CFD 파생상품 하락에 배팅한 수익청산 화면

[7933] CFD계좌정보 - CFD주식청산내역

CFD주식미체결 | CFD주식잔고 | CFD주식청산내역 | CFD주식체결확인

계좌번호 ****-**44 데이짱 비밀번호 ******** 조회 다음

전체 종목 035250 2022/02/28 ~ 2022/02/28

청산손익	109,105,400	수수료	835,179	차입이자	1,680,230
실현손익	105,824,236			세금	765,755

체결No	종목명	구분	매입가격	청산가격	체결량	청산손익	실현손익
417	안랩	매도	106,000	65,300	10	407,000	397,414
417	안랩	매도	105,700	65,300	63	2,545,200	2,482,611
416	안랩	매도	105,700	65,300	9	363,600	354,660
415	안랩	매도	105,700	65,300	134	5,413,600	5,280,472
415	안랩	매도	105,400	65,300	20	802,000	782,169
415	안랩	매도	105,300	65,300	155	6,200,000	6,046,406

[그림 11-9] 데이짱 김영옥 저자의 안랩 CFD 파생상품 하락에 배팅한 수익청산 수익률 화면

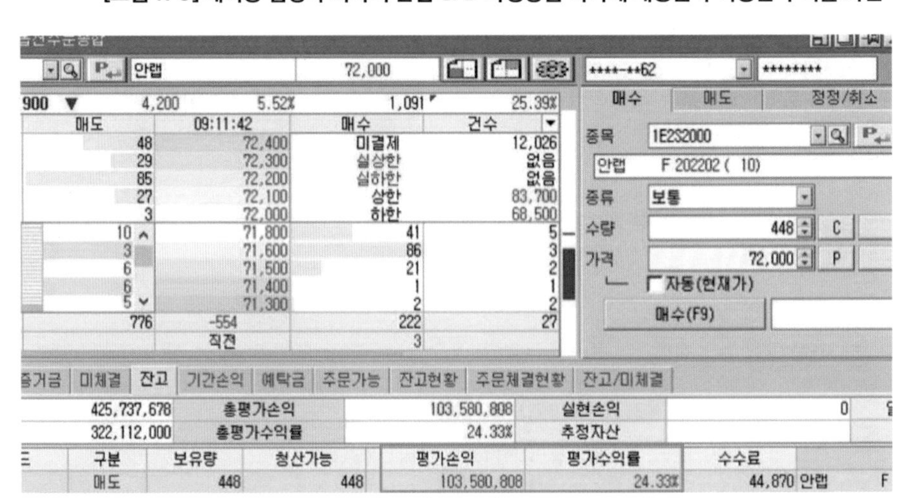

[그림 11-10] CFD 주식 찾는 화면 7929(키움증권)

1 [7929] CFD주식증거금률

○전체 ◉40% ○100% ◉전체 ○종목

◉전체 ○코스피 ○코스닥 조회 다음

* CFD 증거금률별 대상종목은 시장상황에 따라 비정기적으로 변동될 수 있습니다.
* 신규 매도가능수량의 한도 소진시 신규 매도 주문이 불가하오니 착오없으시기 바랍니다.

구분	증거금률	종목번호	종목명	신규매도 가능수량(모건)	신규매도 가능수량(SG)	신규매수가능
1	증40	000020	동화약품	0	0	Y
2	증40	000050	경방	0	0	Y
3	증40	000070	삼양홀딩스	0	0	Y
4	증40	000080	하이트진로	160,498	9,370	Y
5	증40	000100	유한양행	303,013	4,420	Y
6	증40	000120	CJ대한통운	67,666	1,808	Y
7	증40	000140	하이트진로홀딩	0	0	Y
8	증40	000150	두산	30,375	1,500	Y
9	증40	000155	두산우	0	0	Y
10	증40	000157	두산2우B	0	0	Y
11	증40	000180	성창기업지주	0	0	Y
12	증40	000210	DL	44,695	4,160	Y
13	증40	000215	DL우	0	0	Y
14	증40	000220	유유제약	0	0	Y
15	증40	000225	유유제약1우	0	0	Y
16	증40	000240	한국앤컴퍼니	94,636	18,750	Y
17	증40	000250	삼천당제약	38,841	4,678	Y
18	증40	000270	기아	2,926,205	4,070	Y
19	증40	000320	노루홀딩스	0	0	Y

공매도 매매 화면 세팅

화면을 다 구성하고 나면 툴바에 저장해둔다. 종목을 찾을 때 [0879]에서는 코스피를 클릭한 후에 위에서부터 차례차례 클릭하면서 찾아 공매도를 할 수 있는 차트를 찾아서 관심 종목에 넣는다. 공매도를 잘하기 위해서는 매수 기법을 완벽하게 익혀야 한다. 공매도는 매수 차트를 거꾸로 하면 공매도 자리가 보이기 때문이다. 사람마다 특성이 있어서 바로 차트 매매를 잘하는 사람도 있고, 거꾸로 차트인 공매도를 잘할 수 있는 사람이 있다. 바로 차트와 거꾸로 차트를 보면서 매매를 해보고 잘하는 쪽을 선택해서 매매하면 더 좋은 결과를 얻을 수 있다.

[그림 11-11] 공매도 매매 화면 세팅

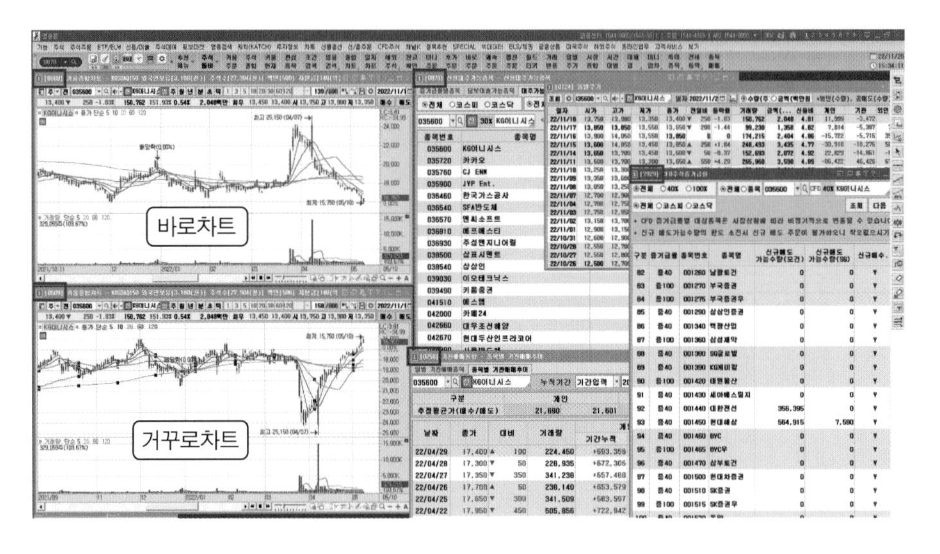

매수 기법에서도 강남 기법, 신고가 기법, 위꼬리 거래 급감 기법, 신고가 외봉 기법 중 자신에게 잘 맞는 기법이 있듯이 공매도가 잘 맞는 사람이 있을 수 있다. 지수가 하락할 때는 공매도 차트가 더 많이 나온다. 지수가 횡보할 때는 강남 차트와 거꾸로 강남 차트가 번갈아 가면서 나온다. 공매도할 종목이 많으면 많아질수록 공매도가 더 편할 수 있다.

CFD계좌는 전에 전 종목이 다 공매도가 되었다. 그럴 때는 오히려 매수 기법보다는 공매도 기법이 더 수익을 내기 좋을 수 있다. 공매도 기법을 잘하기 위해서는 지난 차트에서 공매도 수익이 잘 나오는 차트를 계속 반복적인 공부를 해야만 좋은 결과가 나온다. 공매도 차트 좋은 것 몇 개를 골라서 그 그림을 머릿속에 저장해야 한다. 고점에서 공매도하는 기법, 저점에서 공매도하는 기법의 두 가지가 있다. 공매도할 때 큰 손실이 나는 때가 있는데, 절대 공매도 진입을 하면 안 되는 자리, 즉 신고가는 절대 공매도 진입하면 안 된다. 또 공매도를 배워서 단타로 매매하면 안 된다. 잘 가고 있는 종목을 공매도하면 안 되는 것이다.

공매도를 알면 매도 자리가 보인다

실전 공매도 기법 1. 고점에서 공매도 기법

공매도를 잘하려면 매수 기법을 잘 알아야 한다고 앞에서 이야기했다. 매수 기법에서 가장 처음 소개한 '매수 강남 기법'을 기억하는가? 매수 강남 차트에서 매수로 진입하기 위해서 이동평균선, 거래량, 공간, 기관과 외인의 양매수를 확인해야 한다고 강조했다(기억이 나지 않는다면 다시 매수 기법 부분으로 돌아가 확인하자).

자, 그러면 매수 강남 자리 차트를 거꾸로 돌려서 보자. 매수 강남 차트는 바닥에서 가장 안전하게 매수하는 기법으로 상승하기 위해 20일선을 지지하는 자리다. 강남 매수 자리를 뒤집어 보고 공매도 관점에서 본다면, 고점에서 가장 안전한 공매도를 하는 자리는 강남 매수 차트와는 반대로 20일선이 무너져 하락해야 한다.

공매도 진입할 때 고점과 저점을 구분하기 어려울 때가 많다. 과연 고점에서 공매도를 어떻게 파악하는지 일반적인 구분법부터 알아보자.

[그림 11-12] 두산에너빌리티 2022년 2월~2022년 10월 25일까지 일봉 차트

[그림 11-12] 두산에너빌리티 일봉 차트처럼 고점에서 공매도를 진입할 때는 저항을 돌파하지 못하고 20일선이 무너지는 자리에

서 공매도를 진입하면 좋다. 아래로 공간이 완벽하게 열리고 있는 것을 알 수 있는데 차트를 거꾸로 보면 더 정확하게 보인다.

[그림 11-13] 두산에너빌리티 2022년 2월~2022년 10월 25일까지 거꾸로 일봉 차트

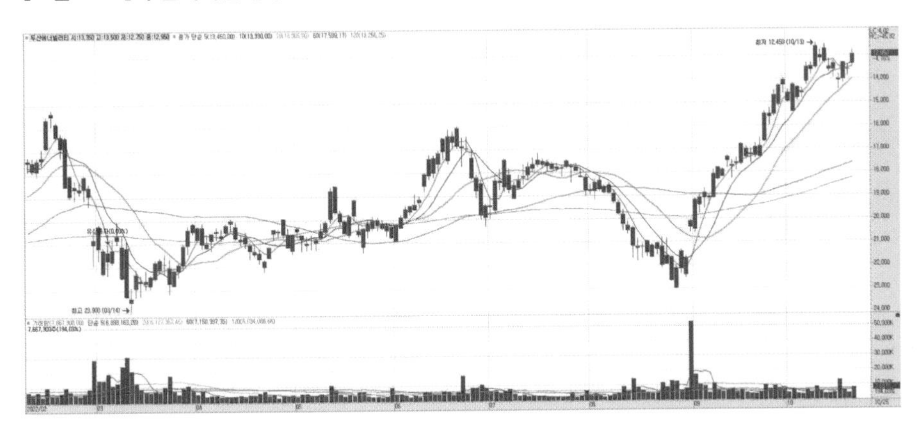

두산에너빌리티 일봉 차트를 거꾸로 보면 완벽하게 공간이 열리면서 저항 매물대가 없는 것이 보인다. 강남 매수 기법에서는 20일선을 지지해야 상승하는 것처럼 강남 공매도 기법에서는 20일선이 무너져야 하락한다는 것을 알 수 있다. 공매도 기법을 어렵게 생각할 필요가 없다. 반대로만 생각하면 되기 때문이다.

안전하게 공매도를 진입하려면 강남 매수 기법과 똑같이 이동평균선, 거래량, 공간, 기관과 외인의 양매도(매수 기법에서는 양매수)를 봐야 한다. 가장 먼저 그물과 같은 이동평균선이 수렴한 것을 확인하고, 주식가격이 그물 위에 또는 아래에 있는지 확인하는 것이 중요하다. 주가가 안전 그물망(20일 이동평균선)보다 아래에 있는 경우는 기관, 외인이 양매도할 때가 일반적이다. 공매도 강남 차트에 공매도 자리가 출현하면 거래량이 줄어든다. 예를 들어 5일 동안 평균 거래량이 5만 주일 경우 4~3만 주로 거래량이 줄어드는 격이다. 이때도 기업 개요(키움화면 091)를 살피는 것이 좋다. 당기순이익, 매출의 증가 등을 확인하고 기업리포트를 꼼꼼하게 살펴보자.

• 기아

기아 일봉 차트를 보면 고점에서 횡보한 후 하락이 시작됨을 알 수 있다. 가장 좋은 공매도 자리는 차트를 거꾸로 뒤집어 보면 매수로 진입하기에 좋은 강남 매수 자리와 일치한다. 이렇게 설명해도 이해가 쉽지 않다. 그런데 이 차트를 뒤집어 보면 어떤 현상이 일어날까? 공매도 자리가 쉽게 보인다. 강남 매수 자리 모양과 강남 공매도 자리 모양이 같다는 이야기다.

[그림 11-14] 기아 2021년 11월~2022년 6월 일봉 차트

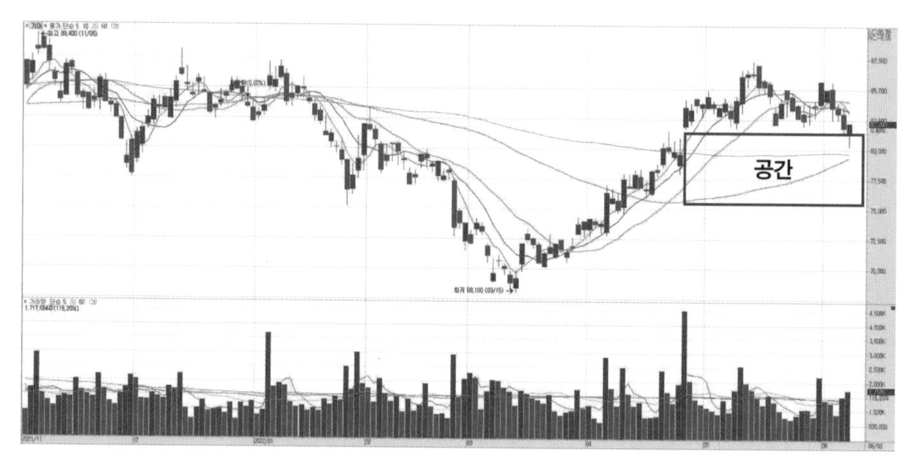

이 차트를 뒤집어 보니(그림 11-15) 무엇이 보이는가? 강남 공매도 자리가 강남 매수 자리와 모양이 똑같다는 것을 깨닫게 된다. 차트를 뒤집기 전 하락하던 봉들은 일제히 상승하는 것처럼 보이고, 다시 공간을 만들며 강남 매수 자리가 나온 것처럼 보인다.

[그림 11-15] 기아 2021년 11월~2022년 6월 거꾸로 일봉 차트

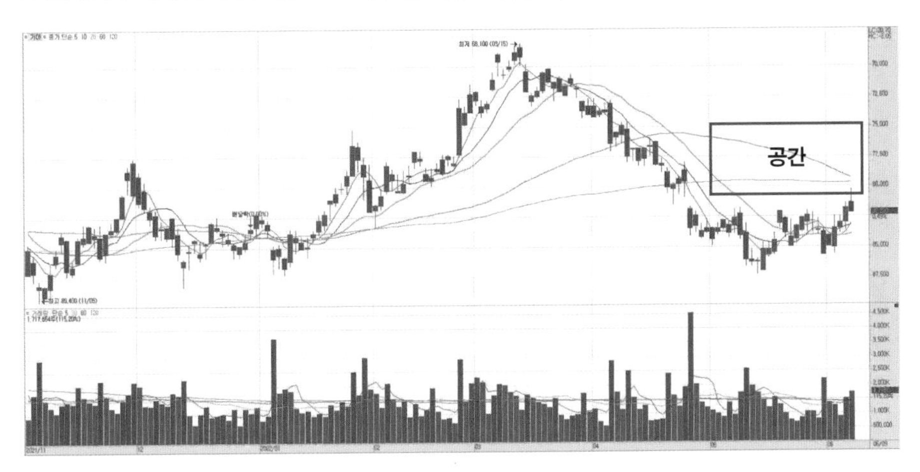

당시 기아 뉴스 화면을 보자. 기아가 매출, 영업이익 모두 역대 최대, 어닝 서프라이즈에 관한 뉴스가 나왔다. 이러한 뉴스들은 차트에 가격이 선반영되었음을 보여준다. 그리고 고점에서 횡보한 후 세력이 개미들에게 물량을 떠넘기며 하락하고 있음을 확인할 수 있다.

[그림 11-16] 기아 2022년 4월 25일 뉴스

시세 | 상세 | Signal | 업종 | 섹터 | 차트 | 일정 | 뉴스

[잠정실적]기아 1Q, 매출 18조3572억 전년동기 대비 11% 증가... 영업이익률 상승전

04/25	16:41:10	"기아, 미국 전기차 전용 공장 신설 계획 없어"-기아 컨콜
04/25	16:39:10	SUV · 전기차가 다했다…기아, 분기 최대 매출 · 영업익 경신(
04/25	16:39:07	기아 1분기 서유럽 시장 전기차 점유율, 테슬라에 이어 2위
04/25	16:35:59	"철강 가격 인상, 하반기에 반영될 듯…차값 인상 불가피 "-
04/25	16:32:28	"車 반도체 수급난, 하반기까지…이달 들어 완화 움직임 "-기
04/25	16:31:27	기아, 1분기 영업이익 1조 6065억원…전년 동기比 49.2%↑
04/25	16:30:45	기아 1분기 '어닝 서프라이즈'…매출 · 영업익 모두 역대 최대
04/25	16:25:14	[잠정실적]기아 1Q, 매출 18조3572억 전년동기 대비 11% 증

[그림 11-17] 기아 기업분석 재무제표 화면

[0919] 기업분석 - 기업분석

기업개요 | 기업분석 | ETF정보 | 리서치동향 | 컨센서스 | 랭킹분석 | 부가정보 | 종목별증자예정현황 | IR정보

000270 20% 기아 설정 ◉Snapshot ○기업개요 ○재무제표 ○재무비율 ○투자지표 ○경쟁사비교 ○Disclosure ○컨센서스 ○지분분석 ○업종분석 ○금감원공시 ○IR정보

IFRS(연결)	Annual				Net Quarter			
	2019/12	2020/12	2021/12	2022/12(P)	2022/03	2022/06	2022/09	2022/12(P)
매출액	581,460	591,681	698,624	865,590	183,572	218,760	231,616	231,642
영업이익	20,097	20,665	50,657	72,331	16,065	22,341	7,682	26,243
영업이익(발표기준)	20,097	20,665	50,657	72,331	16,065	22,341	7,682	26,243
당기순이익	18,267	14,876	47,603	54,090	10,326	18,810	4,589	20,365
지배주주순이익	18,267	14,876	47,605	54,094	10,328	18,811	4,587	20,369
비지배주주순이익			-1		-2	-1	2	
자산총계	553,448	604,904	668,500		681,941	727,359	758,572	
부채총계	263,667	305,988	319,374		333,470	348,011	364,701	
자본총계	289,781	298,917	349,126		348,471	379,348	393,871	
지배주주지분	289,781	298,917	349,104		348,417	379,293	393,812	
비지배주주지분	0	0	21		54	54	59	
자본금	21,393	21,393	21,393		21,393	21,393	21,393	

그렇다면 이제 기아 기업분석 재무제표 화면도 찾아보자.

기아 재무제표에서 확인되는 것처럼 매년 매출액과 영업이익이 늘어나고 있다. 배당률도 2019년에는 2.60%, 2020년에는 1.60%, 2022년에는 3.65%로 높아지는 추세였다. 하지만 공매도가 시작되면 분명히 재무제표에도 변화가 있다. 눈으로 딱 봐도 매출액과 당기순이익이 확 줄어들었음을 볼 수 있다. 이유는 우리가 다 아는 러

시아가 우크라이나를 침공한 전쟁으로 인해 러시아 수출액이 70% 정도 줄었고 전쟁으로 인한 타격이 컸음을 알 수 있다. 2021년 매출액이 698,624억 원인데 2022년 12월은 231,642억 원이고 당기순이익도 2021년 12월에는 47,605억 원인데 2022년 12월에는 20,365억 원이다. 생각보다 전쟁은 길어졌고 언제 끝날지 모르는 상황이었다.

● **대한전선**

대한전선 사례를 살펴보자. 이 주식은 단기간에 급등했고 대주거래 종목화면에 조회되지는 않았지만 CFD거래 종목화면에 나와 있었다. 태양광을 많이 설치함에 따라 전선 수요가 있다. 그런데 기업분석을 살펴봤더니 매출의 변화가 많지 않았다. 당기순이익도 많이

[그림 11-18] 대한전선 2022년 1월~2022년 6월 9일까지 일봉 차트

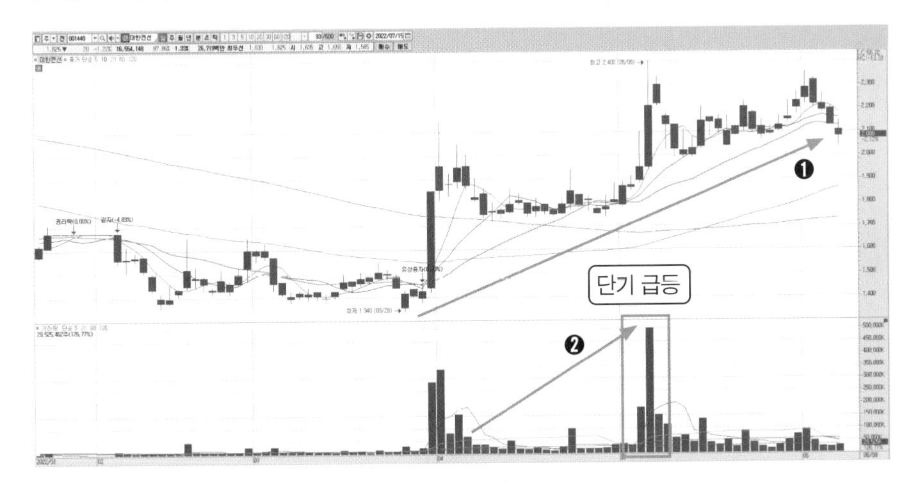

늘지 않았다. 시가총액에 거품이 끼어 있음을 알 수 있다.

[그림 11-19]의 [키움 0258] 화면을 확인한 결과 개인만 사고 양매도가 계속 나오고 있었다. 단기간에 주가는 1,500원에서 2,500원으로 급등하였고, 시가총액은 1조 원에서 2조 6,000억 원으로 급등했다. 단기에 실적이라도 좋아야 하는데 그렇지 않았다. 유튜브에 출연하는 애널리스트들은 전선을 많이 포설하게 될 것이라고 했고, 그 이유로 급등한 것이다.

[그림 11-19] 종목별 기관매매추이

001440 대한전선 누적기간 기간입력 2022/06/01 - 2022/06/10 차트 유의사항

구분	개인		기관		외국인	
추정평균가(매수/매도)	2,216	2,217	2,164	2,168	2,222	2,223

*단위: 단주 ◉대비 ○등락

날짜	종가	대비	거래량	개인		기관		외국인		소진율
				기간누적	일별순매매	기간누적	일별순매매	기간누적	일별순매매	
22/06/10	2,060	▼ 20	19,468,469	+4,386,812	+231,539	-1,771,016	-72,301	-2,755,659	-366,612	1.47%
22/06/09	2,080	▼ 45	28,525,462	+4,155,273	+872,694	-1,698,715	-335,519	-2,389,047	-545,276	1.50%
22/06/08	2,125	▼ 65	22,502,291	+3,282,579	+954,100	-1,363,196	-112,138	-1,843,771	-775,145	1.54%
22/06/07	2,190	▼ 25	24,783,150	+2,328,479	+584,951	-1,251,058	-699,548	-1,068,626	+383,387	1.60%
22/06/03	2,215	▼ 70	47,357,040	+1,743,528	+5,608,027	-551,510	-605,197	-1,452,013	-4,201,208	1.57%
22/06/02	2,285	▲ 55	91,955,305	-3,864,499	-3,864,499	+53,687	+53,687	+2,749,195	+2,749,195	1.91%

대한전선 일봉 차트를 먼저 보자(그림 11-18). 단기간에 급등한 모양을 보인다. [그림 11-19]의 종목별 기관매매추이를 보면 기관과 외국인이 양매도를 하고 있음을 알 수 있다.

[그림 11-20] 대한전선 시가총액

업종 비교 [연결]　　　　　　단위 : 억원, 배, %　연결　별도

구분	대한전선	코스피 전기,전자	KOSPI
시가총액	21,965	7,439,108	19,318,374
매출액	19,977	5,009,232	26,400,793
영업이익	395	758,869	2,425,228
EPS (원)	31	24,974.50	8,396.02
PER	**54.32**	**12.84**	**11.07**
EV/EBITDA	29.56	6.19	6.83
ROE	7.78	13.53	10.84
배당수익률		1.48	1.78
베타 (1년)	1.11	1.14	1.00

EPS　PER　EV/EBITDA　ROE　배당수익률

360
270
180
90
0
대한전선　코스피 전기,전자　코스피
'20　'21　'22E

[그림 11-21] 대한전선 재무제표

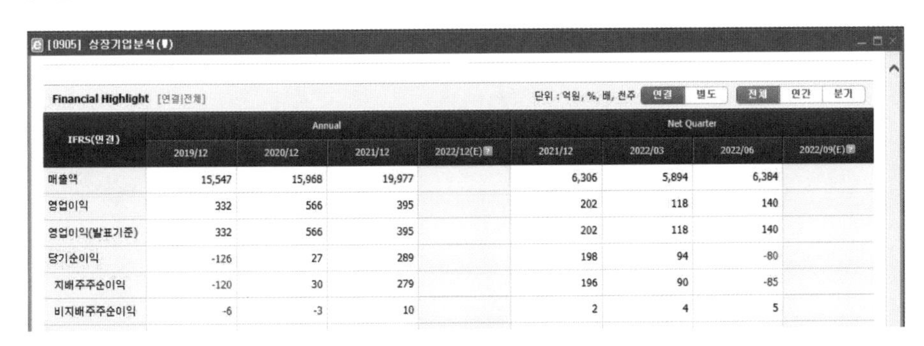

[0905] 상장기업분석

Financial Highlight [연결|전체]　　단위 : 억원, %, 배, 천주　연결　별도　전체　연간　분기

IFRS(연결)	Annual				Net Quarter			
	2019/12	2020/12	2021/12	2022/12(E)	2021/12	2022/03	2022/06	2022/09(E)
매출액	15,547	15,968	19,977		6,306	5,894	6,384	
영업이익	332	566	395		202	118	140	
영업이익(발표기준)	332	566	395		202	118	140	
당기순이익	-126	27	289		198	94	-80	
지배주주순이익	-120	30	279		196	90	-85	
비지배주주순이익	-6	-3	10		2	4	5	

[그림 11-21] 대한전선 재무제표 화면에서도 추정치(E) 칸은 빈칸으로 비어 있다. **컨센서스**•(추정치)가 없다는 것은 시장의 기대치가 크지 않다는 것으로도 해석할 수 있다. 대한전선 시가총

• **컨센서스(Consensus)**란 전문가들의 투자 의견에 해당하며, 주식 종목에 대한 목표 가격의 평균과 매수, 중립, 매도와 같은 매매 입장 등을 포함하고 있는 것을 말한다. 재무제표에 나타난 (E)는 Estimate, 영어 단어의 뜻 그대로 추정치, 예측치를 의미한다는 것을 알아두자. 컨센서스는 실적발표와 연관성이 깊다. 컨센서스보다 실적이 높은지 낮은지에 따라 주가의 변동 폭이 매우 커진나. 그러므로 투자자는 기업의 컨센서스를 항상 관심 있게 보는 것이 중요하다. 컨센서스가 추정치에 불과할 수도 있지만 시장의 기대치라 여기므로 주가 변동의 원인이 되며, 기업이 발표한 영업이익이 컨센서스 보다 10% 이상 높을 때는 어닝 서프라이즈(Earning Surprise)라고 하고, 그보다 낮으면 어닝 쇼크(Earning Shock)라 한다.

액 화면에서 보는 것처럼 시가총액은 2조 원이 넘는데 당기순이익은 상대적으로 너무 저조하다. 이는 거품으로밖에 볼 수 없으며 고점에서 개인이 공매도로 진입하는 근거가 된다. 일반 차트에서 강남 매수 자리가 나오면 보통 진입한다. 그리고 상승하다 20일선 이동평균선이 깨지면 강남 차트 매도 자리가 되는 것이다.

[그림 11-22] 대한전선 2022년 1월~2022년 6월 9일까지 거꾸로 일봉 차트

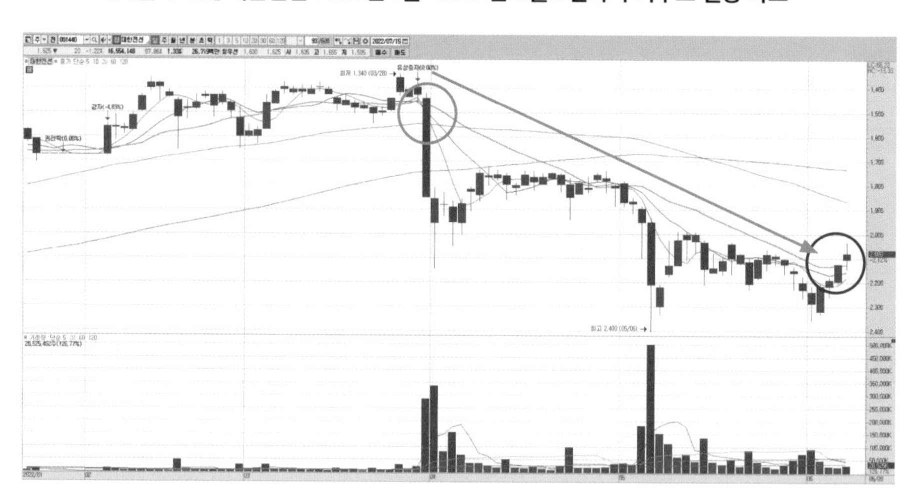

자, 이제 대한전선 거꾸로 차트를 보자. 뒤집으면 상승하던 차트가 하락하는 차트로 바뀐다. 차트가 하락을 멈추고 횡보한다. 그러다가 '거꾸로 차트'에서 강남 매수 자리를 만든 것처럼 보인다. 바로 이 자리가 '공매도' 진입 자리(즉 매도 자리-공매도는 반대이므로)이다. 이렇게 공매도 진입 자리가 나왔다고 판단하면 기업의 재무제표를 살펴본다. 그런데 실적 추정치도 없고, 시총은 높고, 영업이익도 상대적으로 형편없다. 그럼 이건 거품이라 판단할 충분한 근거가 된다.

그렇다면 공매도 진입을 충분히 고려하고 베팅할 수 있다. 주식의 매매는 반복된 학습을 통해 실력이 높아진다는 것을 스스로 깨닫게 될 것이다.

- **씨에스윈드**

씨에스윈드를 살펴보자.

씨에스윈드 일봉 차트는 고점에서 횡보한 후에 아래로 공간이 열리면서 횡보한 길이만큼 크게 하락했다. 지지선이 무너질 때 공매도 하기 좋은 자리가 나왔다.

[그림 11-23] 씨에스윈드 2021년 12월~2022년 6월 23일까지 일봉 차트

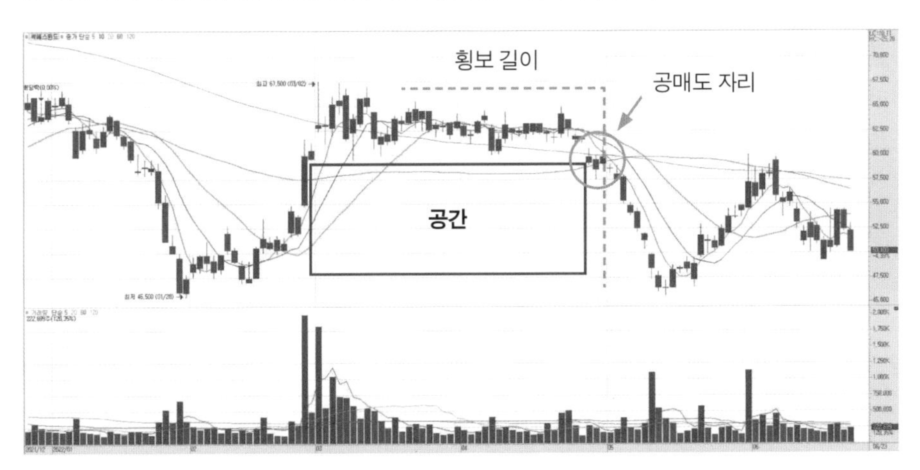

[그림 11-24] 거꾸로 일봉 차트에서 보이는 것처럼 좋은 공매도 자리는 매수할 때 안전 그물망 강남 자리가 된다는 것을 알 수 있다.

[그림 11-24] 씨에스윈드 2021년 12월~2022년 6월 23일까지 거꾸로 일봉 차트

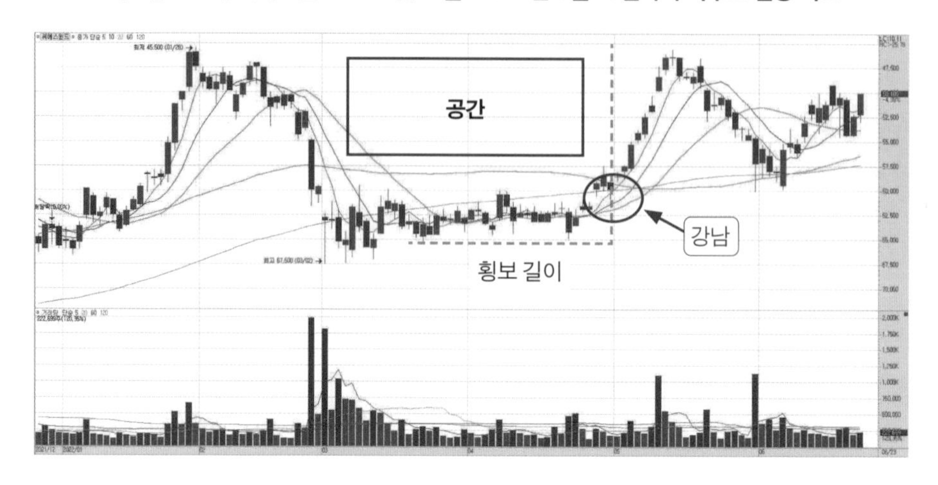

[그림 11-25] 2022년 4월 26일~2022년 5월 13일까지 종목별 기관별 매매 추이

112610 씨에스윈드 누적기간 기간입력 2022/04/26 - 2022/05/13 차트 유의사항

구분	개인		기관		외국인	
추정평균가(매수/매도)	52,476	52,880	50,839	52,481	52,840	51,260

*단위: 단주 ◉대비 ○등락

날짜	종가	대비	거래량	개인		기관		외국인		
				기간누적	일별순매매	기간누적	일별순매매	기간누적	일별순매매	소진율
22/05/13	46,350	▼ 50	378,505	+755,675	+75,138	-740,533	-52,636	-87,934	-21,429	11.08%
22/05/12	46,400	▼ 2,050	548,083	+680,537	+96,713	-687,897	+4,370	-66,505	-116,602	11.13%
22/05/11	48,450	▼ 3,450	1,101,481	+583,824	+307,909	-692,267	-98,462	+50,097	-209,731	11.41%
22/05/10	51,900	▼ 600	309,501	+275,915	-2,833	-593,805	-86,203	+259,828	+72,887	11.90%
22/05/09	52,500	▼ 1,600	205,114	+278,748	-2,412	-507,602	-25,024	+186,941	+30,353	11.73%
22/05/06	54,100	▼ 1,200	242,763	+281,160	-328	-482,578	-87,926	+156,588	+88,216	11.66%
22/05/04	55,300	▼ 2,200	396,158	+281,488	+104,591	-394,652	-218,256	+68,372	+114,774	11.45%
22/05/03	57,500	▼ 1,100	207,824	+176,897	+52,655	-176,396	-60,073	-46,402	+1,236	11.18%
22/05/02	58,600	▼ 1,200	159,802	+124,242	+36,249	-116,323	-42,730	-47,638	+1,410	11.18%
22/04/29	59,800	▲ 1,300	166,558	+87,993	-47,164	-73,593	+8,697	-49,048	+29,410	11.17%
22/04/28	58,500	▼ 700	222,275	+135,157	+35,801	-82,290	-59,027	-78,458	+24,528	11.10%
22/04/27	59,200	▼ 2,400	270,513	+99,356	+105,295	-23,263	-22,500	-102,986	-103,962	11.04%
22/04/26	61,600	▼ 300	115,614	-5,939	-5,939	-763	-763	+976	+976	11.29%

[그림 11-25] 종목별 기관매매추이 화면을 보자. 강남 매도 자리인 4월 29일 이후 기관이 계속 매도하고 있고, 며칠 지나서 외국인도 매도하고 있음을 확인할 수 있다.

씨에스윈드는 풍력발전 설비 및 제조, 관련 기술개발, 강구조물 제작 및 설치, 해상 풍력 타워를 직접 생산하고 있으며 타워 내부 부품 생산사업을 영위하고 있다. 국민연금이 10% 이상의 지분을 보유하고 있는 것으로 보인다. 풍력 시장의 실질적 성장 가능성으로 관심을 받고 있지만, 시장이 커지면서 경쟁도 치열해지다 보니 영업이익률이 점차 낮아지는 것이 아쉽다. 이러한 종목에 장기투자 하는 것은 경계해야 한다고 보인다. 다시 말하지만 테마주는 그 특성상 급등한다고 해도 대부분 다시 제자리로 돌아온다는 점을 명심하자.

● 이마트

이제 이마트 일봉 차트를 예로 살펴보자.

[그림 11-26] 이마트 2021년 12월~2022년 6월 23일까지 일봉 차트

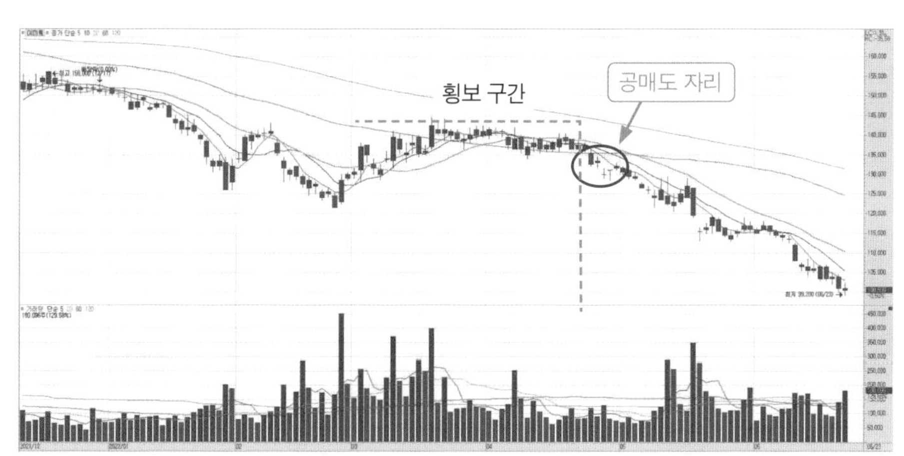

[그림 11-27] 이마트 2021년 12월~2022년 6월 23일까지 거꾸로 일봉 차트

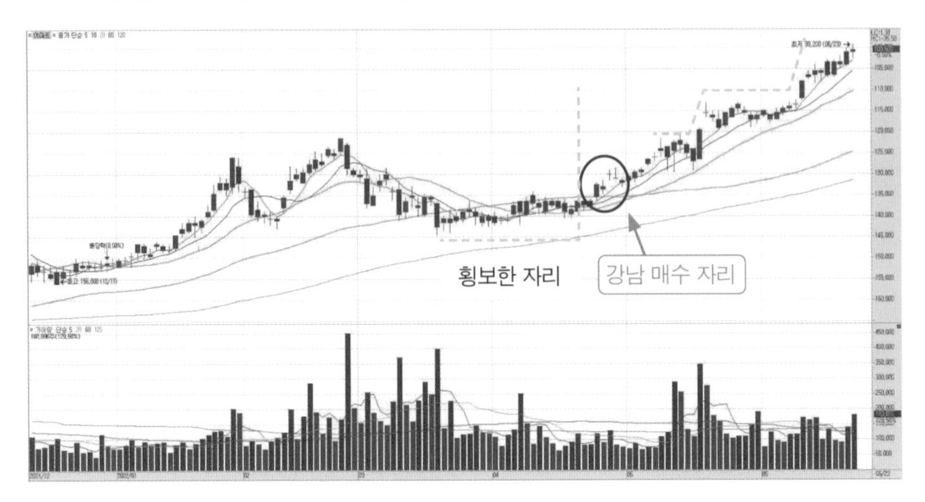

이마트 일봉 차트도 고점 공매도를 이해할 수 있는 좋은 예다. 공매도 포지션으로 가장 좋은 자리는 차트를 거꾸로 뒤집어 보면 명확하게 나타난다. [그림 11-27] 이마트 거꾸로 차트에서 안전 그물망이 나타난 강남 매수 자리를 찾아보자. 동그라미로 표시한 부분이 바로 강남 매수 자리라는 것을 빨리 알아채야 한다. 거꾸로 차트 일봉을 보면 횡보한 길이만큼 위로 공간이 완벽하게 열렸다. 보통 이럴 때는 횡보한 길이만큼 상승하는 것이 일반적이다.

이해가 되는가? 공매도를 설명하고 있는데, 마치 매수를 설명하는 것과 흡사하다. 강남 매수 차트를 거꾸로 뒤집어 보면 강남 공매도할 자리가 눈에 훤히 보이는 원리다.

[그림 11-28] 이마트 2022년 4월 26일~2022년 5월 13일까지 종목별 기관매매추이

139480 이마트 누적기간 기간입력 2022/03/31 ~ 2022/05/13 차트 유의사항

구분	개인		기관		외국인	
추정평균가(매수/매도)	132,458	134,186	134,557	132,313	133,561	133,718

*단위: 단주 ◉대비 ○등락

날짜	종가	대비	거래량	개인		기관		외국인		
				기간누적	일별순매매	기간누적	일별순매매	기간누적	일별순매매	소진율
22/05/13	122,000 ▼	500	256,646	+246,051	+69,963	-256,262	-106,680	-385,794	+18,366	28.83%
22/05/12	122,500 ▼	3,500	287,597	+176,088	+14,987	-149,582	-32,959	-404,160	-2,468	28.77%
22/05/11	126,000 ▲	2,000	123,648	+161,101	+5,175	-116,623	+11,202	-401,692	-21,229	28.78%
22/05/10	124,000 ▼	2,000	107,797	+155,926	+3,133	-127,825	+10,815	-380,463	-26,160	28.85%
22/05/09	126,000 ▼	500	72,014	+152,793	+14,721	-138,640	-17,576	-354,303	-7,408	28.95%
22/05/06	126,500 ▼	2,500	73,345	+138,072	+24,020	-121,064	-13,009	-346,895	-25,119	28.97%
22/05/04	129,000 ▼	500	66,791	+114,052	+11,907	-108,055	+2,825	-321,776	-24,742	29.06%
22/05/03	129,500 ▼	2,000	86,977	+102,145	+30,901	-110,880	-23,563	-297,034	-17,557	29.15%
22/05/02	131,500 ▼	500	70,135	+71,244	-4,814	-87,317	-9,735	-279,477	+5,544	29.21%
22/04/29	132,000 ▲	1,000	74,332	+76,058	-4,527	-77,582	+6,627	-285,021	-13,253	29.19%
22/04/28	131,000 ▲	1,000	81,478	+80,585	-1,911	-84,209	+6,144	-271,768	-6,583	29.24%
22/04/27	130,000 ▼	3,500	129,026	+82,496	+39,885	-90,353	-36,415	-265,185	-10,338	29.27%
22/04/26	133,500 ▲	1,000	89,762	+42,611	+323	-53,938	+851	-254,847	-8,544	29.30%

[그림 11-28] 이마트 종목별 기관매매추이를 보자. 공매도하기 가장 좋은 자리인 2022년 4월 26일 이후 개인은 계속 매수하고, 기관과 외국인은 계속 매도함을 알 수 있다. 즉 공매도 포지션을 취하기에 충분히 좋은 자리로 보이는 곳에서는 절대로 매수하면 안 된다는 것을 여실히 보여준다. 그런데 개인은 지속적으로 매수하고 있으니 얼마나 답답한 노릇인가? 기관과 외국인이 계속 매도하고 있는데, 개인은 늘 반대로만 하고 있으니 수익이 날 수가 없다.

[그림 11-29] 이마트 재무제표

[0905] 상장기업분석

Financial Highlight [연결|전체]

단위 : 억원, %, 배, 천주 연결 별도 전체 연간 분기

IFRS(연결)	Annual				Net Quarter			
	2019/12	2020/12	2021/12	2022/12(E)	2021/12	2022/03	2022/06	2022/09(P)
매출액	190,629	220,330	249,327	293,285	68,603	70,035	71,473	77,074
영업이익	1,507	2,372	3,168	2,264	773	345	-123	1,007
영업이익(발표기준)	1,507	2,372	3,168		773	345	-123	1,007
당기순이익	2,238	3,626	15,891	9,277	669	8,058	-631	1,243
지배주주순이익	2,339	3,618	15,707	9,206	695	8,111	-611	1,064
비지배주주순이익	-101	8	183		-25	-53	-20	

[그림 11-29] 이마트 재무제표에서 볼 수 있는 것처럼 2022년 2분기 영업이익이 적자다. 이마트는 2022년도 2분기 매출 부진과 G마켓 인수로 인한 비용지출로 수익성이 좋지 못하다는 평가를 받고 있다. 할인점 매출은 증가했으나 SSG.COM 수수료 때문에 영업이익이 좋지 못했다. 현재 시가총액이 2조 5,000억~2조 6,000억 원대로 1년간 29조 원의 매출액을 기록하고 곧 30조 원 시대를 맞이하고 있지만, 영업이익률이 낮아서 주식가격이 오르지 않는 배경이 된 듯하다.

이마트(E-MART)는 원래 신세계그룹 산하 기업이었다가 두 개로 나누어졌다. 현재 상장된 이마트는 E-MART를 포함해 에브리데이 24, 쓱닷컴, 스타벅스 코리아, G마켓글로벌, 신세계프라퍼티(스타필드), 조선호텔 등을 소유하고 있고 코로나 발생 당시 극심한 매출에 타격을 받았지만, 현재는 재개장 되면서 다시 살아나고 있다.

2021년에 스타벅스코리아 인수로 매출과 영업이익이 이마트 사업 실적에 긍정적이며 한국의 실정상 할인점과 전문점은 너무 많아

서 큰 성장을 기대하기 어렵다. 인구는 계속 감소하고 있기에 식품이나 소비재 관련 매출도 계속 줄어들 수밖에 없다고 예상해볼 수 있다.

그러나 이는 주관적인 견해이므로 기업을 분석하는 사람에 따라 해석은 다를 수 있다. 다만 한 가지 분명한 점은 매수든 공매도든 단기 매매 포지션을 잡기 전에 기업을 분석하는 연습은 늘 필요하다는 것이다.

● 파트론

[그림 11-30] 파트론 일봉 차트를 보면 2022년 6월 9일 가장 좋은 공매도 자리가 나왔다. 횡보한 길이만큼 하락한 모습도 잘 보여주는 차트다. 이 차트를 또 거꾸로 뒤집어 보자.

[그림 11-30] 파트론 2021년 9월~2022년 7월 15일까지 일봉 차트

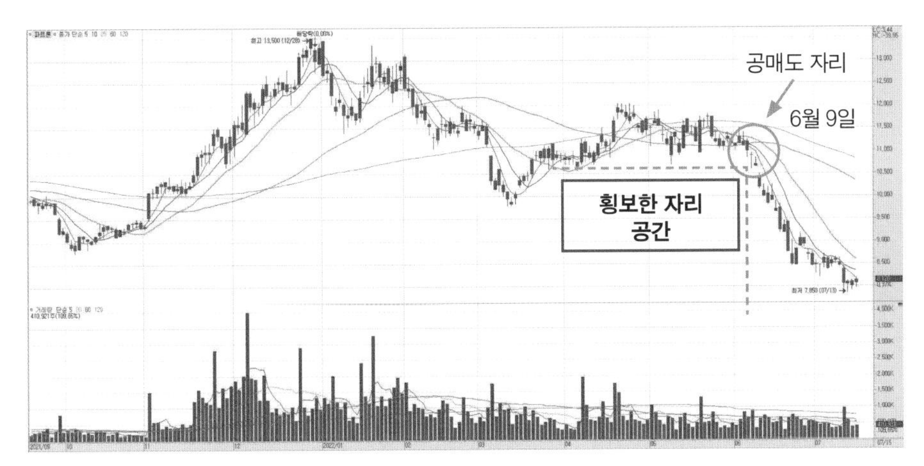

[그림 11-31] 파트론 2021년 9월~2022년 7월 15일까지 거꾸로 일봉 차트

파트론의 일봉 차트를 거꾸로 뒤집어 보면(그림 11-31) 강남 매수 자리가 보인다. 거꾸로 차트의 이곳이 바로 공매도 포지션을 잡기 가장 좋은 자리이다. 바로 차트에서 이 자리는 매수 포지션을 절대 잡으면 안 된다는 것은 앞에서도 계속 이야기했다. 실제로 내가 공매도를 할 수 없다고 해도 절대 매수 관점에서 매수 포지션을 잡으면 안 된다는 사실을 뼈저리게 느낄 것이다.

어떠한가? 공매도를 실제로 할 수 있든 아니든 자신의 매수 포지션 시야가 엄청나게 넓어지지 않았나? 공매도를 배우면 트레이딩하는 '눈'이 달라지는 결정적인 이유다.

이제 무엇을 봐야 할까? 연습이 되어 있다면 '재무제표'라고 바로 대답이 나와야 한다. 매출액이 파격적으로 증가하지도 않았고, 영업이익은 점점 줄어드는 추세다.

[그림 11-32] 파트론 재무제표

[0905] 상장기업분석

Financial Highlight [연결|전체]

단위 : 억원, %, 배, 천주 | 연결 | 별도 | 전체 | 연간 | 분기

IFRS(연결)	Annual				Net Quarter			
	2019/12	2020/12	2021/12	2022/12(E)	2021/12	2022/03	2022/06	2022/09(P)
매출액	12,546	11,793	13,127	12,441	3,173	3,599	2,841	3,012
영업이익	1,052	419	787	542	219	208	80	162
영업이익(발표기준)	1,052	419	787		219	208	80	162
당기순이익	642	206	783	419	146	164	43	177

[그림 11-33] 종목별 기관매매추이를 보자. 개인은 계속 매수하고, 기관과 외국인은 계속 매도하고 있는 것을 확인할 수 있다.

파트론의 업종은 핸드셋이다. 카메라 모듈, 안테나, 센서모듈 등이며 CAPEX는 195억 원이며 FCF는 52억 원이다. 삼성전자 스마트폰 판매 부진으로 카메라모듈이 지난해 같은 기간보다 45% 감소, 전 분기 대비 22% 감소해 2022년 2분기는 영업이익이 줄었으나 센서모듈 매출이 110% 증가하고 신규 사업 매출 증가로 2022년 3분기 실적이 시장 컨센서스를 웃돌 것이라고 예상한다.

[그림 11-33] 파트론 2022년 6월 3일~2022년 6월 22일까지 종목별 기관매매추이

일별 기관매매종목 | 종목별 기관매매추이

091700 | 신 파트론 | 누적기간 | 기간입력 | 2022/03/03 - 2022/06/30 | 차트 | 유의사항

*단위: 단주 | ◉대비 ○등락

구분	개인		기관		외국인	
추정평균가(매수/매도)	10,837	10,869	10,810	10,609	10,732	10,767

날짜	종가	대비	거래량	개인		기관		외국인		
				기간누적	일별순매매	기간누적	일별순매매	기간누적	일별순매매	소진율
22/06/22	8,760 ▼	590	662,471	+4,584,767	+250,962	-2,327,039	-201,663	-1,072,456	+108,453	15.74%
22/06/21	9,350 ▲	100	280,095	+4,333,805	-26,211	-2,126,176	+41,957	-1,180,909	+162,909	15.55%
22/06/20	9,250 ▼	460	671,270	+4,360,016	+47,011	-2,168,133	+19,817	-1,343,818	-17,480	15.27%
22/06/17	9,710 ▼	190	523,116	+4,313,005	+147,042	-2,187,950	-23,081	-1,328,338	-98,404	15.30%
22/06/16	9,900 ▲	60	497,115	+4,165,963	+21,725	-2,164,869	+45,791	-1,227,934	+288,704	15.47%
22/06/15	9,840 ▼	260	642,591	+4,144,238	+146,645	-2,210,660	-13,313	-1,516,638	-37,453	14.98%
22/06/14	10,100 ▼	100	730,791	+3,997,593	+57,816	-2,197,347	+61,579	-1,479,185	-54,365	15.04%
22/06/13	10,200 ▼	500	636,765	+3,939,777	-36,528	-2,258,926	-54,356	-1,424,820	+84,802	15.14%
22/06/10	10,700 ▼	200	344,492	+3,976,305	+79,726	-2,204,570	-18,423	-1,509,622	-28,272	14.99%
22/06/09	10,900 ▼	100	874,577	+3,896,579	+169,439	-2,186,147	+2,009	-1,481,350	-167,841	15.04%
22/06/08	11,000 ▼	100	667,385	+3,727,140	+140,969	-2,188,156	-9,534	-1,313,509	+19,907	15.33%
22/06/07	11,100 ▼	50	841,392	+3,586,171	+104,026	-2,178,622	-29,152	-1,333,416	+48,478	15.29%
22/06/03	11,150 ▲	50	604,267	+3,482,145	+133,682	-2,149,470	+14,638	-1,381,894	-116,055	15.21%

실전 공매도 기법 2. 저점에서 공매도 기법

지금까지 고점에서 공매도 진입 자리를 공부했다. 공매도를 잘하는 데 비법이 있을 것도 같지만 사실은 없다. 월드클래스 축구선수 손흥민처럼 오직 연습만이 매매 실력을 키워줄 수 있다. 이제 저점 공매도 기법을 배워보자.

저점에서 공매도 자리는 앞에서 배운 매수 기법 중에서 신고가 기법의 반대되는 기법이 저점에서 공매도 자리가 된다. 신고가 기법에서 매수 진입 자리에서 절대 매도하면 안 되는 것과 같다. 저점에서 공매도 자리에서 매수 포지션을 잡으면 죽음의 계곡으로 가는 지름길이다. 저점에서 공매도 자리가 나온다면, 이 종목은 모멘텀이 죽은 것이라고 판단할 수 있다. 수급도 매우 중요하다. 외국인과 기관 합산 매도 강도(수급 강도)가 20%이면 높다고 볼 수 있다. 이럴 때 전형적인 공매도 차트가 만들어진다. 이것도 역시 대주거래 및 CFD 거래가 되는 종목이 있다. 저점에서 공매도 자리는 그 하락의 깊이를 알 수 없다. 완전히 죽음의 계곡으로 빠지므로 언제 상승할지 모르는 차트로 볼 수 있다. 이러한 종목을 매수 포지션으로 보유하고 있는 사람은 반드시 손절매해야 하는 자리이기도 하다.

저점에서 공매도 자리가 나오는 종목의 특징

첫째, 캔들이 이동평균선 아래에 위치하고 있다.
둘째, 종목별 기관매매 추이화면을 보면 개인만 매수하고 있다.
셋째, 수급이 안 좋으면서 아래로 공간이 완벽하게 열리므로 아래로 강한 슈팅이 나올 가능성이 있다.

자, 이제 이러한 특징이 있는 종목은 종목이라 여기지 말고 그림이라 생각하며 외워두는 것이 좋겠다.

● **리노공업**

[그림 11-34] 리노공업 일봉 차트는 고점에서 횡보한 후 지속적으로 하락하고 있음을 볼 수 있다. 수급은 어떠한가 확인해보자(그림 11-36). 개인만 매수하고 기관과 외국인이 양매도하고 있다. 뉴스도 확인하자. 증시도 연신 밀리고 외인 매도세에 하락으로 전환했다는 기사도 찾을 수 있다.

다시 차트로 돌아가 보자. 아래로 공간이 크게 열리면서 어디까지 하락할지 모르는 죽음의 계곡 패턴을 보여주고 있다. 리노공업 거꾸로 차트에서는 앞에서 배운 매수 기법 중 하나인 신고가 기법 패턴임을 알 수 있다.

[그림 11-34] 리노공업 2021년 12월~2022년 6월 24일까지 일봉 차트

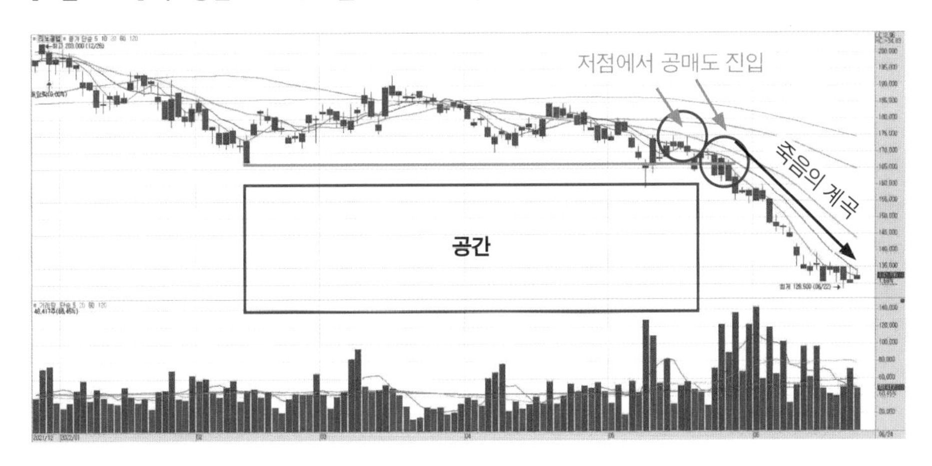

[그림 11-35] 리노공업 2021년 12월~2022년 6월 24일까지 거꾸로 일봉 차트

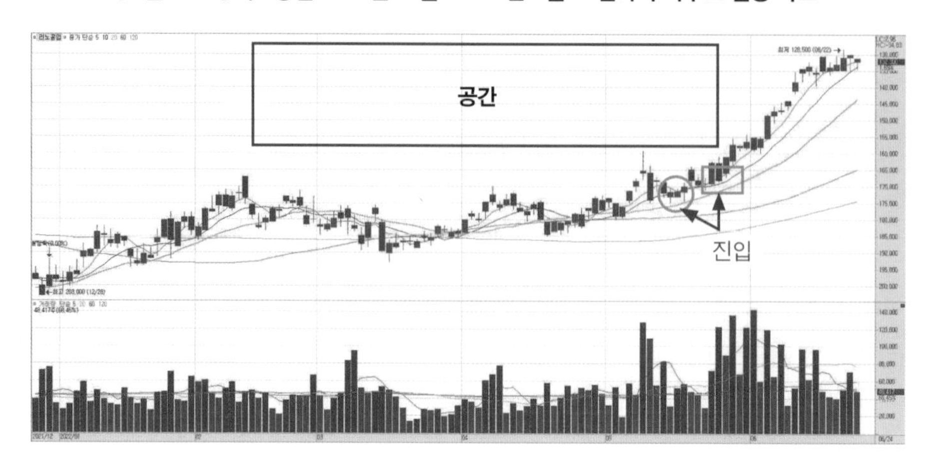

[그림 11-36] 리노공업 2022년 5월 20일~6월 9일까지 종목별 기관매매 추이

058470 리노공업 누적기간 기간입력 2022/05/20 ~ 2022/06/09 차트 유의사항

구분	개인		기관		외국인	
추정평균가(매수/매도)	157,878	157,758	158,824	156,098	157,118	157,875

*단위: 단주 ◉대비 ○등락

날짜	종가	대비	거래량	개인 기간누적	개인 일별순매매	기관 기간누적	기관 일별순매매	외국인 기간누적	외국인 일별순매매	소진율
22/06/09	147,000 ▼	200	102,28	+191,507	-1,991	-55,583	-5,506	-145,709	+7,333	45.19%
22/06/08	147,200 ▼	1,300	64,95	+193,498	+8,727	-50,077	+1,105	-153,042	-12,828	45.14%
22/06/07	148,500 ▼	7,000	119,35	+184,771	+32,308	-51,182	-25,616	-140,214	-7,154	45.23%
22/06/03	155,500 ▼	3,200	59,07	+152,463	+18,422	-25,566	+449	-133,060	-19,013	45.27%
22/06/02	158,700 ▲	2,200	142,27	+134,041	-7,330	-26,015	-396	-114,047	+7,321	45.40%
22/05/31	156,500 ▼	1,600	122,24	+141,371	+18,392	-25,619	-12,792	-121,368	-8,998	45.35%
22/05/30	158,100 ▲	800	67,67	+122,979	-3,612	-12,827	+8,031	-112,370	-3,057	45.41%
22/05/27	157,300 ▼	3,700	136,24	+126,591	+44,880	-20,858	-16,593	-109,313	-28,554	45.43%
22/05/26	161,000 ▼	7,000	89,33	+81,711	+60,646	-4,265	-11,186	-80,759	-49,376	45.62%
22/05/25	168,000 ▲	5,200	122,61	+21,065	-17,920	+6,921	+16,851	-31,383	+1,281	45.94%
22/05/24	162,800 ▼	6,200	71,89	+38,985	+31,893	-9,930	-17,267	-32,664	-14,694	45.93%
22/05/23	169,000 ▼	400	29,322	+7,092	+5,187	+7,337	-5,482	-17,970	+151	46.03%
22/05/20	169,400 ▲	1,400	44,435	+1,905	+1,905	+12,819	+12,819	-18,121	-18,121	46.03%

[그림 11-37] 리노공업 뉴스창

시세	상세	Signal	업종	섹터	차트	일정	뉴스

[SEN]삼성證 "리노공업, 매출·영업이익 사상 최고치 경신할 것"

날짜	시간	제목
05/26	15:48:41	[코스닥 마감]금리 인상 지속 전망에 약보합…'870선
05/26	14:58:48	코스닥, 외인 매도세에 하락 전환…'870선'
05/25	13:20:53	리노공업(058470) 소폭 상승세 +3.00%
05/24	17:24:10	증시요약(2) - 코스닥 마감시황
05/24	15:43:10	[코스닥 마감] 860선 '털썩'…외인·기관 동반 팔자에
05/24	14:09:22	코스닥, 투심 위축에 870선까지 밀려…외국인·기관
05/17	09:15:04	[리포트 브리핑]리노공업, '가는 길이 역사' 목표가
05/17	08:17:58	[SEN]삼성證 "리노공업, 매출·영업이익 사상 최고치

[그림 11-38] 리노공업 재무제표

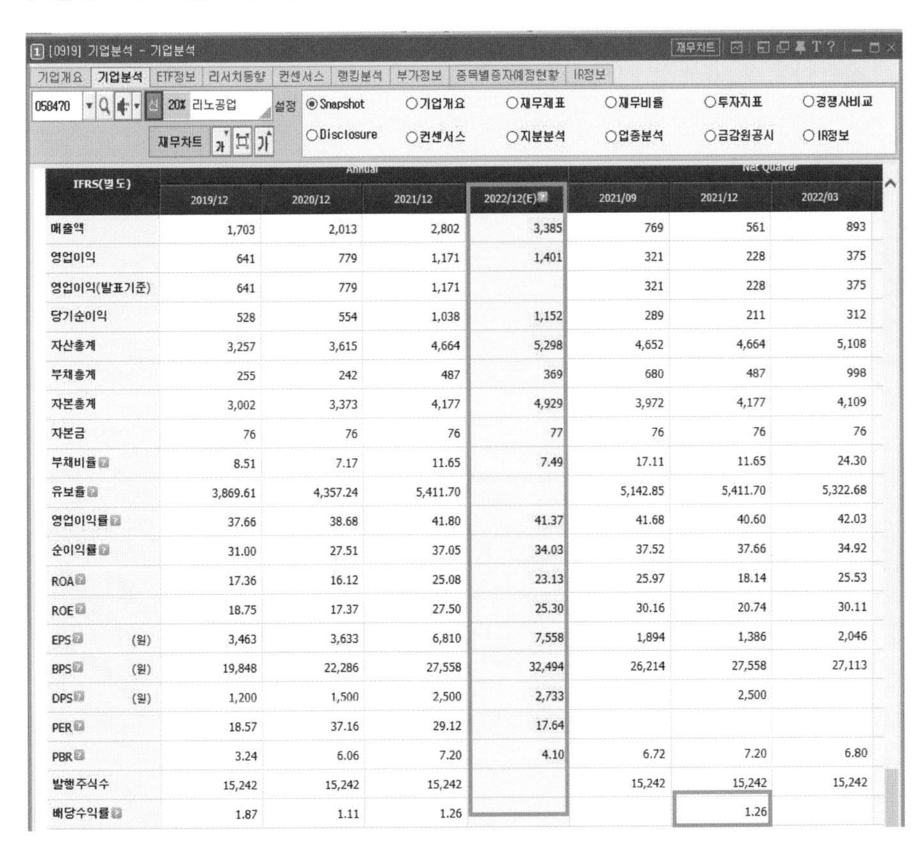

IFRS(별도)	Annual				Net Quarter		
	2019/12	2020/12	2021/12	2022/12(E)	2021/09	2021/12	2022/03
매출액	1,703	2,013	2,802	3,385	769	561	893
영업이익	641	779	1,171	1,401	321	228	375
영업이익(발표기준)	641	779	1,171		321	228	375
당기순이익	528	554	1,038	1,152	289	211	312
자산총계	3,257	3,615	4,664	5,298	4,652	4,664	5,108
부채총계	255	242	487	369	680	487	998
자본총계	3,002	3,373	4,177	4,929	3,972	4,177	4,109
자본금	76	76	76	77	76	76	76
부채비율	8.51	7.17	11.65	7.49	17.11	11.65	24.30
유보율	3,869.61	4,357.24	5,411.70		5,142.85	5,411.70	5,322.68
영업이익률	37.66	38.68	41.80	41.37	41.68	40.60	42.03
순이익률	31.00	27.51	37.05	34.03	37.52	37.66	34.92
ROA	17.36	16.12	25.08	23.13	25.97	18.14	25.53
ROE	18.75	17.37	27.50	25.30	30.16	20.74	30.11
EPS (원)	3,463	3,633	6,810	7,558	1,894	1,386	2,046
BPS (원)	19,848	22,286	27,558	32,494	26,214	27,558	27,113
DPS (원)	1,200	1,500	2,500	2,733		2,500	
PER	18.57	37.16	29.12	17.64			
PBR	3.24	6.06	7.20	4.10	6.72	7.20	6.80
발행주식수	15,242	15,242	15,242		15,242	15,242	15,242
배당수익률	1.87	1.11	1.26			1.26	

리노공업은 참 좋은 기업이지만 주식가격이 높다고 본다. 리노공업은 2008년도 PBR이 1배 부근이었으나 최근 PBR 약 7배 정도다. 코로나 위기에도 5배 정도를 유지했다. PBR이 높은 이유는 매년 매출이 15~20% 늘어났고 영업이익률도 40%대이다. ROE는 25%, 매년 1.5~2.0%의 배당률, 우리나라 핵심 수출 산업인 반도체 관련 사업을 하고 있기 때문이다. 리노공업은 계절적 비수기에 접어들면서 1%의 하락으로 52주 신저가를 기록했다.

러시아가 우크라이나를 침공하면서 전쟁 변수가 2022년에는 많은 종목에 영향을 주었다. 연말이 되면 소비자의 신제품 사이클이 도래되기 때문에 컨센서스 추정치가 좋은데도 불구하고 기관과 외인의 매도세가 이어지면 도래되는 추정치가 좋다고 해도 주가가 하락하는 것을 알 수 있기에 종목마다 수급은 매우 중요하다는 것을 알 수 있다.

주가가 상승하고 고점에서 오르락내리락하는 종목들은 캔들이 20일 이동평균선을 머리에 이고 있으면 일반적으로 공매도하기 좋은 차트가 된다. 하지만 개인이 매수하고 기관과 외국인이 양매도 중인데도 주가 하락 폭이 작은 종목들은 공매도하면 안 된다. 즉 공매도하기에 좋은 차트가 아니라는 뜻이다. 이런 종목들의 특징은 리포트가 좋다. 실적이 좋다는 등의 뉴스가 계속 나오는 종목들이다. 이러한 점을 안다는 것은 매매에 큰 도움이 되며, 실전 노하우가 된다.

● **LG생활건강**

[그림 11-39]는 LG생활건강 일봉 차트다. 2022년 5월 3일 이동평균선들이 밀집한 자리에서 캔들이 네 개의 이동평균선을 머리에 이고 있는 모습을 볼 수 있다. 이 일봉 차트를 거꾸로 하면(그림 11-40) 매수 신고가 패턴으로 보이며, 아주 멋진 강남 매수 자리가 됨을 알 수 있다. 차트만 거꾸로 돌렸을 뿐인데 신고가 패턴이 보이고 정상적인 차트였다면 매수로 포지션을 잡고 싶은 자리가 떡하니 나온다. 그런데 이는 거꾸로 차트이니 그 자리가 바로 공매도 포지션을 잡기에 좋은 위치가 된다.

[그림 11-39] LG생활건강 2022년 1월~2022년 6월까지 일봉 차트

[그림 11-40] LG생활건강 2022년 1월~2022년 6월까지 거꾸로 일봉 차트

앞에서 신고가 매수 기법은 단기간에 크게 수익을 내는 기법이라고 배웠고, 수급이 좋아야 한다고 했다. 그렇다면 이 기법을 반대로 생각해보자. 단기간에 공매도로 수익이 크게 나야 하는 자리다. 그리고 수급이 나빠야 한다.

[그림 11-41] LG생활건강 2022년 5월 3일~2022년 5월 20일까지 종목별 기관 매매추이

일별 기관매매종목 | 종목별 기관매매추이

051900 LG생활건강 누적기간 기간입력 2022/03/31 ~ 2022/05/30 차트 유의사항

구분	개인		기관		외국인	
추정평균가(매수/매도)	786,592	790,386	792,551	796,993	795,967	788,299

*단위: 단주 ◉대비 ○등락

날짜	종가	대비	거래량	개인		기관		외국인		소진율
				기간누적	일별순매매	기간누적	일별순매매	기간누적	일별순매매	
22/05/20	685,000	▲ 17,000	62,118	+485,610	-9,628	-36,961	+4,42	-537,624	+13,134	37.33%
22/05/19	668,000	▼ 9,000	112,107	+495,238	-3,144	-41,382	+1,87	-550,758	+1,864	37.24%
22/05/18	677,000	▼ 7,000	136,183	+498,382	+29,579	-43,261	-2,47	-552,622	-19,149	37.23%
22/05/17	684,000	▼ 8,000	91,142	+468,803	+18,796	-40,787	+18,73	-533,473	-22,447	37.35%
22/05/16	692,000	▼ 2,000	123,662	+450,007	-833	-59,517	+18,20	-511,026	-18,147	37.50%
22/05/13	694,000	▲ 3,000	167,736	+450,840	+19,373	-77,722	-6,72	-492,879	-23,966	37.61%
22/05/12	691,000	▼ 120,000	534,499	+431,467	+210,746	-70,993	-33,88	-468,913	-198,909	37.77%
22/05/11	811,000	▲ 4,000	65,141	+220,721	+2,858	-37,106	-9,16	-270,004	+5,930	39.04%
22/05/10	807,000	▲ 7,000	70,071	+217,863	+3,255	-27,944	-3,12	-275,934	-19,421	39.00%
22/05/09	800,000	▼ 25,000	99,559	+214,608	+33,063	-24,819	-11,10	-256,513	-32,998	39.13%
22/05/06	825,000	▼ 20,000	74,904	+181,545	+36,194	-13,718	-13,88	-223,515	-50,462	39.34%
22/05/04	845,000	▼ 31,000	114,630	+145,351	+60,459	+171	-34,18	-173,053	-30,518	39.66%
22/05/03	876,000	▼ 35,000	89,088	+84,892	+46,887	+34,358	-26,40	-142,535	-31,377	39.86%

LG생활건강 종목별 기관매매추이에서 확인할 수 있는 것처럼 공매도하기 가장 좋은 자리에서 개인은 계속 사고, 기관과 외국인은 매도하고 있다. 저점에서 공매도를 뒤집어 보면 신저가 기법이라고 할 수 있다. 신고가 기법에서 수급이 좋아야 했다면, 공매도 신저가 기법에서는 수급이 나빠야 하는 것이다. 신저가가 나왔을 때는 단기간에 크게 하락할 수 있다.

[그림 11-42] LG생활건강 재무제표

[0905] 상장기업분석

Financial Highlight [연결|전체]

단위 : 억원, %, 배, 천주

IFRS(연결)	Annual				Net Quarter			
	2019/12	2020/12	2021/12	2022/12(E)	2022/03	2022/06	2022/09	2022/12(E)
매출액	76,854	78,445	80,915	73,430	16,450	18,627	18,703	19,670
영업이익	11,764	12,209	12,896	7,548	1,756	2,166	1,901	1,658
영업이익(발표기준)	11,764	12,209	12,896		1,756	2,166	1,901	
당기순이익	7,882	8,131	8,611	4,747	1,138	1,260	1,274	922

재무제표에서도 부진함이 드러나고 있다. LG생활건강은 2021년에 이어 2022년도 부진을 면치 못하고 있으며 실적 핵심인 중국 사업과 면세점 회복할 신호가 보이지 않고 있다.

원자재 가격은 상승, 원화 약세 지속으로 원가 부담이 더욱 커지고 있는 가운데 과도한 경쟁으로 인해 비용지출까지 늘어났지만, 매출은 대폭 감소했다. 앞으로 중국 봉쇄 완화와 해외 관광객 회복으로 인한 면세점 매출 정상화가 되어야 긍정적인 기대를 할 수 있다. 글로벌 고강도 긴축이 시작되고 있는 만큼 불확실성은 여전히 남아 있고 2022년 4분기는 최근 5년 동안 최악의 영업이익을 기록할 것으로 예상했다.

● **카카오**

[그림 11-43] 카카오 일봉 차트를 보자. 공간이 조금 열리면 하락 폭이 작다. 그러다 6월 10일 신저가가 나온 후부터 지지 매물대가 없으므로 이때부터 공간이 아래로 크게 열리고 있음을 알 수 있다.

[그림 11-43] 카카오 2021년 10월~2022년 6월 21일까지 일봉 차트

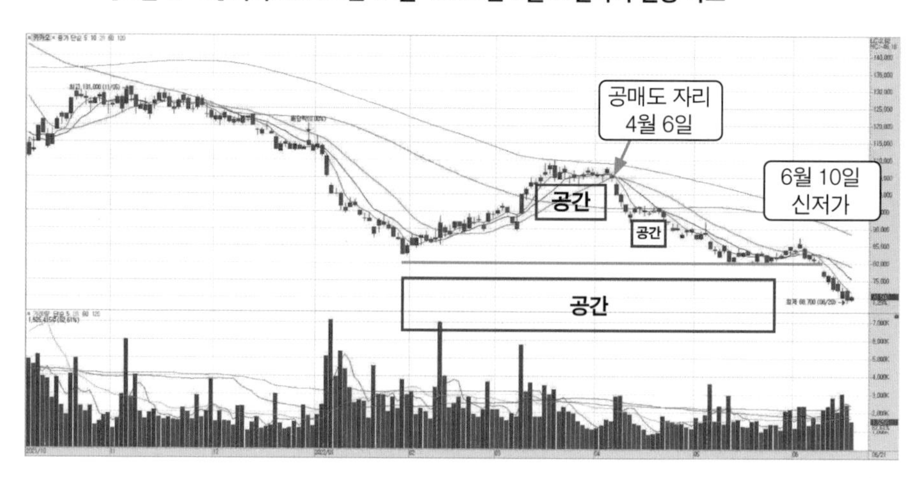

자, 이제 차트를 뒤집어 보자(그림 11-44).

일봉 차트를 거꾸로 뒤집어 보니 강남 공매도 자리가 뒤집은 차트에서는 강남 매수 자리와 일치함을 알 수 있다. 매수 관점에서 신고가 기법은 위로 완벽하게 공간이 열리며 매물대가 없어 계속 상승하여 단기간에 큰 수익을 내는 특징이 있다. 반대로 공매도 관점에서 신저가가 출현하면 하락이 하락을 불러 단기간에 지하실을 파게 되는 차트가 된다는 점을 명심하자.

[그림 11-44] 카카오 2021년 10월~2022년 6월 21일까지 거꾸로 일봉 차트

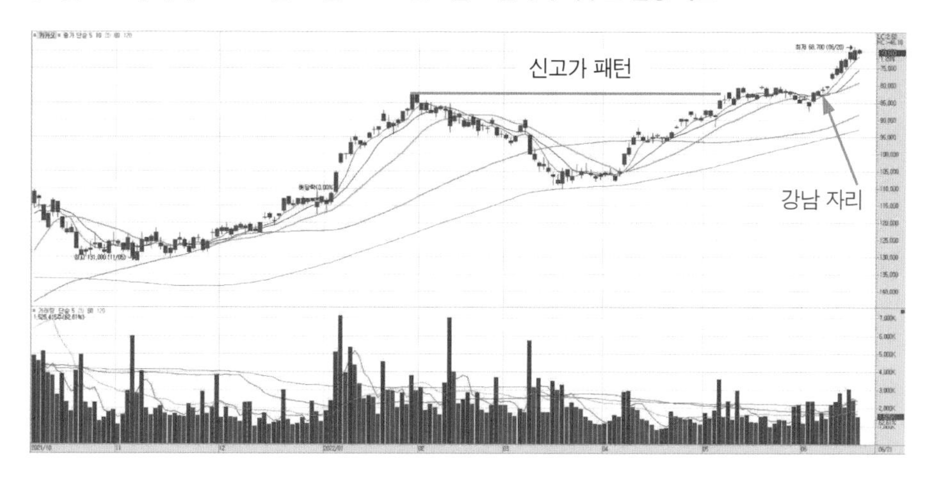

[그림 11-45] 카카오 2022년 4월 7일~2022년 4월 25일까지 종목별 기관매매추이

035720 | 카카오 | 누적기간 기간입력 2022/03/31 ~ 2022/05/31 | 차트 | 유의사항

구분	개인		기관		외국인	
추정평균가(매수/매도)	90,093	89,799	90,586	91,244	88,830	88,435

*단위: 단주 ◉대비 ○등락

날짜	종가	대비	거래량	개인		기관		외국인		소진율
				기간누적	일별순매매	기간누적	일별순매매	기간누적	일별순매매	
22/04/25	89,700	▼ 2,300	1,511,408	+4,002,460	+431,697	-3,595,864	-227,728	-744,608	-2,060	28.74%
22/04/22	92,000	▼ 1,600	1,553,904	+3,570,763	+430,314	-3,368,136	-596,361	-742,548	+68,754	28.74%
22/04/21	93,600	▼ 1,500	1,809,576	+3,140,449	+544,425	-2,771,775	-221,783	-811,302	-297,026	28.73%
22/04/20	95,100	0	880,905	+2,596,024	+49,908	-2,549,992	-155,758	-514,276	+69,570	28.79%
22/04/19	95,100	▲ 700	836,819	+2,546,116	+1,492	-2,394,234	+31,770	-583,846	+61,523	28.78%
22/04/18	94,400	▼ 1,000	774,064	+2,544,624	+143,251	-2,426,004	-111,351	-645,369	-349,166	28.76%
22/04/15	95,400	▼ 700	1,080,260	+2,401,373	+140,105	-2,314,653	-124,106	-298,203	44,607	20.84%
22/04/14	96,100	▲ 300	1,299,995	+2,261,268	+126,084	-2,190,547	+115,407	-251,516	-282,837	28.85%
22/04/13	95,800	▲ 1,700	1,403,239	+2,135,184	-2,743	-2,305,954	+95,612	+31,321	-94,350	28.92%
22/04/12	94,100	▼ 1,000	1,909,946	+2,137,927	+167,340	-2,401,566	-269,699	+125,671	+103,582	28.94%
22/04/11	95,100	▼ 2,900	2,061,220	+1,970,587	+556,312	-2,131,867	-511,793	+22,089	-77,652	28.91%
22/04/08	98,000	▼ 1,900	2,929,790	+1,414,275	+688,797	-1,620,074	-638,577	+99,741	+28,527	28.93%
22/04/07	99,900	▼ 5,100	2,885,845	+725,478	+855,070	-981,497	-632,110	+71,214	-250,522	28.93%

[그림 11-45] 종목별 기관매매추이에서 볼 수 있는 것처럼 4월 6일 공매도하기 가장 좋은 자리에서 개인은 계속 매수하고 있고 기관과 외국인은 계속 매도가 더 많음을 알 수 있다.

카카오의 핵심 사업 분야는 온라인 쇼핑, 광고 시장의 성장세가 경기침체에 따라 둔화하고 있는 것이 악재로 작용했다. 전체 매출 중 가장 높은 비중을 차지하는 플랫폼 부분인 톡 비즈의 3분기 광고형 매출액이 15% 증가했지만, 디지털 광고 시장 상황이 물가 상승, 경기침체 등으로 기업들의 광고비 지출에 보수적 접근으로 인해 악재로 작용하고 있으므로 주가 반등은 어려움이 따를 것이라고 한다. 게다가 4분기 실적에 지난 10월 발생한 판교 데이터센터 화재로 인해 카카오의 4분기 실적에 220억 원 정도 피해 보상이 반영될 예정이라니 더욱 난감한 상황이라 보지 않을 수 없다.

실전 공매도 기법 3. 급등주 공매도 기법

대부분 급등주 패턴은 피라미드와 같은 패턴이다. 급등주는 고점에서 길게 횡보하지 않는다는 뜻이다. 급등주는 어떻게 시작하고 끝이 나는지를 알게 되면 매매하는 데 도움이 될 것이다.

첫째, 급등주는 바닥에서 매집하는 기간이 있다. 이 기간에 버티기를 하는 개미들을 지루하게 만들거나 심쿵하게 만들어 악성 매물을 없애는 기간이다. 대부분 개미는 바닥에서 길게 횡보하는 동안 손절매하는 경우가 많다. 코스닥 종목은 3~4개월 정도, 조금 무거운 종목들은 6~12개월 정도 매집 기간을 갖는 것이 일반적이다. 매집

기간은 꼭 이렇다고 하는 것은 아니라는 것은 항상 염두에 두기를 바란다. 세력은 바닥 매집 기간에 50% 정도 돈을 쓴다고 하는데 세력마다 스타일은 다르다.

둘째, 바닥에서 횡보하다 상승시키기 위한 과정이 있는데 거래량이 갑자기 증가하고 상승 각도가 커진다. 그리고 꼭짓점에서 개미에게 세력의 물량을 다 넘기고 급락하면서 급등하기 전 자리로 되돌아간다. 또는 본격적인 상승을 시작하기 전에 개미들의 물량을 빼앗기 위해 위꼬리를 길게 달며 추세를 죽이는 경우가 있다.

셋째, 실적과 무관하게 테마로 엮이거나 뉴스로 급등한 종목이 주로 많다.

이런 세 가지 특징을 지닌 중·소형주 중에서 대주나 CFD 가능한 종목에서 뉴스나 테마로 급등하는 종목을 골라 고점 부근에서 공매도로 수익을 내는 기법이다. 일반적으로 급등 전 가격 부근 80~90% 정도 하락한다. 이런 관성을 이용해 꼭 고점에서 공매도하려고 하지 말고 적당한 음봉 부근에서 공매도로 진입하면 된다. 손절매는 앞 고점을 돌파할 때 해야 하고 기대 수익은 오르기 전 가격 부근 80% 정도에서 수익 실현을 하면 된다.

단기간의 폭등하는 종목은 소형주가 주를 이룬다. 세력의 자금 한계로 주로 피라미드 패턴을 만들고 폭등한 만큼 폭락하는 것이 일반적이다. 그러므로 고점에서 세력이 급락시키는 과정에서 살짝 반등할 때 매수 진입하는 것보다는 대주나 CFD 거래가 가능한 종목이면 공매도하는 것이 훨씬 더 좋다.

● 신풍제약

신풍제약은 이해를 돕기 위해 뉴스를 먼저 보자. 2022년 11월 15일 코로나 재유행 기사가 나왔다. 이제 차트를 보자(그림 11-47).

[그림 11-46] 신풍제약 11월 15일 뉴스 화면

전체 019170 신풍제약 검색 2022/11/15 그룹선택 조회 다음

2022/11/15	15:17:00	[주목] 연말 대비, 11월 15일 주목해야할 종목! 장 공략법은?	신풍제약	인포스탁
2022/11/15	15:08:58	[한경라씨로]가 알려주는 오늘의 시장특징주 (11/15)	신풍제약	한국경제
2022/11/15	14:40:00	매수, 매도 다 알려주는 무료 '주식카톡방' 의 등장	신풍제약	헤럴드경제
2022/11/15	14:30:04	[특징주] 일동제약, 20%대 급등...경구용 코로나19 치료제 日 승인 기대감	신풍제약	인포스탁
2022/11/15	14:30:02	[특징주] 신풍제약, 겨울철 코로나 재유행 조짐에 11%대 강세	신풍제약	인포스탁
2022/11/15	14:18:05	[특징주] 급등 소식 정리! 오늘의 관심주는?	신풍제약	한국경제
2022/11/15	14:03:26	인기검색 20종목	신풍제약	인포스탁

[그림 11-47] 신풍제약 2022년 5월~2022년 12월 9일까지 일봉 차트

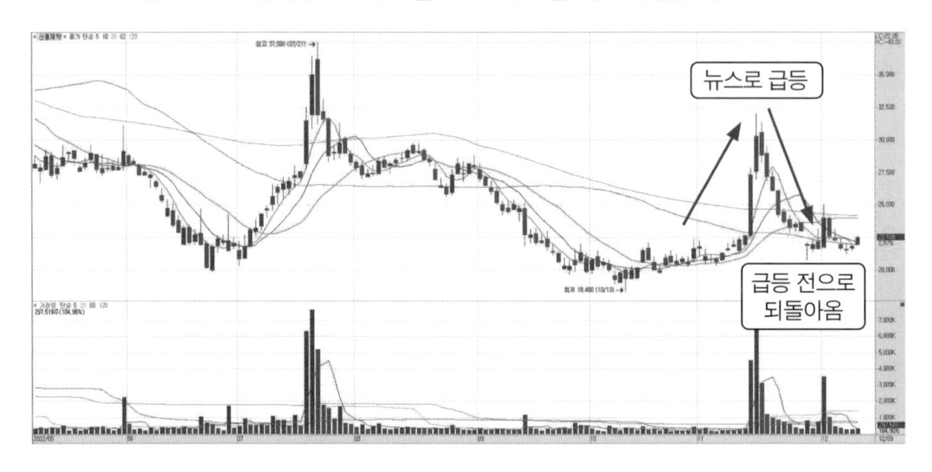

차트에서 무엇을 확인할 수 있나? 실적과 상관없이 90도 각도로 상승했다가 급등 전으로 되돌아오는 것을 정확하게 볼 수 있다.

[그림 11-48] 신풍제약 2022년 11월 9일~12월 2일까지 일별주가

[0124] 일별주가

조회 019170 신풍제약 일자 2022/12/0 ⊙수량(주 ○금액(백만원 *외인(수량), 공매도(수량) 항목은 금액 데이터를 제공하지 않습

일자	시가	고가	저가	종가	전일비	등락률	거래량	금액(...	신용비	개인	기관	외인(...	외국계	프로그램	외인비
22/12/02	24,000	24,050	22,350	22,600	▼ 1,400	-5.83	1,020,824	23,457	1.11	147,197	-30,648	-117,757	-51,298	123,879	4.78
22/12/01	21,750	25,000	21,750	24,000	▲ 2,350	10.85	3,529,276	84,096	1.11	54,002	-3,865	-42,406	-28,160	-54,635	5.00
22/11/30	22,200	23,150	21,600	21,650	▼ 350	-1.59	756,040	16,760	1.12	156,587	-11,170	-153,479	-47,600	153,073	5.08
22/11/29	21,650	22,450	21,450	22,000	0	0	324,395	7,127	1.15	29,717	-1,375	-26,331	-36,305	-31,231	5.37
22/11/28	21,900	22,100	20,800	22,000	▼ 1,000	-4.35	822,226	17,648	1.15	-43,659	16,132	41,825	11,857	28,364	5.42
22/11/25	23,650	23,650	23,000	23,000	▼ 500	-2.13	299,885	6,948	1.14	21,406	9,063	-33,200	-10,129	-32,287	5.34
22/11/24	23,300	23,650	23,000	23,500	▲ 250	+1.08	399,830	9,338	1.17	45,337	6,041	-20,237	-38,500	-50,974	5.41
22/11/23	23,900	24,150	22,850	23,250	▼ 450	-1.90	634,007	14,838	1.20	5,908	2,452	-5,801	-14,338	-2,422	5.44
22/11/22	24,500	24,700	23,500	23,700	▼ 550	-2.27	728,609	17,523	1.24	115,700	-15,802	-132,088	-96,130	107,467	5.46
22/11/21	26,100	26,100	24,050	24,250	▼ 1,850	-7.09	883,489	21,968	1.26	-75,674	-27,000	108,053	82,539	109,418	5.71
22/11/18	27,200	27,600	26,050	26,100	▼ 1,100	-4.04	998,055	26,580	1.24	-56,116	-1,685	56,998	15,640	62,641	5.50
22/11/17	29,000	29,450	26,900	27,200	▼ 1,650	-5.72	1,201,764	33,636	1.20	-74,988	-2,839	81,495	68,351	80,359	5.39
22/11/16	30,600	31,400	28,300	28,850	▼ 1,450	-4.79	3,132,434	92,854	1.12	4,207	-10,423	26,844	2,061	8,610	5.24
22/11/15	27,600	32,000	27,050	30,300	▲ 2,950	10.79	7,600,617	230,276	0.96	305,413	33,781	-169,936	-214,148	329,397	5.19
22/11/14	22,650	27,850	22,400	27,350	▲ 4,700	20.75	4,510,803	119,469	0.97	256,082	73,889	-316,970	-191,303	290,726	5.51
22/11/11	21,950	22,650	21,900	22,650	▲ 1,150	+5.35	334,790	7,478	0.97	-143,809	25,004	98,987	41,815	124,728	6.11
22/11/10	22,350	22,600	21,400	21,500	▼ 450	-2.05	279,105	6,092	0.97	78,973	2,929	-80,856	-41,351	-76,982	5.92
22/11/09	21,850	22,300	21,800	21,950	▲ 400	+1.86	203,775	4,491	0.95	-29,168	14,254	-12,852	20,596	15,025	6.07

신풍제약 일별주가를 보면 세력이 많은 물량을 매수했음을 보여주고 있다. 56만 주는 금액으로 140억 원 정도 개인이 매수했고, 기관이 7만 2,000주에 18억 원 정도로 대략 158억 원의 매수금액이 들어왔다. 그러나 실적과 무관한 뉴스로 급등했으므로 급등 전 제자리로 돌아오는 패턴으로 공매도 관점에서 보는 것이 더욱 좋다.

세계보건기구(WHO)는 신풍제약의 말리리아 치료제인 피라맥스를 보조요법에서 강력권고 약물로 지정했다고 한다. WHO에 따르면 전 세계 말리리아 확진자 수는 2억 4,100만 명이 발생했기에 피라맥스의 매출 확대로 이어질 가능성이 커졌다.

제약주는 새로운 호재가 발생할 때 뉴스와 함께 다시 강남 매수자리가 나올 수 있다. 그러므로 이 종목이 다시 급등하면 잘 관찰한 후에 공매도 자리가 어딘지, 홀딩은 어디까지 할 것인지를 배운대로 해보길 바란다.

● **코엔텍**

코엔텍도 이해를 돕기 위해 뉴스를 먼저 보자.

[그림 11-49] 코엔텍 2022년 8월 12일~8월 23일까지 뉴스화면

○전체 ◉ 029960 신 코엔텍 검색 2022/08/23 그룹선택 조회 다음

날짜	시간	제목	종목	출처
2022/08/23	17:00:10	외국인 연속 순매수일 상위 20선 - 코스닥	코엔텍	조선비즈
2022/08/23	14:43:17	코엔텍(029960) 소폭 상승세 +3.06%	코엔텍	인포스탁
2022/08/19	13:43:05	인선이엔티, +4.64% 상승폭 확대	코엔텍	조선비즈
2022/08/19	09:44:34	제넨바이오, -2.49% VI 발동	코엔텍	조선비즈
2022/08/12	15:02:09	코엔텍, 2분기 개별 영업이익 148억...전년비 132%↑	코엔텍	이데일리
2022/08/12	13:52:31	코엔텍(029960) 소폭 상승세 +3.02%	코엔텍	인포스탁
2022/08/12	13:52:19	코엔텍, 당해사업연도 2분기 별도 영업이익 148.44억원	코엔텍	인포스탁

2분기 영업이익이 148억 원으로 전년 대비 132% 상승했다는 기사가 나왔다. 차트를 확인해보자.

[그림 11-50] 코엔텍 2022년 4월~12월 2일까지 일봉 차트

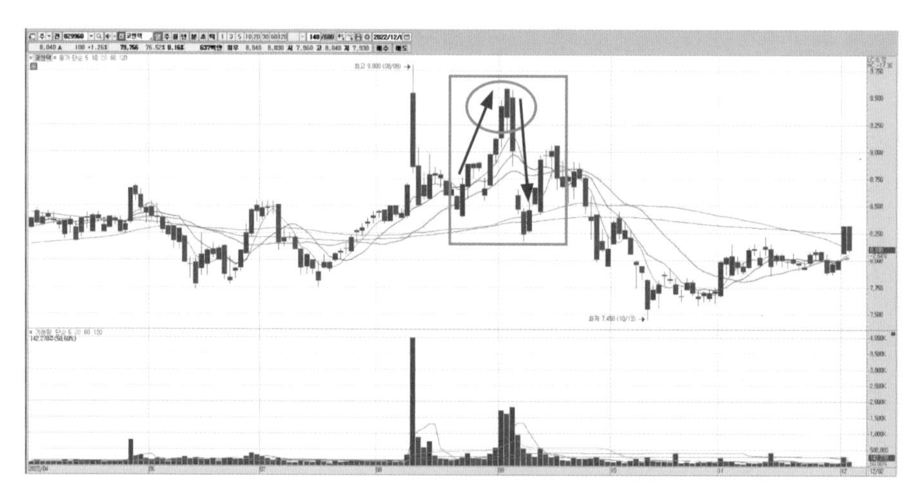

코엔텍 일봉 차트를 보면 급등 후 하락하고 있다. 일별주가를 보자.

[그림 11-51] 코엔텍 2022년 8월 5일~8월 31일까지 일별주가

[0124] 일별주가

조회 | 129960 | 코엔텍 | 일자 2022/08/3 | ◉수량(주 ○금액(백만원 | *외인(수량), 공매도(수량) 항목은 금액 데이터를 제공하지 않습

일자	시가	고가	저가	종가	전일비	등락률	거래량	금액(...	신용비	개인	기관	외인(...	외국계	프로그램	외인비
22/08/31	8,980	9,130	8,900	9,120	▲ 140	+1.56	561,169	5,083	1.36	-82,958	67,526	5,375	23,731	10,596	8.04
22/08/30	8,690	8,990	8,690	8,980	▲ 320	+3.70	360,264	3,212	1.38	-98,540	43,807	28,374	38,463	53,706	8.03
22/08/29	8,600	8,760	8,550	8,660	▼ 190	-2.15	192,881	1,671	1.38	-46,084	-1,354	50,433	29,263	60,668	7.98
22/08/26	8,900	8,910	8,820	8,850	0	0	206,039	1,828	1.36	-3,547	-6,399	31,681	6,045	9,697	7.88
22/08/25	8,890	8,900	8,760	8,850	▼ 40	-0.45	228,030	2,017	1.45	-5,922	39,784	-70,494	-30,022	-33,674	7.81
22/08/24	8,680	8,890	8,570	8,890	▲ 190	+2.18	378,997	3,348	1.52	-146,800	73,287	70,191	58,031	75,655	7.95
22/08/23	8,410	8,760	8,400	8,700	▲ 230	+2.72	237,923	2,052	1.54	-61,140	46,340	13,435	34,962	15,074	7.81
22/08/22	8,590	8,600	8,460	8,470	▼ 180	-2.08	157,849	1,342	1.56	39	-19,454	32,454	18,860	12,563	7.79
22/08/19	8,600	8,710	8,600	8,650	▲ 50	+0.58	147,105	1,271	1.57	-37,724	-8,438	13,752	37,550	48,597	7.72
22/08/18	8,730	8,730	8,600	8,600	▼ 190	-2.16	179,406	1,552	1.59	-363	-4,673	-30,729	-112	6,553	7.69
22/08/17	8,760	8,830	8,670	8,790	▲ 10	+0.11	208,686	1,827	1.68	-62,738	4,920	62,667	52,566	54,842	7.76
22/08/16	8,800	8,860	8,700	8,780	▼ 10	-0.11	305,784	2,683	1.67	-87,338	4,528	80,464	36,818	80,029	7.63
22/08/12	8,570	8,980	8,570	8,790	▲ 200	+2.33	753,522	6,608	1.63	-31,023	18,169	10,184	-7,946	-7,163	7.47
22/08/11	8,690	8,810	8,560	8,590	▲ 80	+0.94	552,433	4,797	1.64	-107,533	9,714	104,998	67,700	99,286	7.45
22/08/10	8,870	9,040	8,510	8,510	▼ 350	-3.95	887,630	7,767	0.82	-33,538	-44,866	175,757	60,630	65,961	7.24
22/08/09	9,540	9,800	8,800	8,860	▲ 170	+1.96	3,983,774	36,675	0.80	323,503	-119,868	-181,784	-131,582	164,102	6.89
22/08/08	8,410	8,710	8,390	8,690	▲ 260	+3.08	334,862	2,875	0.70	-115,203	82,052	39,892	18,637	44,210	7.25
22/08/05	8,390	8,470	8,390	8,430	▲ 10	+0.12	84,769	715	0.83	-42,208	49,063	-7,814	1,537	-7,566	7.17

일별주가에서 급등 전에 매집하고 있는 것을 볼 수 있다. 세력은 개미보다 정보가 빠르다. 그러므로 미리 매집해둔다. 때문에 개미는 매수 진입 시 세력의 매집을 따라가면 된다.

코엔텍은 현대자동차, SK, 현대중공업 등 대기업을 상대로 안정적 매출을 확보하고 있다. 쓰레기, 폐기물, 방사성폐기물 등을 처리하는 사업체로 2022년 8월 8일 서울에 폭우가 내려 장마 관련, 폭우 관련, 폐기물 관련 테마주로 인선이엔티와 대장주의 자리를 다투고 있다. 소각처리 매출액이 36.1%, 소각폐기물을 처리할 때 발생하는 폐열을 이용한 스팀생산 및 판매가 가장 많은 매출로 45.2%를 차지하고, 매립 처리 매출은 18.7%를 차지하고 있으며 꾸준히 성장하고 있지만 100% 내수에만 의존하고 있다.

● 대한전선

[그림 11-52] 대한전선 2022년 5월~12월 9일까지 일봉 차트

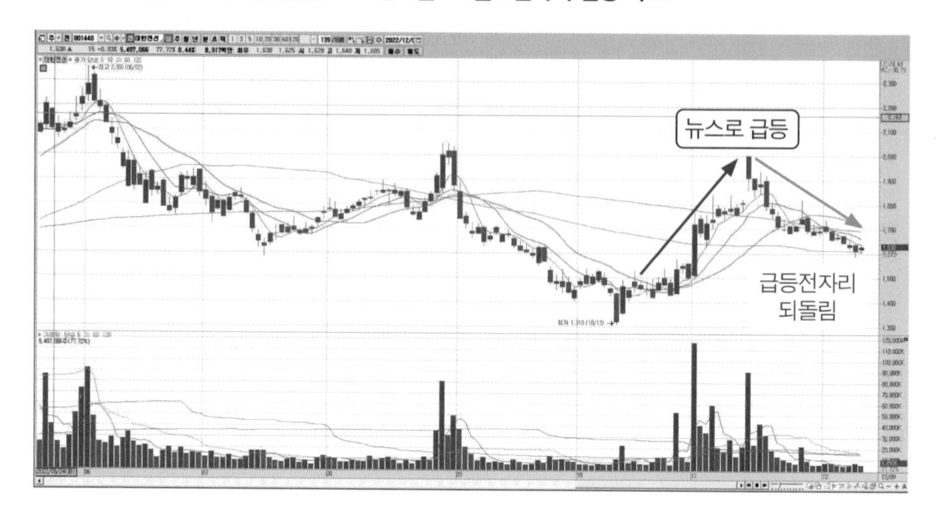

[그림 11-53] 대한전선 2022년 11월 14일 뉴스 화면

○전체 ◉ 001440 신 대한전선 검색 2022/11/14 그룹선택 조회 다음

2022/11/14	09:30:10	지엔원에너지, +3.46% 상승폭 확대	대한전선	조선비즈
2022/11/14	09:22:12	대한전선, 사우디와 현지 사업 추진 논의에 장 초반 강세	대한전선	머니투데
2022/11/14	09:13:46	[특징주] 대한전선, 사우디 '초고압케이블 생산' 현지 사업 추진 논의	대한전선	인포스탁
2022/11/14	09:13:06	[특징주] 대한전선, 사우디 투자부 장관과 사업 논의 소식에 ↑	대한전선	이투데이
2022/11/14	09:12:04	[특징주]사우디 장관 만나 사업 확대 논의…대한전선 투자 기대감에 '	대한전선	이데일리
2022/11/14	09:08:15	대한전선(001440) 강세 출발 +8.31%	대한전선	인포스탁
2022/11/14	09:00:10	세우글로벌, 0.00% VI 발동	대한전선	조선비즈

대한전선 2022년 11월 14일 뉴스 화면을 보면(그림 11-53) 사우디와 초고압 케이블 현지 생산 협의 뉴스로 급등했다. 일별주가(그림 11-54)에서 보듯이 대량 매수가 있었으며, 2022년 11월 17일 기관, 외인, 외국계, 프로그램에서 대량으로 매도세를 보여주고 있다. 실제로 뉴스 내용을 보면 계약을 체결했다는 내용보다는 사업추진 논

[그림 11-54] 대한전선 2022년 10월 21일~11월 17일까지 일별주가

[0124] 일별주가

조회 101440 대한전선 일자 2022/11/1 ◉수량(주 ○금액(백만원 *외인(수량), 공매도(수량) 항목은 금액 데이터를 제공하지 않습

일자	시가	고가	저가	종가	전일비	등락률	거래량	금액(...	신용비	개인	기관	외인(...	외국계	프로그램	외인비
22/11/17	1,900	1,920	1,780	1,795	▼ 90	-4.77	31,947,944	58,558	1.26	,746,867	1,941,670	,933,679	,074,698	864,827	1.93
22/11/14	2,000	2,000	1,860	1,910	▲ 105	+5.82	90,361,133	174,339	1.13	,569,711	1,250,668	380,282	552,317	477,052	2.20
22/11/11	1,810	1,820	1,775	1,805	▲ 45	+2.56	21,562,640	38,758	1.11	,552,415	539,927	,509,082	,545,717	270,826	2.16
22/11/10	1,790	1,810	1,755	1,760	▼ 25	-1.40	12,601,466	22,354	1.09	867,437	-88,130	-734,040	-27,565	903,587	1.96
22/11/09	1,775	1,840	1,765	1,785	▲ 20	+1.13	28,181,997	50,722	1.11	,836,882	299,690	,642,104	485,533	468,388	2.02
22/11/08	1,775	1,790	1,740	1,765	▲ 10	+0.57	17,248,649	30,368	1.06	,264,408	338,839	,148,350	270,630	984,773	1.89
22/11/07	1,785	1,800	1,750	1,755	▲ 15	+0.86	20,733,595	36,706	0.98	975,019	244,955	-923,666	-648,888	159,705	1.72
22/11/04	1,730	1,840	1,705	1,740	▲ 15	+0.87	59,320,609	105,570	0.94	,238,592	379,300	,618,712	,046,342	974,638	1.79
22/11/03	1,660	1,760	1,630	1,725	▲ 40	+2.37	34,446,472	59,089	0.97	-125,587	526,757	-584,170	,215,185	-10,331	2.16
22/11/02	1,745	1,760	1,670	1,685	▼ 35	-2.03	40,905,477	70,277	0.95	-358,725	98,970	-376,698	8,248	371,619	2.21
22/11/01	1,510	1,765	1,500	1,720	▲ 220	14.67	17,069,112	197,244	0.90	,425,583	2,420,781	,668,971	,162,659	800,467	2.24
22/10/31	1,560	1,560	1,495	1,500	▼ 40	-2.60	7,951,490	12,040	0.94	,122,461	-192,132	,032,858	-665,431	971,988	1.95
22/10/28	1,550	1,560	1,520	1,540	▲ 5	+0.33	12,045,916	18,546	0.93	-936,662	218,936	,155,325	-69,522	793,468	2.11
22/10/27	1,435	1,575	1,435	1,535	▲ 105	+7.34	52,882,123	80,298	0.94	,684,671	734,538	,077,547	900,674	616,059	1.94
22/10/26	1,480	1,495	1,430	1,430	▼ 40	-2.72	4,982,803	7,222	0.89	733,104	-295,343	352,084	-67,979	485,321	1.85
22/10/25	1,500	1,535	1,470	1,470	▼ 10	-0.68	11,764,148	17,620	0.85	,651,011	-50,582	,819,388	-266,460	828,795	1.82
22/10/24	1,450	1,505	1,450	1,480	▲ 60	+4.23	11,823,906	17,529	0.83	,898,165	88,167	,488,769	,469,833	796,119	2.05
22/10/21	1,455	1,495	1,415	1,420	▼ 25	-1.73	7,591,451	10,978	0.82	928,037	35,137	,105,938	-419,411	989,612	1.85

의라는 말이 더 눈에 띈다. 이렇게 실적과 관계없이 뉴스발로 급등하는 종목은 결국 일봉 차트에서 보여주는 것처럼 급등 전 가격으로 되돌아가고 있는 모습을 볼 수 있다.

실적 없이 뉴스로 인해서 급등한 종목의 공매도하는 방법에 대해서 알아봤다. 이 매매법에서 주의할 점은 꼭 고점에서 진입하려고 하지 말고 종목을 잘 선택해서 매매해야 한다는 점이다. 신고가 차트에서 이런 모양이 나오면 절대 공매도해서는 안 된다. 신고가 차트는 위에 매물대가 없어서 계속 상승할 수도 있기에 공매도 진입했다가 손실을 볼 수 있기 때문이다. 순간 돌파가 나오거나 다시 상승할 수도 있어 큰 손실을 볼 수도 있기 때문이다. 수익 실현은 급등 전 자리 80% 정도에서 하면 된다.

지금까지 공매도 기법을 알아보았다.

여러분이 지금까지 데이짱에게 배운 기법들로 시장에서 끝까지 살아남는 투자자가 되길 바란다.

감사의 말씀

이 책을 출판할 수 있도록 해주신 ㈜이레미디어 이형도 대표님께 감사의 말씀을 드립니다. 원고부터 출간까지 모든 과정을 도와주신 편집자와 디자이너에게 고맙습니다. 마지막으로 책의 집필을 위해 약 1년 동안 자료 수집과 검토까지 도와준 서미숙 님께 진심으로 감사 인사드립니다. 사랑하는 나의 가족, 데이짱 아카데미 회원님들, 탄탄셀렉트, 815머니톡 회원님들에게 이 책을 전합니다.

감사합니다.

데이짱의 매매 기법

1. 강남 차트(가장 좋은 차트순)
2. 신고가(외봉) 차트
3. 고점에서 공매도 차트
4. 저점에서 공매도 차트
5. 급락에서 첫 양봉 기법 차트

1

강남 차트

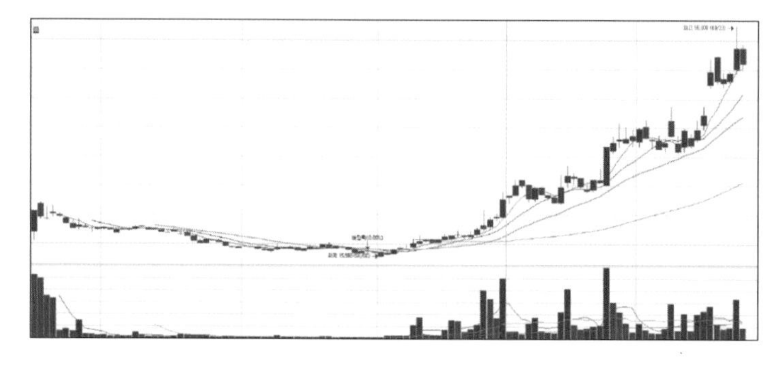

강남 차트의 특징

첫째, 손절매가 잘 나오지 않는다.
둘째, 결과가 빠르게 나온다.
셋째, 기대 수익률은 8~15% 정도거나 그 이상이다.
넷째, 코스피 200~300위 코스닥 100위 안의 종목만 대상으로 한다. 소형주는 반드시 제외한다.

강남 차트의 조건

첫째, 정배열 차트여야 한다.
둘째, 이동평균선이 밀집해야 한다.
셋째, 기관과 외국인의 수급이 있어야 한다.
넷째, 공간이 나와야 한다.
다섯째, 미세하게 거래량이 줄어든 후에 상승한다.

1. 역사적인 신고가 강남 차트

성일하이텍: 에코프로비엠에 237억 원의 황산코발트 공급 계약 체결, 매출 83% 정도 상승, 영업이익과 당기순이익 흑자 전환한다.

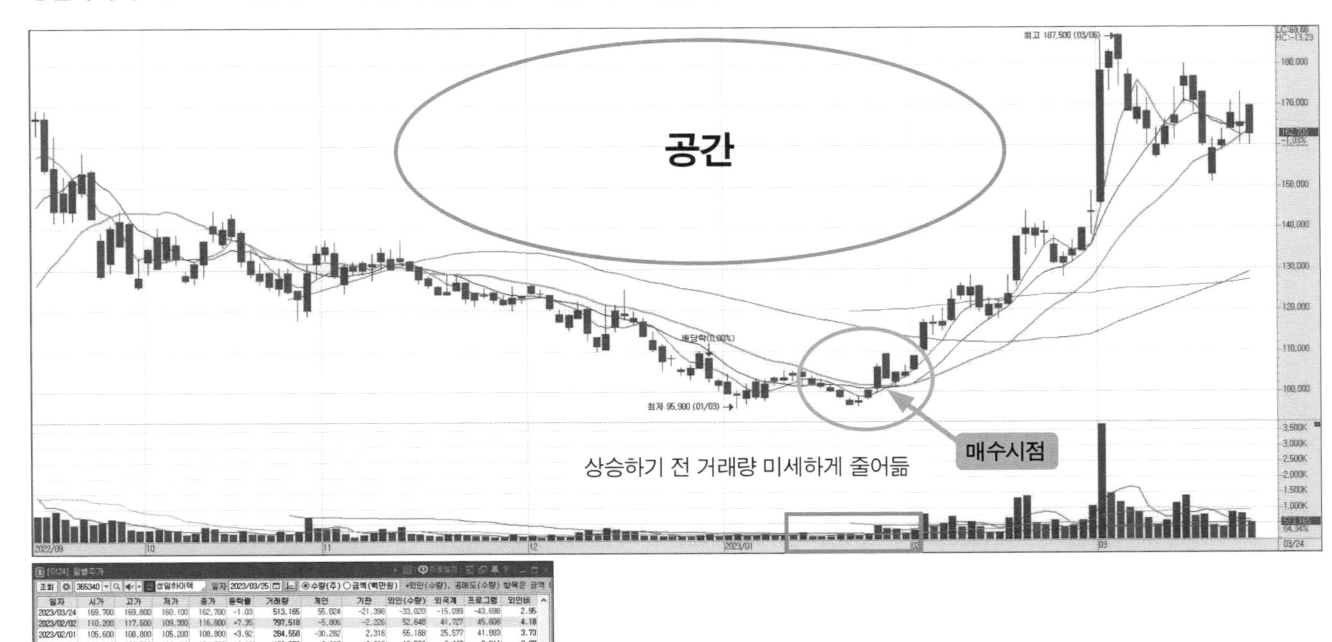

일자	시가	고가	저가	종가	등락률	거래량	개인	기관	외인(수량)	외국계	프로그램	외인비
2023/03/24	169,700	169,800	160,100	162,700	-1.03	513,165	55,024	-21,398	-33,020	-15,099	-43,698	2.95
2023/02/02	110,200	117,600	109,300	116,800	+7.35	797,518	-5,806	-2,226	52,648	41,727	45,806	4.18
2023/02/01	105,600	108,800	105,200	108,800	+3.92	284,558	-30,282	2,316	55,188	25,577	41,883	3.73
2023/01/31	103,900	106,500	103,400	104,700	-0.10	182,879	-2,837	-6,069	18,532	3,440	8,811	3.27
2023/01/30	102,400	104,900	101,700	104,800	+1.55	313,554	69,324	-81,181	22,767	2,847	13,927	3.12
2023/01/27	109,300	109,300	103,200	103,200	-2.64	348,592	106,436	-3,835	-101,263	-65,173	-102,266	2.93
2023/01/26	100,800	106,900	99,700	106,000	+5.68	452,396	-35,783	38,756	33,635	19,420	27,479	3.77
2023/01/25	98,500	100,300	98,300	100,300	+2.66	149,132	-22,884	380	36,319	16,733	33,836	3.49
2023/01/20	97,400	98,900	96,500	97,700	+0.93	113,536	23,964	3,976	-8,983	-11,341	1,664	3.19

2. 역사적인 신고가 강남 차트

코스모화학: 폐배터리 시장 성장세로 상승, 국내 유일하게 2차전지 양극재에 적용되는 '황산코발트'를 생산하고 있다.

일자	시가	고가	저가	종가	등락률	거래량	개인	기관	외인(수량)	외국계	프로그램	외인비
2023/05/03	60,600	61,700	59,000	60,000	-2.60	489,342	0	0	0	-72,162	-97,156	8.27
2023/02/15	25,050	27,000	25,050	26,200	+5.22	3,064,620	-240,466	31,653	206,982	73,389	210,460	5.84
2023/02/14	25,250	25,400	24,450	24,900	-0.60	601,250	11,625	-27,360	14,333	7,753	8,815	5.24
2023/02/13	24,600	25,250	24,500	25,050	+0.80	580,030	-63,922	2,980	57,083	8,895	57,129	5.20
2023/02/10	25,450	25,550	24,400	24,850	-1.39	731,676	185	3,436	-3,844	-671	-4,012	5.04
2023/02/09	24,900	25,600	24,750	25,200	+0.40	937,890	-26,293	-15,451	40,105	12,868	32,636	5.05
2023/02/08	25,650	25,650	24,650	25,100	-0.40	985,587	99,450	-12,077	-83,880	-20,570	-84,732	4.94
2023/02/07	24,400	25,600	24,400	25,200	+4.35	1,712,079	-161,384	67,208	89,873	22,572	89,095	5.18
2023/02/06	23,500	24,450	23,450	24,150	+3.21	1,141,941	-145,911	51,519	92,105	42,353	90,755	4.92

3. 역사적인 신고가 강남 차트

강원에너지: 2차전지 핵심소재 리튬 관련주로 '무수수산화리튬'이 삼성SDI의 샘플 테스트를 통과한 것으로 힘입어 상한가 기록. 참고로 무수수산화리튬 1톤에 1억 원임. 유수수산화리튬의 2배 가격이다.

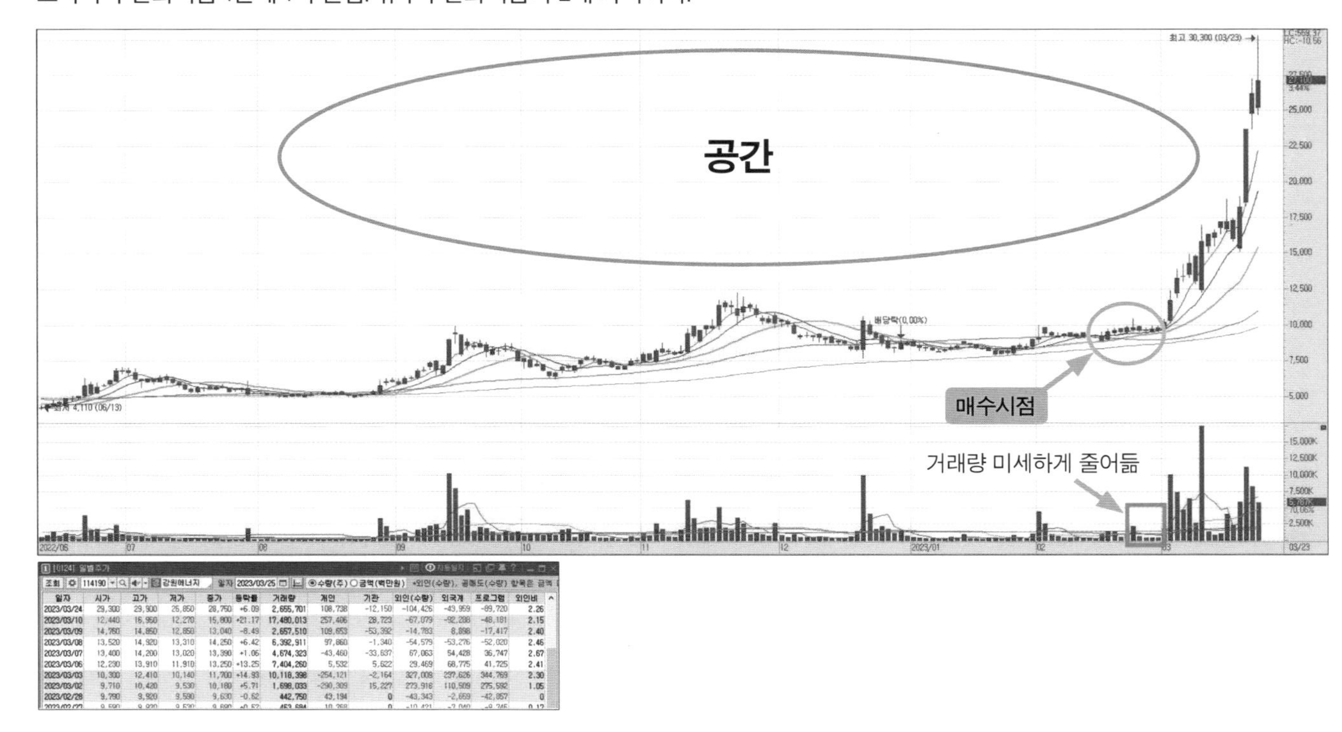

[0124] 일별주가

조회 114190 강원에너지 일자 2023/03/25 ◉수량(주) ○금액(백만원) *외인(수량), 공매도(수량) 항목은 금액

일자	시가	고가	저가	종가	등락률	거래량	개인	기관	외인(수량)	외국계	프로그램	외인비
2023/03/24	29,300	29,900	26,850	28,750	+6.09	2,655,701	108,738	-12,150	-104,426	-43,959	-89,720	2.26
2023/03/10	12,440	16,950	12,270	15,800	+21.17	17,480,013	257,406	28,723	-67,079	-92,288	-48,181	2.15
2023/03/09	14,760	14,850	12,850	13,040	-8.49	2,657,510	109,653	-53,392	-14,783	8,898	-17,417	2.40
2023/03/08	13,520	14,920	13,310	14,250	+6.42	6,392,911	97,860	-1,340	-54,579	-53,276	-52,020	2.46
2023/03/07	13,400	14,200	13,020	13,390	+1.06	4,674,323	-43,460	-33,637	67,063	54,428	36,747	2.67
2023/03/06	12,230	13,910	11,910	13,250	+13.25	7,404,260	5,532	5,622	29,469	68,775	41,725	2.41
2023/03/03	10,300	12,410	10,140	11,700	+14.93	10,118,398	-254,121	-2,164	327,009	237,626	344,769	2.30
2023/03/02	9,710	10,420	9,530	10,180	+5.71	1,698,033	-290,309	15,227	273,916	110,509	275,592	1.05
2023/02/28	9,790	9,920	9,590	9,630	-0.62	442,750	43,194	0	-43,343	-2,659	-42,857	0

4. 역사적인 신고가 강남 차트

미래나노텍: 매출구성 및 점유율은 광학필름(삼성 프리미엄급 QLED TV시장의 꾸준한 수요로 인해 매출 발생) 50.8%, 노이즈필터 23.0%, 양극재첨가제 수산화리튬 9.3%임. 2차전지 리튬 관련주로 상승한다.

일자	시가	고가	저가	종가	등락률	거래량	개인	기관	외인(수량)	외국계	프로그램	외인비
2023/03/24	31,200	33,000	28,800	32,700	+15.96	18,266,881	-208,268	-102,523	309,005	5,223	272,481	3.42
2023/02/03	17,980	17,980	17,090	17,240	-5.12	2,450,503	16,888	2,628	-24,754	7,872	-25,407	0.81
2023/02/02	18,940	19,040	18,120	18,170	+0.94	4,550,367	209,294	-41,327	-159,232	-108,939	-163,723	0.89
2023/02/01	16,860	18,240	16,520	18,000	+7.72	10,836,521	-227,899	51,676	183,013	110,728	186,508	1.41
2023/01/31	17,550	17,580	16,500	16,710	+0.60	3,186,705	20,742	29,135	-47,738	-50,283	-39,954	0.82
2023/01/30	16,920	17,340	16,580	16,610	+1.28	4,727,026	20,940	-18,546	-15,709	13,446	-29,848	0.97
2023/01/27	16,200	17,460	16,140	16,400	+3.14	12,437,391	15,938	14,472	-36,553	-21,332	-15,707	1.02
2023/01/26	13,960	17,480	13,920	15,900	+15.22	19,500,044	28,723	50,247	-58,493	15,420	-60,619	1.14
2023/01/25	14,040	14,090	13,740	13,800	-0.36	850,538	-61,599	41,040	17,174	3,982	14,256	1.33

5. 역사적인 신고가 강남 차트

코스모신소재: 2차전지 핵심 소재인 양극재 수요 증가로 영업이익 50%가량 늘어남, 삼성전기, 삼성SDI가 고객이다.

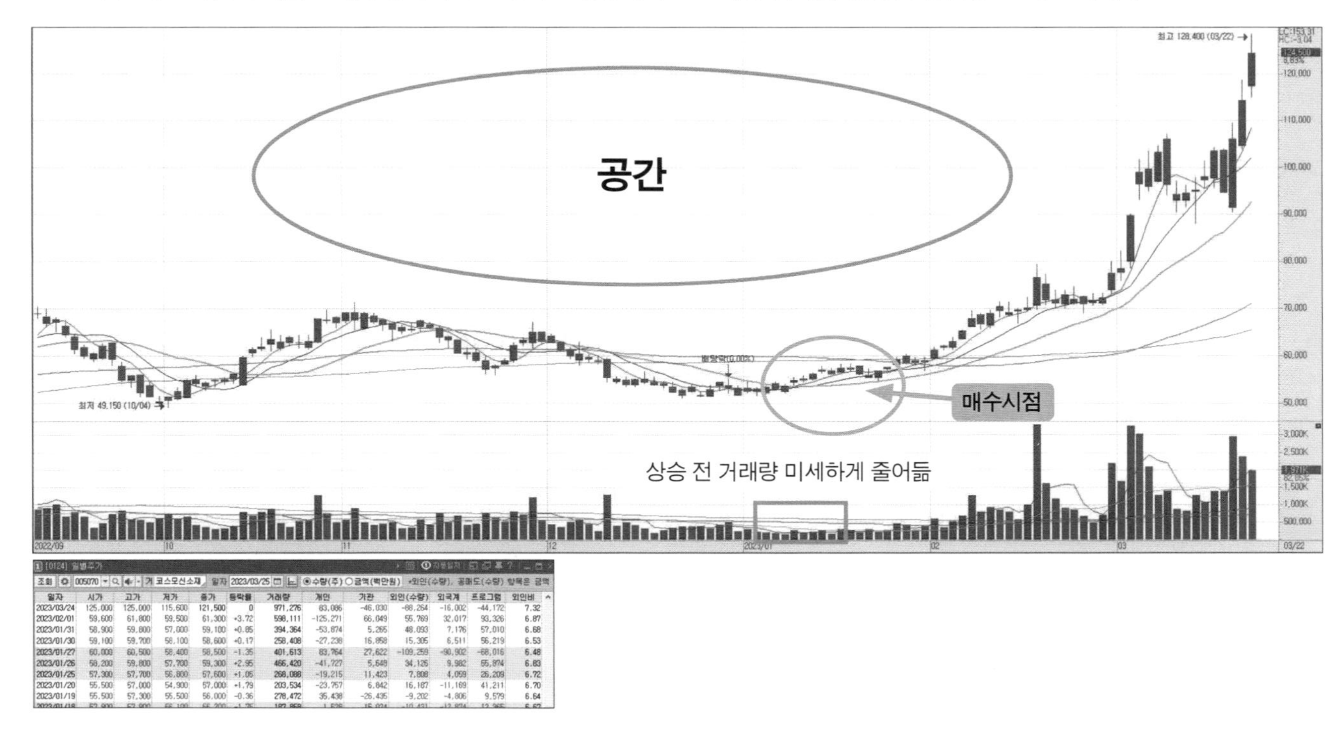

일자	시가	고가	저가	종가	등락률	거래량	개인	기관	외인(수량)	외국계	프로그램	외인비
2023/03/24	125,000	125,000	115,600	121,500	0	971,276	83,086	-46,030	-88,264	-16,002	-44,172	7.32
2023/02/01	59,600	61,800	59,500	61,300	+3.72	598,111	-125,271	66,049	55,769	32,017	93,326	6.87
2023/01/31	58,900	59,800	57,000	59,100	+0.85	394,364	-53,874	5,265	48,093	7,176	57,010	6.68
2023/01/30	59,100	59,700	58,100	58,600	+0.17	258,408	-27,238	16,858	15,305	6,511	56,219	6.53
2023/01/27	60,000	60,500	58,400	58,500	-1.35	401,613	83,764	27,622	-109,259	-90,902	-68,016	6.48
2023/01/26	58,200	59,800	57,700	59,300	+2.95	466,420	-41,727	5,648	34,126	9,982	55,874	6.83
2023/01/25	57,300	57,700	56,800	57,600	+1.05	268,088	-19,215	11,423	7,808	4,059	26,209	6.72
2023/01/20	55,500	57,000	54,900	57,000	+1.79	203,534	-23,757	6,842	16,187	-11,169	41,211	6.70
2023/01/19	55,500	57,300	55,500	56,000	-0.36	278,472	35,438	-26,435	-9,202	-4,806	9,579	6.64

6. 역사적인 신고가 강남 차트

나노신소재: 전기차 충전시간 단축과 주행거리 향상을 위해 실리콘 음극재 확대가 예상되고 있어 나노신소재의 주력 상품 중 하나인 CNT 도전재 수요급증을 예상한다.

[0124] 일별주가

조회 121600 나노신소재 일자 2023/05/03 ◉수량(주) ○금액(백만원) *외인(수량), 공매도(수량) 항목은 금액

일자	시가	고가	저가	종가	등락률	거래량	개인	기관	외인(수량)	외국계	프로그램	외인비
2023/05/03	152,700	152,700	147,600	148,300	-3.20	135,356	0	0	0	-2,693	-31,674	5.35
2023/02/10	111,400	121,500	107,100	112,600	+3.11	1,413,373	57,510	-136,993	88,407	86,781	46,692	7.79
2023/02/09	93,000	110,900	91,600	109,200	+17.80	1,926,033	-51,195	-70,750	128,837	121,093	124,494	6.97
2023/02/08	95,000	95,600	92,200	92,700	-1.07	229,740	39,601	-47,282	5,781	8,197	98	5.79
2023/02/07	91,000	95,200	90,200	93,700	+3.88	331,253	-45,304	1,442	47,663	24,361	43,474	5.73
2023/02/06	89,300	91,800	88,000	90,200	+1.23	218,013	11,965	-15,891	910	13,411	2,890	5.29
2023/02/03	89,500	90,500	88,200	89,100	+0.11	162,710	-22,103	11,718	10,735	7,196	8,050	5.28
2023/02/02	87,400	89,800	87,300	89,000	+3.01	240,298	-53,429	47,961	6,621	9,386	1,616	5.19
2023/02/01	84,400	87,000	84,300	86,400	+3.23	229,196	-36,991	19,416	9,029	17,202	14,840	5.12

7. 52주 신고가 강남 차트

성우하이텍: 자동차 부품 기업, 범퍼에일과 사이드 멤버 등 생산, 현대자동차에 납품하는 범퍼 레일은 독점임. 주요매출처는 현대차, 기아, 한국GM이다.

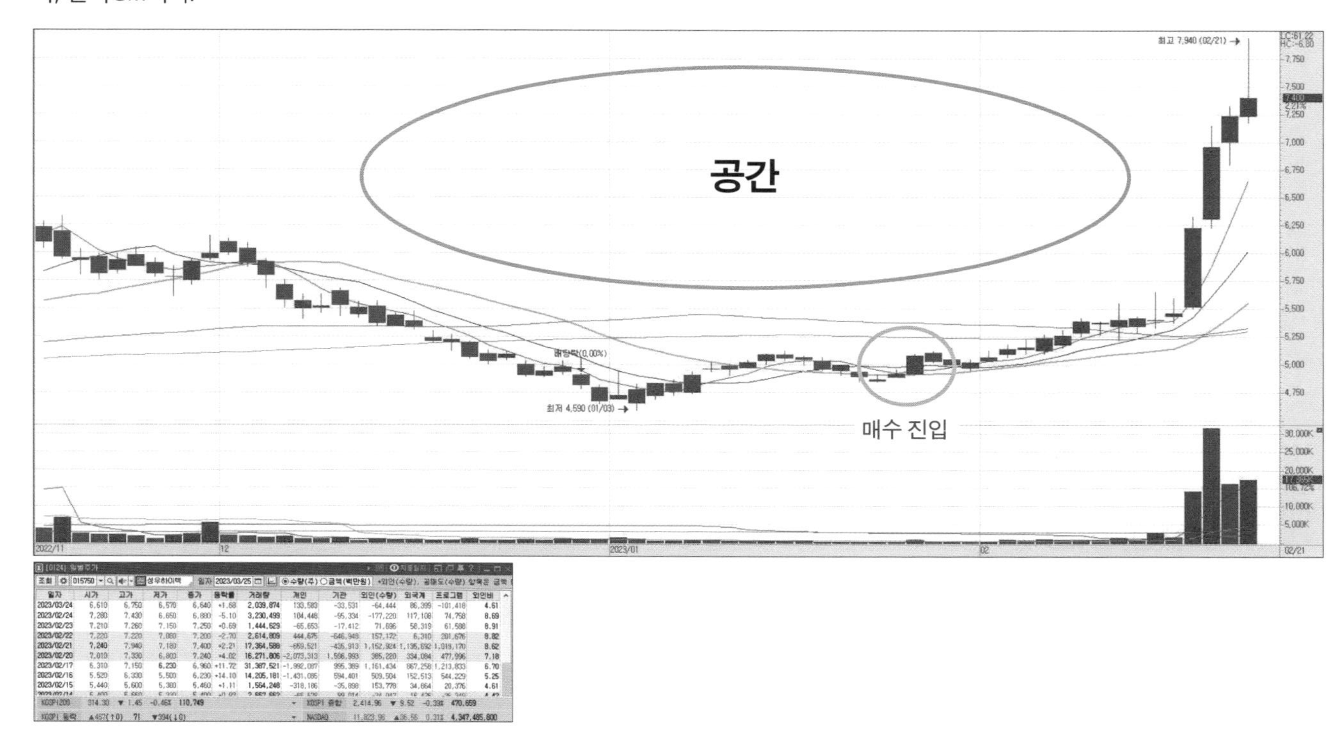

일자	시가	고가	저가	종가	등락률	거래량	개인	기관	외인(수량)	외국계	프로그램	외인비
2023/03/24	6,610	6,750	6,570	6,640	+1.68	2,039,874	133,583	-33,531	-64,444	86,399	-101,418	4.61
2023/02/24	7,280	7,430	6,650	6,880	-5.10	3,230,499	104,448	-95,334	-177,220	117,108	74,758	8.69
2023/02/23	7,210	7,260	7,150	7,250	+0.69	1,444,629	-65,653	-17,412	71,696	58,319	61,588	8.91
2023/02/22	7,220	7,220	7,080	7,200	-2.70	2,614,809	444,675	-646,948	157,172	6,310	201,676	8.82
2023/02/21	7,240	7,940	7,180	7,400	+2.21	17,364,588	-659,521	-435,913	1,152,924	1,135,692	1,018,170	8.62
2023/02/20	7,010	7,330	6,803	7,240	+4.02	16,271,806	-2,073,313	1,596,993	385,220	334,084	477,996	7.18
2023/02/17	6,310	7,150	6,230	6,960	+11.72	31,387,521	-1,992,087	995,389	1,161,434	867,258	1,213,833	6.70
2023/02/16	5,520	6,330	5,500	6,230	+14.10	14,205,181	-1,431,085	594,401	509,504	152,513	544,229	5.25
2023/02/15	5,440	5,600	5,380	5,460	+1.11	1,564,248	-318,186	-35,898	153,778	34,664	20,376	4.61

KOSPI200 314.30 ▼ 1.45 -0.46% 110,749 KOSPI 종합 2,414.96 ▼ 9.52 -0.39% 470,659
KOSPI 등락 ▲457(↑0) 71 ▼394(↓0) NASDAQ 11,823.96 ▲36.56 0.31% 4,347,485,800

8. 3개월 신고가 + 52주 신고가 강남 차트

LG전자: 2022년 4분기 영업이익 1,000억 원에도 미치지 못하다 2023년 1분기 실적 개선, 영업이익 1조 원 넘으며 삼성전자를 추월할 것이라는 전망에 힘입어 상승한다.

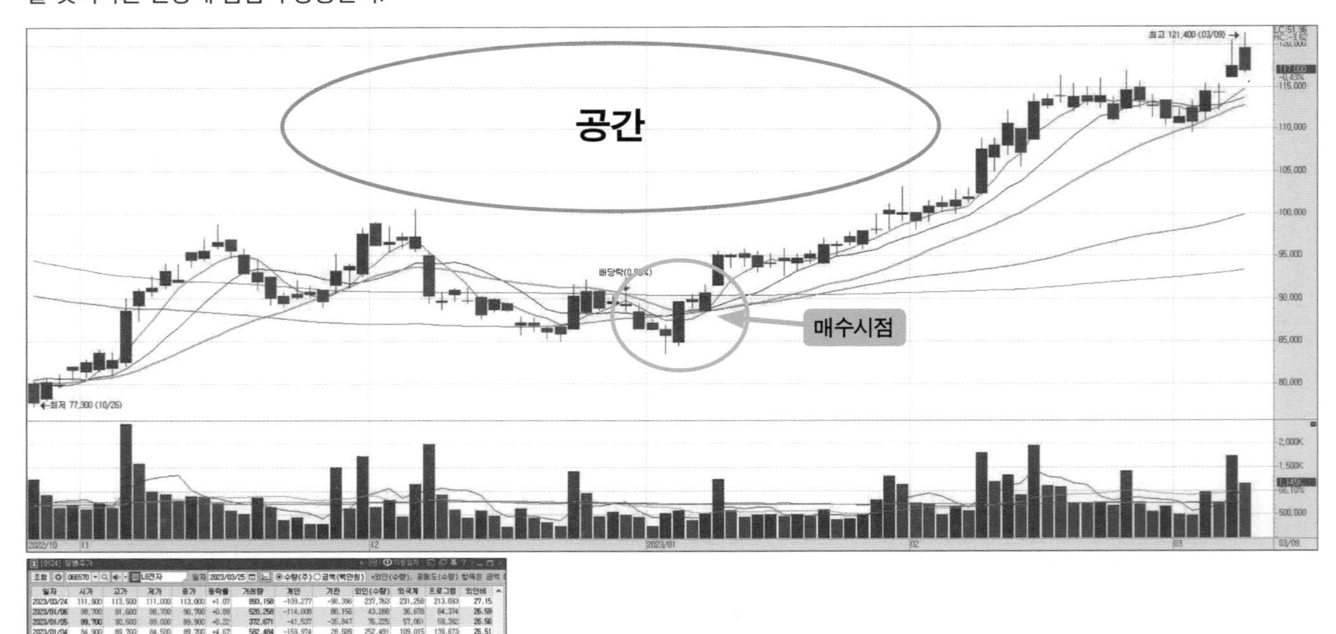

[0124] 일별주가

조회 066570 LG전자 일자 2023/03/25 ⦿수량(주) ○금액(백만원)

일자	시가	고가	저가	종가	등락률	거래량	개인	기관	외인(수량)	외국계	프로그램	외인비
2023/03/24	111,900	113,500	111,000	113,000	+1.07	893,158	-109,277	-98,396	237,763	231,258	213,093	27.15
2023/01/06	88,700	91,600	88,700	90,700	+0.89	520,258	-114,008	80,156	43,288	36,678	84,374	26.59
2023/01/05	89,700	90,500	89,000	89,900	+0.22	372,671	-41,537	-35,847	76,225	57,061	59,392	26.56
2023/01/04	84,900	89,700	84,500	89,700	+4.67	582,484	-159,974	28,509	252,491	109,015	139,673	26.51
2023/01/03	86,400	87,000	83,500	85,700	-0.81	535,289	85,277	-83,862	316,114	-9,797	-6,098	26.36
2023/01/02	87,200	87,600	86,300	86,400	-0.12	256,377	-3,666	4,290	55,348	-14,155	-3,171	26.16
2022/12/29	88,500	89,400	86,500	86,500	-3.24	451,139	122,962	-104,167	-19,995	-10,019	-23,405	26.13
2022/12/28	89,200	90,700	88,600	89,400	-0.33	490,113	35,810	-69,653	-38,649	47,734	47,910	26.14
2022/12/27	89,500	90,400	89,100	89,700	+0.90	553,886	-234,384	207,438	-2,985	31,315	103,441	26.17

9. 3개월 신고가 강남 차트

위메이드맥스: 위믹스, 코인원 재상장으로 상한가를 기록했다.

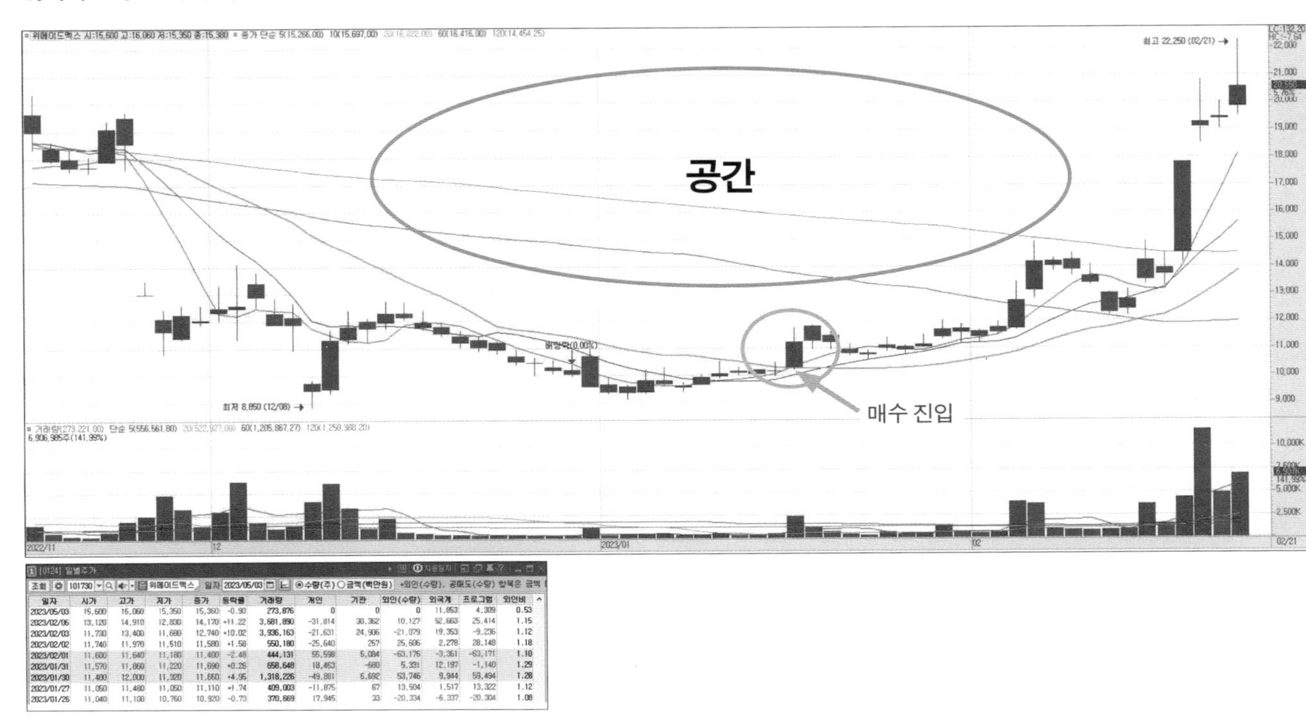

일자	시가	고가	저가	종가	등락률	거래량	개인	기관	외인(수량)	외국계	프로그램	외인비
2023/05/03	15,600	16,060	15,350	15,360	-0.90	273,876	0	0	0	11,853	4,309	0.53
2023/02/06	13,120	14,910	12,830	14,170	+11.22	3,681,890	-31,814	30,362	10,127	52,663	25,414	1.15
2023/02/03	11,730	13,400	11,680	12,740	+10.02	3,936,163	-21,631	24,906	-21,079	19,353	-9,236	1.12
2023/02/02	11,740	11,970	11,510	11,580	+1.58	550,180	-25,640	257	25,606	2,278	28,148	1.18
2023/02/01	11,600	11,640	11,180	11,400	-2.48	444,131	55,598	5,084	-63,176	-3,361	-63,171	1.10
2023/01/31	11,570	11,860	11,220	11,690	+0.25	658,648	18,463	-680	5,331	12,197	-1,140	1.29
2023/01/30	11,400	12,000	11,320	11,660	+4.95	1,318,226	-49,881	6,692	53,746	9,944	59,494	1.28
2023/01/27	11,050	11,480	11,050	11,110	+1.74	409,003	-11,875	67	13,504	1,517	13,322	1.12
2023/01/26	11,040	11,100	10,760	10,920	-0.73	370,669	17,945	33	-20,334	-6,337	-20,304	1.08

10. 6개월 신고가 강남 차트

기아: 전기차 대장주임. 국내시장40%, 해외시장 60%임. 전기차 상용에 따라 향후 주가가 달라질 것으로 예상됨. 재무제표 견고하다.

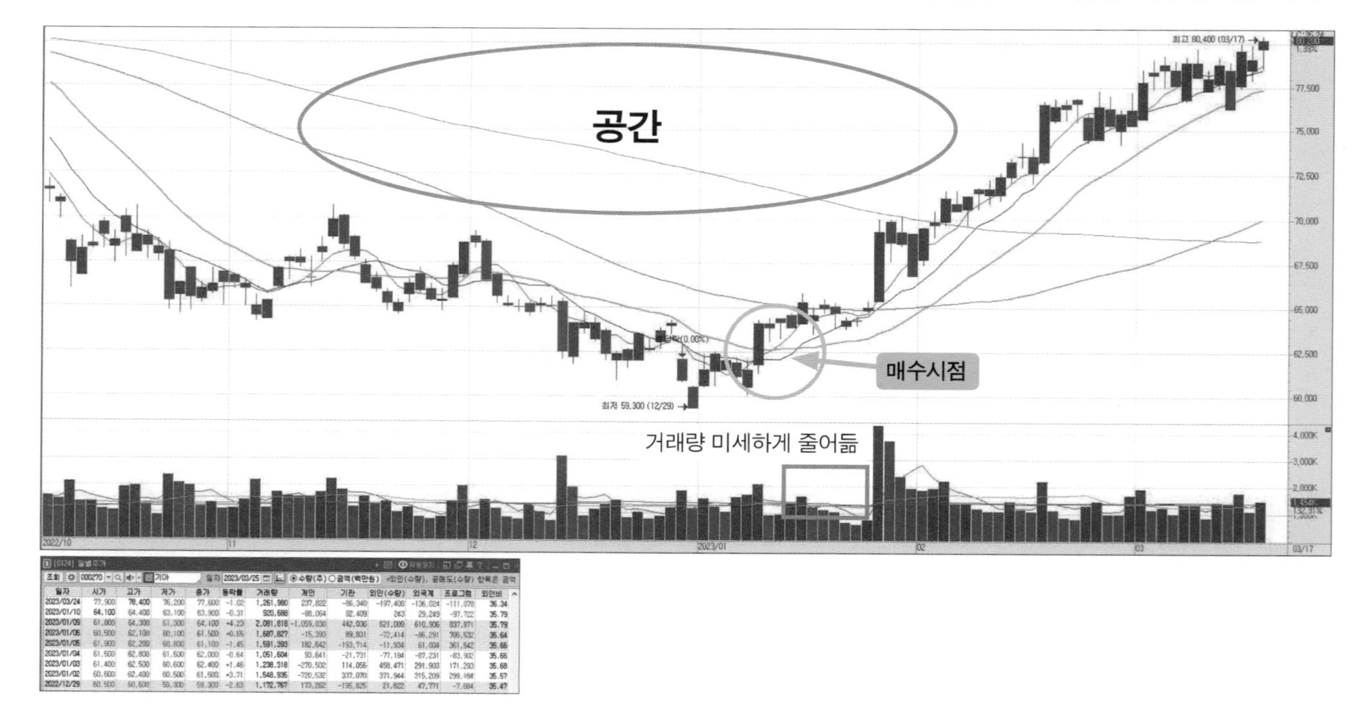

일자	시가	고가	저가	종가	등락률	거래량	개인	기관	외인(수량)	외국계	프로그램	외인비
2023/03/24	77,900	78,400	76,200	77,600	-1.02	1,261,980	237,822	-86,340	-197,408	-136,024	-111,078	36.34
2023/01/10	64,100	64,400	63,100	63,900	-0.31	920,688	-88,064	92,409	243	29,249	-97,722	35.79
2023/01/09	61,800	64,300	61,300	64,100	+4.23	2,081,818	-1,059,830	442,036	621,009	610,906	837,971	35.79
2023/01/06	60,500	62,100	60,100	61,500	+0.65	1,687,827	-15,393	89,801	-72,414	-86,291	706,532	35.64
2023/01/05	61,900	62,200	60,800	61,100	-1.45	1,591,393	182,642	-193,714	-11,934	61,004	361,542	35.66
2023/01/04	61,500	62,800	61,500	62,000	-0.64	1,051,604	93,641	-21,731	-77,194	-87,231	-83,902	35.66
2023/01/03	61,400	62,500	60,600	62,400	+1.46	1,238,318	-270,502	114,056	458,471	291,903	171,290	35.68
2023/01/02	60,600	62,400	60,500	61,500	+3.71	1,548,935	-720,532	337,070	371,944	315,209	299,164	35.57
2022/12/29	60,500	60,600	58,300	59,300	-2.63	1,172,767	173,262	-195,825	21,822	47,771	-7,684	35.47

11. 6개월 신고가 강남 차트

솔루스첨단소재: 2차전지 관련주. 전체 기술주 1,994개 기업 중 129위 등급으로 상위 8.54%. 재무제표상 흑자와 적자를 오가고 있다.

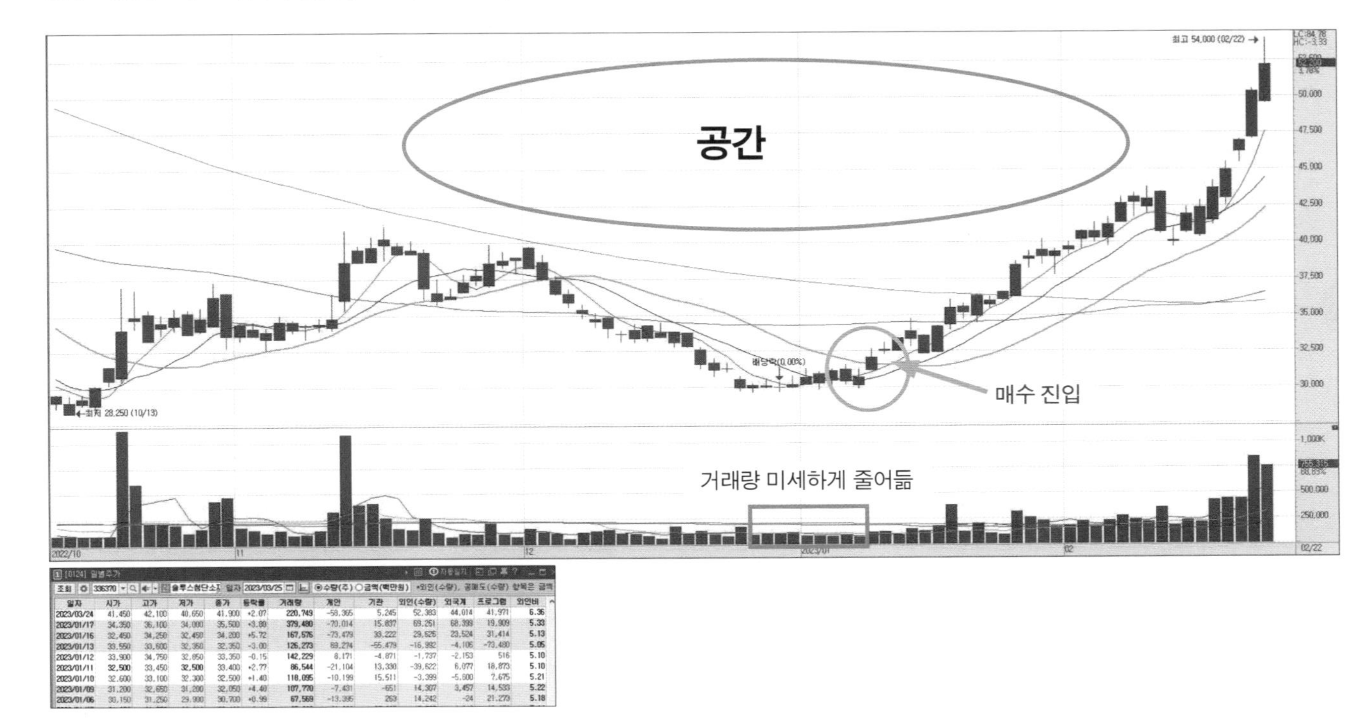

일자	시가	고가	저가	종가	등락률	거래량	개인	기관	외인(수량)	외국계	프로그램	외인비
2023/03/24	41,450	42,100	40,650	41,900	+2.07	220,749	-58,365	5,245	52,383	44,014	41,971	6.36
2023/01/17	34,350	36,100	34,000	35,500	+3.80	379,480	-70,014	15,837	69,251	68,399	19,909	5.33
2023/01/16	32,450	34,250	32,450	34,200	+5.72	167,576	-73,479	33,222	29,626	23,524	31,414	5.13
2023/01/13	33,550	33,600	32,350	32,350	-3.00	126,273	69,274	-55,479	-16,992	-4,106	-73,480	5.05
2023/01/12	33,900	34,750	32,850	33,350	-0.15	142,229	8,171	-4,871	-1,737	-2,153	516	5.10
2023/01/11	32,500	33,450	32,500	33,400	+2.77	86,544	-21,104	13,330	-39,622	6,077	18,873	5.10
2023/01/10	32,600	33,100	32,300	32,500	+1.40	118,095	-10,199	15,511	-3,399	-5,600	7,675	5.21
2023/01/09	31,200	32,650	31,200	32,050	+4.40	107,770	-7,431	-651	14,307	3,457	14,533	5.22
2023/01/06	30,150	31,250	29,900	30,700	+0.99	67,569	-13,395	263	14,242	-24	21,273	5.18

2

신고가(외봉) 차트

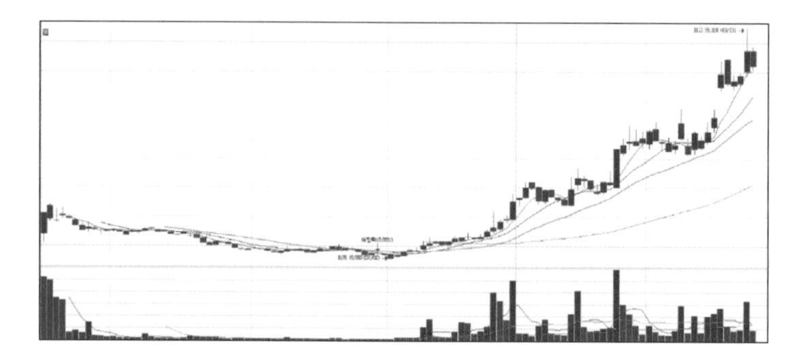

신고가(외봉) 차트의 특징

첫째, 신고가가 형성되는 기간(세력이 매집하는 기간)을 확인한다.
둘째, 완벽한 공간이 열려야 한다(상승을 위해 위에 매물대가 없어야 좋다).
셋째, 수급이 좋아야 한다(기관과 외국인의 매수량이 매우 중요하다).

신고가 차트의 조건

첫째, 신고가는 60일, 120일, 1년 신고가가 있지만 역사적인 신고가가 최고로 좋다.
둘째, 매집 기간이 긴 것이 좋다.
셋째, 완벽한 공간이 나와야 한다.
넷째, 반드시 수급을 확인해야 한다(기관, 외인의 매수량이 많은 종목이 좋다).

1. 역사적인 신고가 차트

솔트룩스: 인공지능(AI) 수혜주로 문제를 해결하는 인공지능 플랫폼 서비스다. 현대차, 삼성전자를 비롯한 글로벌 기업에 고객 응대(챗봇) 서비스를 제공하고 있다.

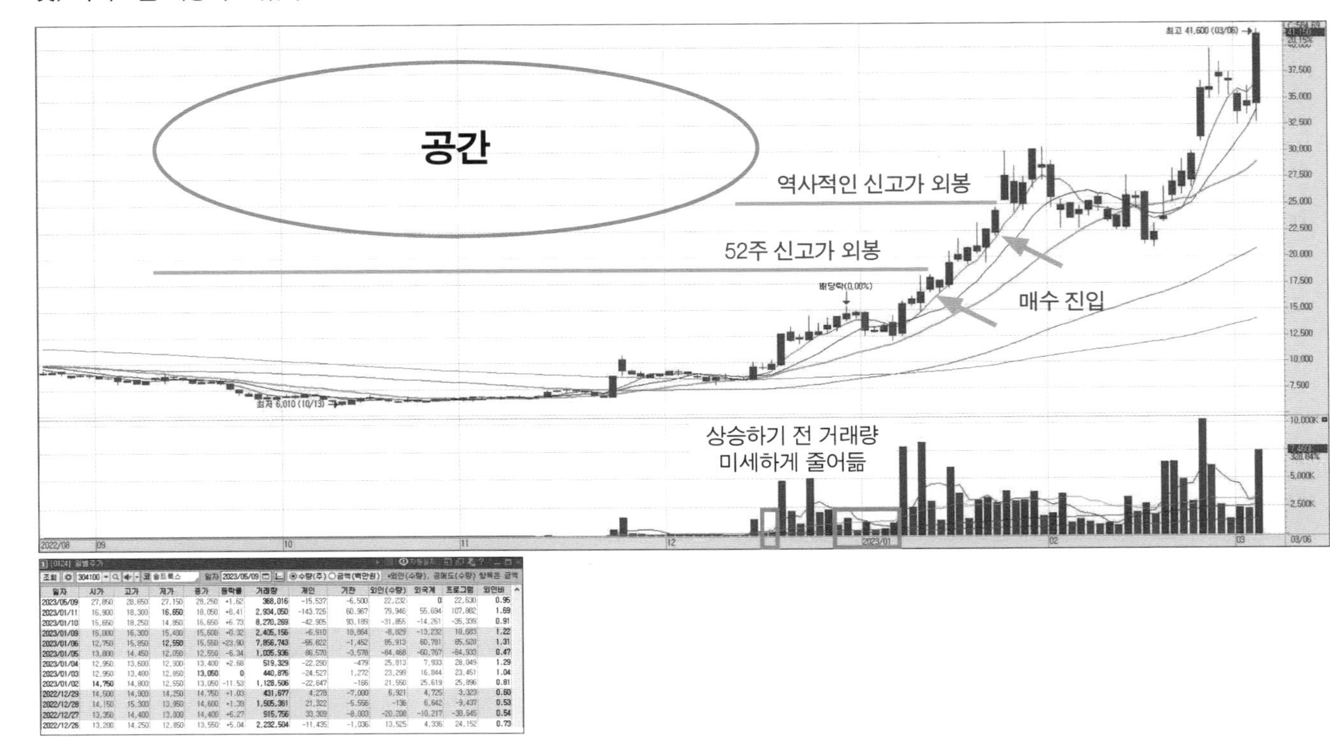

일자	시가	고가	저가	종가	등락률	거래량	개인	기관	외인(수량)	외국계	프로그램	외인비
2023/05/09	27,850	28,650	27,150	28,250	+1.62	368,016	-15,537	-6,500	22,232	0	22,630	0.95
2023/01/11	16,900	18,300	16,650	18,050	+8.41	2,934,050	-143,726	60,967	79,946	55,694	107,882	1.69
2023/01/10	15,650	18,250	14,850	16,650	+6.73	8,270,269	-42,905	93,189	-31,855	-14,261	-35,339	0.91
2023/01/09	16,000	16,300	15,400	15,600	+0.32	2,405,156	-6,910	18,864	-8,829	-13,232	10,683	1.22
2023/01/06	12,750	15,850	12,550	15,550	+23.90	7,856,743	-55,822	-1,452	85,913	60,781	85,528	1.31
2023/01/05	13,800	14,450	12,050	12,550	-6.34	1,035,936	86,570	-3,578	-84,468	-60,767	-84,933	0.47
2023/01/04	12,950	13,600	12,900	13,400	+2.68	519,329	-22,290	-479	25,813	7,933	28,049	1.29
2023/01/03	12,950	13,400	12,850	13,050	0	440,876	-24,527	1,272	23,299	16,844	23,451	1.04
2023/01/02	14,750	14,800	12,550	13,050	-11.53	1,128,506	-22,847	-166	21,550	25,619	25,896	0.81
2022/12/29	14,500	14,900	14,250	14,750	+1.03	431,677	4,278	-7,000	6,921	4,725	3,323	0.60
2022/12/28	14,150	15,300	13,950	14,600	+1.39	1,505,361	21,322	-5,556	-136	6,642	-9,437	0.53
2022/12/27	13,350	14,400	13,000	14,400	+6.27	915,756	33,309	-8,003	-20,208	-10,217	-30,645	0.54
2022/12/26	13,200	14,250	12,850	13,550	+5.04	2,232,504	-11,435	-1,036	13,525	4,336	24,152	0.73

2. 역사적인 신고가 차트

레인보우로보틱스: 인간형 이족보행 로봇인 휴보(HUBO)-2는 세계 최고 수준의 성능을 자랑한다고 한다. 삼성전자는 2023년 초 레인보우로보틱스에 590억 원을 투자해 현재 10.3%의 지분을 갖고 있다. 삼성전자가 로봇 관련 기업에 지분을 투자한 첫 사례다(로봇사업을 본격화하겠다는 의지로 볼 수 있다).

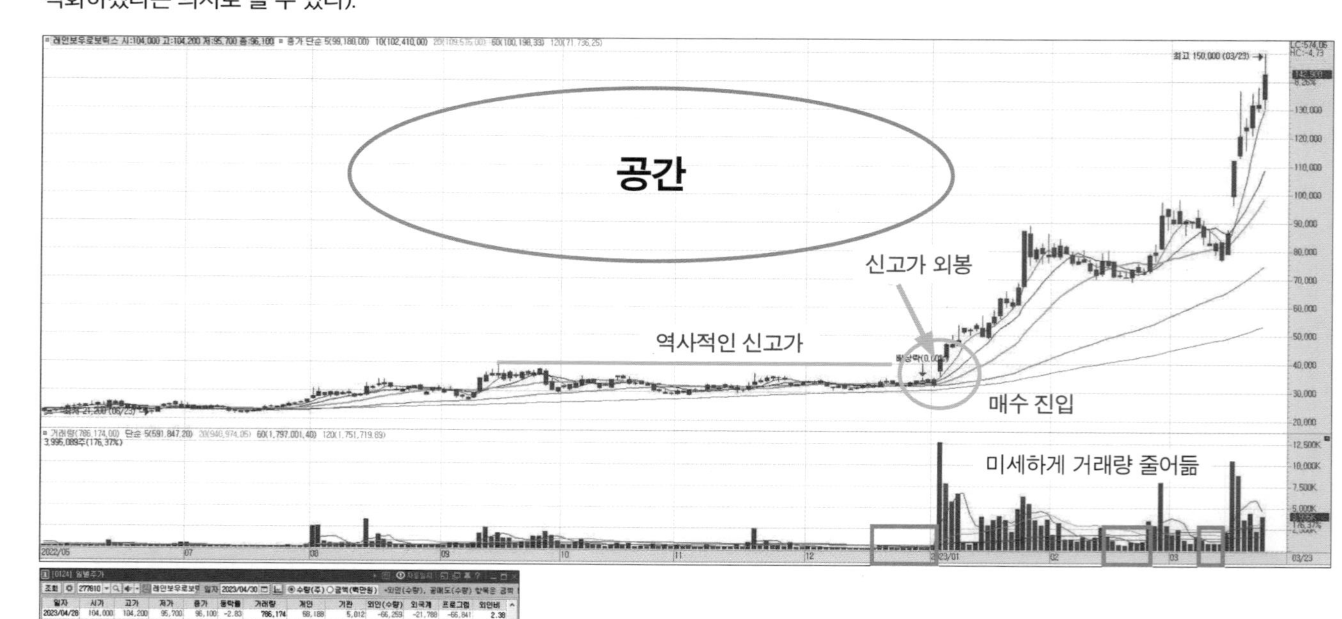

일자	시가	고가	저가	종가	등락률	거래량	개인	기관	외인(수량)	외국계	프로그램	외인비
2023/04/28	104,000	104,200	95,700	96,100	-2.83	786,174	68,188	5,012	-66,259	-21,788	-66,841	2.38
2023/01/06	46,500	53,600	46,450	48,200	+2.66	6,654,312	-39,440	-175,118	211,585	207,723	208,686	5.10
2023/01/05	46,050	50,200	45,650	46,950	+0.11	5,728,586	-11,320	-109,857	125,101	142,254	129,275	3.84
2023/01/04	42,550	47,350	41,550	46,900	+12.88	7,817,245	-152,327	21,535	157,793	118,980	159,093	3.10
2023/01/03	37,600	42,350	35,700	41,550	+27.45	12,696,270	-39,330	32,425	50,019	81,795	53,609	2.16
2023/01/02	34,650	34,950	32,000	32,600	-5.37	537,307	15,944	10,843	-27,216	-203	-29,100	1.86
2022/12/29	33,950	34,750	33,650	34,450	+1.17	319,327	16,891	1,437	-21,047	-8,974	-20,635	2.02
2022/12/28	33,950	35,000	33,850	34,050	-0.15	292,976	-4,517	841	-8,638	12,645	-14,435	2.15
2022/12/27	33,400	34,100	33,150	34,100	+2.10	301,728	-7,600	7,935	10,410	11,265	10,723	2.20

3. 역사적인 신고가 차트

에코프로: 2차전지 관련 대장주 에코프로비엠은 2022년 1월 셀트리온헬스케어를 제치고 코스닥 시가총액 1위에 오른 이후 여전히 자리를 유지하고 있다(에코프로비엠의 지분을 45.58% 보유한 모회사로 2023년 주가가 3배 이상 급등했다).

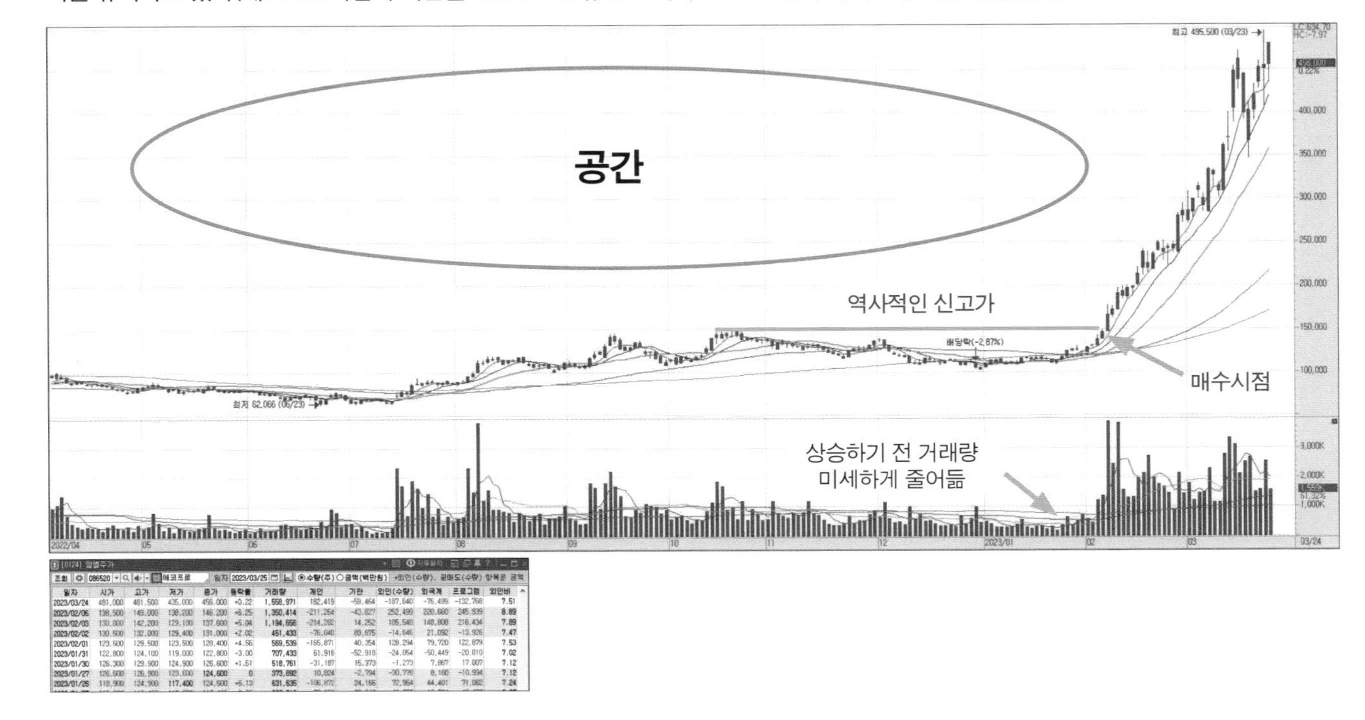

일자	시가	고가	저가	종가	등락률	거래량	개인	기관	외인(수량)	외국계	프로그램	외인비
2023/03/24	481,000	481,500	435,000	456,000	+0.22	1,558,971	182,419	-59,464	-187,640	-76,499	-132,768	7.51
2023/02/06	138,500	149,000	138,200	146,200	+6.25	1,350,414	-211,264	-43,827	252,499	220,660	245,939	8.89
2023/02/03	130,800	142,200	129,100	137,600	+5.04	1,194,656	-214,282	14,252	105,540	148,808	216,434	7.89
2023/02/02	130,500	132,000	129,400	131,000	+2.02	451,433	-76,040	89,675	-14,646	21,092	-13,926	7.47
2023/02/01	123,600	129,500	123,500	128,400	+4.56	569,539	-165,871	40,354	128,294	79,720	122,879	7.53
2023/01/31	122,800	124,100	119,000	122,800	-3.00	707,433	61,916	-52,918	-24,054	-50,449	-20,010	7.02
2023/01/30	126,300	129,900	124,900	126,600	+1.61	518,761	-31,187	15,373	-1,273	7,867	17,007	7.12
2023/01/27	126,600	126,900	123,600	124,600	0	373,892	10,824	-2,794	-30,776	8,160	-10,994	7.12
2023/01/26	118,900	124,900	117,400	124,600	+6.13	631,635	-106,872	24,166	72,954	44,401	71,082	7.24

4. 역사적인 신고가 차트

한화에어로스페이스: 방산주 대장종목으로 우크라이나 러시아 전쟁 수혜주. 인간들은 배가 고파지면 이성을 잃고 싸운다. 역사적인 신고가를 기록하고 있다.

일자	시가	고가	저가	종가	등락률	거래량	개인	기관	외인(수량)	외국계	프로그램	외인비
2023/03/24	92,500	93,100	90,500	91,700	-0.43	630,188	8,558	-68,756	61,174	143,743	55,471	30.74
2022/07/29	54,100	66,500	53,800	64,400	+19.93	10,621,218	-458,463	151,550	298,193	160,778	276,822	20.19
2022/07/28	52,300	55,000	52,000	53,700	+2.87	973,288	-144,576	67,025	29,285	25,669	63,575	19.60
2022/07/27	52,100	52,800	50,100	52,200	+1.36	586,458	-12,373	35,115	-66,205	-28,313	-6,665	19.54
2022/07/26	51,700	53,400	51,200	51,500	-0.39	633,686	-42,482	47,774	25,907	-10,220	-23,050	19.67
2022/07/25	50,100	52,500	49,500	51,700	+3.61	1,069,319	90,633	12,104	-82,296	-53,949	-93,493	19.62
2022/07/22	46,100	50,200	46,100	49,900	+9.31	1,310,106	-174,280	126,755	23,427	-19,862	25,881	19.78
2022/07/21	45,850	46,200	45,350	45,650	-0.33	235,261	11,227	1,123	-13,554	3,982	-11,643	19.74
2022/07/20	46,900	46,900	44,550	45,800	+0.11	512,724	49,449	-3,393	-42,125	-30,107	-48,287	19.76

5. 역사적인 신고가 차트

코난테크놀로지: 챗GPT가 인류의 역사를 바꿀 수도 있다는 말이 퍼지면서 코난테크놀로지 주가도 덩달아 역사적인 신고가를 기록했다.

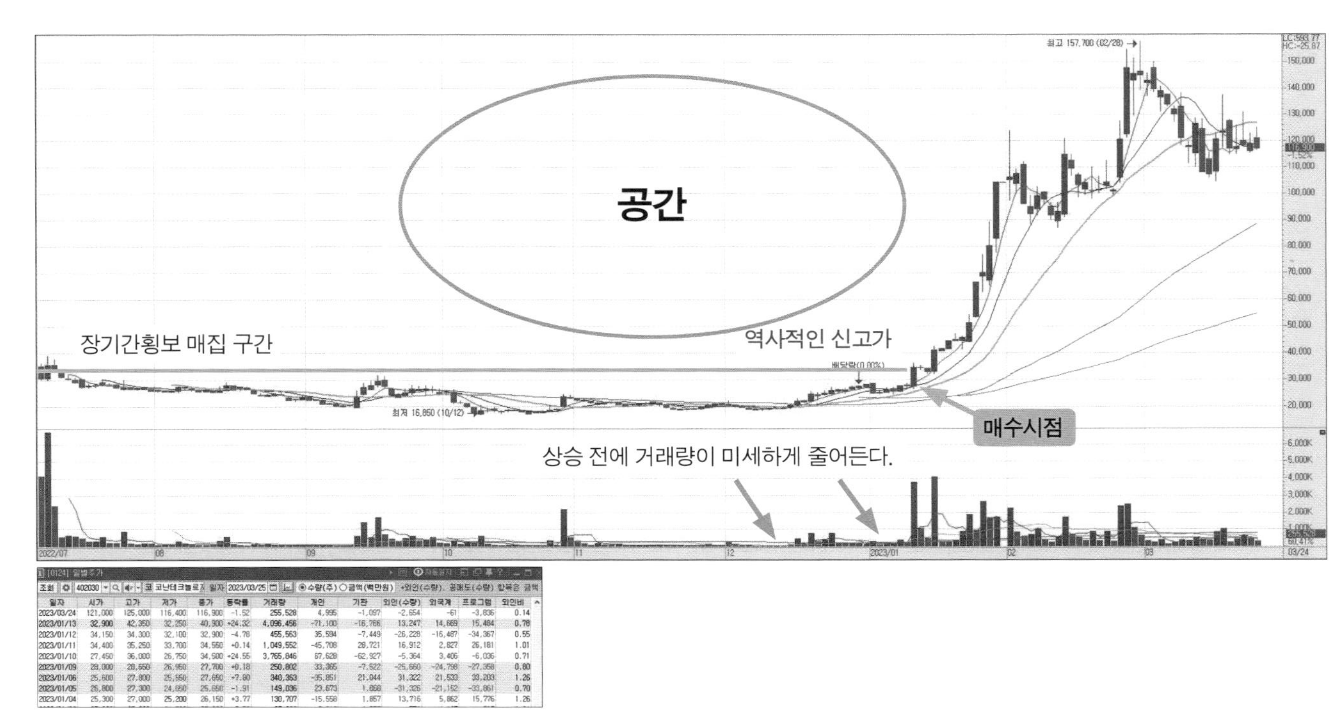

일자	시가	고가	저가	종가	등락률	거래량	개인	기관	외인(수량)	외국계	프로그램	외인비
2023/03/24	121,000	125,000	116,400	116,900	-1.52	255,528	4,995	-1,097	-2,654	-61	-3,836	0.14
2023/01/13	32,900	42,350	32,250	40,900	+24.32	4,096,456	-71,100	-16,766	13,247	14,669	15,484	0.78
2023/01/12	34,150	34,300	32,100	32,900	-4.78	455,563	35,594	-7,449	-26,228	-16,487	-34,367	0.55
2023/01/11	34,400	35,250	33,700	34,550	+0.14	1,049,552	-45,708	28,721	16,912	2,827	26,181	1.01
2023/01/10	27,450	36,000	26,750	34,500	+24.55	3,765,846	67,628	-62,927	-5,364	3,406	-6,036	0.71
2023/01/09	28,000	28,650	26,950	27,700	+0.18	250,802	33,365	-7,522	-25,660	-24,798	-27,358	0.80
2023/01/06	25,600	27,800	25,550	27,650	+7.80	340,363	-35,851	21,044	31,322	21,533	33,203	1.26
2023/01/05	26,800	27,300	24,650	25,650	-1.91	149,036	23,673	1,868	-31,326	-21,152	-33,861	0.70
2023/01/04	25,300	27,000	25,200	26,150	+3.77	130,707	-15,558	1,857	13,716	5,862	15,776	1.26

6. 52주 신고가 차트

DB: IT서비스 기업으로 2022년 3분기 대비 157.69% 상승한 종목이다. 당기순이익은 96.97% 상승했다. 기관, 외인, 외국계, 프로그램 네 군데서 수급이 강하게 들어왔다.

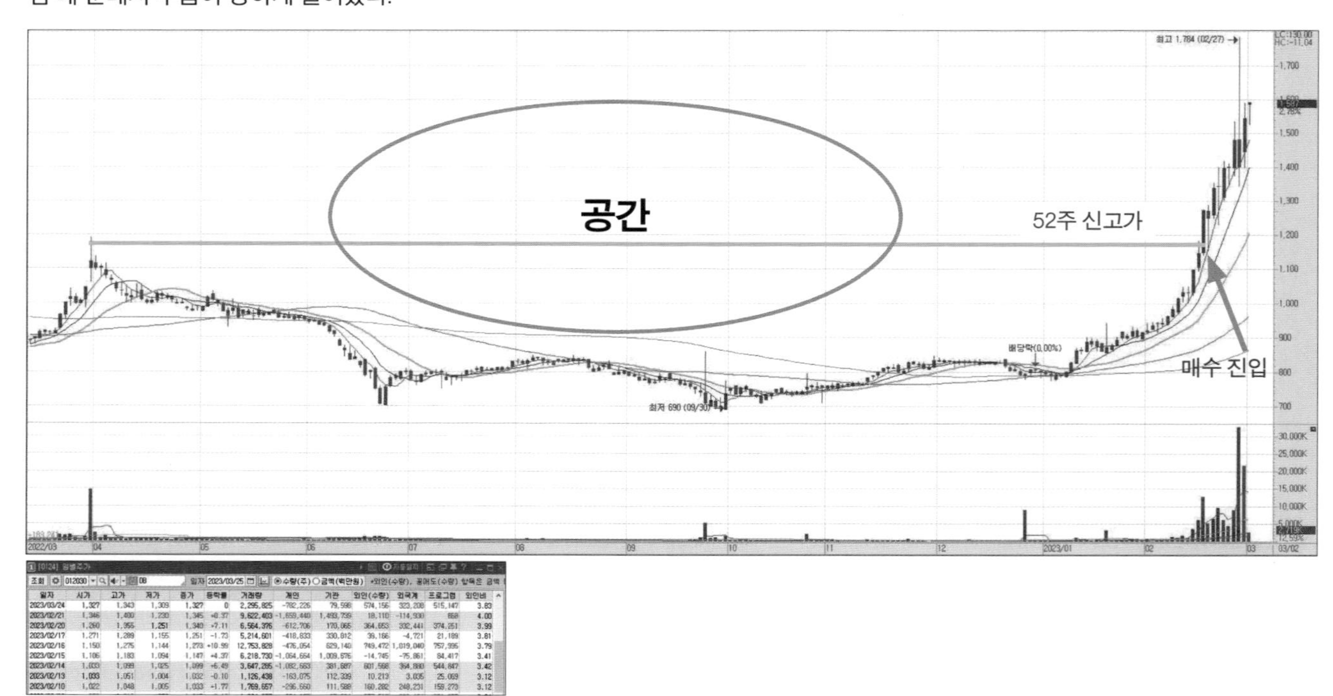

일자	시가	고가	저가	종가	등락률	거래량	개인	기관	외인(수량)	외국계	프로그램	외인비
2023/03/24	1,327	1,343	1,309	1,327	0	2,295,825	-782,226	79,598	574,156	323,208	515,147	3.83
2023/02/21	1,346	1,400	1,230	1,345	+0.37	9,622,403	-1,659,440	1,493,739	18,110	-114,930	668	4.00
2023/02/20	1,260	1,355	1,251	1,340	+7.11	6,564,376	-612,706	170,065	364,653	332,441	374,251	3.99
2023/02/17	1,271	1,289	1,155	1,251	-1.73	5,214,601	-418,833	330,812	39,166	-4,721	21,189	3.81
2023/02/16	1,150	1,275	1,144	1,273	+10.99	12,753,828	-476,054	629,140	749,472	1,019,040	757,995	3.79
2023/02/15	1,106	1,183	1,094	1,147	+4.37	6,218,730	-1,064,664	1,009,676	-14,745	-75,861	84,417	3.41
2023/02/14	1,033	1,099	1,025	1,099	+6.49	3,647,285	-1,082,663	381,687	601,568	364,880	544,847	3.42
2023/02/13	1,033	1,051	1,004	1,032	-0.10	1,126,438	-163,075	112,339	10,213	3,035	25,069	3.12
2023/02/10	1,022	1,048	1,005	1,033	+1.77	1,769,657	-296,660	111,588	160,282	248,231	159,273	3.12

7. 52주 신고가 차트

CJ: 자회사 CJ올리브영의 실적개선 기대감과 상장 추진 가능성으로 상승했다(CJ는 CJ올리브영의 지분을 51.2% 보유하고 있다).

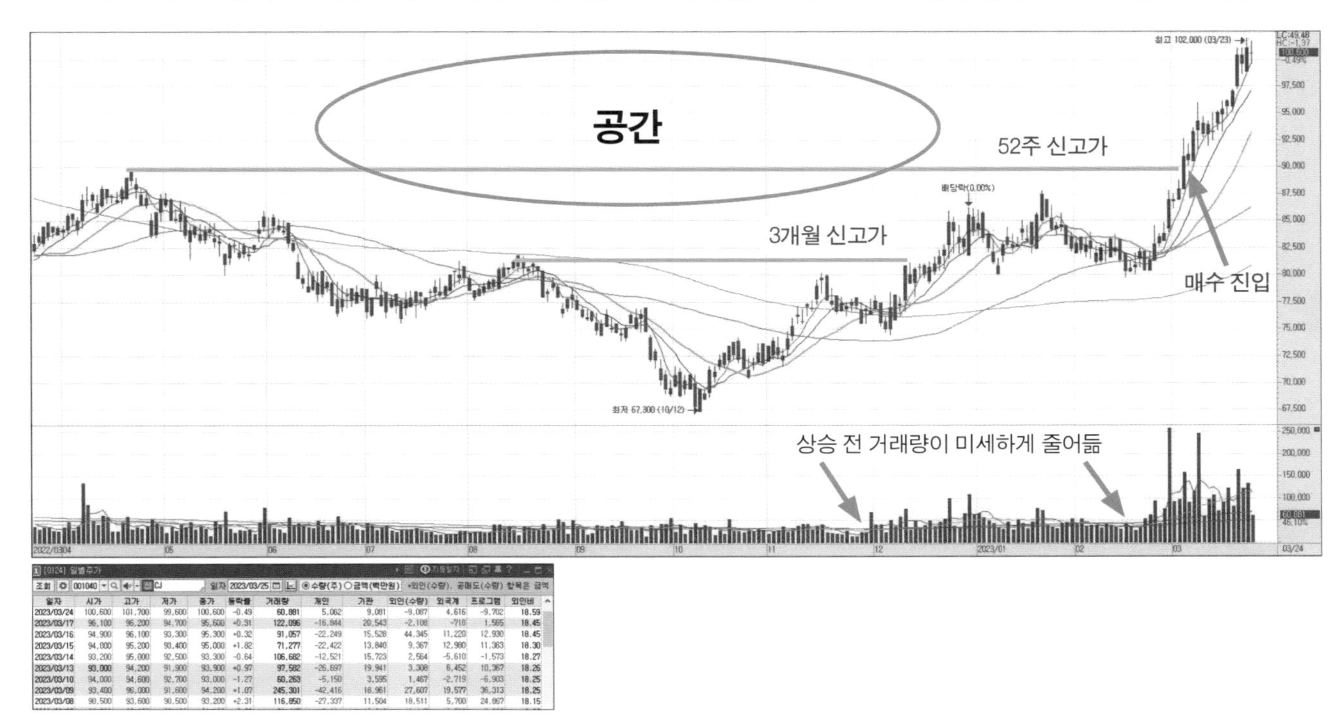

일자	시가	고가	저가	종가	등락률	거래량	개인	기관	외인(수량)	외국계	프로그램	외인비
2023/03/24	100,600	101,700	99,600	100,600	-0.49	60,881	5,062	9,081	-9,087	4,616	-9,702	18.59
2023/03/17	96,100	96,200	94,700	95,600	+0.31	122,096	-16,844	20,543	-2,108	-718	1,565	18.45
2023/03/16	94,900	96,100	93,300	95,300	+0.32	91,057	-22,249	15,526	44,345	11,220	12,930	18.45
2023/03/15	94,000	95,200	93,400	95,000	+1.82	71,277	-22,422	13,840	9,367	12,980	11,363	18.30
2023/03/14	93,200	95,000	92,500	93,300	-0.64	106,682	-12,521	15,723	2,564	-5,610	-1,573	18.27
2023/03/13	93,000	94,200	91,900	93,900	+0.97	97,582	-26,697	19,941	3,308	6,452	10,367	18.26
2023/03/10	94,000	94,600	92,700	93,000	-1.27	60,263	-5,150	3,595	1,467	-2,719	-6,903	18.25
2023/03/09	93,400	96,000	91,600	94,200	+1.07	245,301	-42,416	18,961	27,607	19,577	36,313	18.25
2023/03/08	90,500	93,600	90,500	93,200	+2.31	116,850	-27,337	11,504	18,511	5,700	24,867	18.15

3

고점에서 공매도 차트

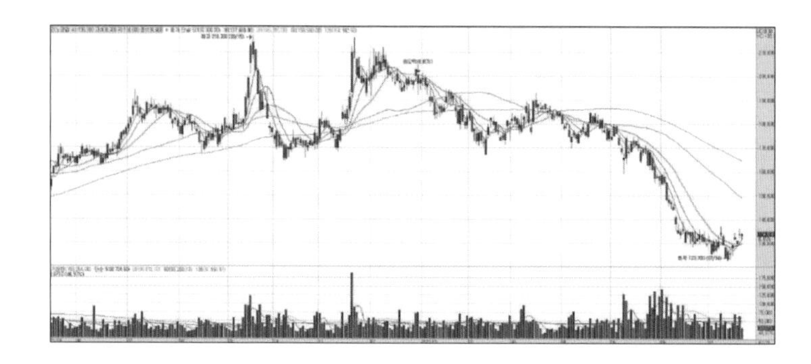

고점에서 공매도 차트의 특징

첫째, 저항을 돌파하지 못하고 20일선이 무너지는 자리가 좋다.
둘째, 아래로 공간이 완벽하게 열린 차트가 좋다.
셋째, 이동평균선이 수렴한 후에 봉이 20일선 아래에 위치하고 있어야 한다.
넷째, 고점에서 길게 횡보한 후에 하락하는 차트가 좋다. 주포가 고점에서 매물을 개미에게 떠넘기고 모멘텀이 사라지면서 더 이상 상승시킬 이유가 없을 때 나타나는 형태다.

★ 참고사항: 강남 차트를 거꾸로 한 것과 같은 패턴이다.

1. 고점에서 공매도 차트

리노공업: 반도체 검사용 소모품이 매출의 대부분 차지함. 반도체 업황 침체로 인한 수요감소로 어두운 터널을 지나가고 있다고 볼 수 있다.

일자	시가	고가	저가	종가	등락률	거래량	개인	기관	외인(수량)	외국계	프로그램	외인비
2023/03/24	136,300	138,700	134,600	136,600	+0.52	150,354	35,408	4,328	-40,159	-9,094	737	44.21
2023/02/03	171,200	171,200	166,200	169,100	-1.23	42,360	4,644	-1,561	-2,650	-380	-6,360	46.34
2023/02/02	175,300	179,000	169,600	171,200	-0.93	51,871	3,989	-1,057	-2,712	-9,534	-16,325	46.36
2023/02/01	171,400	174,200	170,800	172,800	+1.35	41,813	-6,103	-2,150	18,263	0	-1,760	46.38
2023/01/31	170,000	172,900	166,900	170,500	-1.45	69,299	2,529	-7,679	5,173	-12,813	3,033	46.26
2023/01/30	168,900	173,000	166,300	173,000	+2.43	38,226	-8,725	-1,457	10,187	12,579	5,322	46.22
2023/01/27	170,300	171,900	168,500	168,900	-1.11	20,577	1,258	-5,008	3,718	3,362	-4,205	46.16
2023/01/26	169,900	172,000	168,300	170,800	+1.01	52,567	-5,232	-1,078	3,324	-3,454	-6,702	46.13
2023/01/25	165,300	171,300	165,200	169,100	+4.84	54,849	-15,351	7,906	6,834	2,511	-11,969	46.11

2. 고점에서 공매도 차트

한국앤컴퍼니: 급속 충전 면에서 성능이 뛰어난 AGM배터리 출시를 발표했으나 등기임원 조현범 회장의 횡령 배임으로 인해 급락했다.

일자	시가	고가	저가	종가	등락률	거래량	개인	기관	외인(수량)	외국계	프로그램	외인비
2023/03/24	11,650	11,910	11,550	11,850	+1.63	45,389	538	-6,625	6,068	9,031	5,520	9.14
2023/03/10	13,370	13,370	13,050	13,070	-2.32	63,200	-6,169	5,459	6,858	-5,007	334	9.14
2023/03/09	13,200	13,420	13,170	13,380	+1.59	94,541	-12,000	24,659	-16,120	-18,296	-6,905	9.13
2023/03/08	13,150	13,250	13,060	13,170	-0.83	49,052	6,019	1,052	819	-4,614	-12,806	9.15
2023/03/07	13,290	13,360	13,150	13,280	-0.08	76,771	10,626	-17,571	-2,116	-3,786	9,682	9.15
2023/03/06	13,380	13,400	13,210	13,290	-0.08	45,455	980	4,011	-4,993	-3,338	-5,616	9.15
2023/03/03	13,340	13,460	13,110	13,300	-0.89	39,834	14,176	-3,518	-7,810	-6,407	-8,538	9.15
2023/03/02	13,300	13,470	13,260	13,420	+0.45	59,027	3,414	13,754	-17,138	0	-18,103	9.16
2023/02/28	13,160	13,400	13,160	13,360	+1.52	48,767	-7,814	25,756	-17,932	-11,565	-18,104	9.18

3. 고점에서 공매도 차트

현대백화점: 물가 상승과 경기침체 영향에 따라 주가 하락을 보였다. 지누스를 인수하고 가구 관련 사업을 하겠다고 발표했지만 아직 시작 단계다. 다행히 해외여행을 하는 사람이 많아지면서 면세점 매출이 좋아지고 있다.

일자	시가	고가	저가	종가	등락률	거래량	개인	기관	외인(수량)	외국계	프로그램	외인비
2023/03/24	52,400	53,300	52,200	52,900	+0.19	67,235	3,765	-5,455	1,969	2,717	1,699	23.09
2023/02/07	62,500	63,400	61,200	61,400	-1.92	57,698	29,101	-5,654	-6	-15,167	-26,510	25.16
2023/02/06	64,200	64,200	62,500	62,600	-2.34	67,857	25,338	-11,290	-1,190	-11,243	-24,591	25.16
2023/02/03	62,500	64,200	61,900	64,100	+2.56	84,737	-23,871	-5,493	31,880	21,354	17,686	25.17
2023/02/02	63,200	63,300	62,500	62,500	-0.32	91,551	-656	-10,233	10,734	8,421	-5,859	25.03
2023/02/01	62,400	63,900	62,400	62,700	+1.79	99,121	-4,452	-14,031	18,248	12,311	5,077	24.99
2023/01/31	62,400	62,500	61,400	61,600	-0.65	55,957	2,272	-6,649	1,593	-4,721	-10,242	24.91
2023/01/30	62,900	62,900	62,000	62,000	-1.74	41,524	6,546	-17,268	11,023	15,438	-1,377	24.90
2023/01/27	62,200	63,400	61,900	63,100	+1.61	59,058	-16,737	-11,311	28,318	25,589	14,648	24.86

4. 고점에서 공매도 차트

LG생활건강: 중국 화장품 기업들의 경쟁력이 좋아지면서 국내 화장품 기업들의 중국에서의 영향력은 약화되고 있다.

[0124] 일별주가

조회 051900 LG생활건강 일자 2023/03/26 ◉수량(주) ○금액(백만원) *외인(수량), 공매도(수량) 항목은 금액

일자	시가	고가	저가	종가	등락률	거래량	개인	기관	외인(수량)	외국계	프로그램	외인비
2023/03/24	578,000	586,000	572,000	581,000	-0.51	42,607	935	2,080	-3,105	5,555	2,360	35.77
2023/02/06	690,000	704,000	687,000	694,000	+0.14	86,519	3,012	-4,419	-4,106	4,052	-4,587	36.23
2023/02/03	693,000	695,000	681,000	693,000	+0.14	126,100	6,152	-17,737	7,766	-1,152	9,248	36.25
2023/02/02	697,000	710,000	690,000	692,000	+0.14	101,394	20,220	-28,661	5,545	-3,852	9,825	36.20
2023/02/01	734,000	734,000	673,000	691,000	-7.00	242,980	118,640	-68,970	-73,970	-43,523	-36,039	36.17
2023/01/31	752,000	758,000	738,000	743,000	-0.67	60,623	5,827	-5,228	-1,093	-1,094	-6,315	36.64
2023/01/30	763,000	772,000	743,000	748,000	-1.45	76,158	5,312	-13,932	5,441	14,798	-9,951	36.65
2023/01/27	728,000	765,000	723,000	759,000	+4.40	102,901	-44,055	2,592	42,120	39,539	32,095	36.61
2023/01/26	733,000	734,000	721,000	727,000	-0.68	68,112	11,768	-19,990	9,987	3,377	11,915	36.34

5. 고점에서 공매도 차트

콜마비앤에이치: 매출액과 영업이익이 지속적으로 감소했다. 중국 리오프닝 기대감도 최근에 무너진 상태다(주요 주주로는 한국콜마홀딩스, 한국원자력연구원 등이 있다).

일자	시가	고가	저가	종가	등락률	거래량	개인	기관	외인(수량)	외국계	프로그램	외인비
2023/03/24	22,800	23,100	22,400	22,850	+0.22	93,905	1,973	-4,590	419	-4,987	-1,647	3.24
2023/02/17	28,400	28,650	28,050	28,100	-1.58	72,562	9,435	-23,935	16,712	14,062	13,501	2.74
2023/02/16	28,600	29,150	28,350	28,550	+0.88	69,263	-15,869	17,761	-18,779	-1,633	1,793	2.69
2023/02/15	29,450	29,500	28,200	28,300	-3.90	102,775	22,304	-5,818	21,832	-8,486	-14,316	2.75
2023/02/14	29,200	29,600	29,000	29,450	+1.55	75,112	-32,021	17,710	16,098	8,361	24,816	2.68
2023/02/13	28,800	29,250	28,600	29,000	+0.35	54,648	-11,596	4,687	13,082	14,851	9,423	2.62
2023/02/10	29,350	29,850	28,700	28,900	-1.37	128,460	24,695	-40,006	13,751	13,743	11,697	2.58
2023/02/09	29,150	30,100	29,050	29,300	-0.34	99,551	-3,869	-14,349	2,516	11,884	17,478	2.53
2023/02/08	29,400	29,650	28,900	29,400	0	121,639	31,618	-36,022	-5,616	-3,899	2,166	2.52

6. 고점에서 공매도 차트

한화: 원자재 가격과 인건비 상승으로 비용이 증가하면서 영업이익이 매출 대비 감소했다. 화약, 방산, 기계, 무역 부분이 있다.

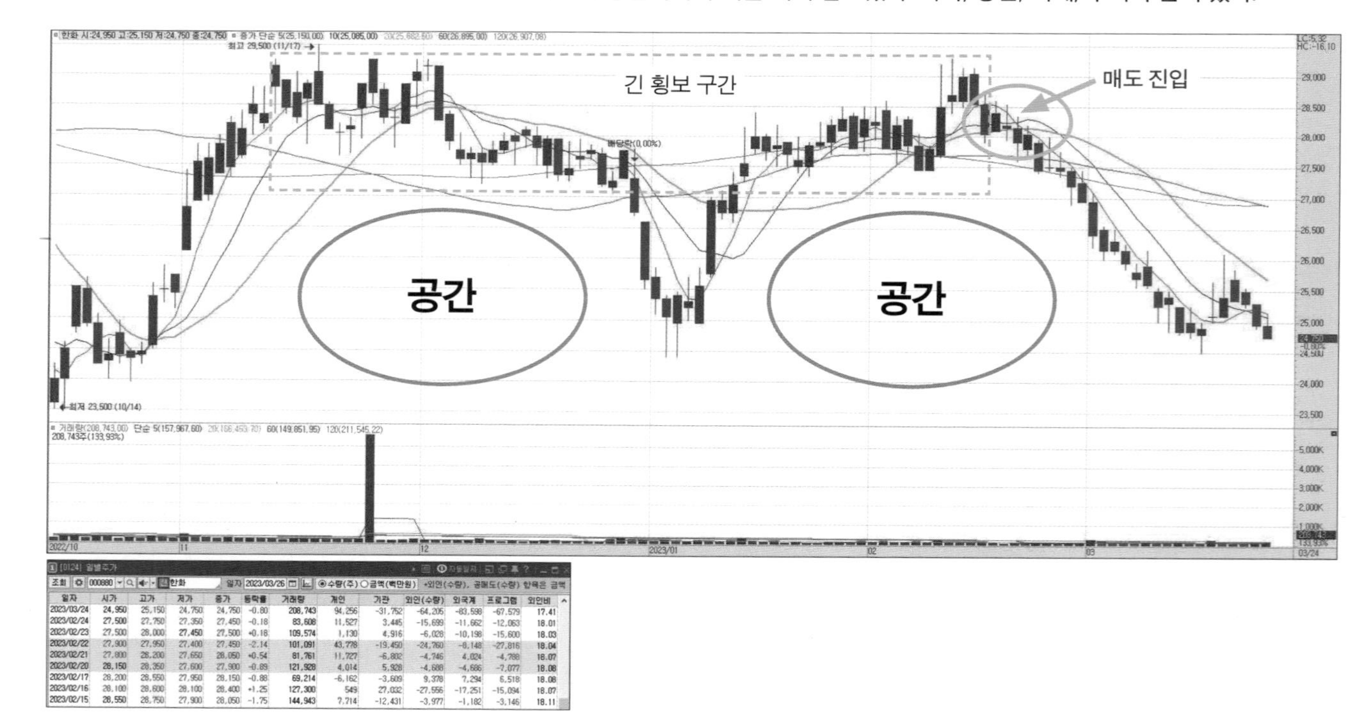

일자	시가	고가	저가	종가	등락률	거래량	개인	기관	외인(수량)	외국계	프로그램	외인비
2023/03/24	24,950	25,150	24,750	24,750	-0.80	208,743	94,256	-31,752	-64,205	-83,598	-67,579	17.41
2023/02/24	27,500	27,750	27,350	27,450	-0.18	83,608	11,527	3,445	-15,699	-11,662	-12,063	18.01
2023/02/23	27,500	28,000	27,450	27,500	+0.18	109,574	1,130	4,916	-6,028	-10,198	-15,600	18.03
2023/02/22	27,900	27,950	27,400	27,450	-2.14	101,091	43,778	-19,450	-24,760	-8,148	-27,816	18.04
2023/02/21	27,800	28,200	27,650	28,050	+0.54	81,761	11,727	-6,802	-4,746	4,024	-4,788	18.07
2023/02/20	28,150	28,350	27,600	27,900	-0.89	121,928	4,014	5,928	-4,688	-4,686	-7,077	18.08
2023/02/17	28,200	28,550	27,950	28,150	-0.88	69,214	-6,162	-3,609	9,378	7,294	6,518	18.08
2023/02/16	28,100	28,600	28,100	28,400	+1.25	127,300	549	27,032	-27,556	-17,251	-15,094	18.07
2023/02/15	28,550	28,750	27,900	28,050	-1.75	144,943	7,714	-12,431	-3,977	-1,182	-3,146	18.11

7. 고점에서 공매도 차트

CJ ENM: 2022년 9월 전년 동기 대비 연결기준 매출액은 30.1% 증가했고, 영업이익은 51.1% 감소했다. 당기순이익은 적자로 전환했다.

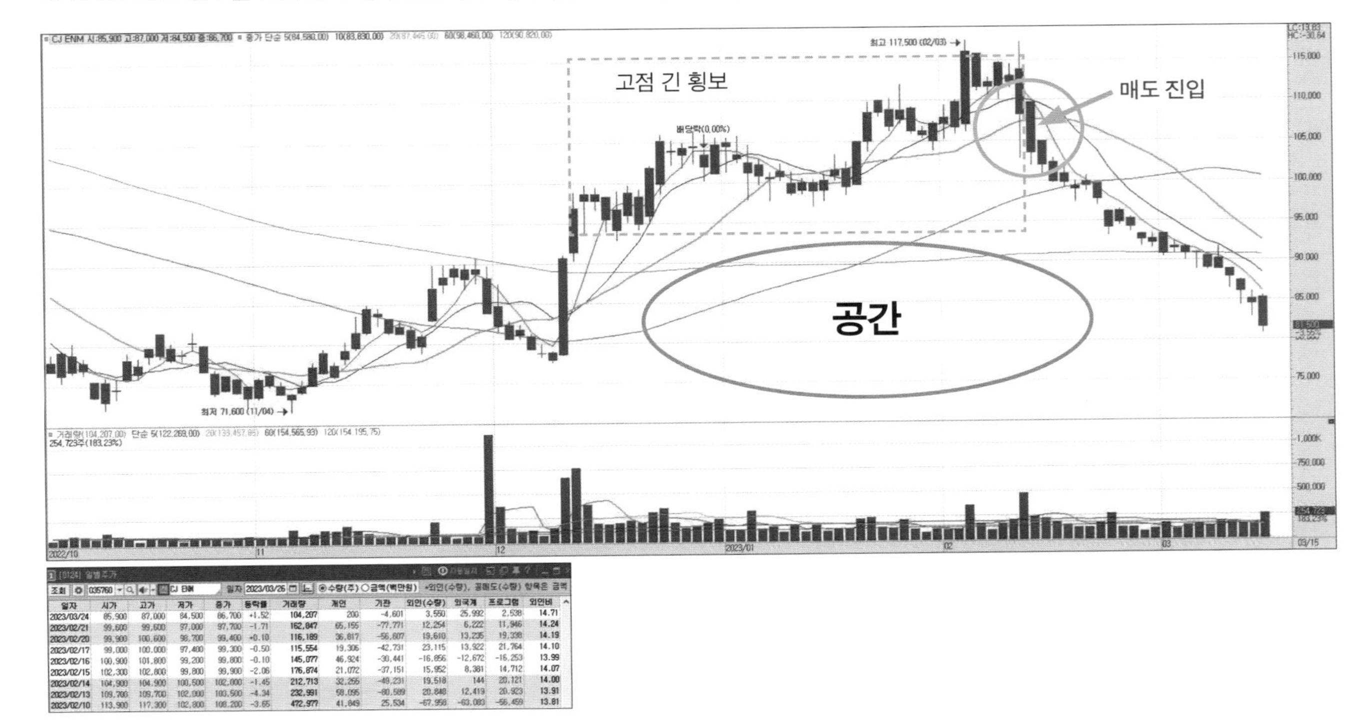

일자	시가	고가	저가	종가	등락률	거래량	개인	기관	외인(수량)	외국계	프로그램	외인비
2023/03/24	85,900	87,000	84,500	86,700	+1.52	104,207	200	-4,601	3,550	25,992	2,538	14.71
2023/02/21	99,600	99,600	97,000	97,700	-1.71	162,847	65,155	-77,771	12,254	6,222	11,946	14.24
2023/02/20	99,900	100,600	98,700	99,400	+0.10	116,189	36,817	-56,607	19,610	13,235	19,338	14.19
2023/02/17	99,000	100,000	97,400	99,300	-0.50	115,554	19,306	-42,731	23,115	13,922	21,764	14.10
2023/02/16	100,900	101,800	99,200	99,800	-0.10	145,077	46,924	-30,441	-16,856	-12,672	-16,253	13.99
2023/02/15	102,300	102,800	99,800	99,900	-2.06	176,874	21,072	-37,151	15,952	8,381	14,712	14.07
2023/02/14	104,900	104,900	100,500	102,000	-1.45	212,713	32,256	-49,231	19,518	144	20,121	14.00
2023/02/13	109,700	109,700	102,000	103,500	-4.34	232,991	58,095	-80,589	20,848	12,419	20,923	13.91
2023/02/10	113,900	117,300	102,800	108,200	-3.65	472,977	41,849	25,534	-67,958	-63,083	-56,459	13.81

8. 고점에서 공매도 차트

롯데쇼핑: 롯데하이마트, 한샘, 2022년에 인수한 무인양품도 3년째 적자를 기록하고 있다. 몇 년간 진행한 대규모 투자 인수·합병이 효과를 내지 못하고 있다.

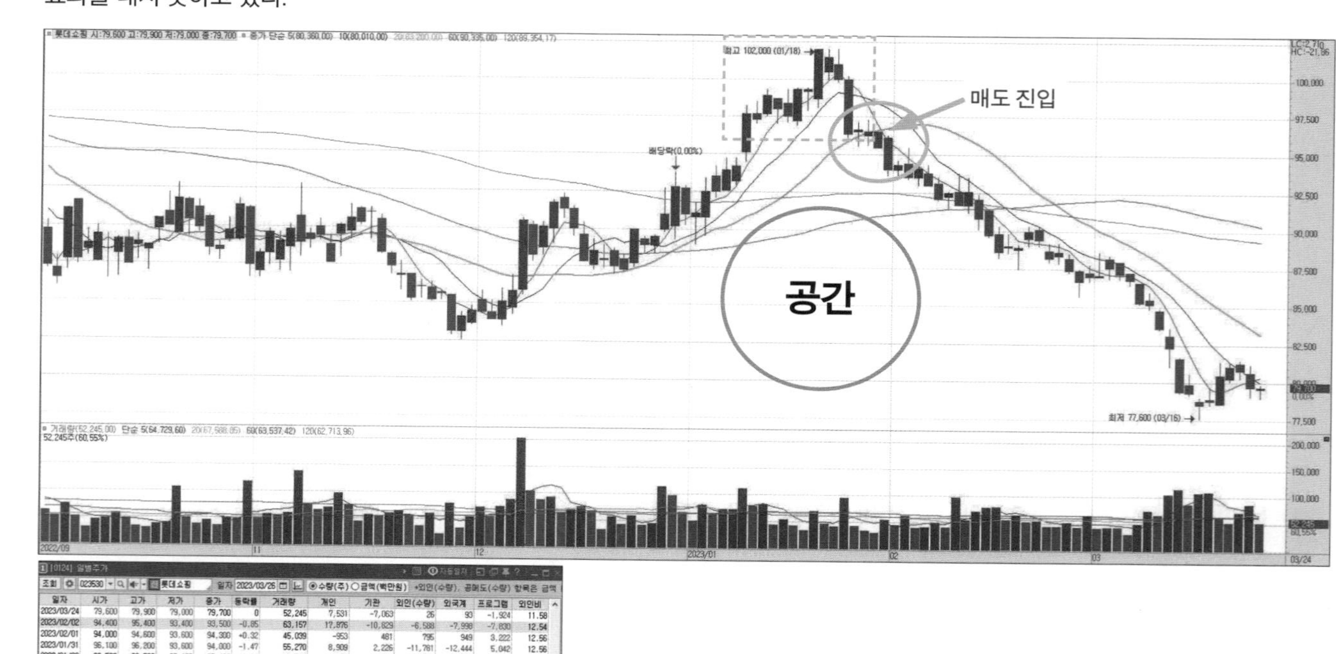

일자	시가	고가	저가	종가	등락률	거래량	개인	기관	외인(수량)	외국계	프로그램	외인비
2023/03/24	79,600	79,900	79,000	79,700	0	52,245	7,531	-7,063	26	93	-1,924	11.58
2023/02/02	94,400	95,400	93,400	93,500	-0.85	63,157	17,876	-10,829	-6,588	-7,998	-7,830	12.54
2023/02/01	94,000	94,600	93,600	94,300	+0.32	45,039	-953	481	795	949	3,222	12.56
2023/01/31	96,100	96,200	93,600	94,000	-1.47	55,270	8,909	2,226	-11,781	-12,444	5,042	12.56
2023/01/30	96,500	96,500	95,400	95,400	-1.14	30,598	366	309	-1,352	1,676	2,012	12.60
2023/01/27	96,200	97,300	95,600	96,500	-0.10	34,226	-3,326	-3,734	-2,363	3,970	4,493	12.61
2023/01/26	96,500	97,100	95,500	96,600	+0.31	42,936	5,894	-2,537	-2,023	-3,081	-2,456	12.62
2023/01/25	100,000	100,200	96,100	96,300	-3.70	94,758	45,895	-26,865	-17,788	-9,605	-18,796	12.62
2023/01/20	101,000	102,000	99,800	100,000	-1.48	41,397	1,060	-4,291	3,213	1,067	5,523	12.69

9. 고점에서 공매도 차트

케이엠더블유: 매출액과 영업이익이 지속적으로 감소했다. 재무제표상 실적도 좋지 않다.

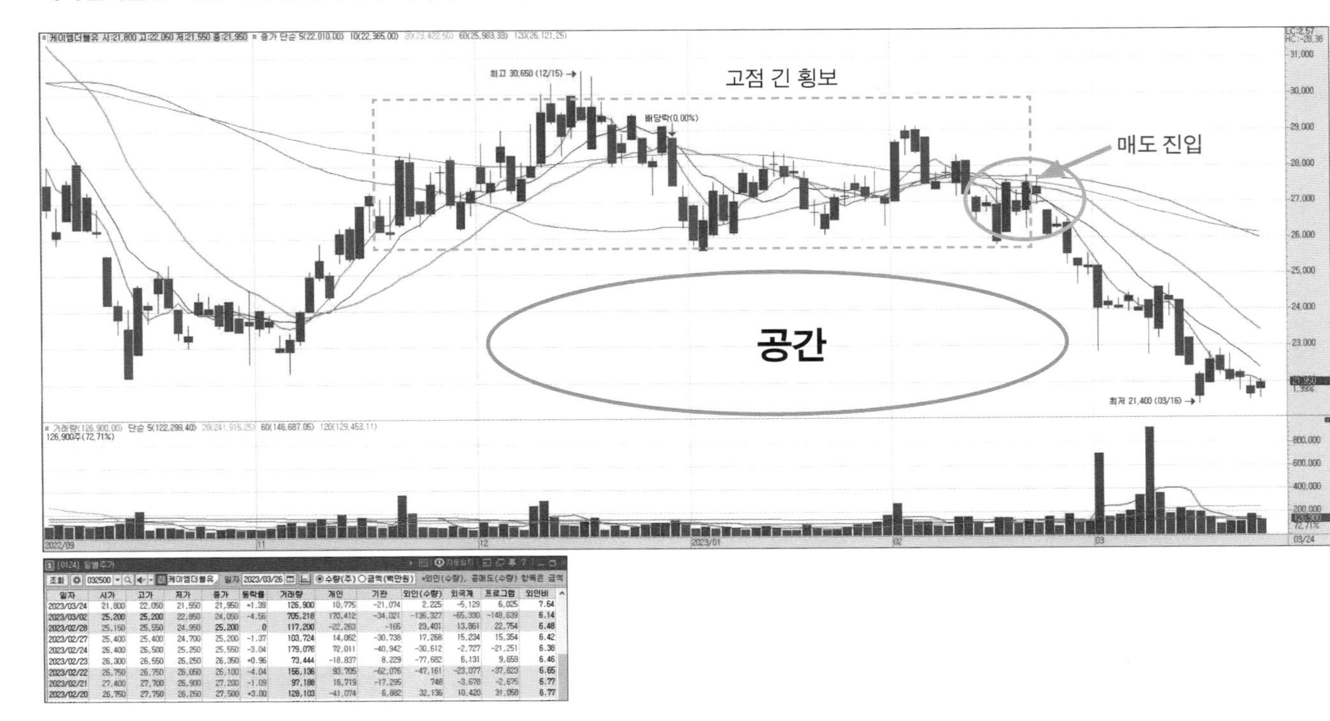

일자	시가	고가	저가	종가	등락률	거래량	개인	기관	외인(수량)	외국계	프로그램	외인비
2023/03/24	21,800	22,050	21,550	21,950	+1.39	126,900	10,775	-21,074	2,225	-5,129	6,025	7.64
2023/03/02	25,200	25,200	22,850	24,050	-4.56	705,218	170,412	-34,021	-136,327	-65,330	-148,639	6.14
2023/02/28	25,150	25,550	24,950	25,200	0	117,200	-22,263	-165	23,401	13,861	22,754	6.48
2023/02/27	25,400	25,400	24,700	25,200	-1.37	103,724	14,062	-30,738	17,268	15,234	15,354	6.42
2023/02/24	26,400	26,500	25,250	25,550	-3.04	179,078	72,011	-40,942	-30,612	-2,727	-21,251	6.38
2023/02/23	26,300	26,550	26,250	26,350	+0.96	73,444	-18,837	8,229	-77,682	6,131	9,659	6.46
2023/02/22	26,750	26,750	26,050	26,100	-4.04	156,136	93,705	-62,076	-47,161	-23,077	-37,823	6.65
2023/02/21	27,400	27,700	26,900	27,200	-1.09	97,188	16,719	-17,295	748	-3,678	-2,675	6.77
2023/02/20	26,750	27,750	26,250	27,500	+3.00	128,103	-41,074	6,882	32,136	10,420	31,058	6.77

10. 고점에서 공매도 차트

SK바이오팜: 현재 다양한 신약 개발 프로젝트를 진행하고 있다. 특히 면역항암제, 체외진단키트 등 다양한 제품을 개발하고 있다. 하지만 코로나 이후 바이오 종목들이 줄줄이 하락 여파를 맞는 중이다.

일자	시가	고가	저가	종가	등락률	거래량	개인	기관	외인(수량)	외국계	프로그램	외인비
2023/03/24	60,600	62,000	60,600	61,100	-0.97	54,983	8,343	-8,286	31	3,675	-1,929	6.28
2023/02/08	72,200	72,500	71,500	71,800	-0.55	86,276	-9,281	-1,267	-9,184	4,893	9,006	6.49
2023/02/07	71,000	72,900	71,000	72,200	+1.12	59,335	4,748	6,197	-10,923	10,200	-12,123	6.50
2023/02/06	71,700	72,700	70,900	71,400	-1.24	79,386	-1,215	-14,966	16,067	4,129	17,149	6.51
2023/02/03	72,700	73,100	71,100	72,300	-1.09	88,977	15,602	-2,622	-7,670	-15,397	-14,267	6.49
2023/02/02	72,100	73,700	72,000	73,100	+2.09	116,090	-36,768	5,860	32,843	18,265	31,130	6.50
2023/02/01	72,500	72,900	69,900	71,600	-1.10	179,415	70,927	-16,248	-54,395	-49,244	-55,351	6.46
2023/01/31	74,700	75,900	72,400	72,400	-3.47	108,694	44,324	-1,669	-44,457	-45,968	-17,229	6.53
2023/01/30	76,000	76,600	74,600	75,000	-1.57	76,615	-5,759	2,741	2,743	14,349	-2,553	6.59

11. 고점에서 공매도 차트

메가스터디교육: 지속적인 성장세에도 불구하고 스탠퍼드대학 수학과 출신 일타강사 현 씨의 재계약 이슈로 하락한 바 있다.

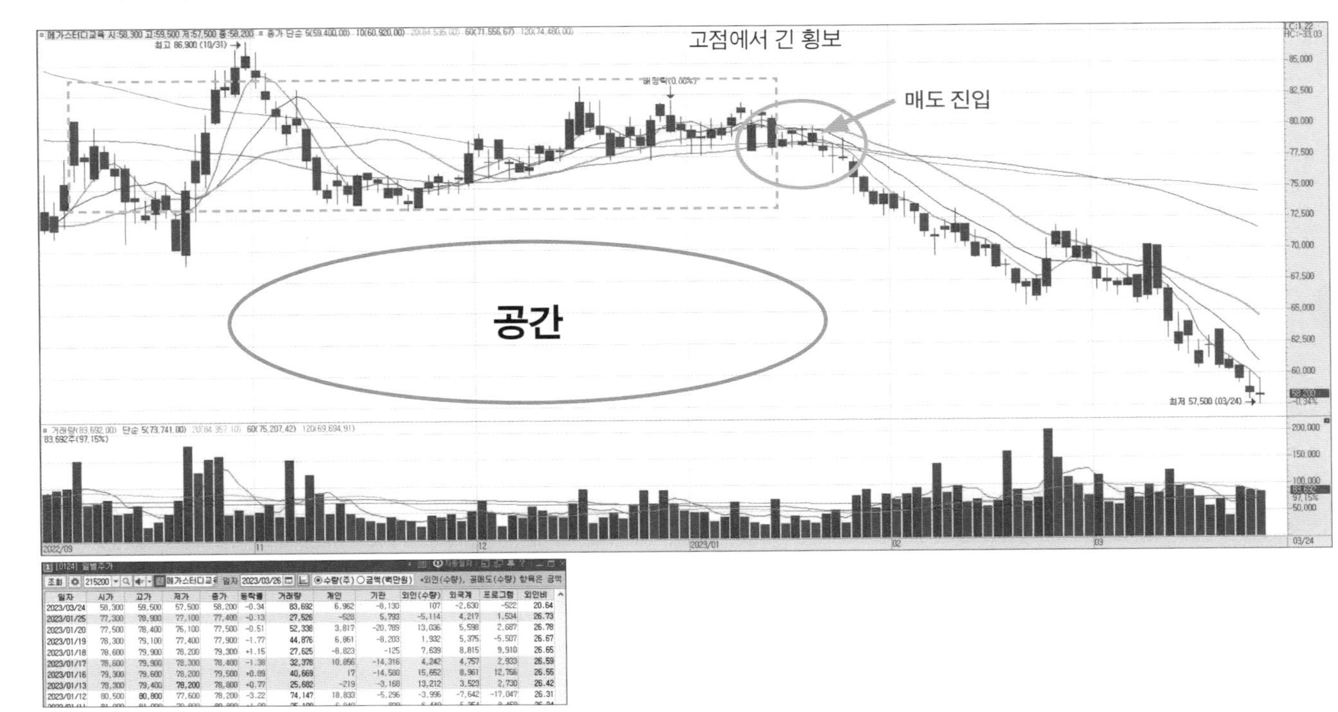

일자	시가	고가	저가	종가	등락률	거래량	개인	기관	외인(수량)	외국계	프로그램	외인비
2023/03/24	58,300	59,500	57,500	58,200	-0.34	83,692	6,962	-8,130	107	-2,630	-522	20.64
2023/01/25	77,300	78,900	77,100	77,400	-0.13	27,526	-528	5,793	-5,114	4,217	1,534	26.73
2023/01/20	77,500	78,400	76,100	77,500	-0.51	52,338	3,817	-20,789	13,036	5,598	2,687	26.78
2023/01/19	78,300	79,100	77,400	77,900	-1.77	44,876	6,861	-8,203	1,932	5,375	-5,507	26.67
2023/01/18	78,600	79,900	78,200	79,300	+1.15	27,625	-8,823	-125	7,639	8,815	9,910	26.65
2023/01/17	78,600	79,900	78,300	78,400	-1.38	32,378	10,856	-14,316	4,242	4,757	2,933	26.59
2023/01/16	79,300	79,600	78,200	79,500	+0.89	40,669	17	-14,580	15,652	8,961	12,766	26.55
2023/01/13	78,300	79,400	78,200	78,800	+0.77	25,682	-219	-3,168	13,212	3,523	2,730	26.42
2023/01/12	80,500	80,800	77,600	78,200	-3.22	74,147	18,833	-5,296	-3,996	-7,642	-17,047	26.31

4

저점에서 공매도 차트

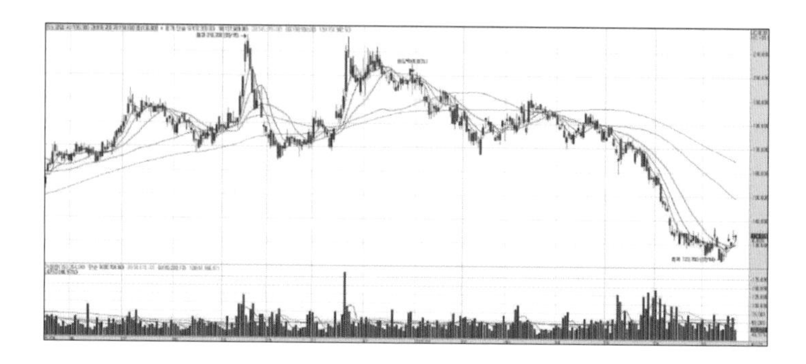

저점에서 공매도 차트의 특징

첫째, 캔들이 20일 이동평균선 아래에 위치하고 있다.
둘째, 종목별 기관매매 추이화면을 보면 개인만 매수하고 있다.
셋째, 수급이 안 좋으면서 아래로 공간이 완벽하게 열리므로 아래로 강한 슈팅이 나올 가능성이 있다.

★ 참고: 저점 공매도는 하락이 하락을 불러일으킨다. 관성의 법칙에 따라서 하락으로 더 치닫는 것이다.

1. 저점에서 공매도 차트

제일기획: 재무제표는 견고하나 기업의 경기 불황으로 마케팅비 등의 광고비용 위축이 예상되어 공매도의 영향을 받고 있다(주주로는 삼성전자 국민연금공단이 있다).

일자	시가	고가	저가	종가	등락률	거래량	개인	기관	외인(수량)	외국계	프로그램	외인비
2023/03/24	19,010	19,150	18,880	18,890	-1.67	377,547	101,912	-93,464	-7,548	-13,466	14,959	32.73
2023/02/08	20,650	20,950	20,550	20,600	-0.24	637,758	114,608	-13,584	-86,842	-104,167	-127,933	33.38
2023/02/07	20,350	20,700	20,300	20,650	+0.98	679,210	44,907	-50,814	-3,973	29,463	-88,871	33.46
2023/02/06	20,650	20,750	20,400	20,450	-0.73	509,005	233,972	-129,480	-138,572	-149,756	-71,764	33.46
2023/02/03	20,550	20,750	20,450	20,600	+0.24	613,761	210,636	-151,964	-41,184	-195,046	-87,952	33.58
2023/02/02	21,200	21,200	20,500	20,550	-2.14	889,962	493,335	-175,398	-319,771	-241,959	-221,842	33.62
2023/02/01	21,800	21,850	21,000	21,000	-4.33	869,025	477,682	-122,909	-374,424	-163,729	-278,955	33.89
2023/01/31	21,900	22,150	21,700	21,950	+0.23	389,134	29,556	96,588	-130,916	-124,336	-142,455	34.22
2023/01/30	22,100	22,150	21,850	21,900	-0.90	228,709	32,918	-15,594	-3,392	-26,044	-19,004	34.33

2. 저점에서 공매도 차트

SK: 전력도매가격(SMP) 상한제 실시, 반도체 경기 침체 등의 다소 불확실한 상태에 놓여 있다.

일자	시가	고가	저가	종가	등락률	거래량	개인	기관	외인(수량)	외국계	프로그램	외인비
2023/05/03	164,700	165,000	163,100	164,000	-0.85	72,671	0	0	0	-22,379	-7,559	23.32
2023/02/28	178,800	179,300	177,800	178,600	+0.17	387,472	28,400	-27,056	-5,139	34,973	-15,316	22.73
2023/02/27	179,800	180,100	177,500	178,300	-1.16	188,012	70,721	-64,366	1,509	-800	-27,641	22.74
2023/02/24	182,400	183,300	180,100	180,400	-1.15	189,543	66,137	-25,801	-72,531	-375	-32,313	22.74
2023/02/23	184,200	184,700	182,200	182,500	-0.87	215,606	77,322	-96,473	20,261	12,176	4,743	22.83
2023/02/22	186,600	186,700	184,000	184,100	-2.02	194,022	69,697	-67,417	-9,603	44	-18,023	22.81
2023/02/21	187,900	190,500	187,100	187,900	0	143,723	9,962	-46,029	26,578	23,480	35,728	22.82
2023/02/20	187,100	188,900	185,800	187,900	+0.43	134,196	7,369	6,817	-13,312	-14,482	-12,524	22.78
2023/02/17	186,100	189,300	186,100	187,100	-0.37	125,816	-1,697	-5,068	6,692	-1,061	15,576	22.80

3. 저점에서 공매도 차트

DL: 매출액과 영업이익은 증가했으나 이자 비용의 상승으로 당기순이익은 감소했다.

일자	시가	고가	저가	종가	등락률	거래량	개인	기관	외인(수량)	외국계	프로그램	외인비
2023/03/24	51,600	51,700	50,600	51,100	-1.35	37,610	6,872	-7,060	-911	1,305	-1,490	10.82
2023/03/13	55,300	56,000	53,400	54,800	-0.90	72,388	10,745	1,342	-14,895	20	-24,062	10.70
2023/03/10	55,000	55,900	54,900	55,300	-0.72	60,932	-284	-4,437	4,092	15,382	12,596	10.77
2023/03/09	56,600	56,800	55,300	55,700	-0.54	47,131	15,776	3,167	-19,102	-19,644	-15,872	10.75
2023/03/08	56,100	56,600	55,200	56,000	-1.06	59,224	24,765	-17,744	-6,737	-1,677	-9,946	10.84
2023/03/07	57,000	57,400	56,400	56,600	-0.70	97,297	31,494	-56,166	24,320	7,696	30,043	10.87
2023/03/06	58,400	58,400	56,800	57,000	-1.38	69,005	28,122	-25,249	-3,130	-4,219	-4,611	10.76
2023/03/03	58,500	58,600	57,500	57,800	-1.20	40,679	-4,360	-1,749	7,482	4,884	5,075	10.77
2023/03/02	59,000	59,800	58,100	58,500	-0.68	51,470	12,484	-12,889	37,746	5,862	-6,027	10.74

4. 저점에서 공매도 차트

롯데제과: 곡물가, 환율 등에 의한 원재료 가격 인상으로 인해 타격을 받았다. 곡물과 환율 안정이 전제되어야 하는 상태다.

일자	시가	고가	저가	종가	등락률	거래량	개인	기관	외인(수량)	외국계	프로그램	외인비
2023/03/24	103,600	105,200	103,200	105,200	+0.96	9,263	5,242	-3,414	-2,029	-1,558	-2,001	13.47
2023/03/02	119,200	120,300	118,300	118,700	-1.25	8,558	3,189	-13	-3,186	0	-3,419	13.83
2023/02/28	119,800	121,400	118,500	120,200	+0.33	9,368	2,062	-3,444	1,312	778	499	13.86
2023/02/27	118,800	121,700	118,000	119,800	+0.84	10,944	323	-682	1,451	-245	-1,724	13.85
2023/02/24	119,200	120,200	118,600	118,800	-1.00	5,209	475	-474	-1,031	-367	-286	13.83
2023/02/23	119,700	121,700	119,500	120,000	0	6,171	516	-508	-24	-622	-814	13.84
2023/02/22	121,000	121,000	118,700	120,000	-0.83	11,473	2,803	-4,271	1,243	-2,712	40	13.84
2023/02/21	120,700	121,200	119,700	121,000	+0.25	6,032	948	-1,166	311	-356	-598	13.83
2023/02/20	123,400	123,400	120,300	120,700	-1.31	10,421	5,927	-5,916	-1,048	578	-4,506	13.83

5. 저점에서 공매도 차트

강원랜드: 코로나도 견디어 냈지만, 외국인의 매도세에 지속적으로 하락하고 있다. 2030에게 카지노의 인기가 떨어지는 것도 한몫하고 있다.

일자	시가	고가	저가	종가	등락률	거래량	개인	기관	외인(수량)	외국계	프로그램	외인비
2023/03/24	19,420	19,450	19,190	19,350	-0.67	577,016	153,955	-6,387	-165,442	-157,959	-160,611	18.13
2023/02/08	22,750	22,850	22,600	22,650	-0.22	649,192	249,500	-118,177	-140,649	-150,190	-10,509	22.06
2023/02/07	22,700	22,850	22,600	22,700	0	544,564	208,486	-44,755	-169,665	-189,068	18	22.12
2023/02/06	22,900	23,050	22,700	22,700	-1.30	613,243	255,967	-85,113	-172,960	-62,303	-208,307	22.20
2023/02/03	22,950	23,100	22,550	23,000	+0.66	721,748	242,878	-25,784	-218,228	-63,557	-333,389	22.28
2023/02/02	23,300	23,300	22,850	22,850	-1.30	984,087	589,376	-185,760	-400,690	-133,532	-471,140	22.38
2023/02/01	23,550	23,600	23,100	23,150	-1.49	619,623	316,399	-109,853	-205,067	-64,056	-159,779	22.57
2023/01/31	23,800	23,950	23,350	23,500	-1.26	608,537	204,044	42,331	-258,037	-202,265	-242,829	22.67
2023/01/30	23,950	24,150	23,750	23,800	-0.42	470,632	54,416	-62,166	-192,755	26,004	27,634	22.79

6. 저점에서 공매도 차트

KT: 지난 2022년 4분기 실적 발표 자료에서 매출액 전년 동기 대비 0.6% 감소하였고 영업이익은 전년 동기 대비 59% 감소한 성적을 기록했다.

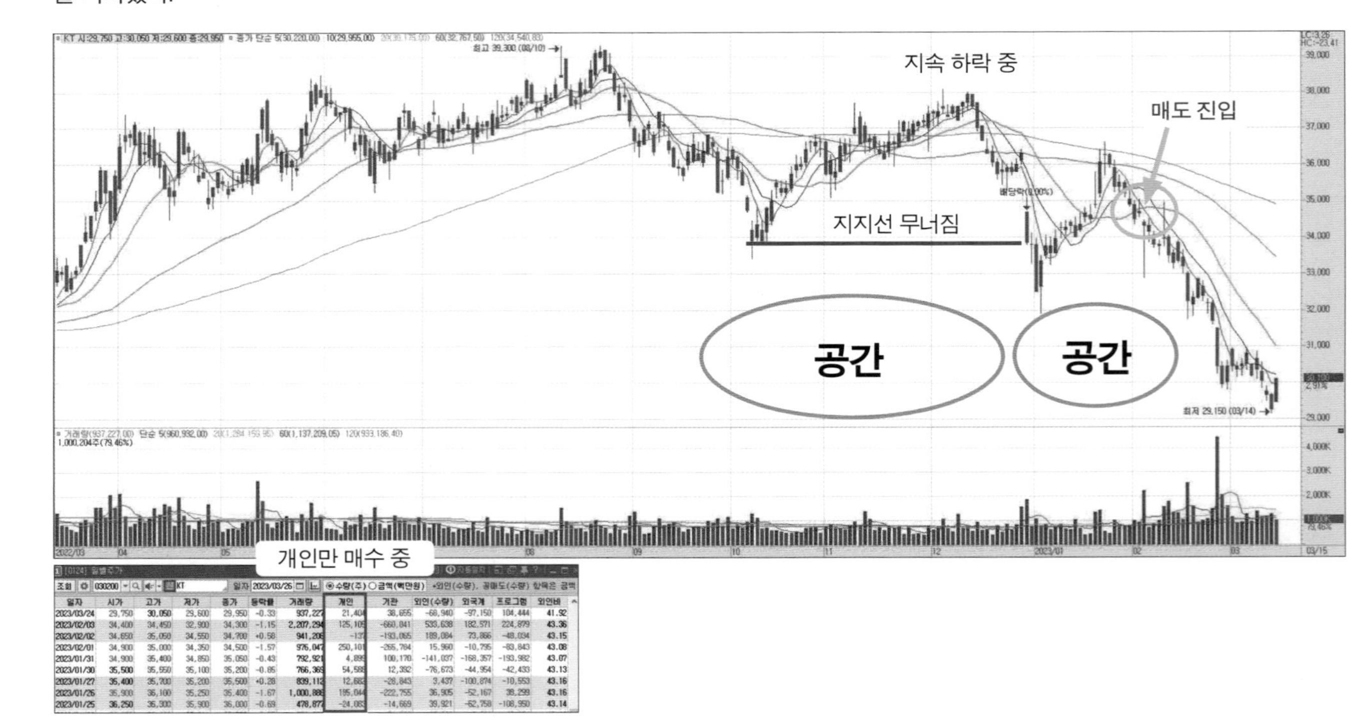

일자	시가	고가	저가	종가	등락률	거래량	개인	기관	외인(수량)	외국계	프로그램	외인비
2023/03/24	29,750	30,050	29,600	29,950	-0.33	937,227	21,404	38,655	-68,940	-97,150	104,444	41.92
2023/02/03	34,400	34,450	32,900	34,300	-1.15	2,207,294	125,105	-660,841	533,638	182,571	224,879	43.36
2023/02/02	34,650	35,050	34,550	34,700	+0.58	941,206	-137	-193,065	189,084	73,866	-48,034	43.15
2023/02/01	34,900	35,000	34,350	34,500	-1.57	976,047	250,101	-265,784	15,960	-10,795	-83,843	43.08
2023/01/31	34,900	35,400	34,850	35,050	-0.43	792,921	4,899	100,170	-141,037	-168,357	-193,982	43.07
2023/01/30	35,500	35,550	35,100	35,200	-0.85	766,369	54,588	12,392	-76,673	-44,954	-42,433	43.13
2023/01/27	35,400	35,700	35,200	35,500	+0.28	839,112	12,682	-28,843	3,437	-100,874	-10,553	43.16
2023/01/26	35,900	36,100	35,250	35,400	-1.67	1,000,888	185,044	-222,755	36,905	-52,167	38,299	43.16
2023/01/25	36,250	36,300	35,900	36,000	-0.69	478,877	-24,083	-14,669	39,921	-62,758	-108,950	43.14

7. 저점에서 공매도 차트

CJ제일제당: 전쟁으로 인한 곡물 가격 상승으로 실적 감소가 나타났고 제약바이오 업계가 되살아나지 못한 영향을 받고 있다.

일자	시가	고가	저가	종가	등락률	거래량	개인	기관	외인(수량)	외국계	프로그램	외인비
2023/03/24	312,000	315,500	310,000	315,000	0	31,193	1,958	1,624	-3,543	6,240	-4,402	24.03
2023/01/11	342,000	343,500	340,000	342,500	+0.29	48,735	13,008	-8,171	-3,789	1,462	728	24.80
2023/01/10	343,500	346,000	340,000	341,500	-0.58	68,889	28,338	-29,211	2,012	-2,571	-312	24.83
2023/01/09	343,000	347,000	337,000	343,500	+1.03	76,805	15,049	-26,225	11,232	-2,033	11,780	24.81
2023/01/06	338,000	342,000	335,500	340,000	+0.59	74,250	12,943	-28,526	15,520	11,944	18,942	24.74
2023/01/05	351,000	351,000	335,000	338,000	-3.15	166,569	67,082	-74,388	12,362	-14,382	5,085	24.63
2023/01/04	368,000	368,000	349,000	349,000	-5.42	139,501	67,096	-65,393	-1,787	-11,101	-2,014	24.55
2023/01/03	376,500	378,000	366,000	369,000	-1.99	49,245	9,888	-29,742	47,808	8,649	19,117	24.56
2023/01/02	381,000	383,500	374,500	376,500	-1.05	18,755	3,421	31	-12,149	-1,186	-3,056	24.25

8. 저점에서 공매도 차트

커넥트웨이브: 견실한 기업으로 배당금 계속 올려주다 인수합병 후에 배당락으로 인해 주주들은 주가하락과 배당금 미지급 2중 고통을 겪었다.

일자	시가	고가	저가	종가	등락률	거래량	개인	기관	외인(수량)	외국계	프로그램	외인비
2023/03/24	12,510	12,800	12,410	12,800	+2.40	70,30	-10,58	-18,444	21,450	4,889	25,429	3.53
2023/02/21	14,860	14,900	14,510	14,580	-1.88	73,00	39,29	-9,804	-29,247	-25,030	-28,047	3.39
2023/02/20	14,650	15,100	14,160	14,860	+1.16	97,87	-2,73	13,787	18,311	-2,385	-14,214	3.46
2023/02/17	14,800	15,020	14,670	14,690	-2.26	82,38	15,96	-20,143	-9,385	-12,496	2,168	3.42
2023/02/16	14,940	15,290	14,890	15,030	+2.87	68,23	-35,82	24,501	22,351	13,499	11,782	3.44
2023/02/15	15,390	15,470	14,610	14,610	-5.07	130,32	43,82	-10,824	-23,030	-23,430	-23,100	3.39
2023/02/14	15,270	15,510	15,270	15,390	+0.85	43,22	-8,54	9,880	-8,936	908	-1,693	3.44
2023/02/13	15,360	15,580	15,260	15,260	-1.48	48,66	2,83	-9,586	6,721	2,992	-1,013	3.46
2023/02/10	15,750	15,800	15,440	15,490	-2.88	73,32	22,42	-10,246	-12,318	-4,733	-14,709	3.44

9. 저점에서 공매도 차트

하이트진로: 코로나 때도 잘 팔렸던 주요 주류들의 출고량이 하락세에 접어들었다. 최근에는 위스키와 프리미엄 소주들이 인기다.

하이트진로 일별주가 (일자 2023/03/26, 수량(주))

일자	시가	고가	저가	종가	등락률	거래량	개인	기관	외인(수량)	외국계	프로그램	외인비
2023/03/24	21,400	21,550	21,200	21,350	-0.23	311,83	123,59	-10,181	-84,473	-101,337	-90,751	11.03
2023/02/13	25,650	25,750	25,200	25,650	+0.39	143,19	25,41	-11,502	-14,097	-17,313	-21,383	13.22
2023/02/10	25,800	25,950	25,450	25,550	-0.78	178,48	35,53	-14,385	-20,312	-27,234	-15,890	13.24
2023/02/09	25,750	26,000	25,700	25,750	-0.39	169,53	12,73	-37,414	24,591	42,192	15,237	13.27
2023/02/08	25,900	26,000	25,750	25,850	-0.19	196,70	42,95	-48,045	-40,886	-2,159	16,828	13.24
2023/02/07	26,100	26,250	25,800	25,900	-0.77	147,64	63,87	-28,782	-30,258	-23,570	-36,033	13.29
2023/02/06	26,050	26,350	25,700	26,100	-0.19	139,55	3,67	-15,993	61,438	-8,790	-4,393	13.34
2023/02/03	25,950	26,300	25,650	26,150	+0.58	183,43	7,35	-6,412	3,654	-22,324	115	13.25
2023/02/02	26,300	26,550	25,900	26,000	0	221,77	37,17	2,257	-44,683	-50,936	-20,523	13.24

10. 저점에서 공매도 차트

한국가스공사: 유가와 천연가스 가격이 하락했다. 9조원 정도 미수금 증가 등을 감안한 목표주가 하향에 주가 역시 하락세를 보이고 있다.

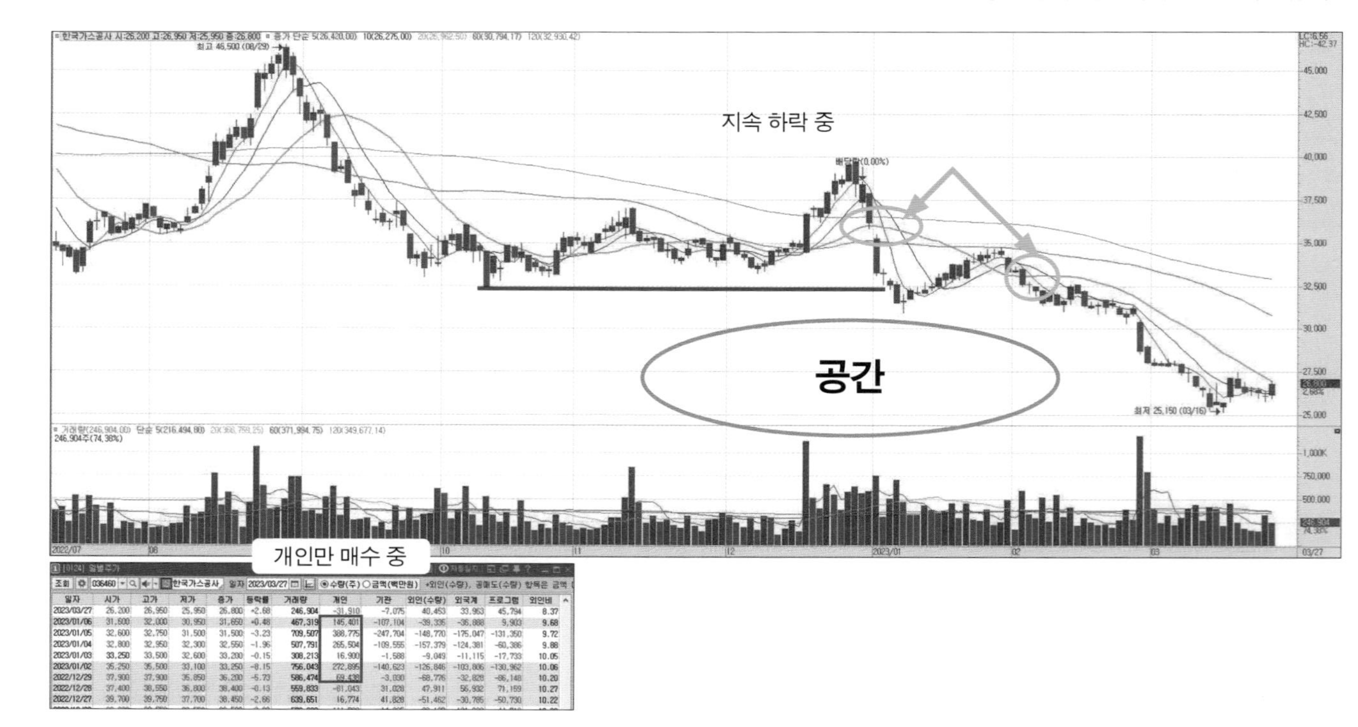

일자	시가	고가	저가	종가	등락률	거래량	개인	기관	외인(수량)	외국계	프로그램	외인비
2023/03/27	26,200	26,950	25,950	26,800	+2.68	246,904	-31,910	-7,075	40,453	33,963	45,794	8.37
2023/01/06	31,600	32,000	30,950	31,650	+0.48	467,319	145,401	-107,104	-39,335	-36,888	9,903	9.68
2023/01/05	32,600	32,750	31,500	31,500	-3.23	709,507	388,775	-247,704	-148,770	-175,047	-131,350	9.72
2023/01/04	32,800	32,950	32,300	32,550	-1.96	507,791	265,504	-109,555	-157,379	-124,381	-60,386	9.88
2023/01/03	33,250	33,500	32,600	33,200	-0.15	308,213	16,900	-1,588	-9,049	-11,115	-17,733	10.05
2023/01/02	35,250	35,500	33,100	33,250	-8.15	756,043	272,895	-140,623	-126,846	-103,806	-130,962	10.06
2022/12/29	37,900	37,900	35,850	36,200	-5.73	586,474	69,438	-3,030	-68,776	-32,828	-86,148	10.20
2022/12/28	37,400	38,550	36,800	38,400	-0.13	559,833	-81,043	31,028	47,911	56,932	71,159	10.27
2022/12/27	39,700	39,750	37,700	38,450	-2.66	639,651	16,774	41,828	-51,462	-30,785	-50,730	10.22

11. 저점에서 공매도 차트

에스디바이오센서: 2022년 9월 전년 동기 대비 연결기준 매출액은 10% 증가, 영업이익은 0% 증가, 당기순이익은 26.2% 증가했다. 달러화의 급등으로 메리디언 인수대금 부담이 증가되었지만, 인수를 통해 US FDA 승인 가속화를 위한 역량을 확보해 나가고 있다. 앤데믹 체제 전환으로 인해 코로나19 진단키트 수요도 감소할 전망이다.

일자	시가	고가	저가	종가	등락률	거래량	개인	기관	외인(수량)	외국계	프로그램	외인비
2023/03/27	21,250	21,700	20,650	21,350	+0.71	288,07	1,76	7,664	302	54,196	-17,543	15.06
2023/03/03	23,050	23,150	22,750	22,900	+0.22	304,93	18,15	-3,101	-13,926	-39,574	-17,303	14.87
2023/03/02	23,200	23,550	22,650	22,850	-0.65	434,12	58,75	-8,688	38,024	-31,190	-60,690	14.88
2023/02/28	23,600	24,000	22,700	23,000	-2.75	583,54	105,23	-18,467	-90,900	-148,712	-86,652	14.85
2023/02/27	24,050	24,150	23,250	23,650	-1.66	274,14	-86	-16,700	101,423	28,069	15,377	14.93
2023/02/24	25,100	25,250	23,500	24,050	-4.18	754,60	108,66	-39,091	-54,849	-129,467	-57,766	14.84
2023/02/23	25,850	26,100	25,100	25,100	-2.71	376,04	83,95	4,743	-72,991	-65,120	-106,023	14.89
2023/02/22	26,500	26,800	25,600	25,800	-4.09	344,85	100,56	-20,537	-68,562	-19,990	-92,093	14.96
2023/02/21	27,600	28,450	26,100	26,900	-5.61	560,66	146,28	33,674	-181,725	-100,887	-180,794	15.03

12. 저점에서 공매도 차트

SK케미칼: 주가가 1년 동안 절반 가까이 하락했다. 상장사 물적분할 논란이 대두된 게 주된 영향을 미쳤다(물적분할한 백신전문기업 SK바이오사이언스의 상장으로 SK케미칼에 대한 매수 수요가 줄었고 주가 하락으로 이어졌다).

5

급락에서 첫 양봉 기법 차트

급락에서 첫 양봉 차트의 특징

첫째, 단기간에 큰 하락이 나오면 좋다.
둘째, 시가총액이 큰 종목 위주로만 적용한다.
셋째, 하루에 2~3종목 고른다. 지수급락한 날 더 자세히 본다.
넷째, 타깃 종목은 오후 3시가 넘어 양봉이 완성되는 것을 보고 매수한다.
다섯째, 다음 날 상승하지 않으면 칼 같은 손절매를 한다.
여섯째, 양봉 다음 날 봉이 앞의 양봉의 저점을 깨지 않아야 한다.
일곱째, 기관이나 외인이 물량을 매수해두었을 경우 평균단가가 있어 지수가 하락할때 급락했다가도 상승시키기 때문에 단기간 수익이 날 수 있다.

1. 급락 후 첫 양봉 차트

아이에스동서: 건설회사로 2019년 국내 폐자동차 해체, 파체 재활용 1위 업체인 인선모터스를 인수함. 2021년 2차전지 재활용 기업에 지분 투자하다가 TMC 100% 지분인수, 2022년 이차전지 원재료 추출 최고 기술 리씨온(Lithion)의 지분 확보 국내 독점 사업권 계약했다.

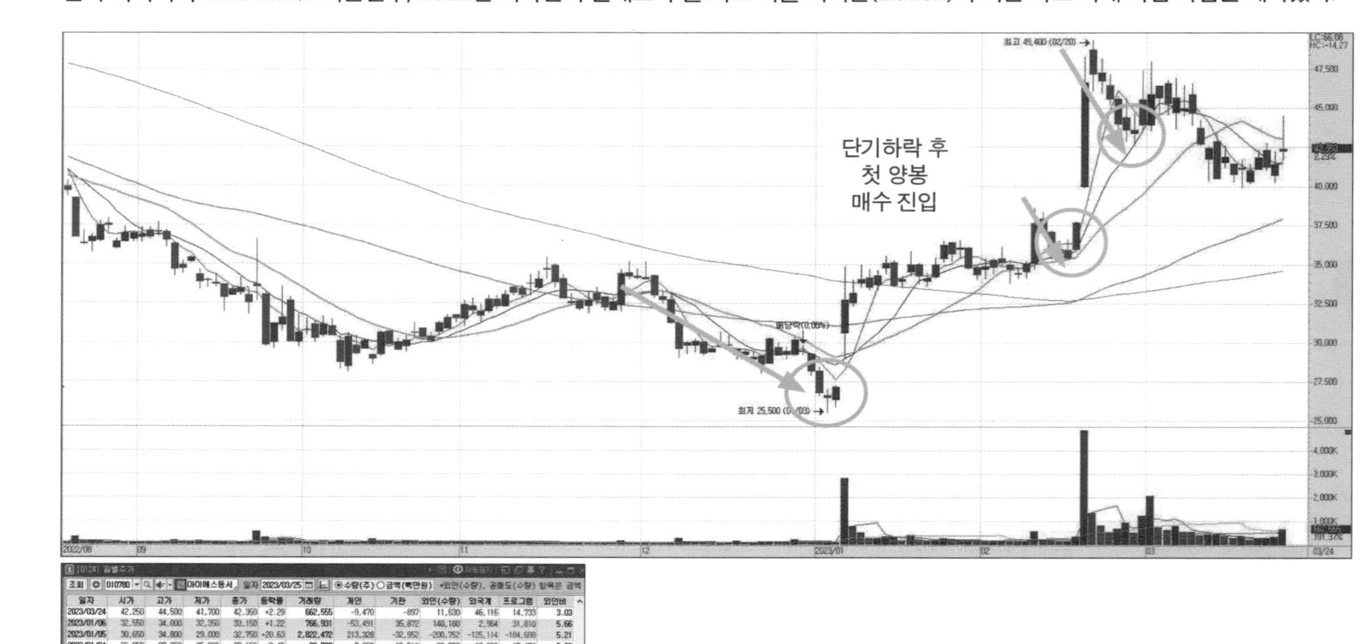

[0124] 일별주가

조회 | 010780 | 아이에스동서 | 일자 2023/03/25 | ⊙수량(주) ○금액(백만원) | *외인(수량), 공매도(수량) 항목은 금액

일자	시가	고가	저가	종가	등락률	거래량	개인	기관	외인(수량)	외국계	프로그램	외인비
2023/03/24	42,250	44,500	41,700	42,350	+2.29	662,555	-9,470	-897	11,630	46,116	14,733	3.03
2023/01/06	32,550	34,000	32,350	33,150	+1.22	766,931	-53,491	35,872	140,180	2,964	31,810	5.66
2023/01/05	30,650	34,800	29,000	32,750	+20.63	2,822,472	213,328	-32,952	-200,752	-125,114	-184,608	5.21
2023/01/04	26,350	27,250	25,900	27,150	+2.45	80,780	7,392	-26,513	29,099	13,369	17,478	5.86
2023/01/03	26,600	27,000	25,500	26,500	-1.12	115,753	-2,352	-10,978	13,649	18,525	11,500	5.76
2023/01/02	28,200	28,450	26,600	26,800	-4.96	100,855	3,352	-4,161	19,066	-567	-1,771	5.72
2022/12/29	29,300	29,350	27,900	28,200	-4.41	140,473	46,429	-18,191	-53,569	-13,133	-36,350	5.66
2022/12/28	29,500	29,850	29,250	29,500	-2.32	148,370	78,066	-56,195	-27,292	-2,803	-20,279	5.83
2022/12/27	29,250	30,400	29,200	30,200	+3.25	191,853	-34,642	16,818	35,185	15,788	27,885	5.92

2. 급락 후 첫 양봉 차트

S-Oil: S-Oil은 국제유가와 경제상황에 따라서 실적이 크게 변동하는 종목으로 주가도 변동하는 특성이 있다.

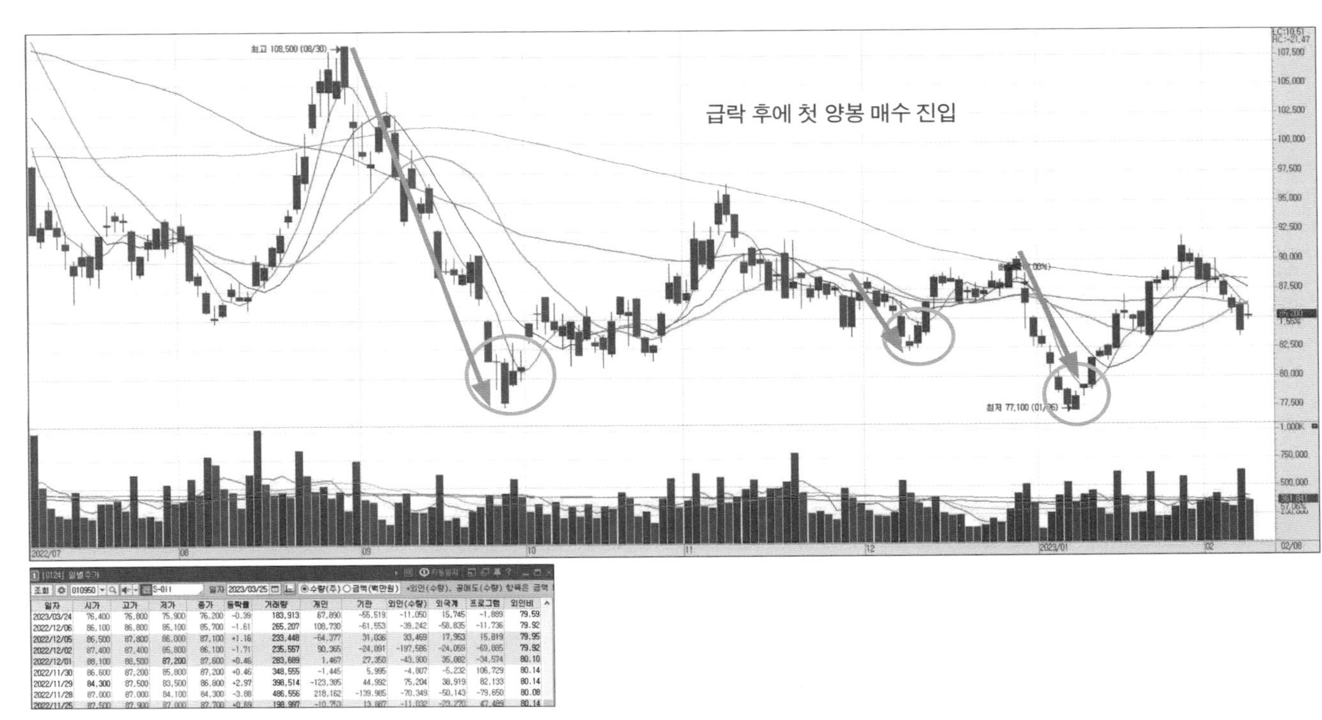

[0124] 일별주가

조회 010950 S-Oil 일자 2023/03/25 ⦿수량(주) ○금액(백만원) *외인(수량), 공매도(수량) 항목은 금액

일자	시가	고가	저가	종가	등락률	거래량	개인	기관	외인(수량)	외국계	프로그램	외인비
2023/03/24	76,400	76,800	75,900	76,200	-0.39	183,913	67,890	-55,519	-11,050	15,745	-1,889	79.59
2022/12/06	86,100	86,800	85,100	85,700	-1.61	265,207	108,730	-61,553	-39,242	-58,835	-11,736	79.92
2022/12/05	86,500	87,800	86,000	87,100	+1.16	233,448	-64,377	31,036	33,469	17,953	15,819	79.95
2022/12/02	87,400	87,400	85,800	86,100	-1.71	235,557	90,365	-24,091	-197,586	-24,059	-69,885	79.92
2022/12/01	88,100	88,500	87,200	87,600	+0.46	283,689	1,467	27,350	-43,900	35,082	-34,574	80.10
2022/11/30	86,600	87,200	85,800	87,200	+0.46	348,555	-1,445	5,995	-4,807	-5,232	106,729	80.14
2022/11/29	84,300	87,500	83,500	86,800	+2.97	398,514	-123,385	44,992	75,204	38,919	82,133	80.14
2022/11/28	87,000	87,000	84,100	84,300	-3.88	486,556	218,162	-139,985	-70,349	-50,143	-79,650	80.08
2022/11/25	87,500	87,900	87,000	87,700	+0.69	198,997	-10,753	13,887	-11,032	-23,270	47,489	80.14

3. 급락 후 첫 양봉 차트

기업은행: 라임펀드와 디스커버리 펀드 관련. 운용사가 제시한 투자제안서와 허위 부실기재된 상품자료 등의 내용을 그대로 설명함으로써 투자자의 착오를 유발했다고 인정했다. 그리고 투자자들의 손실금 보상을 보장했다.

일자	시가	고가	저가	종가	등락률	거래량	개인	기관	외인(수량)	외국계	프로그램	외인비
2023/03/24	9,720	9,760	9,630	9,640	-1.33	887,396	388,360	-323,525	-92,762	-23,545	-185,855	13.67
2023/01/04	9,440	9,760	9,440	9,730	+1.78	1,204,082	-95,203	83,436	16,647	25,979	103,837	12.81
2023/01/03	9,390	9,570	9,390	9,560	+1.06	1,245,699	92,732	-128,232	564,329	-22,792	150,162	12.81
2023/01/02	9,850	10,050	9,460	9,460	-3.67	2,343,823	583,454	-776,030	-106,177	236,627	-91,464	12.74
2022/12/29	9,960	9,970	9,790	9,820	-1.80	2,097,846	209,363	-449,405	239,132	363,500	201,105	12.75
2022/12/28	10,450	10,500	9,990	10,000	-10.71	6,172,167	3,752,419	-2,087,144	-1,513,953	1,028,366	1,466,246	12.72
2022/12/27	11,050	11,200	11,000	11,200	+1.36	4,837,055	-1,825,244	1,117,848	-427,754	104,537	514,790	13.83
2022/12/26	11,100	11,150	11,000	11,050	-0.45	1,649,813	-41,180	374,107	-366,320	-194,042	-292,008	13.89
2022/12/23	11,050	11,200	10,950	11,100	0	2,089,453	-1,070,316	836,311	-35,382	133,374	403,729	13.94

4. 급락 후 첫 양봉 차트

SK하이닉스: 반도체는 실적 부진과 재고 부담 등으로 낙폭을 만회하지 못하고 있다. 심지어 D램의 평균 판매가격이 전년 동기 대비 23%~28% 하락할 것으로 보인다.

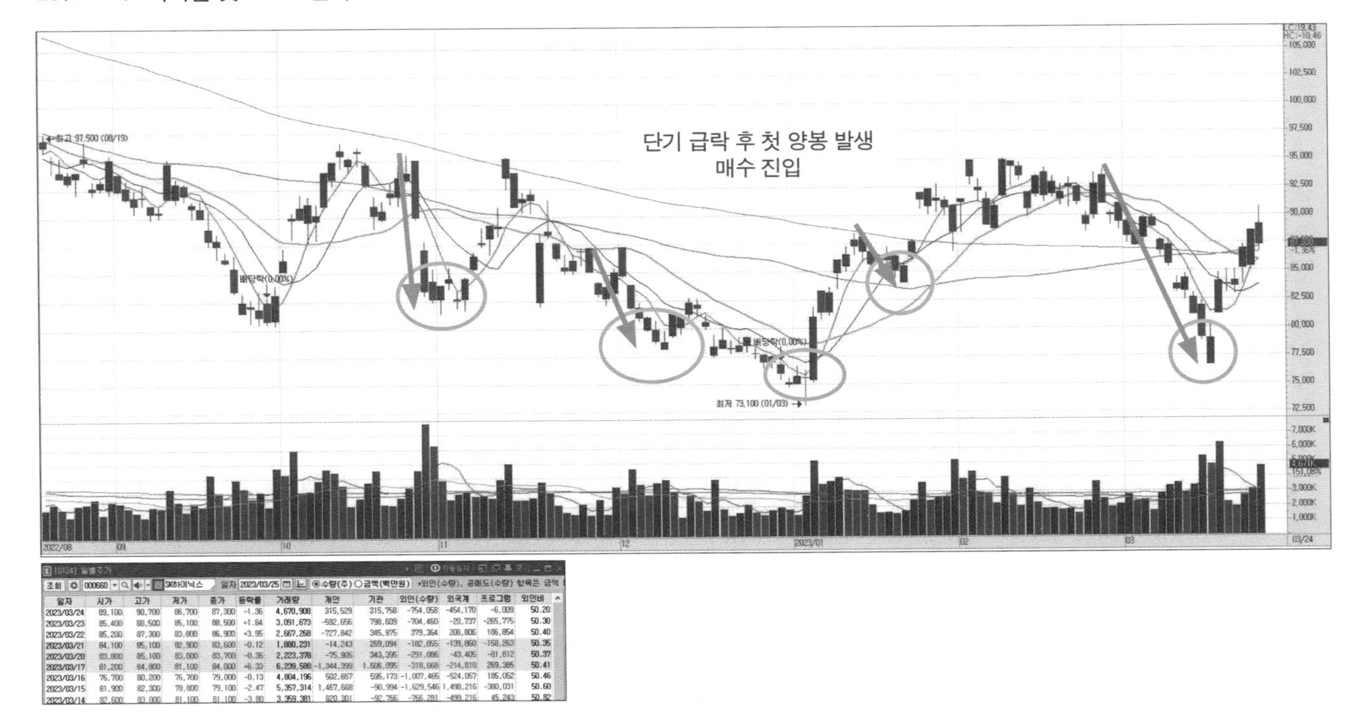

일자	시가	고가	저가	종가	등락률	거래량	개인	기관	외인(수량)	외국계	프로그램	외인비
2023/03/24	89,100	90,700	86,700	87,300	-1.36	4,670,908	315,529	315,758	-754,058	-454,170	-6,009	50.20
2023/03/23	85,400	88,500	85,100	88,500	+1.84	3,091,673	-592,656	798,609	-704,460	-20,737	-265,775	50.30
2023/03/22	85,200	87,300	83,800	86,900	+3.95	2,667,268	-727,842	345,975	379,364	208,806	186,854	50.40
2023/03/21	84,100	85,100	82,900	83,600	-0.12	1,880,231	-14,243	269,094	-182,055	-139,860	-158,263	50.35
2023/03/20	83,800	85,100	83,000	83,700	-0.36	2,223,378	-75,905	343,395	-291,086	-43,405	-81,812	50.37
2023/03/17	81,200	84,800	81,100	84,000	+6.33	6,239,588	-1,344,399	1,606,095	-318,668	-214,810	269,385	50.41
2023/03/16	76,700	80,200	76,700	79,000	-0.13	4,804,196	502,657	595,173	-1,007,465	-524,057	185,052	50.46
2023/03/15	81,900	82,300	78,800	79,100	-2.47	5,357,314	1,467,668	-90,994	-1,629,546	1,498,216	-380,031	50.60
2023/03/14	82,600	83,000	81,100	81,100	-3.80	3,359,381	820,301	-92,766	-766,281	-499,216	45,243	50.82

5. 급락 후 첫 양봉 차트

대주전자재료: 2차전지 실리콘 음극재를 만드는 테마 관련주로, 주행거리를 늘리기 위해 음극재 수주가 늘어날 전망이다.

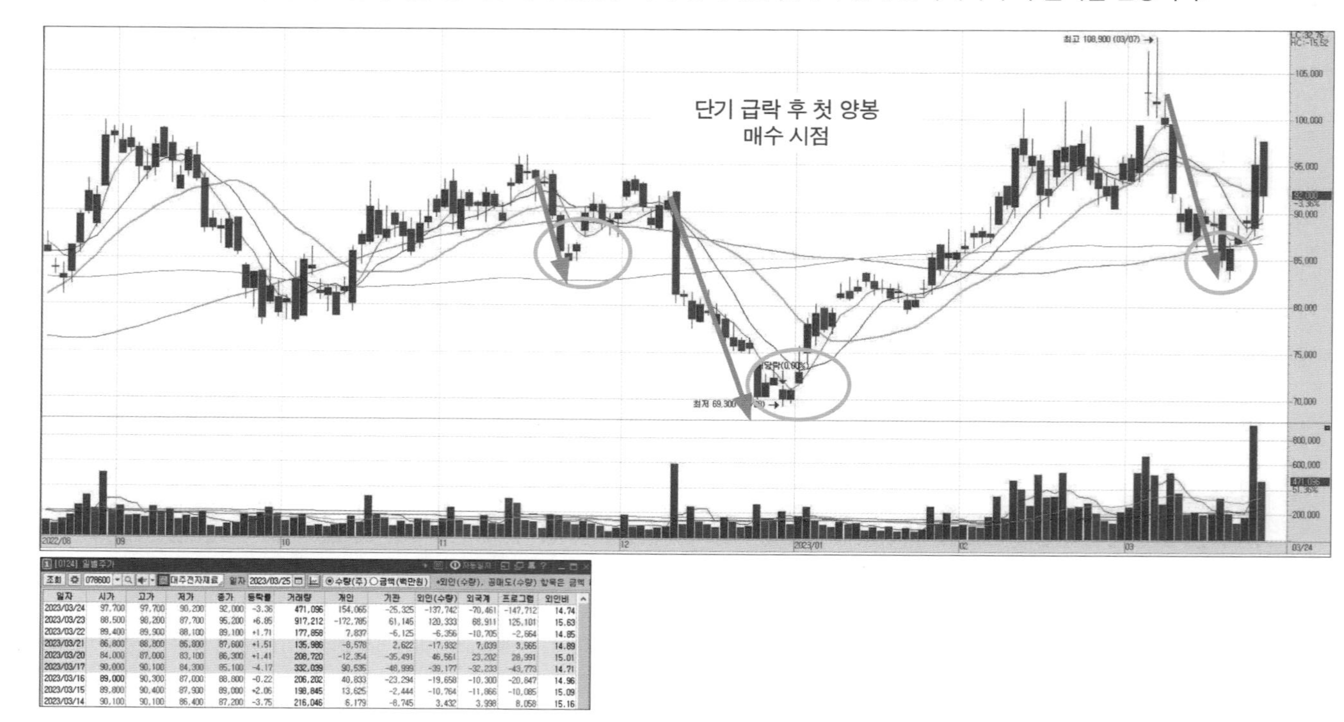

일자	시가	고가	저가	종가	등락률	거래량	개인	기관	외인(수량)	외국계	프로그램	외인비
2023/03/24	97,700	97,700	90,200	92,000	-3.36	471,096	154,065	-25,325	-137,742	-70,461	-147,712	14.74
2023/03/23	88,500	98,200	87,700	95,200	+6.85	917,212	-172,785	61,145	120,333	68,911	125,101	15.63
2023/03/22	89,400	89,900	88,100	89,100	+1.71	177,858	7,837	-6,125	-6,356	-10,705	-2,664	14.85
2023/03/21	86,800	88,800	86,800	87,600	+1.51	135,986	-8,578	2,622	-17,932	7,039	3,565	14.89
2023/03/20	84,000	87,000	83,100	86,300	+1.41	208,720	-12,354	-35,491	46,561	23,202	28,991	15.01
2023/03/17	90,000	90,100	84,300	85,100	-4.17	332,039	90,535	-48,999	-39,177	-32,233	-43,773	14.71
2023/03/16	89,000	90,300	87,000	88,800	-0.22	206,202	40,833	-23,294	-19,658	-10,300	-20,847	14.96
2023/03/15	89,800	90,400	87,900	89,000	+2.06	198,845	13,625	-2,444	-10,764	-11,866	-10,085	15.09
2023/03/14	90,100	90,100	86,400	87,200	-3.75	216,046	6,179	-8,745	3,432	3,998	8,058	15.16

6. 급락 후 첫 양봉 차트

우리금융지주: 금리 상승과 경기 침체로 인한 대출 건전성 악화 우려가 있어 금리 상승에도 불구하고 은행들의 실질적 이익이 많지 않다고 한다.

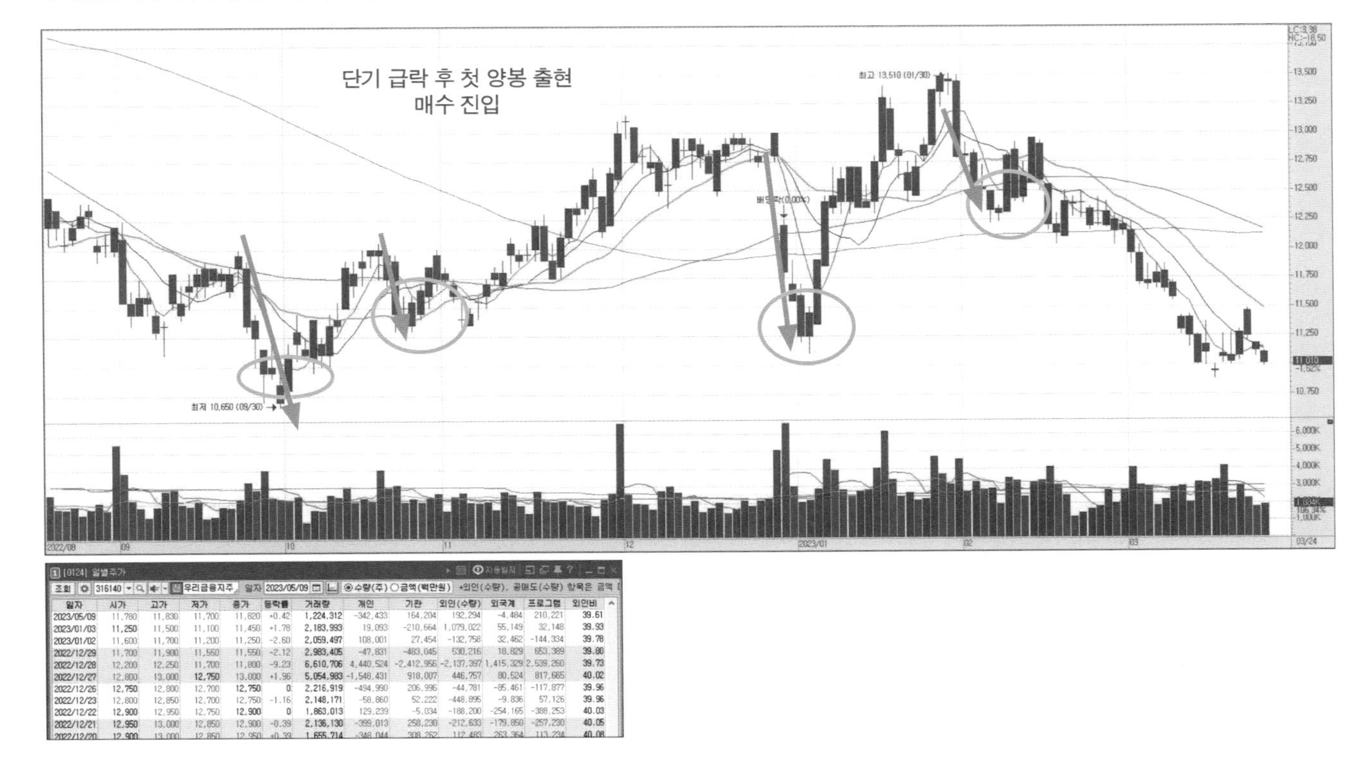

일자	시가	고가	저가	종가	등락률	거래량	개인	기관	외인(수량)	외국계	프로그램	외인비
2023/05/09	11,780	11,830	11,700	11,820	+0.42	1,224,312	-342,433	164,204	192,294	-4,484	210,221	39.61
2023/01/03	11,250	11,500	11,100	11,450	+1.78	2,183,993	19,093	-210,664	1,079,022	55,149	32,148	39.93
2023/01/02	11,600	11,700	11,200	11,250	-2.60	2,059,497	108,001	27,454	-132,758	32,462	-144,334	39.78
2022/12/29	11,700	11,900	11,550	11,550	-2.12	2,983,405	-47,831	-483,045	530,216	18,829	653,389	39.80
2022/12/28	12,200	12,250	11,700	11,800	-9.23	6,610,706	4,440,524	-2,412,956	-2,137,397	1,415,329	2,539,260	39.73
2022/12/27	12,800	13,000	12,750	13,000	+1.96	5,054,983	-1,548,431	918,007	446,757	80,524	817,665	40.02
2022/12/26	12,750	12,800	12,700	12,750	0	2,216,919	-494,990	206,996	-44,781	-85,461	-117,877	39.96
2022/12/23	12,800	12,850	12,700	12,750	-1.16	2,148,171	-58,860	52,222	-448,895	-9,836	57,126	39.96
2022/12/22	12,900	12,950	12,750	12,900	0	1,863,013	129,239	-5,034	-188,200	-254,165	-388,253	40.03
2022/12/21	12,950	13,000	12,850	12,900	-0.39	2,136,130	-399,013	258,230	-212,633	-179,850	-257,230	40.05
2022/12/20	12,900	13,000	12,850	12,950	+0.39	1,655,714	-348,044	308,262	112,483	263,364	113,234	40.08

7. 급락 후 첫 양봉 차트

솔브레인홀딩스: 삼성전자가 지분을 보유했다는 소식 이후 주가가 급상승했다. 하지만 삼성전자의 반도체 영업이익이 13년 만에 적자 전망에 따라 급등락을 보였다.

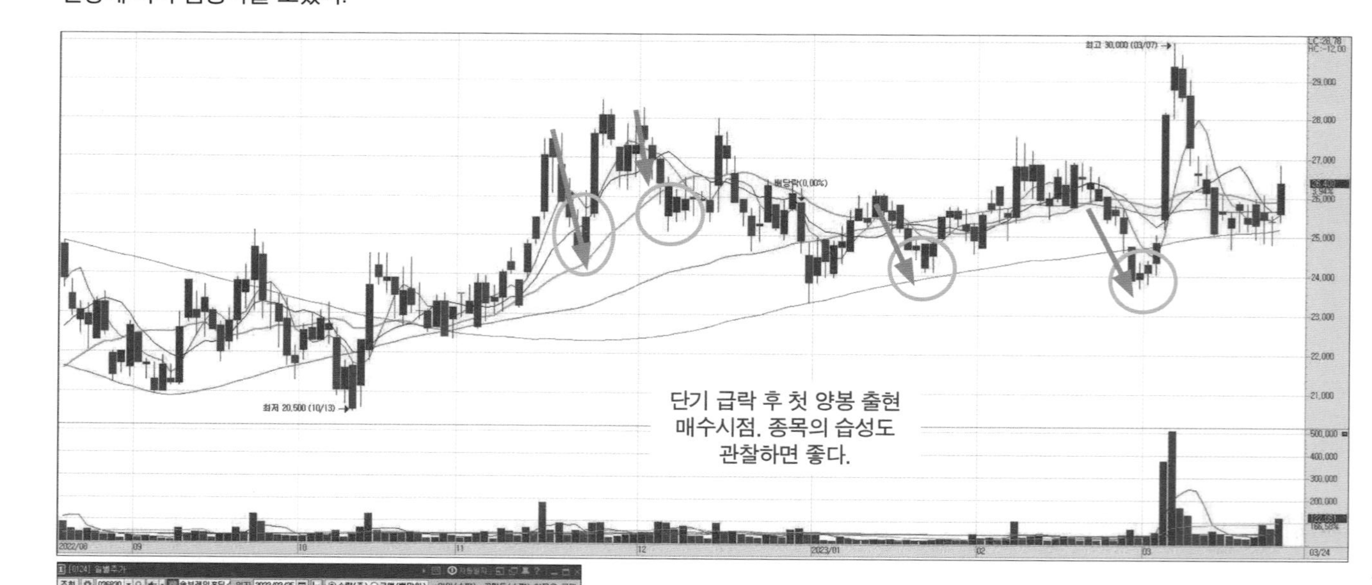

일자	시가	고가	저가	종가	등락률	거래량	개인	기관	외인(수량)	외국계	프로그램	외인비
2023/03/24	25,600	26,850	25,400	26,400	+9.94	122,061	-37,494	31,771	800	5,165	5,071	4.11
2022/12/07	25,600	26,200	25,350	26,000	-1.33	60,333	-3,008	3,436	30,576	826	-424	4.02
2022/12/06	25,500	26,500	25,100	26,350	0	91,813	2,287	-6,015	-4,860	-650	-5,233	3.88
2022/12/05	26,950	27,000	25,800	26,350	-2.23	94,992	-19,470	683	29,647	10,640	26,721	3.90
2022/12/02	27,300	27,500	26,450	26,950	-1.82	46,169	12,627	-8,565	-8,458	807	-7,751	3.76
2022/12/01	27,800	28,300	27,000	27,450	+0.55	48,208	-3,906	6,269	7,245	5,273	7,075	3.80
2022/11/30	27,100	27,900	26,500	27,300	0	43,915	2,256	-2,528	-1,144	-1,959	-1,027	3.76
2022/11/29	26,650	27,850	26,200	27,300	+2.44	34,802	-1,818	899	1,458	-427	850	3.77
2022/11/28	27,250	27,250	26,250	26,650	-2.91	29,561	8,198	-6,262	-675	2	-1,693	3.76

8. 급락 후 첫 양봉 차트

호텔신라: 현재 국내 면세점 업계 순위는 롯데, 신라, 신세계, 현대백화점순이다. 매출의 대부분이 면세점 매출이라 면세점에 전력투구하는 중이다.

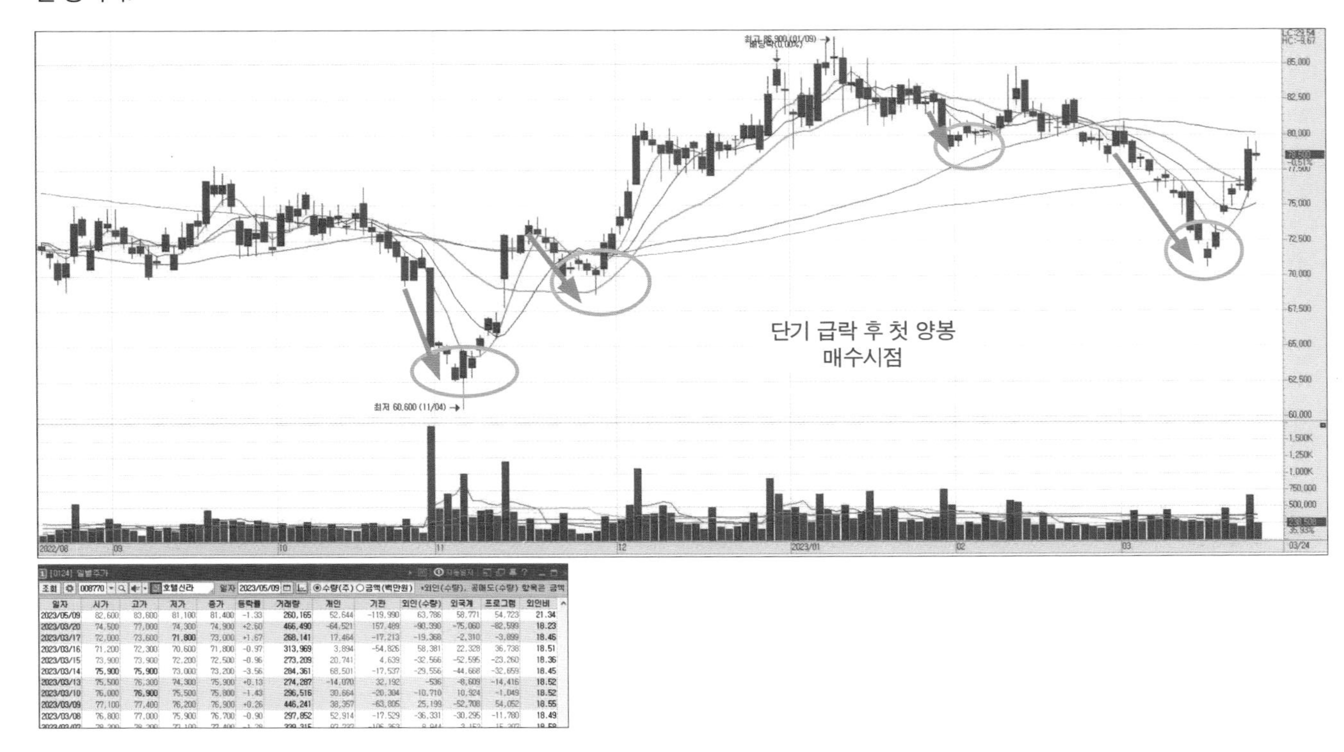

일자	시가	고가	저가	종가	등락률	거래량	개인	기관	외인(수량)	외국계	프로그램	외인비
2023/05/09	82,600	83,600	81,100	81,400	-1.33	260,165	52,644	-119,990	63,786	58,771	54,723	21.34
2023/03/20	74,500	77,000	74,300	74,900	+2.60	466,490	-64,521	157,489	-90,390	-75,060	-82,599	18.23
2023/03/17	72,000	73,600	71,800	73,000	+1.67	268,141	17,464	-17,213	-19,368	-2,310	-3,899	18.45
2023/03/16	71,200	72,300	70,600	71,800	-0.97	313,969	3,894	-54,826	58,381	22,328	36,738	18.51
2023/03/15	73,900	73,900	72,200	72,500	-0.96	273,209	20,741	4,639	-32,566	-52,595	-23,260	18.36
2023/03/14	75,900	75,900	73,000	73,200	-3.56	284,361	68,501	-17,537	-29,556	-44,668	-32,659	18.45
2023/03/13	75,500	76,300	74,300	75,900	+0.13	274,287	-14,070	32,192	-536	-8,609	-14,416	18.52
2023/03/10	76,000	76,900	75,500	75,800	-1.43	296,516	30,664	-20,304	-10,710	10,924	-1,049	18.52
2023/03/09	77,100	77,400	76,200	76,900	+0.26	446,241	38,357	-63,805	25,199	-52,708	54,052	18.55
2023/03/08	76,800	77,000	75,900	76,700	-0.90	297,852	52,914	-17,529	-36,331	-30,295	-11,780	18.49

9. 급락 후 첫 양봉 차트

삼성SDI: 전기차의 미래가 주가에 반영되었고 전기 관련 테마주는 고점에서 횡보 중이다. 전기차 상용화까지는 아직이다.

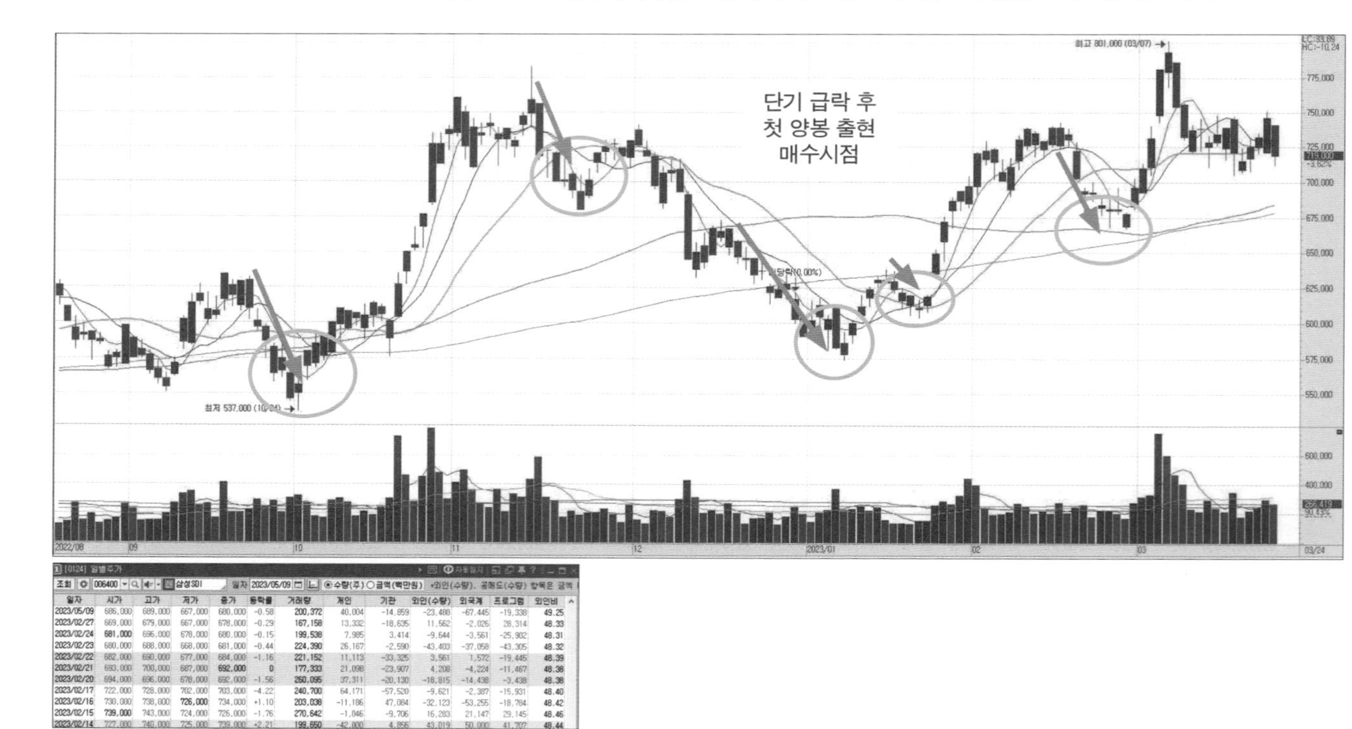

일자	시가	고가	저가	종가	등락률	거래량	개인	기관	외인(수량)	외국계	프로그램	외인비
2023/05/09	686,000	689,000	667,000	680,000	-0.58	200,372	40,004	-14,859	-23,488	-67,445	-19,338	49.25
2023/02/27	669,000	679,000	667,000	678,000	-0.29	167,158	13,332	-18,635	11,562	-2,026	28,314	48.33
2023/02/24	681,000	696,000	678,000	680,000	-0.15	199,538	7,985	3,414	-9,644	-3,561	-25,902	48.31
2023/02/23	680,000	688,000	668,000	681,000	-0.44	224,390	26,167	-2,590	-43,403	-37,058	-43,305	48.32
2023/02/22	682,000	690,000	677,000	684,000	-1.16	221,152	11,113	-33,325	3,561	1,572	-19,445	48.39
2023/02/21	693,000	700,000	687,000	692,000	0	177,333	21,098	-23,907	4,208	-4,224	-11,467	48.38
2023/02/20	694,000	696,000	678,000	692,000	-1.56	260,095	37,311	-20,130	-18,815	-14,438	-3,438	48.38
2023/02/17	722,000	728,000	702,000	703,000	-4.22	240,700	64,171	-57,520	-9,621	-2,387	-15,931	48.40
2023/02/16	730,000	738,000	726,000	734,000	+1.10	203,038	-11,186	47,084	-32,123	-53,255	-18,784	48.42
2023/02/15	739,000	743,000	724,000	726,000	-1.76	270,642	-1,046	-9,706	16,283	21,147	29,145	48.46
2023/02/14	727,000	740,000	725,000	739,000	+2.21	199,650	-42,000	4,856	43,019	50,000	41,707	48.44

10. 급락 후 첫 양봉 차트

LG에너지솔루션: EV(전기차)와 ESS, IT기기, LEV 등에 적용되는 전지 관련 작품의 연구, 개발, 제조, 판매하는 사업을 영위하고 있다.

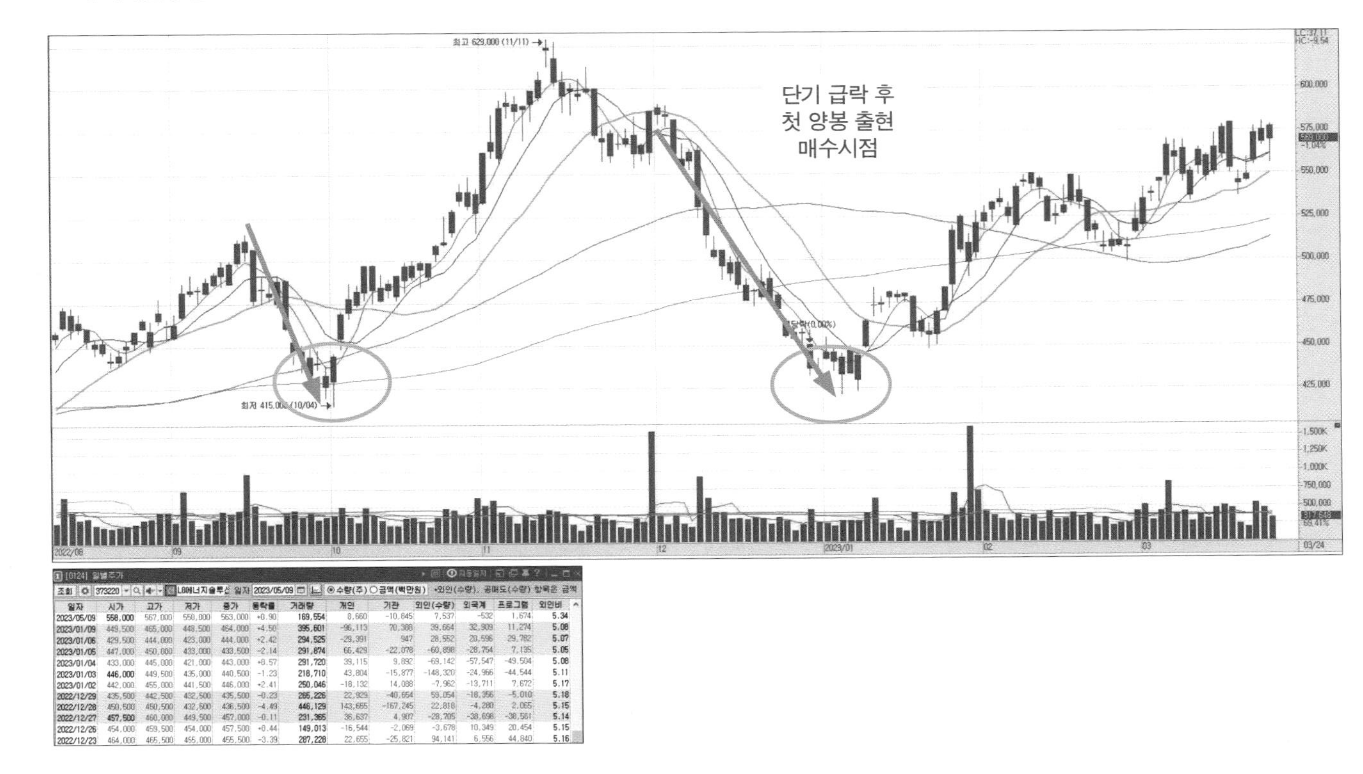

일자	시가	고가	저가	종가	등락률	거래량	개인	기관	외인(수량)	외국계	프로그램	외인비
2023/05/09	558,000	567,000	550,000	563,000	+0.90	169,554	8,660	-10,845	7,537	-532	1,674	5.34
2023/01/09	449,500	465,000	448,500	464,000	+4.50	395,601	-96,113	70,388	39,664	32,909	11,274	5.08
2023/01/06	429,500	444,000	423,000	444,000	+2.42	294,525	-29,391	947	28,552	20,596	29,782	5.07
2023/01/05	447,000	450,000	433,000	433,500	-2.14	291,874	66,429	-22,078	-60,898	-28,754	7,135	5.05
2023/01/04	433,000	445,000	421,000	443,000	+0.57	291,720	39,115	9,892	-69,142	-57,547	-49,504	5.08
2023/01/03	446,000	449,500	435,000	440,500	-1.23	218,710	43,804	-15,877	-148,320	-24,966	-44,544	5.11
2023/01/02	442,000	455,000	441,500	446,000	+2.41	250,046	-18,132	14,088	-7,962	-13,711	7,672	5.17
2022/12/29	435,500	442,500	432,500	435,500	-0.23	265,226	22,929	-40,654	59,054	-18,356	-5,010	5.18
2022/12/28	450,500	450,500	432,500	436,500	-4.49	446,129	143,655	-167,245	22,818	-4,280	2,065	5.15
2022/12/27	457,500	460,000	449,500	457,000	-0.11	231,365	36,637	4,907	-28,705	-38,698	-38,561	5.14
2022/12/26	454,000	459,500	454,000	457,500	+0.44	149,013	-16,544	-2,069	-3,678	10,349	20,454	5.15
2022/12/23	464,000	465,500	455,000	455,500	-3.39	287,228	22,655	-25,821	94,141	6,556	44,840	5.16

실전 매수매도 기법

초판 1쇄 발행 2023년 6월 8일
초판 5쇄 발행 2023년 12월 27일

지은이 김영옥(데이짱)

펴낸곳 (주)이레미디어
전화 031-908-8516(편집부), 031-919-8511(주문 및 관리) | **팩스** 0303-0515-8907
주소 경기도 파주시 문예로 21, 2층
홈페이지 www.iremedia.co.kr | **이메일** mango@mangou.co.kr
등록 제396-2004-35호

편집 정은아, 주혜란, 이병철 | **디자인** 이유진 | **마케팅** 김하경
재무총괄 이종미 | **경영지원** 김지선

ISBN 979-11-91328-80-6 03320

·가격은 뒤표지에 있습니다.
·잘못된 책은 구입하신 서점에서 교환해드립니다.
·이 책은 투자 참고용이며, 투자 손실에 대해서는 법적 책임을 지지 않습니다.

당신의 소중한 원고를 기다립니다.
mango@mangou.co.kr